DE STRIPPER

D0709284

20. 07. 2007

Brian Freeman

DE STRIPPER

the house of books

20. 07. 2007

Oorspronkelijke titel
Stripped
Uitgave
Headline Book Publishing, Londen
Copyright © 2006 by Brian Freeman
Copyright voor het Nederlandse taalgebied © 2007 by The House of Books, Vianen/Antwerpen

Vertaling
Paul Heijman
Omslagontwerp
Studio Jan de Boer BNO, Amsterdam
Omslagfoto
Image Select
Foto auteur
Marcia A. Freeman
Opmaak binnenwerk
ZetSpiegel, Best

All rights reserved.
Niets uit deze uitgave mag worden verveelvoudigd en/of openbaar gemaakt door middel van druk, fotokopie, microfilm of op welke andere wijze ook, zonder voorafgaande schriftelijke toestemming van de uitgever.

ISBN 978 90 443 1915 6
D/2007/8899/132
NUR 332

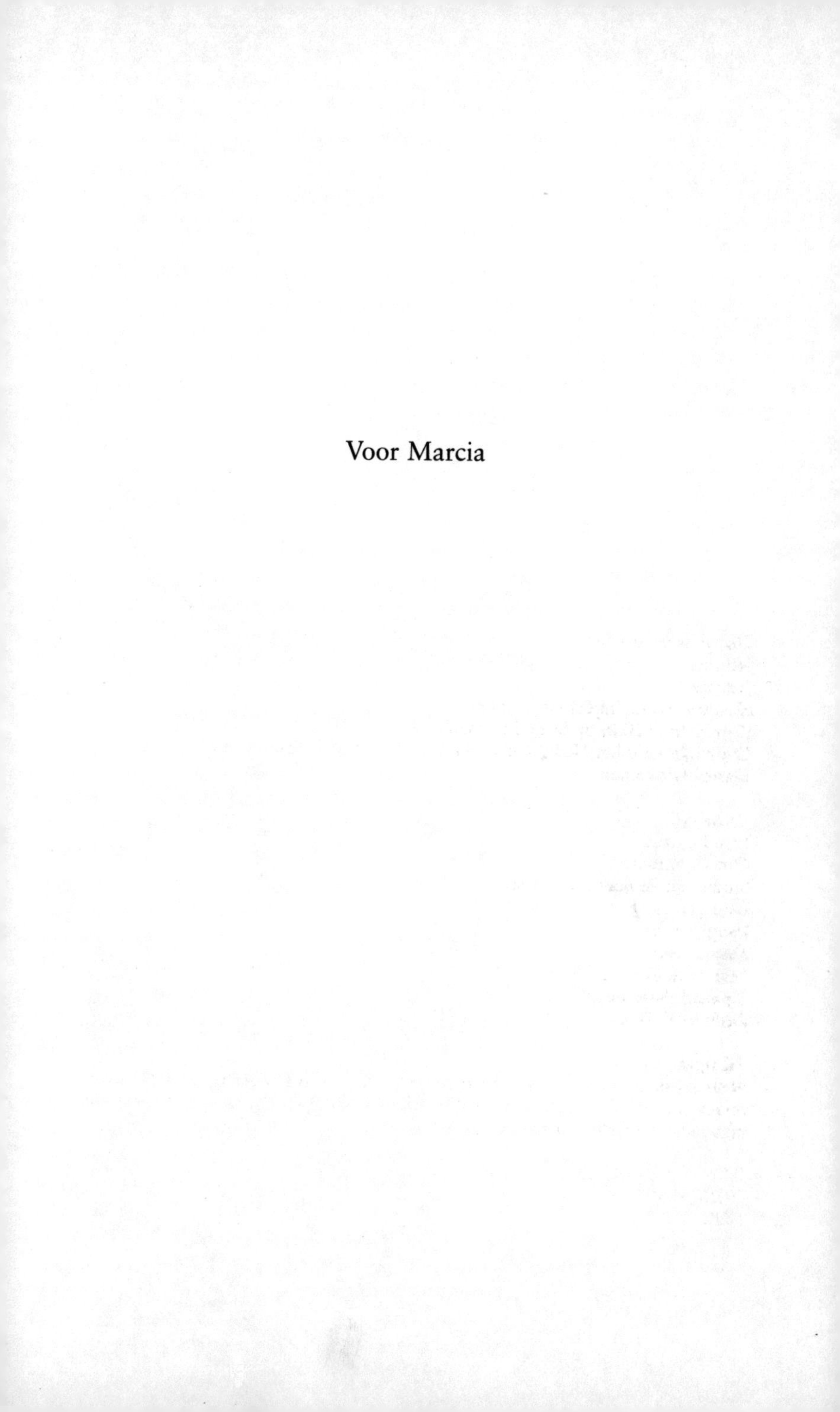

Voor Marcia

'Moeten misdaden beslist worden gestraft
door andere misdaden, en grotere misdadigers?'

– Byron

Proloog

Ze liet de ochtendjas van haar schouders glijden, en de witte zijde plooide zich tot een harmonica aan haar voeten.

Haar naakte lichaam werd een veldslag van kleuren, badend in het neonlicht dat hoog boven het ommuurde dakterras uittorende. Boven haar spelden reusachtige letters de naam *Sheherezade* in rood en groen. Het licht plensde over haar huid en maakte psychedelische graffiti op de urnen, fonteinen en dadelpalmen die het terras sierden als was het een paleis in Marokko.

De stad bestond bij de gratie van licht. Felle neonletters verlichtten de vallei, maar de namen die ze vormden, vertelden de waarheid over de plaats waar ze stonden. The Sands. The Dunes. The Frontier. Voorposten in niemandsland. Plaatsen die bescherming boden tegen stof en zon.

Daar waar het neonlicht niet kwam, was het dak van de Sheherezade donker, zo zwart als de woestijn die aan de rand van de Strip op de loer lag. Ze had geen oog voor het donker. Ze zag de man niet die daar op haar wachtte.

Het verlichte water van het zwembad lonkte. Na haar optreden had ze gedoucht, maar ze was nog verhit door de dans en snakte naar de abrupte verkoeling van het water. Met alleen haar hoge hakken aan schreed ze over de marmeren rand naar het eind van het bad. Een warme, zanderige wind blies over haar lichaam. Ze schopte haar naaldhakken uit en stapte op de duikplank. Met de gratie van een zeemeermin doorkliefde ze het water en met een ontspannen zijslag zwom ze naar het ondiepe deel. Toen ze ging staan, droop het water van haar borsten. Ze ging met haar vingers door haar natte, zwarte haar.

Dit was hemels. Ze was voorbestemd voor zo'n leven.

Binnenkort zou ze overal ter wereld zo'n leven kunnen leiden. Geen zweterige casinotheaters meer met amateuristische danseresjes. Niet langer in het geheim de hoer spelen. Ze had de beslissing om eruit te stappen maanden geleden al genomen. Vanavond was haar laatste avond. Morgen was ze vrij.

Ze vroeg zich af of ze het zou missen, de macht die ze voelde als ze op het toneel stond, de honger in de ogen van de mannen wanneer ze haar naam brulden. 'Amira!'

Amira Luz. De Spaanse schone met de getinte huid en de uitdagende ogen. Haar haar was weelderig en lang, haar neus smal en gebogen als een lemmet, haar lichaam een en al sensuele rondingen. Amira Luz, godin van de Sheherezade.

Ja, ze zou het missen. Dit was Las Vegas, waar alles sexy was. Sinatra's stem, de diamanten om een vrouwenhals, zelfs de rook van een verse sigaret. Als ze door de casino's schreed, hoorde ze een spoor van gefluister achter zich. Hier was ze de ster. Als ze de felle lampen de rug toekeerde, kon ze niet meer terug. Maar dan was ze ook geen gevangene meer.

Een luide plons deed haar schrikken. Haar hart bonsde, ze draaide zich om en zag een roomkleurige vorm onder water op zich afkomen. Ze verstijfde van angst, ontspande toen en grinnikte. Hij was vroeg gekomen om haar te verrassen. Ze voelde een golf van verlangen en opwinding bij het vooruitzicht van een vrijpartij in het water.

'Klier dat je d'r bent,' zei ze lachend toen hij voor haar uit het water opdook, stevig en sterk, en naakt, net als zij.

Maar het was niet het gezicht dat ze verwachtte. Ze kende hem wel. Hij had elke dag in het casino verlekkerd naar haar staan kijken. Een geile knaap die ver beneden haar waardigheid was.

Ze wist waarom hij hier was.

Amira struikelde achterwaarts en begon te schreeuwen, maar hij was meteen bij haar, sloeg zijn hand voor haar mond en liet zijn andere arm om haar middel glijden. Met een ruk trok hij haar tegenspartelende lichaam tegen zich aan. Hij haalde zijn hand van haar mond, maar voor ze kon schreeuwen, drukte hij zijn lippen hard op de hare. Onder water trapte ze furieus van zich af, probeerde hem kwijt te raken, maar hij stond als geworteld op de tegelvloer van het bad. Moeiteloos tilde hij haar op. Ze voelde zijn stijve pik langs haar buik glijden.

Eerst verkracht, besefte ze.

En daarna vermoord.

Hun monden lieten elkaar los. Ze zoog lucht naar binnen en schreeuwde om hulp.

'Je kan schreeuwen wat je wil,' zei hij lachend. Met een ruk haalde hij zijn arm achter haar rug weg, gaf haar een keiharde klap in haar gezicht en sneed daarmee haar kreet af. Ze probeerde weg te komen, maar hij greep haar opnieuw vast en duwde haar hele lichaam onder water. Hij legde zijn knie tegen haar maag en drukte hem daarna met een ruk omhoog, zodat haar longen werden dichtgeperst. Onwillekeurig opende ze haar mond en het water gulpte naar binnen. Luchtbellen ontsnapten uit haar neus. Woest, in paniek, probeerde ze boven water te komen, maar zijn handen hielden haar in een ijzeren greep.

Er zou voor haar geen vrijheid meer komen, wist ze. Ze zou altijd een gevangene zijn.

Haar wijd open ogen brandden van de chloor. Vertekend door het water zag ze op een decimeter van haar gezicht het scrotum van de man hangen, een enorme peul. Ze had genoeg bewegingsvrijheid om haar arm uit te steken en zijn zak te pakken, en terwijl ze die steviger vastgreep en verdraaide, begroef ze haar lange, sierlijke nagels in zijn ballen alsof ze een druif uitdrukte.

Zijn dierlijke kreet drong onder water door tot in haar oren. Hij kwam met een ruk overeind en liet haar los. Ze barstte met veel gespetter door het wateroppervlak, haalde een paar keer diep en zwaar adem en voelde de warme zomerlucht haar longen binnenstromen. Haar aanvaller hield vloekend zijn geslachtsdelen vast. Woedend legde ze haar handen tegen zijn borst en gaf hem een zet. Zijn voeten schoten onder hem vandaan en hij viel met een plons ruggelings plat op het water. Amira dook langs hem heen. Ze zwom naar de rand van het zwembad.

Achter zich hoorde ze hem moeite doen om zijn evenwicht te hervinden. Ze voelde zijn nagels langs haar been krassen toen hij probeerde haar te grijpen. Haar linkerhand gleed over het gladde marmer en ze legde allebei haar handen plat op de tegels en drukte zich op. Ze probeerde een been op de rand te krijgen, maar haar voet gleed weg en ze tuimelde terug het water in.

Meteen probeerde ze weer bij de tegels te komen, maar ze was niet snel genoeg.

Hij was vlak achter haar.

Hij draaide haar om haar as. Ze zag zijn ogen, samengeknepen tot kleine, woedende speldenknoppen, en zijn vuile blik gleed van haar gezicht naar haar volle borsten en onder water naar de zwarte driehoek tussen haar benen.

'Jij komt vanavond niet meer aan neuken toe,' beet ze hem toe, spelend met de dood.

'Jij ook niet,' siste hij kwaadaardig.

Hij gaf een ruk aan haar haar zodat haar hoofd achteroverklapte. Met één hand op haar keel ramde hij haar schedel tegen de scherpe rand van het marmer, waar het bot met een misselijkmakend gekraak versplinterde. Achter haar ogen vond een elektrische ontlading plaats, vloeide doodsstrijd naar elk zenuwuiteinde. Toen was de pijn, even snel als ze was gekomen, verdwenen en voelde ze helemaal niets meer. Amira's lichaam zonk, gleed weg, draaide, met ledematen machteloos als van een marionet. Ze staarde vredig naar de nachthemel, en toen het water zich boven haar gezicht sloot, naar de vuurrode gloed van de neonreclame. Het was haar laatste beeld van de stad die bestond bij de gratie van licht, die stierf bij de gratie van licht. Haar lichaam spiraalde omlaag naar het diepe deel, in haar spoor wolken rood. Toen ze op de bodem belandde, was ze al heel ver heen, op een houten podium waarop haar voeten onder luide toejuichingen van het publiek een flamenco roffelden.

'Amira!'

DEEL EEN

AMIRA

1

Elonda speurde Flamingo Road af met de ervaren blik van een kalkoengier die lui rondcirkelend boven de woestijn een prooi zoekt. Ze ontdekte haar slachtoffer op honderd meter vanaf het casino Oasis en nam hem goed op.

Hij was lang en gebronsd, als een surfer die in de stad is aangespoeld, met lange, golvende, blonde lokken en een zilverkleurige wraparound-zonnebril. Jong, een jaar of tweeëntwintig. Hij droeg een opzichtig los shirt met korte mouwen dat scheef was dichtgeknoopt, een ruim wit short en vuile sneakers zonder sokken. Aan zijn verwaande manier van lopen zag ze dat hij geld had. Hij droeg 's avonds een zonnebril, en ze wist dat hij achter die donkere glazen op jacht was, net als zij.

Zijn hoofd draaide haar kant op. Hij zag haar en grijnsde.

Haar smerisradar sloeg geen alarm. Smerissen liepen niet, die benaderden de meiden vanuit hun anonieme auto's met airco. Daar trapte alleen een nieuweling in.

Elonda slenterde naar de overkant van de brede straat, stak een hand op om de voortjakkerende auto's te laten stoppen en bespeelde de bestuurders met haar witte tanden en schuddende borsten. Voor één uur 's nachts was er veel verkeer. De stad draaide volgens woestijnregels: foerageren onder de koele dekking van de nacht, en in de hitte van de dag slapen op een schaduwrijk plekje.

Aan de overkant gekomen dook ze weg in de portiek van een winkel met goochelartikelen. Ze haalde een plastic flesje K-Y uit haar achterzak, kneep wat van de inhoud op haar vingers, schoof haar hand in haar nauwsluitende broekje en bracht het glijmiddel aan. Ze deed een dansje, wreef het spul in. Een van de kneepjes van het vak: *O, ik ben helemaal nat van je, schat.* Hoewel de meeste kerels haar tegenwoordig niet meer wilden palen. Ze waren te bang voor aids of te klunzig om hem er staand bij haar in te krijgen. Dus zochten ze hun heil in zoet gepijp.

Nu het glijmiddel tussen haar benen zat, wierp Elonda haar lokken naar achteren en luisterde naar de rap van veelkleurige kralen in de staartjes. Ze trok aan haar bevederde roze topje tot de zwarte maantjes van haar tepels erbovenuit piepten. Als laatste nam ze een mentholsnoepje in haar mond. Nog zo'n trucje. De kerels vonden het lekker om de koelte van de menthol in haar warme adem te voelen.

Ze liep ongedwongen terug naar de stoep en speurde de straat af op concurrentie, maar ze was de enige, alleen zij en de stoute jongen. De lichten van de Strip aan de andere kant van de snelweg zorgden voor een gloed als bij een brand. Aan deze kant van de I-15, waar de casino's van Las Vegas Boulevard als overkokende melk verdergingen, schitterden de Gold Coast en de Rio aan de noordkant van de straat, en rees de Oasis een stuk verderop omhoog. Maar waar zij stond was de Flamingo Road donker, niets dan een lege plek en de oude goochelwinkel van gasbetonblokken die tot aan de stoep was gebouwd.

Elonda leunde met haar schouders tegen de etalage, met haar heupen naar voren, en knabbelde luchtigjes op een nagel. Ze toverde een loom lachje op haar gezicht, draaide haar hoofd naar hem toe en nam hem op. Hij kwam recht op haar af en vertrapte de flyers met naakte meiden waar de straat mee bezaaid was. Geen getreuzel. Dit was niet zijn eerste keer.

Toen hij dichterbij kwam, kneep ze haar ogen tot spleetjes. Hij kwam haar bekend voor, maar ze kon hem niet plaatsen. Hij was geen vaste klant; ze had hem nog niet eerder behandeld. Maar ze kreeg het idee dat ze hem herkende, waarschijnlijk uit de roddelbladen. Met die zonnebril op was het moeilijk te zeggen. Maar Elonda bekeek hem lang en indringend, want bij een beroemdheid die in Vegas seks wilde met een hoer viel misschien wel wat te halen.

Hij bleef vlak bij haar staan. 'Hallo.'

Hij klonk jong en zorgeloos. Verveeld. Onduidelijk.

'Ja, hallo.' Elonda stak een hand uit en liet een vinger in zijn shirt glijden, waar ze een cirkel op zijn borst trok. 'Ken ik jou niet ergens van?'

'Wel eens in Iowa geweest?'

Een boerenkinkel met een bekend gezicht, dacht ze. Verdomme. 'Veel koeien en graan daar, toch? En stront onder je schoenen. Nee, dank je.'

Elonda liet haar blik door de straat zwerven om te zien of er een politiewagen was. Het verkeer reed af en aan – Hummers, limo's, pick-ups, wrakken – maar niemand om haar lastig te vallen. Een straat verder zag ze een man bij de bushalte staan; hij leek zich te vervelen, keek op zijn horloge. De andere kant op was niemand te zien. De kust was veilig.

'Pijpen of neuken?' vroeg ze.

Hij gaf geen antwoord, maar liet haar zijn tong zien. Ze rook een ginwalm. Elonda noemde een prijs, en hij dook twee verkreukelde bankbiljetten op uit zijn broekzak. Ze legde haar hand plat op zijn borst en schoof hem zachtjes achteruit de portiek van de winkel in. Ze liet zich op haar knieën zakken en trok zijn gulp open. Ze keek omhoog. Hij had zijn ogen dicht. Ze zag een blonde baard van een paar dagen.

Ze begon in haar hoofd te tellen. Een spelletje dat ze speelde om de tijd te verdrijven, net als mensen op kantoor die naar hun iPod luisteren terwijl ze de hele dag zitten te typen. Een, twee, drie vier. Niet één man had ooit de honderd gehaald. De meesten haalden de tien niet eens.

Het duurde een paar tellen voor hij stijf was. Dat kwam door de gin, vermoedde ze. Maar ze verrichtte haar wonder en zijn lichaam reageerde. Ze hoorde een donker gegrom, spinnen als van een kat. Toen ze van haar werk opkeek, zag ze dat zijn mond half openhing.

Tweeëndertig, drieëndertig, vierendertig.

Hij was er al bijna. Ze voelde zijn heupen bewegen, het begin van schokken, en ze zoog harder en bewoog haar hoofd sneller.

Negenendertig.

Elonda hoorde dichtbij een zacht bonk-bonk, het geluid van zware laarzen. Iemand kwam vanuit de richting van de casino's hun kant op. Ze keek omhoog, maar de boer was al niet meer van deze wereld en hoorde niets. Bonk-bonk, bonk-bonk. Ze zat er niet echt mee. Ze werd zo vaak beloerd en hoorde dan het geschrokken gefluister van mensen die stiekem wensten dat ze voor hen op haar knieën lag. Als de man naar hen keek, gunde ze hem zijn pretje.

Vijfenveertig, zesenveertig. Het boertje stond op springen.

Het geluid van de laarzen kwam nu recht op haar af, tot bij de portiek, en stopte daar. Elonda hoorde het geritsel van kleren en daarna een merkwaardige metalige klik. Haar klant had nog steeds zijn ogen dicht en kreunde luid.

Het was griezelig, die man die vlak achter haar stond en toekeek. Het voelde niet goed aan. Haar nekharen kwamen overeind en ze wist dat hij er nog stond, ook al hoorde ze hem zelfs niet ademen. Ze voelde zijn ogen. Ze werd overspoeld door een dreiging. Het was het soort zesde zintuig dat je krijgt als je lang genoeg op straat leeft.

Elonda liet de pik uit haar mond glijden. Ze beet op haar lip en keek op, maar ze was niet van plan achterom te kijken, nog voor geen goud. Haar klant opende onmiddellijk zijn ogen en vertrok zijn mond tot een kwade grimas. Toen zag ze hoe hij de onbekende achter haar in de gaten kreeg.

'Wel god...'

Zijn woede maakte plaats voor verbijstering. Zijn ogen werden groot. Op zijn gezicht zag ze ongeloof verschijnen.

Toen had hij geen gezicht meer.

Het hardste geluid dat Elonda ooit had gehoord galmde in haar oren als een vulkaanuitbarsting. De boerenjongen had opeens een derde oog en zijn hoofd viel naar voren, zodat ze hem goed kon zien en recht in het gat keek dat in zijn schedel was geboord en waar nu een rode rivier uit stroomde. Ze zag hem in elkaar zakken en toen bovenop haar vallen, zodat ze geen kant op kon. Bloed stroomde over haar heen, kronkelde als wormen over haar huid en sijpelde onder haar kleren. Ze rook urine en stront toen zijn ingewanden zich leegden.

Eindelijk kwam Elonda op het idee om te schreeuwen. Ze sloot haar ogen en ontketende een gekrijs dat doorging tot ze geen adem meer had. Niemand scheen haar te horen. Geen enkel voertuig stopte. Het enige wat ze hoorde was het geluid van de voetstappen die zich net zo kalm verwijderden als ze waren gekomen. Bonk-bonk, bonk-bonk, bonk-bonk.

2

Een vis op het droge.

Jonathan Stride probeerde zich te concentreren op Elonda, die als een zoutzak op de stoep lag, haar lichaam en kleding gekleurd door opgedroogd bloed. Ze ratelde maar door en hij probeerde haar bij te houden, maar zijn blik ging telkens naar de etalage van de goochelwinkel. Er stond daar een zwarte doos met op de ene helft een glazen vissenkom, gevuld met water. Op de andere helft van de doos zwom de vis heen en weer. Buiten de kom. Ogenschijnlijk zomaar in de lucht.

Een schitterende truc, en Stride vroeg zich af hoelang een vis in zulke omstandigheden in leven bleef.

Hij probeerde Elonda af te remmen. 'Rustig maar. We hebben je hulp nodig.'

'Jullie moeten die smeerlap pakken!' schreeuwde ze met maaiende armen, terwijl haar staartjes klikten als de plastic nummers die aan snoeren in een poolhal hingen. 'Door die klootzak ben ik misschien de rest van mijn leven doof! Het was of er een bom ontplofte.'

Stride hurkte tot hij oog in oog met Elonda zat en pakte een van haar rondvliegende polsen. 'Even concentreren, alsjeblieft. We laten je douchen, zorgen dat je andere kleren krijgt en dan ga je bij Rio eten tot je niet meer kan, allemaal op kosten van de politie. Goed? Doen we zaken? Maar dan moet je me wel eerst wat informatie geven.'

'Ik eet liever bij Harrah's,' zei Elonda kortaf.

'Oké, bij Harrah's dan. Kun je me dan nu wat vertellen?'

Elonda pruilde met haar dikke lippen. Ze sloeg haar armen om haar blote knieën. Stride werkte zich omhoog tot hij stond en haalde een notitieboekje en een pen uit de binnenzak van zijn marineblauwe blazer. Hij droeg het jasje op een spierwit poloshirt en een pas nieuwe zwarte spijkerbroek. Serena had erop gestaan dat hij zijn nieuwe baan zou beginnen met een nieuwe spijkerbroek en uiteindelijk had hij toegegeven, ook al had hij het verschrikkelijk gevonden om het versleten exemplaar af te danken dat de afgelopen tien jaar in Minnesota zijn lijf als een oude vriend had omsloten. De stof was nog zo stijf als karton, en zo voelde hij zich hier ook in Las Vegas. Een vis op het droge. Het was een ander universum vergeleken met de wereld van het Middenwesten waar hij zijn hele leven had gewoond.

'Heb je gezien waar het slachtoffer vandaan kwam?'

'Uit de Oasis,' zei Elonda.

Stride liet zijn blik over het casino en zijn slanke, fallische toren gaan. In het hotel gaf Victoria's Secret een modeshow, en een wulps lingeriemodel van dertig verdiepingen hoog staarde hooghartig neer vanaf een geveldoek die bijna tot het dak van de Oasis doorliep. Ze had witte vleugels, alsof ze kon wegvliegen om de stad te terroriseren. King Kong met een D-cup.

'Was hij alleen?' vroeg Stride.

Elonda knikte. 'Ja. Hij kwam als een laserstraal op me af.'

'Heeft hij je iets over zichzelf verteld? Wie hij was?'

'Ja, natuurlijk, schat. We hebben een diepgaand gesprek gehad. Mensen komen bij mij om te praten.' Elonda snoof. 'Hij zei dat hij uit Iowa kwam.'

Stride schudde zijn hoofd. 'Dat is niet waar. Volgens zijn ID kwam hij uit Vancouver.'

'Heeft die klootzak ook nog tegen me gelogen? Nou, God straft onmiddellijk als je liegt.' Ze grinnikte.

'Was er nog iemand anders op straat?' vroeg hij.

'Geen mens.'

Stride bekeek het gebied rond de goochelwinkel. De straat

was breed en leeg: je kon straten ver zien. Hij kon zich niet voorstellen dat de moordenaar als een truc in de etalage zomaar uit het niets was opgedoken.

'Je zei dat je de moordenaar op je af had horen komen. Uit welke richting was dat?'

'Hoe weet ik dat nou? Er was geen mens.' Ze kauwde op een nagel en had jeuk tussen haar benen waar ze vergeefs krabde. 'Wacht, wacht even. Er stond iemand bij de bushalte daar.'

Stride tikte weer met de pen tegen zijn voortanden en tuurde naar de bushalte, een meter of dertig meter verderop bij de Oasis. Geen bushokje, alleen een bordje en een inham waar de bus kon stoppen.

'Hoe zag hij eruit?' vroeg Stride.

Elonda haalde haar schouders op. 'Zolang het geen smeris is, zal het me een zorg zijn.'

'Groot, klein?'

'Jezus, weet ik veel.'

Stride ging met zijn hand door zijn warrige peper-en-zoutkleurige haar. Het golfde, liet zich niet temmen en werd met de dag meer zout dan peper. Hij beet op zijn lip, stelde zich de lege straat voor, niet direct krioelend van de politie, alleen Elonda en de geile Canadees.

En een man die op de bus stond te wachten.

'Heb je een bus gehoord?' vroeg hij. 'Je zou het moeten horen als er een vlak achter je langs rijdt.'

Elonda dacht terug. 'Nee, geen bus.'

'Hoelang waren jullie in de portiek voordat de moord plaatsvond?'

'Ongeveer vijfenveertig seconden,' zei Elonda.

'Dat klinkt behoorlijk overtuigd.'

'Ik tel,' zei ze met een vette knipoog.

Stride snapte het. Geen bus en nog geen minuut tot aan de moord. Hij gebaarde naar iemand van de uniformdienst die er rondliep, een potige knaap met een blonde stekeltjeskop en een stoppelsik.

'Loop naar de bushalte,' zei Stride tegen hem, 'en kijk dan

hoelang je erover doet om terug te komen. Rustig lopen. Je bent een gewone voetganger. Begrepen?'

De smeris knikte. Hij deed er niet lang over. Toen hij weer voor de goochelwinkel stond, drukte hij de knop van zijn sporthorloge in en zei: 'Tweeëndertig seconden.'

Stride hurkte weer bij Elonda neer. 'Ik ga je vragen om heel goed na te denken over de man bij de bushalte.'

'Dus dat was hem? Shit. Ik heb toch al gezegd dat ik me niks van hem herinner.'

'Laten we eens wat proberen,' begon Stride.

Hij zweeg toen hij achter zich een schelle claxon hoorde en daarna het dure ronken van een sportwagen die vlakbij parkeerde, net buiten het afgezette terrein. Er ging een portier open en Stride zag hoe de smeris met het sikje, die nog bij hen rondhing, een rotopmerking mompelde. Stride keek net op tijd achterom om te zien hoe een gele Maserati Spyder richting de Strip spoot.

'Wie is dat stuk?' vroeg Elonda terwijl ze over Strides schouder keek.

De Spyder had een vrouw afgezet die het tafereel nu stond te bekijken, met de armen over elkaar voor grote borsten en één voet op de stoeprand. Haar haar was kort en spiky, fel blond met zwarte strepen. Ze was lang, vermoedelijk maar een centimeter of acht korter dan Stride met zijn een vijfentachtig, en ze zag er sterk en goedgebouwd uit, met armen die de mouwtjes van haar strakke witte T-shirt vulden. Op haar rechterarm had ze een wolfskop laten tatoeëren. Aan een riemlus van haar spijkerbroek bungelde een gouden politiepenning.

'Niets van aantrekken,' zei Stride tegen Elonda. 'Ik wil dat je je ogen dichtdoet. Ontspan je en denk terug aan het moment dat je je klant voor het eerst zag.'

'Probeer je me te hypnotiseren? Kun je ervoor zorgen dat ik stop met nagelbijten?'

Stride glimlachte. 'Nee, ik wil alleen maar dat je je de dingen herinnert. Zie je het voor je? Je hebt je klant net in de peiling. Je steekt de straat over. Staat die andere man al bij de bushalte te wachten?'

Elonda begon te neuriën. Haar hoofde deinde van voor naar achter, op een bepaald ritme. Toen opende ze abrupt haar ogen. 'Nee, hij stond er nog niet. Hé, cool zeg.'

'Doe je ogen weer dicht. Ga door met het afdraaien van de film.'

'Ja, nu staat die vent bij de bushalte. Ik zie hem. Jezus, waar kwam die vent opeens vandaan?'

'Wat doet hij?'

'Hij kijkt op zijn horloge. Hij kijkt naar links en rechts de straat af. Vet cool, zeg.'

'Wat voor kleren heeft hij aan?' vroeg Stride. Hij bedacht een manier om haar geheugen te activeren en voegde eraan toe: 'Toen hij op zijn horloge keek, zag je toen zijn blote arm?'

Elonda kneep haar lippen op elkaar, alsof ze ging zoenen. Er verschenen rimpels op haar voorhoofd. 'Een jas!' zei ze blij. 'Hij heeft een windjack aan, zandkleurig geloof ik. En een zandkleurige broek, of misschien kaki.'

'Je doet het fantastisch. Is hij groot?'

'Nee, hij is niet echt groot. En ook niet zwaargebouwd. Maar hij ziet er, hoe zal ik het zeggen... gehard uit. Een nare man.'

'En de kleur van zijn haar?'

'Donker,' zei Elonda. 'Kortgeknipt. En een baard. Ja, hij heeft een baard.'

'Elonda, je bent een kanjer,' zei Stride, en zag hoe de meid begon te stralen van trots. Hij besteedde nog een minuut of tien aan het uitspelen van de rest van de scène, maar hoe dichter hij bij de moord kwam, hoe meer ze dichtklapte. Toen hij klaar was, riep hij de agent met de sik en vertelde hem fluisterend wat hij moest gaan doen.

'Bij Harrah's?' vroeg de smeris ongelovig. 'Serieus? Zul je Sawhill horen als ik daar een rekening voor indien.'

Stride stak een hand in zijn zak en haalde twee briefjes van twintig uit zijn portefeuille. 'Hier, pak aan. En neem zelf ook wat. Ik vind dat je er te mager uitziet.'

De smeris wreef over zijn speknek en grijnsde. 'Ik vind het best.'

'Maar handen thuis onderweg.'

Toen Elonda veilig en wel achter in de surveillancewagen zat, liep Stride naar zijn nieuwe partner toe.

Het was gek om weer op straat te werken, als rechercheur op een zaak. In Duluth was hij inspecteur geweest, een grote vis in een kleine vijver, en nu was hij een van de rechercheurs van de afdeling Moordzaken in Las Vegas. In Duluth was Maggie Nei, de brigadier van zijn rechercheafdeling, nog het dichtst bij het begrip 'partner' gekomen. Stride en Maggie hadden meer dan tien jaar samengewerkt, en de tengere Chinese met de scherpe, sarcastische tong was zijn beste vriendin geworden. Maar Maggie zat nog in Minnesota, getrouwd en weg bij de politie en met een baby op komst. Stride was nu in Sin City, de laatste plaats waar hij ooit gedacht had te zullen terechtkomen.

Dankzij Serena.

Hij had Serena Dial die zomer leren kennen toen ze in Las Vegas samen een moord rechercheerden waarvan de wortels lagen in de verdwijning van een tiener uit Minnesota eerder dat jaar. Het onderzoek had zijn bestaan in Duluth op zijn kop gezet en zijn tweede huwelijk geruïneerd, een huwelijk waarvan hij van het begin af aan had geweten dat het een vergissing was. Maggie liet zelden een kans voorbijgaan om hem eraan te herinneren dat ze de scheiding op kilometers afstand had zien aankomen en dat hij niet naar haar waarschuwingen had geluisterd.

Maar aan oude dingen kwam een eind en nieuwe dingen begonnen. De ontmoeting met Serena had alles ondersteboven gegooid. Ze was mooi, intelligent en grappig, ondanks de scherpe kantjes die het gevolg waren van een moeilijke jeugd. Hij was als een blok voor haar gevallen. Toen het onderzoek was afgerond, was hij Serena hierheen gevolgd, naar deze wilde wereld, waar hij op straat was terechtgekomen.

Nu had hij weer een echte partner, een die er zo te zien niet blij mee was in Vegas de tweede viool te moeten spelen naast een nieuweling.

'Amanda Gillen,' verkondigde ze kortaf toen hij naar haar toe kwam, alsof ze verwachtte dat hij haar zou uitdagen. Haar stem was hees. Misschien ook sliep ze gewoon nog half, net als Stride na het telefoontje dat hem in het holst van de nacht uit bed had gesleurd, en uit de armen van Serena. Zijn eerste moordzaak in Vegas. Een lijk op straat, op Flamingo Road.

'Ik ben Stride,' zei hij.

Amanda knikte en begon nerveus met haar voet op straat te tikken. Haar onderlip kwam naar voren en ze keek om zich heen om er zeker van te zijn dat niemand hen kon horen. Haar gezicht stond strak en ongelukkig.

'Luister, iedereen krijgt van mij de kans één grap te maken voor ik kwaad word, dus als je een grap wilt maken, moet je het nu doen. Of wil je wachten tot een andere gelegenheid?'

Stride hield zijn hoofd scheef. 'Wat?'

'Dat weet je best,' zei ze nors.

'Ik snap niet wat je bedoelt, Amanda.'

Met tot spleetjes geknepen ogen keek ze naar de onzekerheid op zijn gezicht. De rimpels op haar voorhoofd verdwenen en haar kaak ontspande zich. Ze gaf hem een merkwaardig, stralend lachje dat opeens heel vriendelijk en totaal niet afwerend was. 'Goed, misschien weet je van niks. Laat maar. Geen punt. Het is twee uur in de nacht, en ik ben kribbig.'

'Dat geldt dan voor ons alle twee.'

'Dat was mooi werk, met die hoer, de manier waarop je haar aan het praten kreeg. Dat was heel goed.'

'Dank je,' zei Stride. En daarna: 'Mooie auto, die van je vriend.'

Amanda trok een gezicht. 'O, de Spyder. Die is in feite van mij. We waren naar de disco toen mijn pieper ging. Ik heb hem gezegd dat als hij er een deuk in rijdt, ik een deuk in zijn pik maak.'

'Ja, dat wil wel helpen,' zei Stride. 'Heb je hem gewonnen met gokken?'

'Zoiets ja.'

Stride zag dat ze heftig moest slikken en begon te blozen. Ze had een langwerpig gezicht dat uitliep in een smalle, vooruitstekende kin. Haar lippen waren vol en lichtroze, haar wenkbrauwen dun en zwart, en ze had de tijd genomen om zich met zorg op te maken. Haar zaterdagavondgezicht, gokte Stride. Ondanks haar kenauachtige bravoure was ze knap als ze lachte en kwetsbaar wanneer ze nerveus was. Stride schatte haar rond de dertig.

'Weet je al wie het slachtoffer is?' vroeg Amanda.

Stride knikte. 'Canadees rijbewijs. Vermoedelijk een toerist die pech had. Ene Michael Johnson Lane.'

Amanda knipperde met haar ogen. *'M.J. Lane?'*

'Ja.'

Ze floot en schudde haar hoofd. 'Shit.'

'Ken je hem?'

'Je moet af en toe je map met spam bekijken, Stride,' zei Amanda. 'Zijn blote reet duikt in de helft van de berichten op. En dan heb ik het niet eens over elk nummer van het tijdschrift *Us*.'

'Mijn abonnement was verlopen.'

Amanda bestudeerde zijn gezicht lang genoeg om te beseffen dat hij een grapje maakte, en haar volle lippen krulden tot een gulle grijns.

'Je bent nu in Las Vegas,' kaatste ze terug. '*People, Us,* en de *Enquirer* zijn hier belangrijker leesvoer dan een rondschrijven van de DEA.'

Amanda ging naar het lichaam toe. Ze liep op belachelijk hoge naaldhakken, en Stride realiseerde zich dat ze een stuk kleiner was dan hij had gedacht. Het viel hem op dat een van de medewerkers van de Technische Recherche haar nerveus in de gaten hield en achteruitstapte om ruimte voor haar te maken. Amanda lette er niet op. Ze boog zich vanuit de heupen voorover tot haar handen plat op de stoep lagen, draaide haar hoofd opzij en keek de dode recht in de ogen. Stride merkte dat hij constateerde dat haar strakke spijkerbroek een mooie gespierde kont en stevige benen liet zien. Hij keek snel de andere kant op toen ze overeind kwam en meldde dat het inderdaad M.J. was.

'Mooi. En wie is deze M.J. dan wel?'

'Een jongeman met veel geld achter de hand. Zijn pa is Walker Lane. Je weet wel, de steenrijke miljardair uit Vancouver.'

'Wat voor aanspraak op roem kan hij maken, behalve het geld van zijn vader?'

'Hij gaat om met de juiste mensen. Connecties met Hollywood. Hij was redelijk onbekend, tot hij vorig jaar een zeer schunnig rendez-vous met een jong soapsterretje filmde. De tape werd gestolen en de beelden kwamen op het internet terecht. Anale seks, sm, echt kinky stuf.'

'Er was een ster geboren.'

'Zeker weten. Het feit dat hij is omgelegd is groot nieuws. Jij komt met je kop in alle roddelbladen.'

'Ik zal mijn tanden laten witten,' zei Stride.

'Wat denk je? Heb je de indruk dat M.J. gestalkt werd?'

'Het doet aan als een moordaanslag. Een prof.'

'Maar hij heeft het meisje niet vermoord,' zei Amanda. 'Een prof zou de getuige ook hebben uitgeschakeld.'

'Ja, dat is zo. Hij heeft ook een huls achtergelaten. Een .357.'

'Misschien dus geen prof.'

'Misschien niet,' gaf Stride toe. 'Maar hij heeft het goed voorbereid. Gehaaid, snel opduiken en weer weg. De vraag is of die knaap specifiek achter Lane aan zat, of dat we te maken hebben met een of andere moraalridder die het prostitutieprobleem in deze stad wil aanpakken.'

'Of allebei,' zei Amanda. 'M.J. is niet de eerste beroemdheid die in deze buurt zijn ijslolly laat likken. Het kan zijn dat de dader het casino in de gaten heeft gehouden, dat hij een grote klapper heeft willen maken en dat deze moord op de voorpagina's komt.'

Stride knikte. 'Afgezien van wat je over M.J. vertelde, kan iemand nog ontelbare andere redenen hebben om hem dood te willen.'

3

Pete, een van de medewerkers van de Oasis, herinnerde zich M.J. Lane nog wel.

'Hij kwam hier om een uur of tien,' meldde Pete toen Stride en Amanda hem onder de luifel van het casino uithoorden. Pete was jong en wit als tandpasta, met donkerblond haar dat plat op zijn schedel was geplakt. Hij droeg een zwarte pantalon en sneakers, en een bordeauxrood nauwsluitend jasje.

'Alleen?' vroeg Stride.

'Mr. Lane? Nou nee. Hij had Karyn aan zijn arm. Karyn Westermark. U weet wel, dat soapsterretje.' Hij waaierde zich koelte toe alsof hij het warm kreeg van de nachtlucht. 'Hebt u de video op het internet gezien? Dat was zij. Geile tante. Beter dan zo'n pornoster.'

'Hoe kwamen ze hier?' vroeg Amanda. 'Taxi. Limo?'

Zonder te antwoorden onderbrak Pete het gesprek om een grijze Lexus op te vangen; hij opende het passagiersportier en draafde toen naar de andere kant om de autosleutels aan te nemen en de bestuurder een bonnetje te geven. Toen hij terugkwam, verontschuldigde hij zich terwijl hij een vijftigdollarbiljet wegstopte. Hij keek zenuwachtig rond toen er nog twee auto's stopten. Zaterdagnacht twee uur was het spitsuur bij de Oasis.

'Hoe is M.J. hier vanavond gekomen?' vroeg Amanda opnieuw.

'Hij reed zelf,' deelde Pete mee. 'Hij heeft hier in de stad een appartement, in de Charlcombe Towers, pal achter de Strip.'

'Waarom vroeg hij niet om zijn auto toen hij wegging?' vroeg Stride.

'Ik nam aan dat hij een stukje ging tippelen. Snapt u 'm?'

Stride trok een wenkbrauw op en boog zich naar Pete over. 'Waarom had hij behoefte aan een "tippel" als hij Karyn bij zich had?'

'Karyn was een uur eerder vertrokken,' verklaarde Pete. 'Ik heb nog een taxi voor haar aangehouden.'

'Was ze boos?' vroeg Amanda.

Pete schudde zijn hoofd. 'Eerder verveeld. Ze zei tegen de taxichauffeur dat ze naar Ra wou, in de Luxor. Ze was gewoon op zoek naar een ander feest.'

'Heeft M.J. nog wat gezegd toen hij wegging?' vroeg Stride.

'Nee, hij leek me behoorlijk zat. Hij liep regelrecht die kant op. Ik wist wel waar hij heen ging.'

'Maakte M.J. vaak een tippeltje?' wilde Amanda weten.

De bediende verschoot van kleur. 'Niet zo vaak. Iemand als hij hoeft er niet voor te betalen. Maar af en toe wil je wel eens wat van de straat. Dan hoef je niet naast haar wakker te worden.'

'Laat je vriendinnetje het maar niet horen,' zei Stride. 'Is iemand hem hiervandaan gevolgd?'

Pete haalde zijn schouders op. 'Geen idee. Het is een komen en gaan van auto's. M.J. is me alleen maar opgevallen omdat hij een vaste klant is.'

Er werd luidruchtig getoeterd en de bediende zwaaide en maakte een soort dansje, bang dat hij zijn volgende fooi zou missen. 'Nog iets?' vroeg hij ongeduldig.

'Wie is hier hoofd beveiliging?'

'Gerard Plante. Binnen, helemaal achterin.'

'Bedankt. We sturen een ploeg om M.J.'s auto te onderzoeken,' ging Stride verder. 'Zorg ervoor dat er niemand eerder bij komt dan wij, jij zelf inbegrepen.'

'Prima.'

Stride legde zijn hand als een bankschroef om de schouder

van de jongeman. 'Als ik in *Us* lees dat er in het handschoenenvak van M.J.'s auto geribbelde Trojans zijn gevonden, zorg ik ervoor dat de belastingdienst komt praten over die fooien van vijftig dollar. Gesnapt?'

Pete zette grote ogen op en likte zijn bovenlip, terwijl hij probeerde uit te vogelen of Stride het echt meende. Toen haalde hij diep adem en rende naar de volgende auto.

'*Us,*' zei Amanda. 'Leuk.'

'Ik dacht wel dat je dat zou waarderen.'

Stride ging Amanda voor de draaideur door naar de zee van lawaai en rook in het casino. De muffe lucht van sigaretten krulde zijn longen binnen als een goede, oude vriend en op hetzelfde moment was de hunkering weer terug. Vreemd dat die nooit wegging. Hij rookte al een jaar niet meer, maar voelde dat hij duim en wijsvinger langs elkaar wreef alsof er een brandende Camel tussen zat. Hij haalde diep adem, zoog de lucht naar binnen en blies hem uit, en vroeg zich af of Vegas in de woestijn was neergeworpen door een sarcastische engel die de wilskracht van ex-zondaren op de proef wilde stellen.

Hij merkte dat hij ook seksueel geprikkeld werd. Het was auto-erotiek, onderdeel van een soort hersenspoeling waar de casino's mee werkten. Hij kon niet volhouden dat hij er immuun voor was. Hij reageerde op de polsslag van de stad. Geen hebzucht, zoals de meeste mensen dachten. Honger. Naar geld, naar seks, naar eten, drank en rook... een onverhulde honger, alles doordringend, obsederend, overweldigend. De casino's programmeerden dat zo. Misschien waren de zwarte halve maantjes tegen het plafond helemaal geen camera's die elke vinger op de knoppen of hendels of kaarten bespiedden. Misschien verstoven ze allemaal een geurloze drug die deze manie ontketende, een manie die duurde tot je geld op was of tot je naar huis terugsloop.

De Oasis was een van de meest uitgesproken casino's in Vegas waar het ging om het gebruik van seks bij het aan de man brengen van gokautomaten en speeltafels en het cultiveren van een image als de hippe plek waar je beroemdheden kon tegenkomen. Overal waar Stride keek, zag hij posters met onwaarschijnlijk mooie vrouwen in bikini die hem toelonkten terwijl ze goktoernooien, pokerkamers en krabbuffetten de hemel in prezen. Het leek te werken. Het casino zelf was betrekkelijk klein, geen octopus met allemaal tentakels zoals Caesar's, maar alle apparaten waren bezet, er was geen stoel aan de blackjacktafels vrij en mensen verdrongen elkaar om alles te volgen. Het was een jong publiek, met ongelooflijk veel vrouwen die even verblindend mooi waren als die op de posters.

Stride herinnerde zich wat Cordy, Serena's partner, over de nachten in Las Vegas had gezegd: het tijdstip waarop de borsten buiten komen spelen.

Hij had een stijve. Daar baalde hij van.

'Kom mee,' gromde hij. Amanda keek rond met koele verbazing. Ook bij haar werkte de drug.

Ze zigzagden tussen de rijen gokautomaten door en vonden de balie van de beveiliging achter in het casino, een imposante eiken monoliet met erachter de enige lelijke en strenge vrouw van het casino. Stride moest boven het gebonk van de rockmuziek uit de plafondspeakers uitkomen toen hij naar Gerard Plante vroeg.

Hij hield zijn penning op. De vrouw zei dat hij moest wachten.

Amanda ging achter een gokautomaat tegenover de deur van de beveiliging zitten en stopte er een vijfdollarbiljet uit haar broekzak in. Het apparaat was versierd met personages uit een lang vervlogen tv-serie waarvan Stride zich kon herinneren dat hij er als jongetje in Duluth naar had gekeken. Hij kreeg een beeld van zijn slaapkamerraam en sneeuw die langs het glas joeg.

Stride leunde tegen de machine en stak ongeduldig zijn handen in zijn broekzakken. Hij boog zich naar Amanda toe. 'Hoe komt het dat je met mij bent opgescheept?'

Amanda maakte haar blik los van de langs draaiende symbolen en keek hem wantrouwend aan. 'Pardon?'

'De inspecteur vindt dat ik in Minnesota nu sneeuw hoor te schuiven,' zei Stride. 'Je moet Sawhill goed kwaad hebben gekregen dat je zit opgescheept met een nieuweling als ik op wie hij de pik heeft.'

Stride wist dat Sawhill gewoon boos op de wereld was. Hij had dat zelf ook wel gehad toen hij inspecteur was en alles soms helemaal tegenzat. Sawhill had zijn favoriete rechercheur verloren toen die de Megabucks-jackpot had gewonnen en, acht miljoen dollar rijker, op staande voet ontslag had genomen. Daarna had Serena hem gepasseerd door naar de sheriff te gaan en Stride naar voren te schuiven, een ervaren rechercheur Moordzaken die toevallig in de stad was, beschikbaar, zich vervelend, met niets anders bezig dan de stad op zijn zenuwen te laten werken. Nadat Sawhill dus Stride door zijn strot geduwd had gekregen, had hij hem ingepeperd dat hij vond dat zijn nieuwe rechercheur niet was opgewassen tegen grotestadsmisdaden.

'O, nu snap ik het,' zei Amanda, half bij zichzelf. 'Ik vroeg me af waarom jij met mij zat opgescheept. Nu klopt het. Sawhill heeft de pest aan jou.'

Stride haalde zijn schouders op. 'Ik mag je graag. Je maakt een slimme indruk. Je bent ook nog een schoonheid. Het lijkt er eerder op dat hij me een plezier wou doen.'

'Nou, niet echt,' zei Amanda.

'Kun je dat toelichten?'

Amanda keek hem een hele tijd aan. 'Je weet het echt niet, hè? Heeft Serena je niets verteld?'

'Ik geloof het niet.'

'Je speelt geen spelletje met me?'

'Ik ben nog niet lang genoeg in Vegas om spelletjes te spelen,' zei Stride.

Amanda lachte, lang en vanuit haar tenen. 'O, die is goed. Die is echt heel goed.'

'Mag ik misschien meelachen?'

'Ik ben een non-op,' zei Amanda.

'Wat is dat?' vroeg Stride, oprecht onwetend.

'Ik ben een transseksueel. Een niet-geopereerde transseksueel. Ik heb wel een vrouwelijkheidsingreep ondergaan, en ik slik oestrogeensupplementen voor het ontwikkelen van borsten, een gladde huid en een goede gewichtsverdeling, dat soort dingen.

Maar ik heb besloten mijn genitaliën niet te laten weghalen. Snap je? Ik was vroeger een man.'

Stride voelde dat hij vuurrood werd. 'Holy shit.'

'Je begrijpt dat ik niet boven aan de lijst sta als er iemand een nieuwe partner moet hebben.'

Hij kon er niets aan doen. Hij merkte dat hij naar de grote borsten keek die Amanda's T-shirt naar voren duwden en naar het kruis van haar strakke spijkerbroek, waar zijn verbeelding hem in de steek scheen te laten. Hij besefte dat hij staarde en kon niets meer bedenken om te zeggen.

'Wil je hem zien?' vroeg Amanda.

'Nee!' was Strides heftige reactie, tot hij besefte dat Amanda stond te giechelen. 'Neem me niet kwalijk,' voegde hij eraan toe. 'Dit is echt fantastisch. Sawhill wil me iets duidelijk maken. "Ik durf te wedden dat er in dat gat van jou in Minnesota geen non-ops zijn, hè Stride?"'

'Heb je er problemen mee?'

Stride dacht na. Hij had zijn hele leven, op een paar maanden na, aan de oever van Lake Superior gewoond, in een stad die links dacht over vakbonden en gezondheidszorg en die conservatief was als het godsdienst en seks betrof. Stride zag gezichzelf als onbevooroordeeld over alles wat zich achter gesloten deuren afspeelde, zolang er niemand bij gewond raakte.

Hij haalde zijn schouders op. 'Zoals ik al zei: je bent slim, en de knapste vent die ik ooit heb gezien.'

'Ik ben nu een vrouw. Maar toch bedankt. De meeste andere collega's, mannen en vrouwen, zijn niet zo ruimdenkend.'

'Dat zal best.' Stride had nog een hele hoop vragen voor Amanda, maar hij was er nog niet klaar voor om dingen te vragen die hem nog dommer zouden laten lijken.

Hij voelde een hand op zijn schouder. Stride draaide zich om en keek in het olijfkleurige gezicht van een zeer lange man die midden in de nacht in het casino met een zilverkleurige zonnebril op liep. Zijn zwarte haar stond rechtop en was bovenop perfect vlak gemillimeterd.

'Rechercheur?' zei hij. 'Ik ben Gerard Plante, hoofd beveiliging van de Oasis.'

Stride stelde zich voor, en Amanda, die was opgestaan, deed hetzelfde. Gerard droeg een marineblauw pak waarvan de stof onder de lampen glansde. Uit zijn borstzak stak een bordeauxrood pochet met het logo van de Oasis. De hand die hij hun gaf, voelde aan als het gladde leer van een dure portefeuille.

'Zullen we naar achteren gaan?' stelde Gerard voor.

Hij ging hun voor achter de balie, en toen de zware eiken deur achter hen dichtging, verdween het lawaai van het casino op magische wijze en kwam er een rustgevende witte ruis voor in de plaats. Geen muzak. Geen elektronische piepjes. Hier geen publiekstrekkers als vulkanen en witte tijgers, hier draaide alles om geld, de rivier die nooit droogviel.

Gerard ging hun voor in een zeer ruim kantoor zonder ramen, uiterst smaakvol en smetteloos ingericht. Gerard was iemand die duidelijk niet in papier geloofde, want er was in het hele kantoor geen snippertje te vinden, en zijn bureau en het wandmeubel waren allebei voorzien van een glazen blad en hadden driehoekige stalen poten en niet één lade. Op het glas was geen veeg of vingerafdruk te zien.

Achter Gerard, op het wandmeubel, stond het grootste computerscherm dat Stride ooit had gezien, slank en chroom, meer een plasma-tv. Onder de glasplaat bleek toch een la te hangen met daarin een toetsenbord, een muis en een joystick.

Gerard gebaarde dat Stride en Amanda op twee minimalistische stoeltjes voor zijn bureau moesten gaan zitten en nam zelf plaats op een zwarte, dure bureaustoel. Hij bewoog zich met een hooghartige gratie. Toen hij zat, liet hij de stoel achterover kiepen, maar nog waren zijn benen lang genoeg om met de voeten plat op de grond te blijven. Bedachtzaam zette hij zijn zonnebril af, klapte hem dicht, legde hem op het glazen bureau en plaatste zijn vingertoppen tegen elkaar. Hij had blauwgrijze ogen onder bijgeknipte wenkbrauwen.

'Ik neem aan dat het over Mr. Lane gaat?' vroeg Gerard. Hij stak een hand op voor Stride kon reageren. 'Toen we de politie zagen komen, heb ik een van mijn mensen erheen gestuurd als verbindingsman. Hij hield me op de hoogte van het voorval.'

'Voorval?' zei Stride. 'Een van uw gasten is op nog geen honderd meter van uw voordeur op brute wijze vermoord.'

'Ja, het is zeer onfortuinlijk.'

'In verband met alle negatieve publiciteit?' vroeg Stride op scherpe toon. Hij wist niet waarom die man hem zo irriteerde. Hij had er die zomer zelf een paar dagen over gedacht om in de casinobeveiliging te gaan, maar besloten dat hij niet in de muil van de leeuw wenste te wonen.

Gerard lachte zuinigjes. 'Helemaal niet. Het is treurig maar waar dat publiciteit voor ons alleen maar gunstig is. Door de moord zal onze omzet de komende weken stijgen. Als het daarom zou gaan, had ik hem zelf wel doodgeschoten. Nee, Mr. Lane was een vaste klant, een zeer genereuze. We zullen hem missen.'

'Wist u dat M.J. vanavond in het casino was?' vroeg Stride.

'Natuurlijk. Mr. Lane en Miss Westermark kwamen rond tien uur samen aan en werden naar een besloten speelzaal geleid om blackjack te spelen.'

'Is die speelzaal vanaf de grote casinozaal te zien?'

'Nee. De gasten die daar spelen wensen dat zonder publiek te doen.'

'Waren ze daar met hun tweeën, of waren er anderen bij?' vroeg Stride.

'Het was niet ongewoon voor M.J. om in groot gezelschap te verkeren,' zei Gerard. 'Maar gisteravond waren ze met z'n tweeën.'

'Hoelang hebben ze gespeeld?'

'Een uur of twee. Tegen middernacht verlieten ze de speelzaal voor een bezoek aan haar suite.'

'Gingen ze via de hoofdzaal naar haar kamer?' vroeg Stride.

'Nee, er is een privélift.'

'Hebt u hen geobserveerd?' vroeg Amanda.

Gerard verblikte niet, en zijn stem was honingzoet: 'Hoe bedoelt u?'

'Ik bedoel dat we allemaal weten dat u een camera in die lift hebt. Dus we kunnen hier blijven zitten terwijl u de videoclip opzoekt, of u vertelt ons dat u een telefoontje kreeg toen M.J. en Karyn weggingen en dat u hen op die mooie grote monitor daar in de lift hebt bekeken.'

Stride kon niet zeggen of Gerard er de man naar was om ooit te zweten, maar hij moest constateren dat er zich een glimmend laagje op de nek van de man vormde. Ze wisten alle drie dat Amanda het helemaal bij het rechte eind had.

Gerard boog licht het hoofd, als een politicus die in een debat op een punt toegeeft. 'Ze waren in een speelse bui,' erkende hij.

'Maar uw parkeerhulp vertelde dat Karyn in haar eentje is vertrokken.'

'Dat klopt, ja. Miss Westermark vertrok na een minuut of vijf uit haar suite, in haar eentje. Mr. Lane volgde een paar minuten later. Hij maakte een opgewonden indruk.'

'We weten dat Karyn uit het casino is weggegaan,' zei Amanda. 'Wat deed M.J.?'

'Hij ging terug naar de blackjacktafel en heeft daar nog een uur of zo gespeeld. Hij dronk stevig door. Omstreeks één uur vertelde Mr. Lane me dat hij een stukje ging lopen. Ik begreep wat hij bedoelde.'

'Waar had M.J. het over nadat hij naar beneden was gekomen?'

'Hij sprak voornamelijk over Walker Lane, zijn vader. Voor wie Mr. Lane wat beter kent, is het geen geheim dat hij en zijn vader niet met elkaar overweg kunnen. Ik kan het met de mijne trouwens ook niet goed vinden.'

'Zijn er de laatste tijd nog ongewone beveiligingsproblemen in het casino geweest?'

Gerard lachte zowaar voldoende om een glimpje tanden te laten zien. 'Het zou een wonder zijn wanneer er een dag zonder iets ongewoons is, rechercheur. Casino's draaien op geld, alcohol, seks en emoties. Ik hoef u niet te vertellen dat dat een licht ontvlambare combinatie is.'

'Maar niets waarbij M.J. betrokken was?' vroeg Amanda.

'Nee, onze vipgasten geven zelden aanleiding tot moeilijkheden. Het zijn eigenlijk kinderen die wat al te enthousiast spelen. Soms gaat hun speelgoed daarbij kapot.'

'We willen graag een paar casinobanden van vanavond zien,' zei Stride. 'Kan dat hier?'

'Natuurlijk. Maar ik kan u verzekeren dat er in de blackjacksuite niets bijzonders is gebeurd. En er zit geen geluid bij de opnamen.'

Stride schudde het hoofd. 'Het gaat me niet om de blackjacksuite. Ik wil de grote zaal. Als M.J. door iemand is gevolgd, wil ik weten of diegene in het casino is geweest.'

Gerard was trots op zijn alomtegenwoordige ogen.

Toen hij op de muisknop drukte, waaierden tientallen kleine videobeeldjes uit over het scherm als kaarten die worden gedeeld.

'We waren een van de eerste casino's die volledig digitaal zijn gegaan met hun camerabeveiliging,' legde Gerard uit. 'Alles wordt permanent op de harde schijf gezet. Geen gehannes meer elke dag met honderden tapes. Wie meer dan duizend dollar aan een tafel wint, wordt voor altijd opgeslagen. En we kunnen de gezichten van alle gasten vastleggen en onze database in een paar seconden vergelijken met die van de politie en de Commissie Kansspelen. Enkelen van onze medewerkers hebben bij die dienst gewerkt.'

Met de muis klikte hij een van de minibeeldjes aan en een groter beeld van een Aziatische vrouw die op een Five Play-videopokermachine zat te spelen, vulde het halve scherm. Stride moest toegeven dat de beeldkwaliteit verbazingwekkend goed was. Met een ervaren tikje tegen de joystick richtte Gerard de camera op de handen van de vrouw en hij zoomde in tot ze konden zien hoe haar stompe vingers de knoppen uitzochten.

'De meeste mensen weten dat we kijken,' zei Gerard. 'Maar ze realiseren zich niet hoe geavanceerd de techniek is.'

'Ik wou graag de camera op de hoofdingang rond tien uur zien,' zei Stride. 'Zou dat kunnen?'

Gerard knikte. 'Alle beelden zijn voorzien van de tijd.'

'Ik wil M.J. zien aankomen en dan kijken of iemand hem naar binnen volgt,' vulde Stride aan. Hij ontworstelde zich aan zijn stoel en Amanda en hij kwamen achter Gerard staan om over zijn schouder mee te kijken. Gerard schoof zijn stoel verder onder het blad van het wandmeubel en veegde een denkbeeldig stofje van zijn schouder. Hij streelde de muis als een minnaar en liet de cursor bliksemsnel over het scherm flitsen.

'Alstublieft.'

Stride zag M.J. Lane en Karyn Westermark door de draaideuren binnenkomen. Karyn had een oversized paars footballshirt aan, een superkort wit broekje en witte laarzen met hoge hakken die strak om haar kuiten zaten en de lengte van haar benen benadrukten. M.J. droeg dezelfde nonchalante kleding – een over zijn wijde broek hangend overhemd – waarin hij een paar uur later zou worden gevonden. De zorgeloosheid zelve. Stride werd altijd een beetje beroerd als hij opnamen zag van slachtoffers kort voor hun dood. Ze wisten nog van niets, waren zich niet bewust van het feit dat het zand in hun zandloper bijna op was. De man met zijn zwarte kap stond vlak achter hen, scherpte zijn zeis, en zij glimlachten en schaterden alsof die nog jaren ver weg was, niet al in hun nek ademde.

'Laten lopen,' zei Stride.

Een minuut of twee volgden ze de stoet mensen die het casino binnenkwam of verliet. Toen stak Amanda een vinger uit, tot bijna tegen het scherm. 'Daar, links.'

De man die via de meest linkse deur binnenkwam had een verschoten honkbalpet op met de klep helemaal omlaaggetrokken. Hij hield zijn hoofd schuin en keek naar de grond terwijl hij liep. Ze konden nog net de donkere vlek onderscheiden van een baard die de onderste helft van zijn gezicht bedekte.

'Kakikleurige werkbroek,' zei Stride. 'Windjack. Ik denk dat dat hem is. De smeerlap duikt weg voor de camera.'

'Tien tegen een dat die baard vals is,' zei Amanda.

'We moeten hem zien terug te vinden,' zei Stride toen de man uit beeld verdween. 'Zo te zien ging hij richting receptie.'

Gerard goochelde met de joystick. Nog geen minuut later had hij de moordenaar opgespoord: hij zat aan een gokautomaat. Hij had zijn pet schuin staan, lekker nonchalant voor wie naar hem keek, maar zo uitgekookt dat de camera bijna niets in beeld kreeg.

'Hij weet dat de camera's er zijn,' constateerde Gerard mistroostig.

'Waar staat die automaat?' vroeg Stride.

'Tegenover de viplounge.'

Stride knikte. 'Zo kan hij M.J. zien vertrekken.'

Gerard zoomde in, maar van dichtbij was er niet veel méér te zien. Toen Stride goed naar de baard keek, moest hij Amanda gelijk geven: die was vals. Zelfs zijn jukbeenderen en neus zagen eruit alsof hij met stopverf bezig was geweest om zijn uiterlijk nog meer te veranderen.

'We zullen om een print vragen,' zei Stride tegen Gerard, 'voor zover we er iets mee kunnen. En het zou fijn zijn als u iemand van de TR de andere camera's laat afzoeken in de hoop dat we nog een beter zicht op de man krijgen.'

'Natuurlijk.'

'Laat maar lopen, dan kunnen we zien wat hij doet,' zei Stride.

Gerard verhoogde het tempo, maar de bewegingen van de moordenaar waren zo afgepast dat het amper verschil maakte. Het was of hij stijfbevroren was terwijl de rest van het casino in een waas achter hem langs schoot. Om de minuut speelde hij voor één dubbeltje van de twintig dollar die hij in het apparaat had gestopt – langzaam genoeg om hier uren te zitten zonder door zijn voorraad heen te raken. Het was of hij nooit naar de ingang van de afgeschutte viplounge keek, maar Stride voelde aan zijn water dat dit iemand was aan wie niets ontging. Kil. Methodisch.

Even voor enen kwam M.J. weer in beeld. Gerard liet de band weer normaal lopen. M.J. was nu duidelijk dronken en zwalkte naar de uitgang. De moordenaar aan het gokapparaat rekte lui zijn armen uit en liet niets van belangstelling blijken.

Maar hij stond wel op, klaar voor de achtervolging. Stride kon zich de adrenalinestoot voorstellen die de man hyperbewust maakte. M.J. was alleen. De man ging toeslaan. Hij stond klaar om als een hond achter zijn slachtoffer aan te gaan.

Toen deed de man aan het apparaat iets. Het ging zo snel dat Stride niet zeker wist of hij het echt had gezien.

'Stop, stop,' riep Stride. 'Terug. Wat gebeurde daar?'

Gerard noch Amanda was iets opgevallen. Gerard spoelde de band terug en liet hem daarna, volgens instructies van Stride, langzaam, beeldje voor beeldje, vooruitlopen. Terwijl M.J. in de achtergrond verdween, stond de moordenaar op, elke beweging onnatuurlijk schokkerig, als in een oude film.

Rekte zich uit. Duwde de stoel met zijn voet weg. Liep langs het apparaat achter M.J. aan. Stak een hand uit naar achteren.

'Wel verdomme!' zei Amanda toen ze het zag.

'Zet stil!' zei Stride tegen Gerard.

Terwijl de moordenaar wegliep, zette hij onopvallend zijn duim midden op de glasplaat van de gokautomaat, en rolde hem heen en weer zodat er een volmaakte afdruk achterbleef.

Stride voelde hoe zijn maag zich omkeerde, alsof hij in een tunnel-of-love-karretje was gestapt en ontdekte dat hij in een wildwaterbootje was terechtgekomen. Een huivering van angst deed zijn zenuwuiteinden tintelen.

'Hij weet dus dat hij niet in ons systeem zit,' fluisterde Amanda.

Stride staarde naar het stilgezette beeld op het scherm. 'Dat is nog niet alles,' zei hij. 'Hij wil dat we achter hem aan gaan.'

4

Toen Stride en Amanda uit zijn Bronco stapten, hoorde hij zijn mobieltje in de zak van zijn jasje overgaan. Hij had kort ervoor een beltoon van Alan Jacksons 'Chattahoochee' vervangen door 'Restless' van Sara Evans, maar zonder de schitterende stem van Sara was het toch niet hetzelfde. Maar er was iets in de melodie dat bij Stride telkens als hij die hoorde een eenzame pijnplek raakte. Het had alles met thuis te maken, en de voorgaande maanden was zijn gevoel van thuis zijn, van een plek waar hij thuishoorde, vervlogen.

Hij klapte de telefoon open en hoorde Serena's stem.

'Ik vermoed dat je hebt gesnakt naar de glamour van dit baantje,' zei ze. Hij was die nacht om één uur diep ongelukkig uit bed gestapt.

Stride voelde de spanning wegzakken. Hij was zo verliefd op haar dat hij het fysiek voelde, diep vanbinnen, hoewel hij zich afvroeg hoe ze het samen in deze stad moesten uithouden. Of hoe hij het moest uithouden. Zij was zijn oase, een droom waar een man die door de woestijn dwaalde zich aan kon vastklampen.

'Ja, die had ik gemist, het contact met de nachtvlinders,' zei Stride. 'Ik denk dat Sawhill me dat graag even in herinnering bracht.'

'Ja joh, jij wou weer meedoen,' plaagde Serena. 'Ik heb nog gezegd dat je thuis moest blijven als mijn maintenee.'

Stride moest lachen. Ze had gelijk. Toen hij ontslag nam bij de politie in Duluth en naar Las Vegas verhuisde om bij Serena te zijn, was hij net als dat nummer van Sara Evans. Rusteloos. Hij had zijn hele leven in Minnesota gewoond. Een mooie eerste vrouw, het meisje uit zijn jeugd, nu dood. Een tweede vrouw van wie hij onlangs gescheiden was. Maggie, zijn partner en beste vriendin. En al die koude, uitgestrekte gebieden in het verre noorden: het grote meer, de eindeloze berken- en dennenbossen. Thuis.

Maar na de laatste moord die hij had onderzocht – de zaak waarbij hij Serena had leren kennen – was hij ontworteld geraakt. De afgelopen twee maanden in Vegas had hij wat ronddgedobberd, behoefte gekregen aan werk. Hij had erover gedacht om een vergunning als privédetective aan te vragen, maar zag zichzelf niet achter struiken in de woestijn liggen om overspelige echtelieden te bespioneren. Tot het moment waarop met één zwiep van de schijven van een slotmachine een rechercheur Moordzaken van de plaatselijke politie met een fortuin op zak ontslag nam en Stride opeens weer bij de politie werkte.

'Spijt?' vroeg Serena. 'Was je liever in bed gebleven? Of in Minnesota?'

Ze klonk luchtig, maar hij hoorde er een duidelijke vraag in. Af en toe wilde ze even controleren hoe het er met hen voorstond.

'Ik was beslist liever in bed gebleven,' zei hij. Wat Minnesota betreft: daar ging hij niet op in. Hij wist dat het te vroeg was om al te praten over de baan en Las Vegas en wat die voor hun toekomst betekende. Ze hadden het er nog niet echt over gehad, omdat ze het allebei fijn vonden zoals het nu ging en geen zin hadden om het te verpesten.

'Wat is het voor zaak?' vroeg Serena.

Stride vertelde haar over het lijk en hoorde haar schel en lang fluiten toen hij zei dat M.J. het slachtoffer was.

'Hoe komt het dat iedereen die vent kent en ik niet?' vroeg hij.

'Als je op de wc af en toe *Us Magazine* zou lezen, zou je die dingen weten.'

Stride zuchtte. 'Ze hadden me al verteld dat ik wat aan mijn culturele ontwikkeling moest doen.' En hij voegde eraan toe: 'We zijn nu op weg naar M.J.'s appartement.'

'Heb je een partner?'
'Amanda Gillen,' zei Stride.
'Amánda?!'
Serena was goed te horen in de cabine. Stride wierp een blik op Amanda, die discreet naar de lichtjes keek waar Stride langsreed. Maar hij zag een vals lachje om haar mondhoek spelen.
'Prima meid,' zei Stride.
Amanda schoot in de lach.
'Eh, Jonny... weet je van...?' vroeg Serena.
'Ja, ik weet het.'
'Ik hoop dat dat betekent dat ik me geen zorgen hoef te maken,' zei Serena tegen hem.
'Neem nooit iets zomaar aan.' En hij ging verder: 'Jij bent ook vroeg op. Wat is er aan de hand?'
'Een diender heeft een auto aangetroffen op een parkeerterrein bij de Meadows Mall. Ik haal Cordy op. Uniform denkt dat het misschien de auto is van de hit-and-run op die jongen in Summerlin vorige week.'
'Dat is mooi. Jullie konden wel een doorbraak gebruiken.'
'Zeg dat wel.'
Ze klonk eerder moe dan opgetogen. Stride begreep dat wel. Werken aan een kindermoord is altijd heel zwaar, en de dood van deze jongen, Peter Hale, had Serena een dreun gegeven.
'Ik moet ophangen,' zei Stride. Ze waren vlak bij M.J.'s appartement.
'Ik weet het. Ik ook.'
Maar geen van twee hing op. Zelfs de stilte van de lucht in hun telefoontjes voelde aan als een reddingslijn die hen verbond.
'Hé, Jonny, pas je goed op jezelf?' zei Serena. 'Je bent hier niet in Duluth.'

Stride draaide vanaf Paradise Road de oprit naar het Charlcombe Towers-complex in. Hij boog zich over zijn stuur en keek door de voorruit omhoog. Oud en nieuw, dacht hij.
De drie nieuwe, glanzende witte torens van veertig verdiepingen rezen ten westen van Paradise Road op. De balkons van

de appartementen van een paar miljoen dollar klommen langs het gebouw omhoog als een trap naar de hemel. Eén straat verderop een restant van het oude Las Vegas: afbrokkelend en donker stond daar een van de laatste casino's uit de jaren zestig. In zijn tijd een grootheid, nu vermoeid en afgetobd. Het stond nog, maar dat zou niet lang meer duren. Stride had al geleerd dat oud in deze stad niet lang standhield.

Amanda wees naar het vervallen casino dat klaarstond om te worden opgeblazen. 'Wanneer ze dat oude geval hebben opgeblazen, gaat Boni Fisso daar een nieuw project beginnen, de Orient. Een resort met iets Aziatisch als thema. Het schijnt twee miljard dollar te gaan kosten.'

'Waarom Aziatisch?' vroeg Stride.

'Ik denk omdat er in Japan en Singapore een hoop vette vissen zitten. En ik vermoed dat ze China als het volgende kapitalistische groeiland zien. Het gaat eruitzien als een paleis uit de Mingdynastie.'

'Jammer voor M.J. dat hij niet meer van het uitzicht zal kunnen genieten,' zei Stride.

Hij reed door tot aan het hek en zwaaide naar de bewakers. Hun strakke koppen keken wantrouwig naar Strides bestofte Bronco.

'Ik had met de Spyder moeten komen,' zei Amanda.

Het kostte hun bijna drie kwartier om zich langs de bewaking en in M.J.'s eenslaapkamerappartement te praten, dat halverwege de noordelijke toren op de achtentwintigste verdieping lag. Het was er een bende, ondanks de tienduizenden dollars die iemand – M.J.'s vader? – had uitgegeven aan chromen kunst, een kersenhouten eetkamertafel met stoelen en kroonluchters van zilver en kristal. M.J. deed of het een studentenkamer was. Op een van de banken lag een opengeslagen pornotijdschrift, tientallen dvd's zwierven in een slordige stapel op de grond voor de tv. De rommelige restanten van een ontbijt voor twee – cornflakes en zure melk, koude koffie – stonden op de eettafel en in de lucht hing nog de muffe lucht van een half opgerookte joint. Op het vloerkleed bij de open deur naar de slaapkamer zag hij mannen- en vrouwenondergoed liggen.

'M.J. had gezelschap,' zei Stride.

'En niet van Karyn Westermark,' vulde Amanda aan.

Op Strides voorhoofd verscheen een denkrimpel. 'Hoe weet je dat?'

'Zeker weten dat Karyn geen ondergoed draagt.'

Stride grinnikte. Hij bekeek de ongeëtiketteerde dvd's op de grond en drukte op de PLAY-knop van de dvd-recorder. Op het absurd grote scherm plopte een beeld op. Uit de overal verborgen luidsprekers kwam een diep gekreun. Stride zag een man op zijn rug op een bed, armen en benen gespreid, en op hem zat een naakte vrouw wier kegelvormige borsten voor zijn mond bungelden. Hij dacht even dat het een pornofilm was, maar het was een homemovie. De man op het bed was M.J. De vrouw herkende hij niet, maar haar golvende kastanjerode haar kwam niet overeen met de steile, blonde lokken van Karyn Westermark die hij op de beveiligingsbeelden van de Oasis had gezien.

'Sommige kerels leren het nooit,' zei Amanda. 'Je zou toch denken dat het risico om in je eigen pornoprent op het internet te komen de mensen wat voorzichtiger zou maken.'

Stride stopte met afspelen. Hij zag een telefoon en een antwoordapparaat op de glazen rand van de gorgelende fontein staan. Het rode lichtje knipperde. Toen Stride de knop indrukte, kondigde een elektronische stem aan dat M.J. drie berichten had.

'M.J., met Rex Terrell. Ik dacht dat we wat geheimpjes konden uitwisselen. Ik heb je de mijne laten zien, wat dacht je ervan om mij de jouwe te laten zien? Bel je me even?'

Terrell liet een nummer achter, dat Stride in zijn notitieboekje schreef. Het bericht was zaterdag net na de middag binnengekomen.

'Weet jij wie Rex Terrell is?' vroeg Stride.

Amanda schudde haar hoofd.

Het tweede bericht was van Karyn Westermark, kort en lief.

'Met Karyn. Ik ben in de stad, schat. Zeven uur bij Olives. Tot straks. Kusjes.'

'We weten dus dat ze hebben gegeten in Bellagio,' zei Amanda. 'Ik vraag me af of Karyn weet van die brunette in M.J.'s jongste pornoprent.'

Het laatste bericht begon met een aantal seconden stilte. De band kraakte. Stride hoorde bewegingen op de achtergrond, een man die zijn keel schraapte, fragmenten klassieke muziek. Uiteindelijk kwamen de woorden, een grommende stem, hortend, met ongemakkelijke stiltes. Gaten waar hij niet wist wat hij moest zeggen. Er klonk de pijn van een open zenuw in door.

'M.J., met Walker... blijf alsjeblieft luisteren, wis het bericht niet. We moeten praten... Je hebt het mis...'

Stride drukte op de PAUZE-knop. 'Walker?' vroeg hij.

Amanda knikte. 'Walker Lane. De filmproducent. De vader van M.J.'

'Wat je hebt gehoord, is niet de waarheid, en ik wou dat ik iets kon zeggen waardoor je dat gelooft...'

De laatste stilte duurde langer dan de andere, en Stride dacht al dat het bericht afgelopen was. Maar toen ging de stem verder, zachter, smekender.

'Ik wou dat je naar huis kwam. Ik wou uit de grond van mijn hart dat je niet daar woonde... Ik wil je de waarheid vertellen terwijl we elkaar in de ogen kijken... Ik ga je mobieltje proberen. Bel me als we nog niet hebben gepraat wanneer je dit bericht krijgt.'

Walker Lane had opgehangen. Het antwoordapparaat gaf als tijdstip van het bericht middernacht aan, precies rond de tijd dat M.J. en Karyn haar suite in de Oasis binnenkwamen. Een uur voor iemand achter M.J. aan de straat op ging en hem doodschoot.

Stride keek nog eens om zich heen. Hij zag een paar ingelijste foto's van M.J. met enkele beroemdheden, voornamelijk vrouwen. Er was een foto van een aantal jaren geleden van een heel jonge M.J. met een vrouw die volgens Stride vermoedelijk zijn moeder was. Maar niets van zijn vader. Geen enkel teken van het bestaan van Walker, behalve de geur van geld.

'Ik vraag me af of hij M.J. op zijn mobieltje heeft gebeld. Dat zou kunnen verklaren waarom Karyn vroeger is vertrokken en waarom M.J. opgefokt was.'

'Dat is niet de stem van een man die een moordenaar inhuurt om zijn zoon te vermoorden,' zei Amanda.

'Nee. Maar ik wil wel weten waar die ruzie over ging.'

Ze gingen verder met het doorzoeken van het appartement. Stride vond meer drugs in de welvoorziene drankkast: een doos van houtsnijwerk met daarin een grote zak marihuana, een cellofaan envelopje met een paar gram cocaïne, en twee apothekerspotjes met wat eruitzag als Oxycontin. De etiketten waren erafgekrabd.

'Dat lijkt meer op een gebruiker dan een dealer,' zei Amanda.

Stride knikte. Hij begon de drugs in een bewijszak te stoppen en verzegelde die.

'Hoe kom je aan die Maserati?' vroeg Stride toen hij Amanda's blik opving. 'Die koop je niet van een politiesalaris.'

Amanda haalde haar schouders op. 'Ik moest de gemeente vorig jaar voor de rechter slepen. Discriminatie, pesterij. Je kunt je niet voorstellen wat ik allemaal over me heen heb gekregen.'

'Ik heb een vermoeden,' zei Stride.

'Hoe dan ook, de gemeente kwam met een voorstel. De rechtbank dwong de politietop om de juiste dingen te zeggen en de meeste rotzooi hield daarna op. Maar ze willen niets met me te maken hebben.'

'Dienders zijn allemaal kerels, Amanda. Ook de vrouwen.'

'Vertel mij wat,' zei ze. 'De regeling was heel gunstig. Onder in de zeven cijfers. Niemand had gedacht dat ik het zou volhouden. Ik weet zeker dat ze dachten dat ik het geld zou aanpakken en de benen zou nemen. Nou, mooi niet. Ik heb de Maserati gekocht, de rest op de bank gezet en ik ben blijven werken. Ze dachten dat ze gek werden.'

Stride lachte. Hij mocht die recht-voor-z'n-raap-houding van haar wel. Het deed hem denken aan Maggie, die in Duluth zo lang zijn partner was geweest.

'Maar voor mijn vriend is het heel moeilijk geweest,' ging Amanda verder. 'Ik heb meer met hem te doen dan met mezelf. We werden zes maanden nadat ik me had laten veranderen een stel, en dat is vier jaar geleden. En nee, hij wist van niks, in het begin dan. Het was inderdaad een schok voor hem. Maar hij pakte het heel goed op.'

'Ik was echt niet van plan ernaar te vragen,' zei Stride.

'Toe nou, je was best nieuwsgierig. Dat is iedereen. Maar het geeft niet.'

'Schuldig,' bekende hij.

'Je hebt geluk gehad, weet je dat?' zei Amanda. 'Met Serena. Mooie vrouw.'

'Ja, dat is zo.'

Hij was helemaal van de kaart geweest toen hij Serena voor het eerst zag, zo mooi was ze. Lang zwart haar dat hij steeds door zijn vingers moest laten glijden. Smaragdgroene ogen die dansten en hem uitdaagden. Zongebruinde huid met her en der in haar gezicht een paar lijntjes die aangaven dat ze de dertig gepasseerd was en op de veertig aanging. Een lang, atletisch gebouwd lichaam waar ze heel hard aan werkte om het fit te houden.

Amanda zag het in zijn ogen. 'Je houdt van haar, hè?'

'Nou en of.'

'Ik hou ook van Bobby,' zei Amanda. 'Hij krijgt een hoop over zich heen, maar hij houdt vol.'

'Dat is heel veel waard.' Stride bleef opeens staan en draaide met zijn ogen. 'Die naam heb jij gekozen, hè? *A man-da*.'

Amanda liet een sluw lachje zien. 'De meeste mensen hebben het helemaal niet door.'

'Ga mee naar de slaapkamer,' zei Stride. 'Voor onderzoek,' voegde hij er snel aan toe.

De weelderige vloerbedekking in M.J.'s slaapkamer was zwart, evenals het meubilair, dat geheel glanzend zwartgelakt was. Links was een glaspui met een dubbele openslaande deur in het midden. Tussen de houten verticale lamellen door zag Stride de lichten van de stad. M.J.'s boxspringbed stond voor de tegenoverliggende muur. Een zwart-rood geblokt dekbed lag er half naast en de bordeauxrode lakens waren één grote bende. Stride zag een condoomverpakking op de grond liggen.

'Wil jij de badkamer bekijken?' vroeg hij.

Amanda verdween door een deur naast het bed. Stride richtte zijn aandacht op het bureau aan de andere kant van de kamer, een slagveld van ongeopende post, bankafschriften, mannentijdschriften en rekeningen van restaurants en hotels. Hij ging zitten en begon zich door de stapels heen te werken.

'Nog meer pillen,' meldde Amanda toen ze terug was. 'Heel veel xtc, en verder een ruime keus aan erectiehulpen: Levitra, Cialis én Viagra. Hij moet met zijn pik hebben kunnen tennissen.'

Stride trok een pijnlijk gezicht.

'Heb jij iets gevonden?' vroeg Amanda.

'Ik heb geen agenda of palmtop gevonden. Hij had meer dan tien miljoen op diverse bankrekeningen, vermoedelijk dankzij Walker. Hij gokte veel, door de hele stad en ook in de Cariben.'

'Stalkers? Hatemail? Rechtszaken?'

'Tot nu toe niet.'

'Wat is dan het motief?' vroeg ze. 'Waarom zou iemand hem hebben willen vermoorden?'

Stride wreef in zijn ogen; hij voelde het gebrek aan slaap toeslaan. 'Zo te zien was hij niemand geld schuldig. Misschien dat er sprake was van een driehoeksverhouding met Karyn en die geheimzinnige brunette van die video, maar ik denk dat iedereen in dit wereldje het met elkaar aanlegt. Lijkt me geen reden om iemand te vermoorden, niet door een huurmoordenaar. Hij gebruikte drugs, maar dat is hier doodgewoon. Hij had ruzie met zijn vader. Dat is het enige dat we hebben, en dat is niet veel.'

'Tenzij we met een gek te maken hebben.'

Stride stond op. Hij dacht aan de moordenaar op de beveiligingstape die zijn vingerafdruk voor hen achterliet. 'Ja, dat is iets om rekening mee te houden.'

Hij zag een opgevouwen krant op het nachtkastje naast

M.J.'s onopgemaakte bed en pakte hem op. Hij was al aan het vergelen, en toen Stride naar de datum keek, zag hij dat de krant meer dan drie maanden oud was. Hij las de kop op de voorpagina:

Implosie om weg vrij te maken voor 'Orient'

Er waren foto's die het grootste deel van de voorpagina besloegen. Boni Fisso die boven een maquette van het superluxe amusementscomplex de hand schudde van gouverneur Mike Durand. De zaal waar de shows draaiden tijdens de glorietijd van het casino, met bijna geheel blote danseressen op het toneel. Een opkolkende stofwolk van een casino dat al eerder met de efficiency van een bom met de grond gelijk was gemaakt.

'Heb je wel eens een implosie gezien?' vroeg Stride aan Amanda.

'Jazeker. Toen ik nog in de beveiliging werkte, sloopten ze de laatste toren van de Desert Inn. Het was indrukwekkend. In deze stad is een implosie altijd een feestelijk gebeuren.'

Stride knikte. Hij zag een oud nummer van *LV*, het maandelijkse tijdschrift van de gemeente, onder de krant liggen. In een hoek van de voorpagina stond een foto van hetzelfde oude casino met een nieuwsgierig makende kop ernaast:

Casino is beerput

Amanda keek over zijn schouder mee. 'Hij woont boven, als je hem gedag zou willen zeggen.'

'Wie?'

'Boni Fisso. Dit hele complex is van hem, net als het hotel aan de overkant. Ik weet bijna zeker dat hij in het penthouse hierboven woont.'

Stride kende Boni Fisso's reputatie. Hij behoorde tot het uitstervende ras van Las Vegas-ondernemers, een overblijfsel uit de tijd dat de maffia de stad bestuurde, voordat Las Vegas een onderneming werd. Fisso moest al over de tachtig zijn, maar op de krantenfoto's zag hij er nog beminnelijk en bijdetijds uit, een oude kerel die het nog niet rustig aan deed. Hij was niet groot, een meter vijfenzestig, maar met de bouw van een brandkraan waar je tegen kon schoppen zonder dat je er een deuk in kreeg.

'Hoe schat jij Boni in?' vroeg Stride. 'Komt hij eerlijk aan zijn geld?'

'Dat kan bijna niet, maar niemand heeft ooit het tegendeel kunnen bewijzen,' zei Amanda. 'De Commissie Kansspelen heeft hem jarenlang in de gaten gehouden, maar ze hadden nooit genoeg materiaal om hem op de zwarte lijst te zetten. Dus óf hij is oké, óf hij heeft een paar politici daar in zijn macht. Hoe dan ook, hij heeft het spel al die jaren kunnen spelen. Hij doet net of hij Steve Wynn is, gewoon een eerlijke projectontwikkelaar en filantroop.'

'Bestaat er een connectie tussen Boni en M.J.?'

Amanda haalde haar schouders op. 'Niet dat ik weet. Hoezo?'

Stride wees op het tijdschrift en de krant. 'Zo te zien was M.J. zeer geïnteresseerd in dat nieuwe resort.'

'Tja, vanaf zijn balkon kijkt hij recht op de implosieplek. Als hij geen ventilatiegat in zijn schedel had gekregen, had hij de komende jaren de Orient uit de as kunnen zien verrijzen.'

Stride knikte. Hij wist dat Amanda gelijk had. Het was niet echt belangrijk. Maar toch bleef er iets knagen. Dat deden kleinigheden wel vaker: kleurloze puzzelstukjes die niet pasten. M.J. had te veel tentakels in deze stad. Drugs. Feesten. Vrouwen. Waarom bewaarde hij een maanden oud tijdschrift naast zijn bed? Wat was er voor hem zo belangrijk aan de Orient?

Een project van twee miljard dollar, gefinancierd door iemand van wie iedereen dacht dat hij banden met de maffia had. Het was zeker de moeite waard om iemand die daarbij dwarslag uit de weg te ruimen. Maar Stride zag niet goed hoe een playboy als M.J. een bedreiging kon zijn voor iemand als Boni Fisso.

Stride kuierde door de slaapkamer naar de dubbele glazen deuren die uitkwamen op het balkon. Hij deed ze van het slot en stapte naar buiten. Een windje liet de verticale lamellen klapperen en draaien. Buiten stond geen meubilair; er was alleen een lange, ijzeren reling, en het uitzicht op het noordelijke deel van de Strip. Hij pakte de reling vast. Zijn hart klopte wat onregelmatiger vanwege de hoogte. Hij stelde zich voor hoe M.J. daar stond, high door de cocaïne, en zich afvroeg of hij vleugels kon laten groeien en vliegen. De jeugd is dom, bedacht Stride. Hij realiseerde zich dat M.J. waarschijnlijk nooit op het balkon kwam, waarschijnlijk nooit de deur had geopend. Hij had een naakte Karyn Westermark in zijn bed, en waarschijnlijk ontelbare andere vrouwen, en dat was voor hem een veel mooier uitzicht dan alle lichtjes van de Strip bij elkaar.

Maar Stride bleef buiten staan. Hij vroeg zich heel even af of híj zou kunnen vliegen. Het was hierboven koel en mooi, eind-septemberweer, wanneer de ergste hitte voorbij was en in de nachten al iets van de herfst te proeven was. In het oosten was een rossige gloed zichtbaar; daar schoof de zon langzaam omhoog achter de bergen en bracht de dageraad. De vallei was nog in duister gedompeld. Maar de nacht kreeg het daar nooit volledig in zijn greep. Dat was het gebied van de neonzon.

Hij keek naar Boni's oude casino, aan de overkant van de straat, het dak een stuk of tien verdiepingen lager dan waar hij stond. Het gebouw zelf was zwart, ontdaan van leven. Op straatniveau sloten een hek van kippengaas en een wand van plaatmateriaal het terrein af; geen hotelgasten meer, geen patsers meer. Sinds het terrein afgesloten was, hadden de slopers de binnenkant leeggehaald, de ingewanden eruitgerukt en gaten in de muren geboord om de staven dynamiet in te schuiven. Over een paar weken zou met een druk op de knop, met een simpel elektrisch stroompje, dit hele kaartenhuis instorten.

Stride dacht na over de foto in de krant. Meisjes op een toneel. Mannen in smoking. Martini's. Geld. Nu allemaal spookverschijningen.

Hij liet zijn blik van verdieping naar verdieping gaan, allemaal zonder leven en donker.

Behalve het dak. Het dak was helverlicht.

Typisch Vegas, dacht Stride, het licht laten branden, ook als het feest afgelopen is.

Hij zag geschulpte oriëntaalse beelden over de hele lengte van de borstwering, net kleine uivormige koepels. Waar het dak naar binnen liep tot het binnenste van het hotel zag hij vaag de tegels en bomen van wat de tuin van het penthouse was geweest. Alles schitterde in het licht van de neonnaam van het casino, die nog altijd in rode en groene flikkeringen de spoken binnen een reden gaf te denken dat ze nog van vlees en bloed waren. Niemand had hun verteld dat het tijd was om te gaan.

Om de paar seconden werd de naam zwart, waarna de letters weer aangingen, een voor een, alsof er niets was veranderd, alsof op alle verdiepingen het leven gewoon doorging. Een voor een, tot de hele naam op het dak schitterde.

Sheherezade.

5

Serena kon merken dat Cordy gedeprimeerd was. Toen ze hem bij zijn flat in het noorden van Las Vegas ophaalde, had hij een armezondaarsgezicht, als een kind dat in de hoek is gezet. Toen ze door de stad naar het zuiden reden, staarde hij zonder een woord te zeggen met een zuur gezicht uit het raam. Zelfs zijn haar had een rotdag. Normaliter lag het door de gel als pikzwarte leeuwenmanen op zijn schedel, maar nu sprongen er op allerlei plaatsen plukken naar buiten als onkruid op een trottoir. Helemaal niet Cordy.

'Wat heb je?' vroeg Serena toen ze voor een rood licht stonden te wachten. Er was nauwelijks verkeer op Cheyenne en Jones. Het was de korte periode van doodtij wanneer de nachtvlinders eindelijk naar bed waren en alle anderen suffig bezig waren wakker te worden.

Cordy slaakte een lange, dramatische zucht. 'Lav en ik,' zei hij. 'Een aflopende zaak.'

Lavender was een bloedmooie zwarte stripper die minstens vijftien centimeter boven Cordy uitstak. In de periode dat Serena en Cordy als partners samenwerkten, had hij al zes meisjes als tissues versleten, was hij van de een naar de ander gegaan, en allemaal tenger, blond en jong. Lavender was anders, en toen ze omgang met elkaar kregen, dacht Serena dat Cordy misschien eindelijk de ware had gevonden.

'Wat is er gebeurd?' vroeg Serena.

Cordy draaide het raampje van Serena's Mustang omlaag en

spoog. Hij vloekte in het Spaans. 'Wat denk je, mama? Ik heb het verkloot. Ik heb een van haar vriendinnen geneukt, en Lav is erachter gekomen.'

'Shit, wat ben je toch een stommeling.'

'Het is de schuld van deze kolerestad,' deelde Cordy haar op bittere toon mee. 'Al dat verdomde vlees. Wat wil je? Zet een vent als ik in een kamer vol snoepjes en er komt een moment dat hij een hapje neemt.'

'Maar deze keer is het je dus slecht bekomen.'

Ze liet Cordy in zijn sop gaarkoken en draaide zich naar Jones om. Ze wilde hem zeggen dat het probleem in feite was dat hij naar zijn pik luisterde en niet naar zijn hersens. Maar wat Las Vegas betreft, had hij niet helemaal ongelijk. Je kon een plek niet zo vol zonde stoppen en dan verwachten dat er niemand over de schreef ging.

Serena woonde al meer dan twintig jaar in Las Vegas, waarvan ze er nu tien bij de politie zat. Er werkten heel wat ex-showgirls bij de politie, en de meeste mensen gingen ervan uit dat Serena een van hen was, omdat ze lang en slank was. Maar Serena's beginjaren in de stad hadden heel wat minder glamour gekend nadat ze er als zestienjarige met haar vriendin Deirdre uit Phoenix was aangekomen.

Er waren wel duizend manieren waarop jonge meisjes die naar Vegas kwamen te gronde konden gaan. Strippen, tippelen, gokken, drinken, stelen, vechten, aan de drugs gaan, in pornofilms spelen of gewoon bij de verkeerde man in bed terechtkomen. Al die wegen voerden naar hetzelfde einde: ze veranderden van mooie jonge bloemen in rotzooi die ronddreef tussen de groene algen in een moeras.

Zoals Deirdre. Haar beste vriendin, haar redster, de meid aan wie ze haar leven te danken had, de meid die had gezegd dat ze Serena nodig had, meer dan wat ook ter wereld. Dood.

Soms verbaasde het Serena dat ze zelf niet ook dood was. Ze had gekozen voor een kantoorbaantje in een van de casino's, terwijl ze met haar uiterlijk in een stripclub tien keer zo veel had kunnen verdienen. Ze was op school gebleven, had haar highschooldiploma gehaald en vervolgens 's avonds en in de weekeinden gewerkt om een studie strafrecht aan de universiteit van Las Vegas te kunnen betalen. Het kostte haar tien jaar om dat einddoel te bereiken. Toen Deirdre stierf, stortte een schuldgevoel Serena in een alcoholroes die haar twee jaar van haar leven kostte en bijna alles waar ze voor had gewerkt.

Uiteindelijk krabbelde ze erbovenop, zette zichzelf droog en ging verder met haar studie.

Ze kon niet goed zeggen waar haar doorzettingsvermogen vandaan kwam. Misschien was het omdat ze, toen ze met Deirdre uit Phoenix ontsnapte, zichzelf had beloofd dat hetgeen ze thuis had moeten doorstaan niet de rest van haar leven mocht verwoesten.

Maar Cordy had gelijk. Las Vegas maakte het leven er niet makkelijker op.

'Ik weet hoe ik je aan het lachen kan krijgen,' zei Serena tegen hem.

'Onmogelijk. Ik ben in de rouw. Ik ben in het zwart.'

Serena wierp een blik op hem. Cordy droeg een zwartzijden overhemd waarvan twee knoopjes open waren, een zwarte smokingbroek met smal toelopende pijpen en zwarte lakschoenen. Maar dat had niets met Lavender te maken. Cordy was iemand voor wie stijl telde. Serena hield meer van sportieve kleding, niet zo modieus, dus liep ze meestal in spijkerbroek, T-shirt en een paar afgetrapte cowboylaarzen.

Wanneer ze zich echt 'kleedde', stonden kerels met open mond, dat wist ze. Ze wist nog dat Stride haar voor het eerst zag op het vliegveld van Duluth, waar ze heen was gevlogen voor onderzoek van een moord op een meisje in Vegas. In een opwelling had ze een van haar verpletterende combinaties aangetrokken: een broek van lichtblauw leer, een zilveren riem, T-shirt dat haar middenrif vrijliet, een zwarte leren regenjas. Dat was de enige keer dat ze Jonny sprakeloos had meegemaakt.

'Twintig dollar,' zei Serena.

'Aangenomen. Ik lach niet vandaag.'

'Sawhill heeft Jonny voor 't buitenwerk gekoppeld aan Amanda.'

Cordy schoot onwillekeurig toch in de lach. 'O, moeder! Amanda? Haar borsten zijn nog groter dan de jouwe.'

'Het laatste nieuws, Cordy. Haar apparaat is groter dan het jouwe. Dat zeggen ze tenminste.'

'Ik krijg kippenvel als ik eraan denk.' En even later: 'Zeg, hoe weet je dat Amanda's vriend een *couch potato* is?'

'Ik durf het niet te vragen.'

'Omdat hij 't het liefst voor de tv doet!' Cordy proestte het uit.

Serena schudde haar hoofd. 'Bewaar dat soort ongein maar voor hier in de auto, *muchacho*. Jonny schijnt haar te mogen. En ik krijg twintig dollar van je.'

'Hm. Trouwens, er worden weddenschappen afgesloten op Stride. De meesten denken dat hij binnen een paar maanden opgebrand is.'

'Jonny is van het heel taaie soort,' zei Serena.

'Ja, maar dit is Vegas.'

Serena wilde er geen discussies over. Niet omdat ze dacht dat Cordy gelijk had, maar omdat ze een heleboel redenen kon bedenken waarom Stride de benen kon nemen, en die hadden niets met het werk te maken.

'Ik denk dat er op mij ook gewed wordt,' zei ze. 'Of Jonny en ik het redden.'

'Bij jou is het ongeveer één tegen honderd miljoen,' zei Cordy. 'De meeste kerels vinden je nog steeds prikkeldraad.'

Serena trok een lelijk gezicht, maar alleen omdat Cordy een gevoelige snaar raakte. Bij de collega's stond ze bekend – en terecht – als de koele schoonheid, intelligent en onbenaderbaar. Prikkeldraad. Ze was de vrouw die mannen de grond in boorde, die ego's doorprikte met een venijnige grap en die een hoge muur rond haar gevoelens had opgetrokken. Een sexy pakketje dat door niemand leek te worden uitgepakt.

Serena vond het prima zo. Ze had mannen nooit vertrouwd. In Phoenix was haar vader, toen haar moeder wegzonk in een cocaïneverslaving, bij hen weggegaan en hij had Serena achtergelaten zodat ze samen met haar moeder helemaal kon afzakken. Ze eindigden in een flatje naast het vliegveld bij een drugsdealer, Blue Dog geheten, en een halfbloed indiaan. Haar moeder stond meestal bij hem in het krijt. Serena werd het betaalmiddel.

Ze dacht niet graag aan die tijd terug. De beste verdediging was te doen alsof het er niet was. Zoiets als de doos van Pandora. Je kon het deksel er beter op houden en er niet in kijken, want terugdraaien ging niet. En dus was ze een gesloten boek geworden voor iedereen die haar wilde benaderen. Op haar zesendertigste had ze nog nooit een serieuze relatie gehad, nooit echt gemist, nooit echt gewild.

Tot Jonny.

Ze wist niet hoe het Stride was gelukt haar muur zo vlot af te breken. Misschien omdat hij zo anders was dan de mannen in Vegas: hij was niet glibberig, speelde geen spelletjes, zette niet het gezicht op dat jij volgens hem wilde zien. Hij was net als zij een troebele vijver vol emoties waarvan je de bodem niet kon zien. Die onpeilbaarheid had haar meteen aangetrokken. Toen hij haar achter zijn eigen muur toeliet, vertelde hoe hij zijn eerste vrouw aan kanker had verloren, was haar hart in stukken gebroken. Ze kenden elkaar nog maar net, en toch wist ze dat hij voor haar was gevallen, als een baksteen, keihard. En zij was voor hem gevallen.

Maar nachtelijke vrijpartijen bij het meer in Minnesota zijn één ding, een fantasie. Hier ging het om het echte leven. Dit was het dagelijks bestaan.

De doos van Pandora was open. Ze was niet blij met wat ze zag. Kwelgeesten uit haar verleden vlogen eruit, volgden haar in het donker. Ze was er trots op dat ze spijkerhard was, maar de laatste tijd voelde ze zich soms weer een bange tiener. Bang voor liefde, voor seks, voor de toekomst. Ze was onzekerder dan ze in jaren was geweest.

Ze had Jonny alleen maar bij stukjes en beetjes over haar verleden verteld en over wat er nu met haar gebeurde. Dat was enerzijds omdat ze gewend was op eigen benen te staan en haar problemen alleen op te lossen. Ze wilde geen hulp. Anderzijds wilde ze hem niet bang maken door hem te laten merken dat ze niet helemaal uit één stuk was en dat haar pantser gaten vertoonde.

Bovendien wist ze dat hij ook moeite had met het vinden van zijn weg. Dakloos. Dat was ongeveer het enige wat hij haar had kunnen vertellen. Hij voelde zich een dakloze. Serena begreep hoe hij zich voelde nu hij was weggehaald uit het enige leven dat hij kende, maar als ze hem zo hoorde praten, begonnen er bij haar allerlei alarmbellen te rinkelen. Alsof hij elk moment kon besluiten dat thuis ergens anders was, weg van Vegas, weg van haar.

Serena reed een parkeerplaats aan de noordkant van de Meadows Mall op. Dat was háár winkelcentrum waar ze al jaren haar boodschappen deed. Geen pratende beelden en reusachtige aquaria, zoals bij Caesars. Geen winkels die als klanten beroemdheden hadden die bij een bezoekje honderdduizend dollar achterlieten. Hier had je gewoon Macy's en Foot Locker en Radio Shack, het soort doodgewone winkels waar doodgewone mensen kwamen. Serena vond het er heerlijk, omdat het hele winkelcentrum zo gewoon was, alsof je het kon neerzetten in een willekeurige buitenwijk van een willekeurige stad. Het had niets Vegasachtigs.

Om vijf uur 's morgens was de parkeerplaats één grote, lege asfaltvlakte met her en der een eenzame auto als een speld op een landkaart. De straatverlichting brandde nog en wierp bleke lichtcirkels op de grond. Maar het was bijna zonsopgang. Halverwege de parkeerplaats stond een politieauto op hen te wachten. De koplampen brandden, de motor draaide. Toen ze ernaast stopten, zag Serena dat de agent die achter het stuur zat zijn raam omlaag had gedraaid en zijn arm buiten het raam had hangen, met een smeulende sigaret tussen zijn vingers. De auto waar ze naar kwamen kijken, stond twintig meter verder, een nachtblauwe Pontiac Aztek.

Toen de agent hen zag, schoot hij zijn auto uit en boog zich weer naar binnen om zijn sigaret uit te drukken. Hij was een lange slungel en zijn uniform hing als een zak om zijn schouders. Zijn blonde haar zag eruit alsof zijn moeder hem nog steeds op een stoel zette en het langs een bloempot knipte. Hij bleef maar aan zijn lange kin plukken alsof er een hardnekkige puist zat. Volgens Serena was hij niet ouder dan twintig, en ze besefte dat hij zowel bloedserieus als bloednerveus was. Serena stapte uit haar Mustang. 'Goeiemorgen, agent,' zei ze. 'Je hebt ons vroeg hierheen laten komen.'

'Ja, mevrouw,' zei hij met een nasaal Texaans geluid. 'Dat besef ik heel goed, en het spijt me erg. Ik ben agent Tom Crawford.'

Serena stelde Cordy en zichzelf voor, en het ontbrak er nog maar aan dat Crawford een buiging maakte.

'Hoelang ben je al bij de politie, Tom?' vroeg Serena.

'Bijna een maand of zo.'

Cordy deed alsof hij een stofje in zijn oog had en terwijl hij Serena aankeek, zei hij geluidloos: 'Shit.'

Serena schudde haar hoofd en zuchtte. Nieuwelingen...

'Goed, Tom, je had het over een blauwe auto. Wij hebben een getuige die zegt een blauwe auto te hebben gezien die, nadat de jongen was overreden, is weggescheurd. Maar dat was in Summerlin, en dat is heel eind en een paar inkomensgroepen hier vandaan.'

Crawford knikte en krabde nog altijd aan zijn kin. 'Ja, mevrouw, ik heb het proces-verbaal gelezen van dat jongetje, die Peter Hale, en het doorrijden na een aanrijding woord voor woord gelezen. Afschuwelijke zaak. En ik heb de hele week uitgekeken naar een blauwe auto. En toen kregen we vannacht een telefoontje van het beveiligingsbedrijf dat deze parkeerplaatsen controleert, en daar zeiden ze dat deze auto zeker een week niet van zijn plaats was geweest en dat ze het vermoeden hadden dat hij was achtergelaten. Ze waren van plan om hem te laten wegslepen, en ze wilden weten of wij misschien eerst nog even wilden kijken. De wachtcommandant vond dat we hem maar moesten laten wegslepen. Maar ik had gehoord dat hij blauw was, snapt u, en over de snelweg ben je hier zo vanuit Summerlin. En het ongeluk was ook ongeveer een week geleden. Dus leek het me de moeite waard even te gaan kijken.'

'Heeft dat beveiligingsbedrijf er een week over gedaan om het te melden?' vroeg Serena hoofdschuddend.

'Ja, mevrouw, ik ben bang van wel. Ze hebben daar veel wisselende diensten, en de man die hier vanavond was, was hier vorig weekend voor het laatst.'

'Ga door,' zei Serena, gapend, en in de hoop dat ze niet voor niets uit bed was gehaald.

'Nou, toen ik hier kwam, heb ik eerst de voorkant van de auto bekeken. En inderdaad... Kom, u moet zelf maar kijken.'

Met lange stappen ging agent Crawford hun voor naar de voorkant van de Aztek en richtte de grote zaklamp aan zijn riem op de auto. Serena hield haar adem in. Het midden van de motorkap was verbogen, de grill ingedeukt. De bumper was gescheurd en de nummerplaat was verwrongen alsof er een vliegtuigje van moest worden gevouwen.

Crawford liet zich op zijn knieën zakken. 'Als u van heel dichtbij kijkt, ziet u vezels op de grill zitten. Er zit nog meer, trouwens. Dat zou bloed kunnen zijn, en huid.'

Serena had aangevreten lijken in de woestijn bekeken zonder dat haar maag protesteerde. Maar de schade aan deze auto – helemaal niet veel in feite voor wat er was aangericht – maakte dat ze iets bitters moest wegslikken.

'Goed werk, Tom,' zei Serena op sombere toon. Cordy zei niets, maar zijn koperkleurige huid was bleker dan normaal. Hij schopte met de punt van zijn schoen in de grond en had zijn handen diep in zijn zakken gestopt. Alleen Crawford leek niet onder de indruk en zelfs enthousiast over wat hij had gevonden. Maar hij was jong en dit was een belangrijke zaak, het soort waar hij de andere nieuwelingen het hele jaar over kon blijven vertellen. Hij was vorige week vrijdag niet in de straat in Summerlin geweest en had Peter Hales kapotte lichaam en de plas bloed onder zijn hoofd niet gezien. Hij had de moeder niet horen jammeren, noch de lege, levenloze blik van verdriet in de ogen van de vader gezien.

Het was in een gegoede middenklassenbuurt geweest, zo een waar beide ouders een goede baan hadden en jongens van twaalf jaar sleutelkinderen waren die na schooltijd met de bus naar huis gingen, zichzelf binnenlieten en tv-keken of zaten te gamen. Linda en Carter Hale vonden dat ze boften. Linda Hale werkte niet. Als Peter uit school kwam, was er iemand die opendeed.

Peter speelde buiten, op de oprit. Hij gooide een tennisbal tegen de deur en ving hem op in zijn honkbalhandschoen, toen Linda helemaal in de keuken de doffe dreun hoorde. En zoals elke moeder wist ze dat er iets heel ergs was gebeurd. Peter lag half op de oprit, half op straat. Geen mens te zien. Geen getuigen. Het enige wat ze hadden kunnen vinden, was een dienstmeisje drie straten verderop dat ten tijde van het ongeluk een glimp van een blauwe auto had gezien die met grote snelheid door de buurt reed. Het lab maakte geen haast met het bepalen van het type auto aan de hand van de blauwe verf en stukjes van de grill. Maar Serena wist dat het niet meer uitmaakte. Het was een Aztek. Het was deze auto.

'Heb je in de auto gekeken?' vroeg Serena.

'Nee, mevrouw, absoluut niet,' stelde Crawford haar gerust. 'De auto is op slot, en het zou trouwens niet volgens de voorschriften zijn. Ik ben nergens aan geweest.'

'En het kenteken?'

'Dat heb ik gecontroleerd, mevrouw. De auto staat op naam van Mr. Lawrence Busby. Vierendertig, Afro-Amerikaan, een meter zevenentachtig, honderdelf kilo. Dat is tenminste de vermelding op zijn rijbewijs. Mr. Busby heeft de auto vorige week vrijdag om halfnegen 's avonds opgegeven als gestolen.'

'Een aantal uren na de aanrijding,' zei Serena. 'Komt dat even mooi uit.'

Crawford lachte even tegen haar op zijn verlegen plattelandsjongenmanier. 'Dat leek mij ook. Daarom heb ik Mr. Busby aangeboden hem hierheen te brengen zodat hij zijn auto kon meenemen.'

'Wat zeg je me nou?' vroeg Cordy.

'Ik heb de brigadier een surveillanceauto naar het huis van Mr. Busby in Bonanza laten sturen. Voor het geval hij er als een prairiehond vandoor zou willen gaan. Daarna heb ik hem opgebeld en gezegd dat we zijn auto hadden gevonden en dat we hem met alle plezier naar de vindplaats wilden brengen. Hij kan hier elk moment zijn.'

'Je bent een verdomd slimme Texaan, agent Crawford,' zei Serena.

'Dank u, mevrouw. Dat vindt mijn moeder ook. Mijn vrouw is nog niet overtuigd.'

'Hoe klonk Busby aan de telefoon?'

'Nou, het eerste wat hij vroeg, was of er schade was,' zei Crawford. 'Dat is misschien normaal, maar ik vond het wel interessant. Ik heb gezegd dat een goed carrosseriebedrijf er wel raad mee zou weten.'

Serena dacht na, probeerde zich in Busby te verplaatsen. Hij heeft net een kind gedood. Hij is bang dat iemand de auto heeft gezien, of dat hij bewijsmateriaal op de plek van de aanrijding heeft achtergelaten dat hen rechtstreeks naar zijn voordeur zou voeren. Weer een misdadiger die te veel *CSI* kijkt. Dus dumpt hij de auto bij het winkelcentrum, pakt de bus naar huis en geeft hem aan als gestolen. Als hij geluk heeft, brengt niemand hem in verband met de misdaad. En als ze het wel doen, heeft hij de schuld aan een ander gegeven.

Maar het rammelde. Summerlin, de buurt waar de familie Hale woonde, was lelieblank, en ze stelde zich zo voor dat een zwarte man van de afmetingen van Lawrence Busby iemands aandacht moest hebben getrokken. Ze begreep ook niet waarom Busby, die niet ver van het centrum woonde, met hoge snelheid door een woonwijk helemaal aan de westrand van de stad moest rijden.

'Zou je de auto voor ons willen openmaken, Crawford?' vroeg Serena. 'Ik wil er een blik in werpen voor Mr. Busby er is.'

'Moeten we daar geen toestemming voor hebben?'

Serena haalde haar schouders op. 'Volgens Mr. Busby is het een gestolen voertuig. We moeten kijken of we iets van de dief kunnen vinden.'

Crawford opende het kofferdeksel van zijn surveillanceauto, haalde er stug staaldraad met een lus aan het eind uit en had het bestuurdersportier van de Aztek in een paar tellen open. Hij lette goed op geen vingerafdrukken achter te laten en zwaaide het portier voorzichtig open.

Serena keek naar binnen, wrong zich daarna achter het stuur. Ze keek om zich heen. Busby had keurig schoongemaakt. Het interieur was vlekkeloos, gestofzuigd, nergens papiertjes of afval. Met de punt van haar balpen klikte ze het handschoenenvak open maar ze trof er alleen maar de handleiding voor de eigenaar aan. Ze opende het asbakje. Ongebruikt.

Ze hoorde het achterportier opengaan.

'Voorin iets te vinden?' vroeg Cordy.

'Noppes.'

'Ik kijk onder de stoelen.'

Serena zag een felle lichtbundel als een zoeklicht over de vloer schieten. Cordy floot. 'Kom maar bij papa,' zei hij. 'Ik heb hier een papiertje. Ziet eruit als een kassabon.'

Serena stapte uit en keek toe hoe Cordy zijn arm onder de stoel manoeuvreerde. Even later dook hij triomfantelijk op met een wit papiertje van vijf bij acht centimeter tussen de kaken van een pincetje. Hij richtte zijn zaklamp op het papiertje en Serena boog zich naar hem toe om het beter te zien.

De bon was van een buurtsuper ergens in de buurt van Reno, meer dan zeshonderd kilometer naar het noorden. Zes Krispy Kreme-donuts en een Sprite om acht uur 's morgens. Een ontbijt voor krachtpatsers. De bon dateerde van ruim twee weken voor de aanrijding.

'Volgens mij komt Mr. Busby eraan,' zei Crawford toen een tweede surveillancewagen stilletjes de parkeerplaats opdraaide.

Toen de auto dichterbij kwam, zag Serena op de stoel naast de bestuurder iets wat op een grizzlybeer leek. De gegevens op zijn rijbewijs deden Mr. Busby geen recht. Hij moest bijna honderddertig kilo wegen. Hij had een vol, rond gezicht, zwart haar dat boven op zijn hoofd zo plat als een dubbeltje was, en een onderkaak die erbij hing als bij de kop van een bloedhond. Serena zag zijn pikzwarte gezicht glimmen. Hij zweette.

'Ik wed dat zijn borsten groter zijn dan de jouwe,' zei Cordy met een knipoog.

Serena had moeite een grijns te onderdrukken. Ze zag Busby naar de deurkruk reiken en ze stak een hand op als een verkeersagent die het verkeer tot staan wil brengen. De vrouwelijke agent naast Busby maakte een venijnige opmerking naar Busby en Serena zag het wit van zijn ogen groter worden. Hij legde zijn handen weer in zijn schoot. Nu zweette hij en kneep hij 'm.

Cordy kromde een vinger naar de agente in de auto, die nu uitstapte en naar hen toe kwam. Serena liep naar de auto en ging op de bestuurdersplaats zitten. Ze liet het portier open en drukte op een knop om het raampje aan de passagierskant te openen. Cordy liep erheen en leunde met zijn ellebogen in het open raampje.

De auto stonk. Busby had een reusachtig Running Rebels T-shirt aan en zijn zweetlucht walmde op van de natte plekken bij zijn oksels en hals. Zijn benen groeiden als boomstammen uit een witte korte broek. Hij ging zenuwachtig verzitten, liet een wind en mompelde een verontschuldiging. Zijn ogen schoten heen en weer tussen Serena en Cordy.

'Mr. Busby,' vroeg Serena, 'is dat uw auto?'

Busby knikte. Zijn wangen zwabberden.

'Hoelang is hij uw eigendom?'

'Ongeveer twee maanden,' mompelde Busby. Voor zo'n groot lijf had hij een stem die zo zacht was dat Serena haar best moest doen om hem te verstaan.

Cordy kwam opeens met zijn hoofd door het raampje. 'Past u wel in die auto? Volgens mij past u er niet in. Hoe doet u dat? Stuurt u met die pens van u?'

Busby leek op het punt te staan in tranen uit te barsten.

'Zo kan hij wel weer, Cordy,' zei Serena op scherpe toon. 'Wat doet u voor werk, Mr. Busby?'

'Ik ben de kok van de Lady Luck in het centrum.'

'Een kok!' schamperde Cordy. 'Vragen ze zich daar wel eens

af waarom de gasten er zo hongerig uitzien en u met een brede grijns rondloopt?'

Busby schudde bedeesd het hoofd. 'Ik steel nooit niks.'

'Doet u nog ander werk?' vroeg Serena. 'Iets waar u een extraatje mee verdient?'

'Nee, ik werk al vijf jaar full time bij de Lady Luck.'

'Bent u wel eens in Summerlin geweest, Mr. Busby?'

'Die chique wijk in het westen? Dacht het niet. Wat moet ik daar?'

'U bent daar vorige week vrijdagmiddag niet geweest?'

'Nee. Ik zeg toch dat ik daar nog nooit ben geweest.' Hij veegde zijn voorhoofd af met een hand ter grootte van een voetbal. 'Waar gaat het over?'

'Over het kind dat u hebt gedood, vuile leugenaar,' zei Cordy tegen hem.

Busby schudde heftig zijn hoofd. Zijn ogen werden nog groter en witter. 'Ik heb nooit niemand gedood.'

'Je hebt een jongetje overreden,' hield Cordy vol. 'En daarna ben je er als een schijthaas vandoor gegaan, omdat je te laf was om tegen zijn moeder te zeggen wat je had gedaan.'

'U bent gek,' mompelde Busby. Hij draaide zich naar Serena. 'Hij is gek. Dat heb ik niet gedaan. Echt niet.'

'Kunt u ons vertellen hoe uw auto is gestolen?' vroeg Serena op kille toon.

'Ik heb hem vorige week vrijdag op de parkeerplaats in Fremont Street gezet. Toen ik terugkwam, was hij weg. Ik heb het politiebureau gebeld. Zo is het gegaan.'

'Was dat omstreeks halfnegen 's avonds?'

'Kan wel,' antwoordde Busby. 'Dat klopt wel ongeveer.'

'En wat deed u in de stad?' vroeg Serena. 'Aan de fruitautomaat gestaan?'

'Ik heb niet gegokt. Ik was aan het werk,' zei Busby. 'Ik heb toch al gezegd dat ik in de Lady Luck de saucijzen en de eieren kook?'

'Hoe laat moest u beginnen?' vroeg Serena. Ze was niet blij met de kant die dit opging.

'Om een uur of twaalf, net als altijd.'

'U bedoelt dat u uw auto voor twaalf uur op de parkeerplaats van Fremont hebt neergezet?' herhaalde ze, gewoon voor de zekerheid.

'Tuurlijk. Dat doe ik elke dag. Dat zeg ik toch?'

Serena deed haar ogen dicht, had weer zo'n misselijk gevoel. Deze keer was het omdat ze wist dat ze ernaast zaten. Hij had een alibi. Ze dacht aan Cordy's pestopmerking over sturen met zijn pens en herinnerde zich toen dat ze zich achter het stuur had moeten wringen, zo krap was de ruimte toen ze in de Aztek ging zitten om hem te onderzoeken. Mis, helemaal mis.

'Hebt u nog collega's?' vroeg Serena. Ze wist dat ze haar adem beter kon sparen. Hij was het niet.

'Ja, ehh... er zijn nog meer koks en serveersters die de hele dag komen en gaan.'

'Hebt u gepauzeerd? Bijvoorbeeld een lunchpauze in de loop van de middag?' Ze klampte zich vast aan een strohalm, en dat wist ze.

'Nee, ik neem nooit een lunchpauze. Ik werk door.'

Serena moest onwillekeurig grinniken. Ze liet haar oog over de walvisachtige verschijning van de man gaan. 'Kom nou, Mr. Busby. Geen lunchpauze? U?'

Busby grinnikte nu ook, voor het eerst. 'Het punt is dat ik probeer af te vallen. En ik neem natuurlijk onder het werk wel eens een kleinigheidje.'

Serena zuchtte. 'Vertelt u ons dan eens over de diefstal van uw auto.'

'Er valt niet veel te vertellen. Ik ging op de gewone tijd van mijn werk weg naar de parkeerplaats. Geen auto. Ik zet hem altijd op dezelfde plek, dus het was niet zo dat ik hem niet kon vinden. Hij was gewoon weg.'

'Hebt u familie die ook een sleutel van de auto heeft?'

'Ik heb niet veel familie,' zei Busby. 'Mama is dood, papa zit in een verpleeghuis. Niemand wil trouwen met iemand met zo'n uiterlijk als ik heb.'

Serena knikte. Ze voelde zich belazerd omdat ze deze arme

man door de wringer had gehaald. Een treurig, eenzaam leven, en het enige wat zij kon doen, was er nog wat meer pijn en angst op sprenkelen. En dan moest ze hem ook nog gaan vertellen dat hij zijn auto vannacht niet kon meenemen.

Ze seinde naar Cordy en ze staken de koppen bij elkaar. Cordy mikte een stukje kauwgom in zijn mond en begon luid te kauwen. 'Hij heeft het niet gedaan, hè?'

'Nee.'

'Wat betekent dat?' vroeg Cordy.

Serena zweeg en dacht na. Hoe meer ze dat deed, hoe minder blij ze was met de implicaties van wat ze vond. Het leek niet meer op een aanrijding. Het voelde aan als iets veel ergers.

'Iemand steelt in het centrum een auto, veroorzaakt dan toevallig dezelfde middag in een buitenwijk een afgrijselijk ongeluk en rijdt dan door?'

'Hij heeft dat jongetje met opzet doodgereden,' concludeerde Cordy.

'Dat gevoel heb ik zeker.'

Serena herinnerde zich de bon van de Krispy Kreme-donuts. Ze liep terug naar de surveillanceauto waar Busby zat te wachten en leunde naar binnen.

'Bent u de afgelopen maand in Reno geweest, Mr. Busby?'

Busby fronste. 'Ik ben nog nooit in Reno geweest. Nooit niet.'

6

Stride wachtte in de kamer van inspecteur Sawhill, liet de koffie in zijn beker ronddraaien en staarde door het raam op de tweede verdieping naar de zwarte kat die aan de overkant van de straat langssloop en in een achtertuin vol rotzooi verdween. Niet veel later jakkerde een agent langs op een mountainbike die een paar maten te klein leek. Zijn kont hing over het zadel en zijn knieën kwamen zowat tegen zijn kin. De kat en de diender, beiden op rattenjacht.

De afdeling Moordzaken was niet ondergebracht in het Centrale Hoofdbureau, het vlaggenschip van de Metropolitan Police, kortweg de Metro, een modern, beigekleurig gebouw waarvan de entree was afgezet met palmbomen. De vroede vaderen hadden de afdeling gehuisvest in een van de lelijker buurten, in het centrum, op een paar straten van de casino's daar, alsof de aanwezigheid van een politiebureau het aantal misdrijven in de omgeving door osmose omlaag zou kunnen krijgen. Het lukte niet.

Stride keek op zijn horloge en zag dat het bijna twaalf uur was. Zijn maag knorde. Hij wist niet goed wat hij het liefst deed: slapen of eten.

Achter hem ging de deur open en dicht. Stride knikte naar Lester Sawhill, die een lelijk gezicht trok en naar de stoel voor zijn bureau wees. De telefoon ging en Sawhill nam op. De inspecteur nestelde zich in zijn eigen leren bureaustoel, die zo groot was vergeleken met zijn kleine lichaam dat hij op een kind leek dat bij zijn vader op kantoor langskomt. Stride ging ook zitten en wachtte.

'Goedemorgen, gouverneur,' zei Sawhill en trok een ongeïnteresseerd gezicht, alsof hij de gouverneur dagelijks aan de telefoon had.

Serena zei dat ze zich niet kon herinneren ooit bij Sawhill in de kamer te zijn geweest zonder dat hij met een of andere politicus aan de telefoon zat. Hij had er graag publiek bij. Het herinnerde iedereen eraan hoe hoog hij in de pikorde stond.

In Minnesota had Stride gerapporteerd aan de commissaris, een kobold van een mannetje dat Kyle Kinnick heette – K-2 noemden ze hem – met olifantsoren en een iel stemmetje dat klonk als een klarinet die werd bespeeld door een kind van zes. Sawhill was niet veel groter dan K-2, maar hij was van een veel gladder model. Het was of hij om de vijf dagen naar de kapper ging, want zijn keurige kalende kop veranderde nooit. Hij had een smal gezicht in de vorm van de hoofdletter V, pokdalig, en een halve bril die hij aan een kettinkje om zijn hals droeg wanneer hij niet naar het ronde knopje aan het eind van zijn neus was geduwd.

Sawhill droeg een grijs pak van een gemiddelde prijs, oud maar goed onderhouden. Zijn uniform. Het maakte niet uit of het een julidag met een blakerende zon was, volgens Serena. Sawhill zou nooit het bovenste knoopje van zijn overhemd opendoen, of zijn stropdas losmaken. Hij verhief nooit zijn stem, die toonloos maar volstrekt beheerst was. Het was of hij helemaal geen emoties kende, en als hij ze had, bereikten ze nooit zijn gezicht of lieten ze nooit zijn ogen oplichten.

'Dat is een bijzonder aardig gebaar, gouverneur,' zei Sawhill in de hoorn. Hij had een roze stressballetje op zijn bureau liggen waar hij ritmisch in kneep, zodat zijn dunne vingers zich spanden. Af en toe bestudeerde hij een vingernagel alsof er iets te vijlen viel.

Stride had net zogoed onzichtbaar kunnen zijn terwijl hij naar de eenzijdige conversatie zat te luisteren.

Het had jaren geduurd voor Stride K-2 had durven vertrouwen, omdat hij diep in zijn hart geloofde dat je om in de politiehiërarchie op te klimmen een slimme politicus moest zijn en afstand moest doen van de dingen die je tot een goede politieman maakten. Maar K-2 was anders. Bij hem kwam de diender eerst. Stride respecteerde hem vanwege zijn loyaliteit.

Misschien dat Lester Sawhill hem er ooit ook van zou kunnen overtuigen dat hij aan de kant van de hermandad stond. Maar het leek hem niet waarschijnlijk. Dat wilde niet zeggen dat Sawhill een kwaaie kerel was. Dat was hij niet. Stride wist dat hij uiterst principieel was. Een mormoon, als zoveel hoge ambtenaren in Sin City. Geen koffie. Geen tabak. Geen alcohol. En een heleboel kinderen – minstens zeven, dacht Stride, als je de foto's op de boekenplanken achter Sawhills bureau telde. Maar Sawhill stelde God en Vegas voorop, niet zijn dienders.

Stride begreep niet hoe Sawhill en de andere mormonen het hier uithielden. Ze mochten in de casino's werken, maar niet gokken. Ze waren godsdienstig in een goddeloze stad. Hij vond het vreemd en enigszins hypocriet, zoals een barkeeper die drinken slecht vindt, maar het niet erg vindt te moeten zien hoe anderen gif naar binnen gieten.

Sawhill hing op. 'Dat was gouverneur Durand,' verklaarde hij, voor het geval Stride dat niet had begrepen. 'Dan krijg je een beetje een indruk van de bezorgdheid die er naar aanleiding van deze moord bestaat.'

'Daar ben ik me van bewust,' antwoordde Stride.

'Dit is een zaak die veel aandacht krijgt, rechercheur,' ging Sawhill verder. 'Een bekende persoon vermoord. De afdeling Voorlichting krijgt al uit de hele wereld verzoeken om inlichtingen.'

Het kostte Stride geen moeite te begrijpen wat Sawhill werkelijk wilde zeggen. Als de inspecteur had geweten dat het zo'n aandacht trekkende zaak zou worden, zou hij hem nooit aan zijn zwarte schaap hebben gegeven, de nog niet geteste rechercheur uit Minnesota en zijn transseksuele partner. Nog in geen miljoen jaar. Maar het was te laat om hem ervan af te halen. Tenzij Stride hem daartoe aanleiding gaf door te klungelen.

'Dat doet me eraan denken,' ging Sawhill verder. 'Verwijs alle vragen van de media door naar de afdeling Voorlichting. Ja? Je hebt een zaak op te lossen. Ik wil niet dat je tijd verspilt aan journalisten. En dat geldt ook voor Amanda.'

Vooral Amanda, dacht Stride. Sawhill wilde niet dat een van hen namens de stad sprak, of erger, de show stal.

'Hoe staat het onderzoek ervoor? Ik moet de burgemeester iets kunnen vertellen.'

'We hebben de dader op film,' zei Stride. 'Hij heeft een vingerafdruk achtergelaten. Opzettelijk. Knap brutaal. Iets wat een huurmoordenaar nooit zou doen.'

Sawhill kneep zijn ogen tot spleetjes. 'Zaten zijn afdrukken in de computer?'

'Nee. En we kregen ook zijn gezicht niet echt goed te zien. Hij wist waar de camera's hingen. Kortom, een kouwe kikker.'

'Maar weet je zeker dat hij Lane moest hebben? Was dit geen toevallige moord voor de kick?'

'Het was geen gewone moord. Maar toeval? Nee. Hij moest Lane hebben. Ging hem achterna en vermoordde hem.'

'Heb je al enig idee van het motief?' vroeg Sawhill ongeduldig.

'Drugs, gokken, vrouwen, zoek het maar uit. Maar tot nu toe heb ik geen reden om aan te nemen dat een ervan het motief voor de moord is.'

'Hoe pak je de zaak nu aan?' Hij was nu de inquisiteur die naar een zwakke plek zocht, die keek of Stride voor een excuus zorgde om hem van de zaak af te halen.

'We maken een schets aan de hand van wat we hebben, wat niet veel voorstelt. De Oasis bekijkt al hun ingangsbanden van de afgelopen vier weken voor het geval hij binnen is geweest om de ruimte te verkennen en misschien iets minder zorgvuldig zijn gezicht buiten beeld heeft gehouden. We gaan na waar M.J. die dag is geweest en proberen door middel van de schets uit te vinden of iemand heeft gezien dat de moordenaar achter M.J. aan zat. Amanda en ik praten met iedereen die M.J. kende of hem onlangs nog heeft gesproken, om te zien of we een aanwijzing krijgen wiens woede M.J. zich op de hals heeft gehaald.

En ik wil met M.J.'s vader praten. Er was iets gaande tussen hen. Het kan best niets voorstellen, maar het is tot nu toe het enige signaal dat er iets scheef zat in M.J.'s leven als feestbeest.'

Sawhill schudde het hoofd. 'Het lijkt me beter dat ik zelf met Walker Lane praat.'

'Hoezo?' vroeg Stride, en probeerde geen irritatie in zijn stem te laten doorklinken.

'Walker Lane is een rijk, invloedrijk man,' zei Sawhill. Hij klonk als een docent die een preek afsteekt tegen een slechte leerling. 'De gouverneur heeft zelf het nieuws van de moord aan Mr. Lane meegedeeld. Ik neem aan dat je Mr. Lane niet als verdachte aanmerkt?'

'Ik heb geen reden om dat te denken,' zei Stride. 'Maar er was een conflict tussen Walker en M.J. We denken dat ze een uur voor de moord nog met elkaar hebben gepraat. Mogelijk was M.J. bij iets betrokken dat tot zijn dood heeft geleid, en misschien weet Walker wat het is.'

Sawhill trommelde met zijn vingers op het bureaublad. Hij knikte, trok een ongelukkig gezicht. 'Goed, best. Jij praat met hem. Maar morgen, niet vandaag.' Stride wilde protesteren, maar Sawhill wuifde zijn bezwaren weg. 'We moeten Mr. Lane fatsoenlijk de tijd geven om het verdriet te verwerken. Je hebt meer dan genoeg andere sporen om na te gaan. En tactvol, hè? Hij is een machtig man die net zijn zoon heeft verloren.'

'Begrepen,' zei Stride.

'Hoe loopt het tussen jou en Amanda?' vroeg Sawhill met een uitgestreken gezicht. Maar Stride vroeg zich af of hij geen lachje onderdrukte.

'Geen probleem. Ze is slim. Ik mag haar graag.'

'O. Mooi.'

Hij klonk teleurgesteld.

Stride was net terug van zijn bezoek aan Sawhills kamer toen Amanda haar hoofd om de hoek van zijn werkhokje stak.

'We hebben bezoek,' zei ze stralend met twinkelende ogen. 'Karyn Westermark in levenden lijve. En dan bedoel ik lijve.'

Stride volgde Amanda naar de vergaderruimte op de tweede verdieping met haar grote ramen die uitzicht boden op de doolhof van werkhokjes die de rechercheafdeling vormden.

'Waarom hebben ze haar in de vissenkom gezet?' vroeg Stride.

Amanda grinnikte alleen maar, en Stride begreep waarom toen hij bij de ramen kwam en zag dat Karyn een wit open smokingoverhemd droeg waarvan ze de panden losjes had samengeknoopt onder haar borsten, die ernstig gevaar liepen naar buiten te tuimelen als ze vooroverboog. Het viel Stride ook op dat de meeste rechercheurs een reden hadden gevonden om de lange weg naar de keuken te nemen als ze een blikje fris gingen halen, een route die hen langs de ramen van de vergaderruimte voerde.

Hij ging naar binnen en zei tegen Amanda dat ze de luxaflex moest laten zakken.

'Ja, en dan ben ik de gebeten hond,' mopperde ze zachtjes.

Karyn stond op en boog zich over de tafel om hem een hand te geven, waarbij ze opnieuw ruimschoots inkijk bood. Stride durfde zijn blik niet te laten zakken, en hij zag aan haar gezicht dat ze dat wel amusant vond, alsof ze genoot van zijn worsteling.

'Ik ben Karyn.' Ze sprak haar naam uit alsof hij als Corinne werd geschreven.

Stride wist niets van haar als actrice, maar Amanda had hem al voorbereid. 'Het tijdschrift *Us*,' had ze hem nogmaals voorgehouden. Karyn was een soapster in opkomst die probeerde de sprong naar de eredivisie te maken. Ze was Californisch bloedmooi, met steil blond haar dat tot op haar rug viel en glansde als een zomers tarweveld. Ze had het lange gezicht van een fotomodel en koele blauwe ogen waarin de schranderheid te lezen stond van iemand die precies wist hoeveel macht ze had, domweg vanwege haar uiterlijk. Door het glazen tafelblad zag hij een rood rokje dat tot halverwege haar dijen reikte en dan een paar eindeloos lange, zijdeachtige blote benen.

'Fijn dat u met ons wilde komen praten, Miss Westermark,' zei Stride. 'Wilt u koffie?'

'Een met magere melk zonder schuim zou fantastisch zijn,' antwoordde Karyn.

'Ik ben bang dat het zwarte koffie wordt, met witte poeder en een klein plastic lepeltje.' En hij voegde eraan toe: 'De poeder moet in de koffie.'

Karyn lachte, maar er lag ijs in haar ogen en een nauw waarneembaar knikje. 'Geen koffie.'

'Ik vind het heel erg van M.J. Zo te horen waren jullie erg close.'

'Zover zou ik niet willen gaan,' antwoordde Karyn.

'Nee? We hoorden dat jullie veel tijd samen doorbrachten. Zoals gisteravond in de Oasis.'

'We waren neukmaatjes,' zei ze schouderophalend. 'We zochten elkaar op als we allebei in Vegas waren. Party's, gokken, neuken. Meer niet.'

'Was het een schok voor u toen u hoorde van de moord? Kort nadat u bij hem was weggegaan?'

'Jazeker.'

Stride had niet de indruk dat ze snikkend zou instorten.

'Hebt u enig idee wie M.J. heeft vermoord? Of waarom?'

Karyn schudde haar hoofd. 'Absoluut niet.'

'Wanneer jullie samen waren, was dat dan meestal in de Oasis?'

'Meestal wel. Maar we gingen ook wel ergens anders heen. Naar de Hard Rock. Of Mandalay. Als er een concert was, of een bokswedstrijd, gingen we daarheen.'

'Hoelang kende u hem al?' vroeg Stride.

'Een paar jaar. Ik heb hem leren kennen op een party in de Oasis. Weet u, hij was jong, leuk om te zien en hij smeet met geld. Wie valt daar niet voor? De eerste avond had hij een limo tot zijn beschikking waarin we een ritje zijn gaan maken en zo is het zo'n beetje begonnen.'

'Had u seks met hem?' vroeg Stride.

Karyn boog zich voorover. Haar borsten scheerden rakelings over het tafelblad. Door haar glimlach heen zag hij een glimp van haar kersenrode tong. 'Ik had op de party met hem gewed dat ik hem kon laten klaarkomen door alleen mijn rechtertepel te gebruiken.'

Niet vragen, niet vragen, niet vragen, bezwoer Stride zichzelf.

'Wie heeft de weddenschap gewonnen?'

Shit.

Karyns ogen dansten. Hij zag gouden vlekjes in een zee van blauw. 'We hebben die nacht bij Spago een fles Krug soldaat gemaakt. M.J. betaalde.'

Stride schraapte zijn keel en probeerde bij de zaak te blijven. 'Was het een serieuze relatie?'

'Hoe bedoelt u? Zoals een huwelijk? O nee. Ik wilde geen pak huwelijkse voorwaarden van tachtig bladzijden tekenen.'

'Had M.J. omgang met andere vrouwen?'

'Zeker weten.'

'Met wie bijvoorbeeld?'

'Ik heb het echt niet bijgehouden, meneer de rechercheur. De enige van wie ik het wist, was Tierney Dargon.'

Stride schreef de naam op. 'Wat kunt u me over haar vertellen?'

'Tierney doet graag of ze deel uitmaakt van ons clubje. Maar ze is niet meer dan een cocktailserveerster die de mazzel heeft dat ze met een rijke oude komiek is getrouwd.'

'Komiek? Bedoelt u Moose Dargon?'

'Precies.'

Stride had gehoord van Moose Dargon, een komiek uit het tijdperk van de Rat Pack die in zijn hoogtijdagen de naam had een stoute jongen te zijn geweest. Hij had hem een paar keer op televisie gezien en herinnerde zich nauwelijks nog iets van hem, behalve dat de man een paar verbazingwekkende wenkbrauwen had die als reusachtige rupsen op zijn gezicht kronkelden. Hij wist niet eens dat Moose nog leefde.

'Hoe ziet Tierney eruit?' vroeg hij, denkend aan de brunette die hij in het appartement van M.J. op de video had gezien.

'Bruin haar, een beetje kroezend. Mager. Leuk om te zien.'

De beschrijving kwam overeen met die van het meisje op de videoband, en met de helft van de vrouwen in Las Vegas, bedacht Stride.

'Moose moet in de tachtig zijn,' zei Stride. 'Hoe oud is Tierney?'

'Krap vijfentwintig.' Karyn lachte. 'Ik weet zeker dat het liefde was.'

'Was Tierney er gisteravond?'

'Ik heb haar niet gezien. Maar M.J. zei dat ze altijd om hem heen hing. Hij probeerde haar kwijt te raken. Ik bedoel... ze mag dan een strak lijfje hebben, het blijft een serveerstertje.'

'Wist Moose Dargon dat M.J. een verhouding met zijn vrouw had?'

'Dat moet u Moose maar vragen,' zei Karyn.

'M.J. had dus nog meer vrouwen. Wat leverde de relatie u dan op?' vroeg Stride.

'Hij was rijk. Ik hou van die manier van leven. Daar kwam bij dat als ik met M.J. was, er altijd een stel paparazzi om ons heen zwierf. Ik ben nog niet op een punt in mijn carrière dat ik me kan veroorloven om dat vervelend te vinden. Ik heb ze nodig.'

'Maar gisteravond waren er geen fotografen,' zei Stride.

'Ik ben gistermiddag pas aangekomen. Ik vermoed dat ze er nog geen lucht van hadden gekregen.'

'Wie wisten er verder nog dat jullie gisteravond samen zouden zijn?'

Karyn dacht na. 'Mijn assistente. Die zit in LA. En mijn ouders in Boca Raton.'

'Wie hebt u hier in de stad op de hoogte gebracht?'

'Natuurlijk de mensen van de Oasis toen ik incheckte. Ik had ook een bodyguard toen ik gistermiddag ging shoppen, maar ik heb hem gezegd dat ik hem 's avonds niet nodig had. En ik had op onze namen gereserveerd bij Olives.'

'Met wie zou M.J. het er volgens u over hebben gehad?'

'Daar heb ik echt geen idee van. Ik weet niet veel over de rest van zijn leven.'

'Hoe zit het met die videoband van u en M.J.?' vroeg Stride. 'De band die op het internet terecht is gekomen. Hoe is dat gebeurd?'

'Bedoelt u waarom ik die heb gemaakt?' vroeg Karyn, terwijl ze met haar tong over haar glanzende lippen ging. 'Of wilt u mijn handtekening op uw exemplaar?'

'Ik bedoel hoe het ding is gestolen.'

Stride zag een hint van een lachje over Karyns gezicht trekken.

'Ik heb geen idee,' zei Karyn. 'Maar ik ben er verdomd blij mee. In mijn kont geneukt worden heeft me meer contracten opgeleverd dan ik met een Academy Award zou hebben gekregen.'

'Hoe reageerde M.J. toen die tape op het net kwam?' vroeg hij.

'Hij vond het wel cool. Voor die tijd wist niemand wie hij was.'

'Ik wou het even over de party's in de casino's hebben. Zijn er drugs?'

Karyns ogen werden spleetjes. 'Ik krijg het gevoel dat ik een advocaat moet bellen.'

Vanaf de deur mengde Amanda zich in het gesprek. 'We zijn hier in Vegas, Karyn. Alles blijft onder ons. We zijn er niet op uit om je ergens op te pakken. We hebben gewoon de echte stuff nodig. Bij wijze van spreken.'

Karyn zag Amanda nu pas echt en wierp een lange, onderzoekende blik op haar. Ze knikte goedkeurend.

'Oké, goed. Iedereen weet dat we af en toe wat snoven.'

'Wie zorgde ervoor?' vroeg Stride. 'Jij of M.J.?'

'Ik wil niet weten waar het vandaan komt, ja? Als er spul is, neem ik gewoon wat voor de lol, net als iedereen. Maar ik koop het niet en ik verkoop het niet.'

'En M.J.?'

'M.J. had altijd wel een voorraadje,' zei Karyn. 'Ik weet niet waar hij het vandaan haalde.'

'Enig vermoeden?'

Karyn haalde haar schouders op. 'Je hebt altijd van die meelopers. Randfiguren. Het kan een chauffeur zijn. Of een kelner. Als je zo goed in je slappe was zit als M.J., en zijn soort leven leidt, hoef je je daar geen zorgen over te maken. Die mensen weten je wel te vinden.'

'Hebben ze M.J. gisteravond nog gevonden?'

'Ik heb niets gezien.'

'Wat voor soort leven leidde M.J.?' vroeg Amanda. Ze deed haar best om cool en cynisch te kijken, maar Stride dacht dat ze een beetje geïntimideerd was door Karyns aanwezigheid.

'Op party's was hij de gangmaker,' antwoordde Karyn, en pinde Amanda met haar blauwe ogen vast. 'Het snelle leven is leuk, hoor. U moet maar eens meedoen.'

'Ik heb meer dan u aankan,' antwoordde Amanda lachend.

'Hoezo? Omdat u een transje bent?' vroeg Karyn. Ze lachte toen Amanda haar met open mond aankeek. 'U kunt veel mensen voor de gek houden, maar een echte vrouw ziet het verschil. Niet dat ik er moeite mee heb. In ons clubje geilen veel mensen erop.'

Stride onderbrak haar. 'Bij dit alles zit ik toch met een probleem, Miss Westermark. M.J. mag dan de gangmaker zijn geweest op alle partijen, maar iemand is hem achternagegaan en heeft hem een kogel door zijn hoofd gejaagd. Er is dus iemand die goed de pest aan hem had.'

'Ik weet niet wie,' zei Karyn, terwijl ze met tegenzin het oogcontact met Amanda verbrak en zich weer tot Stride wendde. 'M.J. was de man met het geld. Hij was degene die alle rekeningen betaalde. Wie maakt daar nou een eind aan?'

'Werd hij nooit eens kwaad?'

'M.J.? Nee. Hij was een kind. Hij wilde dat iedereen hem aardig vond. De enige keren dat ik hem echt ruzie heb horen maken was met zijn vader. Ze zaten elkaar altijd in de haren.'

'Zijn vader is toch een of andere filmproducent? In Canada?' vroeg Stride.

'Ja. Zoals Tom Hanks een of andere acteur is,' antwoordde Karyn venijnig. 'Iedereen in de filmwereld kent Walker Lane. Jezus, ik geef toe dat ik eigenlijk achter M.J. aan ging omdat ik dacht dat hij een goed woordje voor me zou kunnen doen bij zijn vader. Maar ik kwam er al snel achter dat M.J. niets met Walker te maken wilde hebben, behalve met zijn geld.'

'Heeft hij je verteld waarom?'

'Nee, maar er was altijd wat. Ze ruzieden over geld. Ze ruzieden over zijn moeder. Ze ruzieden over het feit dat M.J. in Vegas woonde. Ik was een paar weken geleden bij M.J. thuis toen Walker belde. M.J. ging over de rooie. Hij pakte de telefoon en smeet hem tegen de muur. Ik had hem nog nooit zo gezien.'

'Weet u wanneer hij voor het laatst met zijn vader heeft gesproken?' vroeg Stride.

'Ja. Gisteravond.'

'Waar ging het gesprek over?'

Karyn haalde haar schouders op. Ze speelde met een stukje papier dat op de tafel lag, rolde het op tot een balletje en wreef het tussen twee lange nagels heen en weer.

'Ik weet het niet. Maar M.J. was woedend. En ik ook. We stopten met blackjack en gingen naar boven, naar mijn suite, om wat te rotzooien. Ik had echt behoefte aan een goede beurt, snapt u wel? Maar we waren nog maar net begonnen toen zijn mobieltje ging. Het was Walker. Ze schreeuwden een paar minuten tegen elkaar en toen was M.J. niet meer in de stemming. Dus ben ik weggegaan. Ik zei tegen hem dat hij maar eens volwassen moest worden.'

'En toen?'

'Toen niks. Ik ging naar een club en ben daar tot tegen vijven gebleven. Ik hoor dat M.J. weer is gaan spelen en doorging met drinken. En toen is hij naar buiten gegaan om een hoer te zoeken. Slechte keus, hè? Als hij bij mij was gebleven, was dit nooit gebeurd.'

Of je was ook dood geweest, dacht Stride.

'Ik zou echt heel graag willen weten waar die ruzie tussen hem en zijn vader over ging,' zei Stride tegen haar.

'En zoals ik al zei: dat weet ik niet. Dat moet u Walker vragen. Maar ik heb toch nog iets voor u. Ik bedoel dat ik M.J. iets tegen zijn vader hoorde zeggen. Tamelijk wrang, als je bedenkt wat hem is overkomen.'

'Wat zei hij dan?' vroeg Stride.

Karyn lachte katachtig naar hem. 'Hij noemde Walker een moordenaar.'

7

Serena voelde het zodra Linda Hale haar had binnengelaten in het huis in Summerlin. Verdriet.

Het hing in de lucht, vermenigvuldigde zich als een virus. Het hing aan het meubilair, kroop bij elkaar in het hoogpolige tapijt en wierp een vage sluier over de lampen. Elke kamer echode iets van verlies, onmiskenbaar, hartverscheurend. De vloer van de speelkamer was nog bezaaid met speelgoed. Een football, op kinderformaat. PlayStationcartridges. Een Harry Potterboek. Niemand had ze opgeraapt omdat niemand – zo wist Serena – het aankon om ze aan te raken. Dan kreeg je verdriet aan je handen.

De stilte was het ergst. Dit huis behoorde niet stil te zijn. Jongens van twaalf maakten lawaai. Die schreeuwden. Zetten de muziek keihard. Maar er was geen geluid meer. Er had een fanfare door de gang kunnen lopen en dan zou Linda hebben geglimlacht.

Ze zaten aan een eikenhouten eettafel op een veranda bij de keuken met uitzicht op een kleine, zorgvuldig aangelegde cacteeëntuin. Mrs. Hale omklemde haar koffiebeker met beide handen. De tafel lag vol familiekiekjes, een levenlange verzameling herinneringen uit een omgekeerde schoenendoos.

'We hebben de auto van de aanrijding gevonden,' vertelde Serena.

Mrs. Hale knikte, maar reageerde verder niet. Ze staarde naar de foto's, glanzende ogen die van de ene naar de volgende foto bewogen.

Ze was halverwege de dertig, net als Serena. Ze had een kortgeknipte jongenskop, een functioneel kapsel voor een niet-werkende moeder, snel even onder de douche en door naar Peters voetbaltraining. Ze kon met weinig make-up toe, en ze had zilveren oorringen en een dun zilveren halskettinkje. Ze droeg een modieus Kuhlman-overhemd waarvan de manchetten waren teruggeslagen.

'Uw man werkt bij Harrah's, nietwaar?' vroeg Serena.

'Ja,' antwoordde ze zachtjes. Ze was met haar gedachten nog bij de foto's. Bij het verleden.

Het was een groot huis voor drie personen. Linda Hale had veel aandacht aan de inrichting besteed: geregelde bezoeken aan de keramiekgalerie, elk aardewerk prulletje met zorg neergezet en afgestoft. Nauwkeurig. Ordelijk. Ze had er vermoedelijk moeite mee Peter zover te krijgen dat hij zijn spullen achter zich opruimde. Af en toe moest het haar gek hebben gemaakt.

Serena bestudeerde de foto's. Die bestreken decennia. Ze pakte er een, keek naar de stralende ogen van een klein jongetje. Hij was op een strand.

Linda Hales gezicht lichtte op. 'Dat is Cocoa, aan de oostkust van Florida. We hebben Peter vijf jaar geleden meegenomen naar mijn moeder in Orlando.' Ze schoof een andere foto naar Serena toe. 'Hier ziet u hem samen met Mickey Mouse. Peter was eerst als de dood. Maar toen gaf hij hem een dikke knuffel.'

Meer foto's. Peter op een fiets met zijwieltjes, zijn vader naast hem. Peter in voetbalkleding. Linda's moeder – dat moest wel, als twee druppels water – neus aan neus met haar kleinzoon tijdens de kerst. Man en vrouw in een ziekenhuiskamer, Linda afgepeigerd met haar pasgeborene in de armen.

'Peter ziet er gelukkig uit,' zei Serena, om iets te zeggen.

'Heel gelukkig.'

'U lijkt sprekend op uw moeder,' voegde Serena eraan toe. Ze haatte dit soort gebabbel, vooral met een moeder die haar zoontje heeft verloren.

'Ik weet het, iedereen zegt het. Maar ik ben niet zo knap. Zij heeft het uiterlijk van een showgirl, net als u.'

'Misschien dat ik dat tien jaar geleden had,' zei Serena met een lachje.

'Nee, nee, u hebt dat echt, net als mijn moeder. Ik word alleen maar ouder.' Ze rommelde in de stapel foto's en vond tussen de familiefoto's een afdruk van twintig bij vijfentwintig centimeter. Het was een zwart-witpubliciteitsfoto van een danseres in vol ornaat, met zijde en glittertjes. Het meisje op de foto was een jaar of twintig en het evenbeeld van Linda Hale.

'Ziet u wel. Veertig jaar later, en mijn moeder kan nog elke kerel krijgen.' Ze lachte. 'En ze krijgt ze meestal ook nog.'

'Leeft uw vader nog?'

Ze haalde haar schouders op. 'Ja, ergens. Mam is met nummer vier bezig. Nummer één was jaren geleden. Stiefvader twee is nog het meest een vader voor me geweest. Dat is een van de redenen dat mijn man en ik zo ons best hebben gedaan om Peter een normale opvoeding te geven. Daarom ben ik niet gaan werken.'

Ze nam een slok koffie en zette de beker op een houten onderzettertje. Ze was weer ver weg. Ze stelt vragen, dacht Serena. Praat tegen God. Waarom wij? We deden het toch allemaal zoals het moet? Hebben er van alles voor opgeofferd.

'U zei dat u de auto hebt gevonden,' zei Linda. Serena zag haar gevoelens verschuiven. Wanhoop werd woede, de kaak verstrakte. 'Betekent het dat u weet wie het heeft gedaan?'

'Zo eenvoudig ligt het niet.'

'Dat snap ik niet.'

'De eigenaar van de auto was niet de bestuurder die Peter heeft doodgereden. Hij heeft een alibi. Iemand heeft zijn auto gestolen en na de aanrijding ergens achtergelaten.'

'Wat betekent dat?'

Serena legde het uit. 'De ene mogelijkheid is dat de bestuurder ergens voor op de vlucht was, of snel ergens moest zijn. Een andere mogelijkheid is dat we te maken hebben met een psychopaat die van plan was om iemand dood te rijden en dat Peter op het verkeerde moment op de verkeerde plaats was.

Een derde mogelijkheid is dat Peter een doelwit was. Dat iemand hem met opzet heeft gedood.'

'Maar dat is belachelijk. Een kleine jongen!'

Serena knikte. 'Dat weet ik. We moeten rekening houden met de mogelijkheid dat iemand heeft geprobeerd u te treffen. Daarom wilde ik u vragen of het mogelijk is dat een van u twee vijanden heeft.'

'Vijanden die ons kind zouden willen vermoorden?' Ze schudde het hoofd. 'Zoiets is absoluut niet aan de orde.'

'Ik weet dat het ongelooflijk is. Maar in Texas heeft een moeder een huurmoordenaar gezocht om de cheerleaderploeg van haar dochter te vermoorden. Mensen zijn tot alles in staat. Het zou dus goed zijn als we weten of u met mensen ruzie hebt, ook al is het over iets wat in uw ogen niets voorstelt.'

Linda liet zich achteroverzakken. Haar handen vielen naast haar op de zitting. 'Dit is te gek voor woorden.'

'Ik weet dat het zo lijkt. Maar als er iets is...'

'Dat is het 'm nu net: er is niks. We zijn uw doorsneeburgergezinnetje. We bemoeien ons alleen met onze eigen zaken. Jezus, mijn man is gewoon accountant.'

'Heeft hij onlangs nog vreemde cijfers onder ogen gehad? Of heeft hij bedreigingen gekregen?'

'Nee, helemaal niet. Het is niet meer zoals vroeger. Het zijn allemaal BV's en controles door de SEC. Als een casinomedewerker maar een kwartje van de vloer oppakt, is dat al in de boeken terug te vinden. Alles is openbaar.'

'En op privégebied?' vroeg Serena. 'U moet dit niet persoonlijk opvatten, maar ik moet het vragen. Zijn er drugs- of geldproblemen?'

'Het spijt me, maar ik leid geen dubbelleven. *What you see is what you get.* Hetzelfde geldt voor mijn man.'

'Bent u gelukkig met elkaar? Zijn er problemen op seksueel gebied geweest? Slippertjes? Dat soort zaken?'

Linda's gezicht betrok. 'Aan één keer in de week op vrijdagavond hebben we allebei genoeg. Ik hoop dat u niet ook nog onze favoriete standjes wilt weten.'

'Het spijt me,' zei Serena. 'Ik weet dat het een inbreuk is.'

'Ik snap gewoon niet hoe ons seksleven u zou kunnen helpen bij het vinden van degene die Peter heeft gedood.' Het kwam er fel uit.

'Ik begrijp uw ergernis. Maar dit is een heel ongewone hit-and-run. De meeste van dit soort zaken betreft iemand uit de buurt, en vaak is er drank in het spel. Zo iemand is bang en neemt de benen. Meestal geeft een familielid of een vriend hem na een dag of wat aan, of het schuldgevoel wordt zo groot dat de dader het zelf doet. Dan is er geen motief, geen opzet. Maar wat Peter is overkomen lijkt niet meer op een ongeluk.'

'Dat besef ik, maar ik kan u niet helpen,' hield Linda vol. 'Wij hebben geen skeletten in de kast. Als dat zo was, zei ik het wel.'

Serena keek haar in de ogen. Er was niets steels in te zien. 'Hebt u banden met Reno? Bent u daar onlangs nog geweest?'

'Reno? In geen jaren. Als ik geld in een fruitautomaat wil stoppen, heb ik hier meer dan genoeg keuze. Hoezo?'

'Wij denken dat de dader een paar weken geleden in Reno is geweest. We hebben in de auto een kassabon gevonden. Er zou een verband kunnen zijn. Hebt u er vrienden of familie wonen?'

'Nee, het spijt me.'

Serena knikte. 'Als u iets te binnen schiet, of als er iets ongewoons gebeurt, hoop ik dat u het me laat weten.'

'Natuurlijk. Maar ik denk dat u er helemaal naast zit. Ik zou niet weten waarom iemand ons gezin met opzet zou willen treffen.'

'Dat vind ik juist het beangstigende,' zei Serena.

'Waarom?'

'Omdat het betekent dat we die persoon misschien niet vinden voordat hij een ander vermoordt.'

8

Stride en Serena kwamen die zondag los van elkaar net voor middernacht thuis. Hij was bijna vierentwintig uur op de been, maar te wakker door de cafeïne om meteen in bed te vallen en te gaan slapen. Ze hadden de lampen thuis nog maar net aan of ze vertrokken weer in Strides Bronco naar de heuvels in het westen. Het was een nachtelijk ritueel geworden. Ze reden Charleston Boulevard af tot de huizen ophielden en voordat de weg de Red Rock Canyon in kronkelde. Daar stuurde hij de Bronco van de weg af en reed over de rotsbodem naar een hoog punt. Ze keerden en zetten de auto neer, de portieren en de ramen open zodat de nachtwind door de auto woei en de vlakte van de Las Vegasvallei zich voor hen uitstrekte. De woonwijken, die langzaam langs de straten oprukten en elke week meer ruimte opslokten, waren donker.

Zelfs in juli, wanneer de hitte overdag niet te harden was, koelde het 's nachts genoeg af om het in de wind, die van de bergtoppen achter hen omlaag zeilde, draaglijk te maken. Nu, met de herfst in aantocht, was er een suggestie van koude in de lucht, als een avond in Minnesota, maar zonder de geur van naaldbomen. Hij kon letterlijk de hele stad overzien met haar ontelbare lichten die als kruipplanten in alle vier de windstreken voortkropen tot ze uitstierven in het duister van de woestijn. Dwars erdoorheen sneed de vurige gloed van de Strip, hoger en feller dan alles eromheen, een kleurrijke, verblindende gordel om de vette pens van de stad.

Van veraf en zonder zonlicht sprankelde de vallei. Er was geen oranje smogrand die als een rookkring over de stad trok. De casino's waren juwelen.

Stride draaide zijn bovenlichaam zo dat hij naar Serena's gezicht en profil kon kijken. Hij wist dat ze voelde dat hij naar haar keek. Op deze momenten waren ze echt met z'n tweetjes, vreedzaam, verliefd, bevrijd van de stad. 'Je bent veel en veel te mooi,' zei hij.

'Als je seks wilt, zul je met iets veel beters moeten komen,' antwoordde Serena lachend.

'Meer heb ik niet in huis.'

Hij glimlachte en streelde haar donkere haar, op een manier die haar liet weten dat hij naar haar verlangde. Hij wist dat ze, als ze naar huis gingen, te moe waren om iets anders te doen dan te slapen, en hij wilde dolgraag met haar vrijen.

Ze boog zich naar hem toe en kuste hem. 'Hebben we niet bewezen dat het niet veilig is voor een man van in de veertig om het in een auto te doen? Vorige keer verrekte je bijna je rug.'

'Het was de moeite waard.'

'Ik heb je gewaarschuwd.'

Serena trok haar T-shirt over haar hoofd. Haar haar was in de war en sexy. Ze maakte haar bh los en wurmde zich eruit, trok haar schouders naar achteren, liet haar rugleuning zakken en begon haar spijkerbroek uit te trekken. Haar huid was stevig, in het flauwe licht waren haar borsten melkwit als oesterschelpen. Hij klom op haar en voelde haar vingers aan zijn kleren frunniken.

Een paar minuten later zat hij weer op zijn eigen stoel, bezweet en beurs. 'Au,' zei hij.

'Je rug?'

'Rug, armen, benen...'

'Ik heb het je gezegd.'

Stride liet een been buiten boord hangen en slierde met zijn voet door het losse zand. Hij hoopte dat er geen schorpioen in de buurt rondscharrelde, of dat een ratelslang dit moment had gekozen om over de rotsbodem te glijden. Dat waren de echte

Bib Beveren
Gravenplein 3
9120 Beveren
Telnr. 03 7501050
Email : bibliotheek@beveren.be

Terminal : Zelfuitleen 02
Lener: [illegible]

Ontleend op: 19-10-20[illegible]

Uitgeleend aan thuis

[illegible]

[illegible] EUR [illegible]

[illegible]

De bib is gesloten op dins[illegible]
woensdag 02/11 en op vrijda[illegible]

nachtdieren, die deden wat bij ze paste, in tegenstelling tot de mensen beneden in de vallei.

Serena lag naast hem, naakt en verfomfaaid. Ze deed geen moeite om haar kleding in orde te brengen. Haar ogen waren ergens anders, gericht op de heuvels. Ze ging gedachteloos met haar vingers over haar huid. 'Denk je dat het nieuwe er ooit af gaat?'

'Van ons vrijen?'

'Ja.'

'Ik hoop het niet.'

'Ik ben er weer klaar voor,' liet ze hem weten.

'Dan sta je er alleen voor.'

Serena slaakte zogenaamd een vermoeide zucht. 'Ging de lol er ooit af met Cindy?'

Stride lachte toen het beeld van zijn overleden vrouw hem voor de geest kwam. 'Nee. Ze was net als jij. Ze kreeg er nooit genoeg van.'

'Ja hoor, ik ben een seksduivelin. Ik ben alleen maar blij dat vagina's geen piercings zijn.'

Stride keek haar aan. 'Hè?'

'Je weet wel: ze groeien dicht door te weinig gebruik.'

Hij gooide zijn hoofd in zijn nek en barstte in lachen uit. Serena lachte mee. Haar hoofd viel tegen zijn schouder en hij liet een arm om haar heen glijden. Zo zaten ze een paar minuten zonder iets te zeggen, in slaap gewiegd door de wind.

Hoe langer ze zaten, hoe meer hij voelde dat ze ergens anders was. Zo ging het meestal. Wanneer ze intiem waren geweest en ze zich veilig bij hem voelde, stapte ze weer haar verleden in en haalde een nieuw spook uit haar kast.

Het was een compliment, had ze hem gezegd. Dat had ze nog nooit bij iemand gedaan. Haar geheimen waren als briefjes die ze in flessen had gestopt en lang geleden in zee had gegooid. Nu dreven ze stuk voor stuk weer terug naar de kust.

Hij wist alleen wat ze hem in grote lijnen van haar ervaringen had verteld. Losse feiten. Wat haar als tiener was overkomen had ze hem in klinische termen meegedeeld, als een arts die uit iemands dossier voorleest. Haar moeder had haar geprostitueerd om drugs te kunnen kopen. Ze was zwanger geworden, had een abortus gehad en was weggelopen. Dat was het hele verhaal. Maar dit soort verhalen was nooit afgelopen.

'Waar denk je aan?' vroeg hij.

Serena had lange tijd nodig voor ze antwoord kon geven, en hij vroeg zich af of ze het onderwerp zou laten voor wat het was en zou teruggaan naar iets veiligs, zoals het werk, of muziek, of de lichtjes in de vlakte.

'Ik heb veel nagedacht over Deirdre,' zei ze.

Deirdre was het meisje dat met Serena was meegegaan toen ze op haar zestiende Phoenix ontvluchtte en naar Las Vegas was gekomen. Serena had niet veel over haar verteld. Alleen hoe ze was gestorven.

'Gek, hè,' ging ze verder. 'Ik heb jaren niet meer echt aan haar gedacht. Maar ik droom de laatste tijd geregeld van haar. Ik val in slaap en dan is ze er.'

'Ze had aids. Daar kon jij niets aan doen.'

Serena wreef over haar schouders alsof ze het koud had. 'Het punt is dat ik haar nooit ben gaan opzoeken. Misschien had ik niets kunnen uitrichten, maar ik had haar niet zo in eenzaamheid moeten laten doodgaan. Want ze heeft me wel het leven gered. Toen in Phoenix heeft zij me gered. Ik werd dag en nacht misbruikt, en zij heeft me geholpen om te ontsnappen. Ik hield van haar, Jonny. Ik hield echt van haar, die eerste jaren dat we hier waren. Maar ik heb haar gewoon laten doodgaan.'

'Ik hoef je toch niet te vertellen dat het niet waar is?' vroeg Stride.

Serena haalde haar schouders op. 'Nee. Maar het blijft terugkomen. Je zou denken dat het nu wel allemaal verdwenen zou zijn, dood, zonder betekenis. Maar ik kan niet een deel van mezelf bij jou inschakelen en de rest afsluiten.'

Er verschenen rimpels op Strides voorhoofd. 'Kan ik je ergens mee helpen?'

'Ik weet niet goed of je dat kunt.'

'Dan is één van de alternatieven zeker om mij ook af te sluiten,' zei hij.

'Dat is zeker een mogelijkheid. Maar dat is niet wat ik wil. Ik moet gewoon leren ermee om te gaan. En jou bij me te houden.'

'Ik ga nergens heen.'

Ze keerde zich naar hem toe, niet overtuigd. 'Ik weet wat je van deze stad vindt. Ik ben bang dat je deze stad meer gaat haten dan dat je van mij houdt. Dat je teruggaat naar Minnesota, de plek waar je hart ligt.'

'Mijn hart is bij jou.'

Serena pakte een van zijn handen en kuste zijn vingertoppen. 'Dankjewel dat je dat zegt.'

Maar hij wist niet zeker of ze hem geloofde. Hij wist niet zeker of hij het zelf geloofde.

Hij stond op het punt haar weer in zijn armen te nemen toen ergens op de vloermat, waar haar verkreukelde spijkerbroek lag, haar mobieltje overging. Serena lachte, zette het geladen moment van zich af en zocht het telefoontje.

Stride hoorde een mannenstem. Serena fleurde weer op. 'Hallo, Jay. Wacht even.'

Ze legde snel haar hand op het mondstuk en fluisterde tegen Stride: 'Jay Walling is een rechercheur uit Reno. Zestig jaar en heel kwiek. Kijkt te veel naar Sinatrafilms.' Ze sprak weer in het telefoontje. 'Jay, ik heb een andere rechercheur bij me. Ik ga je op de speaker zetten.'

Ze drukte op een knopje en ging toen verder: 'Jay Walling, ik stel je Jonathan Stride voor, en vice versa.'

'Alles goed, Jay?' zei Stride.

'Uitstekend, dank je.' Zijn stem had een soepele elegantie. 'Zo, Serena, dus dit is de man met wie je vadertje en moedertje speelt. Of is Cordy eindelijk gearresteerd wegens zedenmisdrijven?'

Zelfs in de donkere auto voelde Stride hoe Serena een kleur kreeg.

'Fijn te merken dat de geruchten de andere kant van de staat al hebben bereikt. Ja, Jonny en ik zijn een stel, en nee, de vrouwen van Vegas zijn nog altijd niet veilig voor Cordy. Mag ik vragen van wie je het nieuws over ons hebt?'

'Mijn baas,' zei Walling. 'Hij is dik met Sawhill.'

'Fijn, heel fijn.'

'Trek het je niet aan, meisje. Mijn vrouw haalt opgelucht adem. Die zoekt al naar iemand om je aan te koppelen sinds we vorig jaar samen aan die zaak hebben gewerkt.'

'Nu doe je of het een onvervulbare droom is,' zei Serena venijnig.

'Onzin. Je stelt gewoon hoge eisen. Rechercheur Stride, mijn gelukwensen. Serena is een van mijn favorieten op deze wereld, dus wees lief voor haar, anders moet ik je uit de weg laten ruimen.'

Stride lachte en Serena kreunde. 'Jay, als je je kop niet houdt, laat ik jou uit de weg ruimen. En heb je die bon uit die moordauto nog nagetrokken?'

Walling grinnikte. 'Zes Krispy Kreme-donuts en een Sprite. We weten in ieder geval dat onze misdadiger geen diabetes heeft.'

'Leuk hoor.'

'Ik heb de winkel gevonden, maar het was een contante betaling en de baas kon zich niets herinneren.'

'Verbaast me niks. Dat verwachtte ik al. Maar bedankt voor de moeite.'

'Ja, maar er is nog iets. Ik hoopte dat je morgen een vliegtuig naar Reno zou kunnen nemen.'

'O. Waarom?'

'Omdat ik niet van coïncidenties hou,' zei Walling. 'Op dezelfde dag dat jouw schurk in Reno zijn suikershot haalde, is er op een ranch een paar mijl ten zuiden van hier een vrouw vermoord. Iemand heeft haar de keel doorgesneden.'

9

Stride begon zijn research naar M.J.'s vader, Walker Lane, door tientallen links op het web te volgen vanaf de computer in zijn werkhokje. Er bestond geen officiële website van de man, alleen maar een aantal roddelsites die de dorre feiten uit zijn Hollywoodbiografie opdisten en verfraaiden met vaagheden over zijn teruggetrokken leven in Canada.

Er was ruimschoots informatie over de beginjaren van Lane, die als wonderkind in de jaren zestig als producent-regisseur rijk was geworden met zijn eerste met eigen geld gefinancierde film. Vanaf het allereerste begin telde voor hem het geld, niet de kunst. In *Cherry Tree* speelde een beginnend sterretje van vijftien, een soort Hayley Mills met borsten, wier enorme ogen en onschuldige sexappeal een enorm publiek voor zich wonnen, ondanks het slappe spionageverhaaltje over een tiener die George Washington hielp bij zijn overwinning in de Amerikaanse revolutie. Er volgden nog twee komische familiefilms, beide uiterst succesvol, waardoor Lane de reputatie kreeg een Frank Capra-adept te zijn, de jongen met de gouden handjes. Omdat hij zijn lot niet had verbonden aan de grote studio's, waren de financiële oogsten helemaal voor hem alleen.

Hij werd achtervolgd door schandalen, voornamelijk wegens de geruchten op de set dat hij vanaf zijn eerste film een verhouding had met zijn tienersterretje. Lane ontkende, maar hij verheelde zijn playboy-aard niet en was op alle feesten in LA en

Vegas, waarbij hij een spoor van foto's van hemzelf met sterretjes aan zijn arm naliet.

Toen kwam zijn grote verdwijntruc.

Voor zover Stride kon achterhalen was dat in 1967. Lane verliet Hollywood, verhuisde naar Canada en werd in wezen onzichtbaar voor het publiek. Op afstand bouwde hij door aan zijn reputatie van man achter de schermen. In de dertig jaar daarna koos en financierde hij een reeks monsterhits waarbij hij handig schakelde tussen komische en dramatische films, al naargelang de wisselende smaak van het publiek. Hij regisseerde nooit meer, voor zover Stride kon zien, maar hij werd een machtige figuur, iemand die sterren maakte zonder ooit een voet buiten zijn landgoed in British Columbia te zetten. Hij was uitvoerend producent achter twee van de twintig allergrootste kaskrakers.

Hij werd bijna fanatiek waar het zijn privacy betrof. Acteurs en regisseurs met wie hij een ontmoeting had, tekenden een geheimhoudingsverklaring. Net als Howard Hughes scheen hij zijn rijk vooral per telefoon te besturen. Stride kon nergens een foto van de man van de laatste twintig jaar vinden. Er waren geruchten over een invaliderende ziekte waardoor hij in een rolstoel zat, en over een gezichtsaandoening die zijn knappe, jongensachtige uiterlijk zou hebben geruïneerd – hij leek op M.J., besefte Stride toen hij oude foto's van Walker bekeek. Ook ging het gerucht dat hij uit de VS was verdreven door een schandaal, maar voor zover Stride kon nagaan, had niemand de sluier opgelicht en het werkelijke verhaal geopenbaard.

Begin jaren tachtig was hij getrouwd met een jonge actrice die kwam vragen om een rol in een sf-film die hij financierde. De rol kreeg ze niet, maar wel Walker, en twee jaar later was M.J. geboren. Er waren geen details bekend over de relatie van Walker en zijn vrouw van twintig en nog iets, maar ergens onderweg ging het grondig mis. Stride vond krantenknipsels uit 1990 over de zelfmoord van de vrouw. Er was geen openbare rouwdienst, geen foto's van een rouwende Walker, en geen publiek commentaar. Ze had ook níét kunnen bestaan.

Stride vond nergens een aanwijzing dat Lane de afgelopen decennia een interview had gegeven. Hij verwachtte niet dat de man zich zou openstellen voor een rechercheur uit Las Vegas en al zijn vader-zoongeheimen met hem zou willen bespreken.

'Ben je klaar voor je huisbezoek?' vroeg Amanda terwijl ze zich op de stoel liet vallen die in zijn hokje gepropt was. Ze zag er fris gewassen uit, zodat hij zich oud voelde. Hij had Serena naar het vliegveld gebracht voor een vroege vlucht naar Reno, en twee koppen koffie hadden de mist in zijn hoofd nog niet laten optrekken. Aan de andere kant voelde hij nog steeds de plezierige pijn van de krappe, zweterige seks met Serena een paar uur eerder.

'Ik mag blij zijn als hij me aan de telefoon wil hebben,' zei Stride.

'Hij is nog altijd een vader met een dode zoon. Hij moet toch graag willen weten wat er is gebeurd.'

Stride haalde zijn schouders op. 'Misschien. Zo te horen moest Sawhill de gouverneur zo ongeveer smeken om hem Lanes nummer te geven. Niemand wil dat ik hem bel.'

'Behalve ik dan, want ik wil horen hoe de grote man klinkt. Bel dus.'

'Laten we dan naar een vergaderruimte gaan.'

Ze annexeerden een klein kamertje zonder ramen en deden de deur achter zich dicht. Stride had een derde kop koffie meegenomen, Amanda een donut en een glas sinaasappelsap. Ze gingen tegenover elkaar aan de vergadertafel zitten en Stride trok de telefoon naar zich toe. Amanda had een geel schrijfblok voor zich. Stride drukte de speakerknop in en toetste het nummer.

Hij verwachtte door vijf lagen van secretaresses, persoonlijke assistenten en hoger te moeten breken. In plaats daarvan nam de man zelf op.

'Walker Lane.' Zijn stem klonk precies zoals ze hadden gehoord op het antwoordapparaat in M.J.'s appartement, maar vlak, zonder de geëmotioneerde smeektoon. Het was een afschuwelijke stem, grof als schuurpapier, een oude bloedhond die probeert te blaffen als een felle hond in zijn beste jaren.

Stride moest onwillekeurig denken aan de foto van Walker uit de jaren zestig die hij had gezien: absurd lang, een forse, blonde haardos, een Clark Kent-zonnebril. Vol zelfvertrouwen, alsof op een dag de hele wereld van hem zou zijn, wat nu aardig in de buurt kwam. Maar de prijs die hij ervoor had betaald, was in zijn stem gebeiteld.

Stride stelde zichzelf en Amanda voor. Lane klonk niet verbaasd. Stride vroeg zich af of de gouverneur hem had gemeld dat hij op een telefoontje kon rekenen.

'Hebt u enig idee wie mijn zoon heeft vermoord?' vroeg hij.

Stride vertelde wat ze op de videobanden van het casino hadden gezien en de stappen die ze ondernamen om M.J.'s acties van die dag na te gaan. 'We vroegen ons af of u enig idee had wie de moordenaar zou kunnen zijn of waarom die uw zoon wilde doden.'

'Nee, dat heb ik niet. Ik wil alleen maar dat u hem vindt.'

'Besprak M.J. met u mogelijke problemen?' vroeg Stride.

'Nee.'

'Weet u of er in Las Vegas iemand is met wie hij een bijzondere band had?'

'Nee,' herhaalde Lane.

'En wat betreft de vrouwen in zijn leven? Weet u met wie hij betrekkingen onderhield?'

'Daar heb ik niet naar gevraagd.'

Walker Lane zei geen woord te veel. Stride besefte dat hij gewoon zijn kaarten op tafel moest leggen.

'Mr. Lane, we hebben de boodschap gehoord die u voor M.J. op zijn antwoordapparaat had ingesproken. We weten dat u kort voor hij werd vermoord nog met hem hebt gepraat. Er was duidelijk een groot verschil van mening tussen u beiden. Kunt u zeggen waar dat over ging?'

Deze keer viel er een lange stilte.

'Dat is een privé-aangelegenheid. Dat heeft niets te maken met zijn dood.'

'Ik begrijp dat u er zo over denkt, Mr. Lane,' zei Stride. Hij koos zijn woorden zorgvuldig. 'Maar soms vinden we verbanden op een manier die we nooit hadden verwacht. Of we kunnen ons met productievere onderzoeksgebieden bezighouden omdat we zaken van de lijst kunnen schrappen.'

Met andere woorden: we blijven spitten tot we eruit zijn, wilde Stride zeggen.

Lane hapte niet. Hij zei geen woord.

Toen de stilte te lang duurde, gaf Stride het uiteindelijk op. 'Hoelang heeft M.J. in Vegas gewoond?'

'Vanaf zijn eenentwintigste.' Lane klonk kortaf, ongelukkig.

'U was het er niet mee eens?' vroeg Stride.

'Inderdaad.'

Stride begreep zo langzamerhand waarom de man nog nooit een film van meer dan zevenentachtig minuten had gemaakt. 'Waarom?'

'Omdat die stad een open riool is,' snauwde Lane. 'Zedeloos. Een woestenij. Er wonen daar maar twee soorten mensen: gebruikers en sukkels.'

Amanda stak losjes een hand op en strekte de middelvinger in de richting van de telefoon. Stride haalde zijn schouders op.

'Wanneer bent u voor het laatst hier geweest?' vroeg hij.

'Een mensenleven geleden.'

'Er is hier sindsdien een hoop veranderd,' zei Stride.

'Er is niks veranderd. Helemaal niks. Als u verder niets meer heeft, zou ik graag weer aan mijn werk gaan en kunt u weer aan het uwe: het vinden van degene die mijn zoon heeft vermoord.'

'Ik heb nog wel een paar vragen,' zei Stride.

Lanes ongeduld kraakte door de telefoonverbinding. 'Wat?'

Stride wist niet goed meer hoe hij de man aan het praten moest krijgen en besloot de gok te wagen. 'M.J. leek zeer geïnteresseerd in dat nieuwe casino dat naast zijn appartement gaat komen. Het Orientproject van Boni Fisso. Hebt u een idee waarom?'

'Over Boni Fisso heb ik u niets te melden,' siste Lane.

Stride en Amanda keken elkaar aan. De naam Boni Fisso had blijkbaar een gevoelige snaar geraakt.

'Was M.J. op een of andere manier bij het Orientproject betrokken?' hield Stride aan.

Lane liet een afkeurend geblaas horen. Stride wou dat hij ter plaatse was zodat hij de lichaamstaal van de man kon zien.

'M.J. had niets met het *nieuwe* casino,' blafte Lane. 'Het enige waar hij over kon praten was de Sheherezade.'

'Waarom was dat?' vroeg Stride.

Weer een lange stilte.

'De Sheherezade,' zei Lane. 'Toen ik las dat het zou worden afgebroken, dacht ik dat het eindelijk allemaal achter de rug zou zijn.'

Hij zweeg, maar Stride hoorde de scheurtjes in de dam groeien. Lane wilde het hun vertellen. Zoals hij het ook M.J. had willen vertellen.

'Boni kon het niet midden in de nacht laten instorten. Dat iedereen bij het opstaan een hoop puin zou aantreffen. Alle geheimen met de grond gelijkgemaakt, klaar om te worden afgevoerd. Maar nee hoor, maak er maar weer een toeristische trekpleister van. Met een gouverneur die op de knop komt drukken, het halve Congres erbij om te applaudisseren. Alsof het iets verhevens is. Alsof ze afscheid nemen van iets heiligs.'

'Wat is er daar gebeurd?' vroeg Stride.

'Las Vegas heeft me vermoord, dat is er gebeurd,' zei Lane kortaf. 'En nu heeft die stad mijn zoon vermoord. Ons allebei. Mijn god, het houdt nooit op. In die stad hebben zonden het eeuwige leven. Ik had alleen nooit gedacht dat het zijn tentakels zou uitstrekken en me nog een keer kapot zou maken.'

Stride wachtte tot hij was uitgesproken. Hij hoorde Lane naar adem happen.

'Het klinkt alsof u weet waarom M.J. is vermoord,' zei Stride. 'En hij voegde eraan toe: 'Heeft het iets te maken met Boni Fisso?'

'Nee, meneer Stride, ik weet niet waarom. Het verleden is het verleden, en ik heb geen reden te denken dat wat toen is gebeurd enige betekenis heeft voor hetgeen er met M.J. is gebeurd. Of een verband met Boni heeft. Ik zou niet weten hoe.'

'Maar toch...' begon Stride.

'Maar toch wilt u het weten. U bent nieuwsgierig. Dat is uw taak in dit leven. Het spijt me, ik heb al te veel gezegd. Meer kan ik u niet vertellen.'

Amanda boog zich naar de telefoon. 'Maar als het zo lang geleden is, Mr. Lane, kunt u het toch wel vertellen?'

'Nee, dat kan ik niet. Ik rouw om M.J. Ik wou dat ik een betere vader was geweest. Dat doet al genoeg pijn. Daar hoeven we niet ook nog de fouten bij op te rakelen die ik als jeugdige dwaas heb begaan.'

'Mr. Lane,' zei Stride, 'we weten dat M.J. u een moordenaar heeft genoemd.'

'Ja, dat klopt.'

'Waarom?'

Lane zuchtte. 'Dat moet u maar aan Rex Terrell vragen.'

Stride herinnerde zich de boodschap op M.J.'s antwoordapparaat. Hij keek snel in zijn aantekeningen.

M.J., met Rex Terrell. Ik dacht dat we wat geheimpjes konden uitwisselen. Ik heb je de mijne laten zien, wat dacht je ervan om mij de jouwe te laten zien?

'Wie is Rex Terrell?' vroeg Stride.

'Een schrijver,' antwoordde Lane, en liet zijn stem minachtend om het woord heen krullen. 'Hij is degene die die rotzooi over de Sheherezade naar boven heeft gehaald en M.J. op allerlei ideeën heeft gebracht. Vraag hem maar wat ik heb gedaan, en misschien ontdekt u een manier om me nog een keer te vermoorden. Ik ben al vele malen doodgegaan, meneer Stride. Er kan nog best een keer bij.'

10

Serena jakkerde Reno uit in zuidelijke richting. Ze zat in een gehuurde Malibu, ademde met volle teugen de zoete berglucht in die door de auto streek en zette de radio met Terri Clark zo hard dat de speakers ervan trilden.

I think the world needs a drink, zong Terri met haar nasale Canadese tongval.

De mensen zeiden wel eens tegen Serena dat ze op Terri leek, maar dan zonder de cowboyhoed. Ze waren allebei lang en hadden zijdezacht donker haar. Misschien was Serena daarom zo dol op haar.

Serena merkte dat ze, net als in het nummer, behoefte had aan een borrel. Als ze haar lippen likte, proefde ze wodka, hoewel ze al meer dan tien jaar niet meer dronk. Sterkedrank was een no-no, verboden terrein, *verboten*. Ze stelde zich voor dat het net zo was als met Jonny en sigaretten. Het maakte niet uit of het één of twintig jaar geleden was, het verlangen kon op slag terugkomen en je de adem benemen.

In een flits zag ze het gezicht van haar moeder voor zich. Ze probeerde het uit haar gedachten te verdrijven door naar de verre top van Mount Rose te kijken, maar haar moeder had net zogoed langs de weg kunnen staan liften, als in een oude aflevering van *The Twilight Zone*. Ze bleef maar opduiken, telkens weer. Van alle onvergeeflijke dingen die haar moeder haar had aangedaan, was het ergste dat ze haar verslavingsgenen aan haar had doorgegeven. Haar moeders demon was de cocaïne.

Serena's demon was de alcohol. Toen ze begin twintig was, had ze zich twee jaar lang de vergetelheid in gedronken. Ze was de AA en een hele partij onbekenden dankbaar omdat ze haar hadden teruggehaald.

Dat was in de twee jaar na de dood van Deirdre. Gek dat ze niet was gaan drinken toen ze uit Phoenix weggingen, toen de beelden van de smerige handen van de drugsdealer op haar borsten haar nog elke nacht bezochten. Of dat ze niet was gaan drinken toen Deirdre voor geld seks met mannen begon te hebben en Serena aanspoorde hetzelfde te doen. Nee, het was jaren later, toen Deirdre uit haar leven was verdwenen. Een week na haar begrafenis. Eén glas werden er twee, twee werden er tien en tien vervloeiden zo makkelijk tot honderden.

Iemand had haar verteld dat Deirdre bij haar dood nog maar eenendertig kilo woog. Serena huiverde. Het meisje dat zij had gekend was zo anders geweest, zo vol leven. Rood, krullend haar, een luchtige manier van kleden en lopen waar mannen voor vielen, zoals ze ook weg waren van de tatoeage net boven haar bilspleet, een opgerolde slang die leek te kronkelen van genot wanneer haar shirt opkroop. Ze had een bleke huid, niet geschikt voor de woestijnzon. Door haar bleekheid stak ze af in een stad met gebruinde lijven. Wanneer ze onder de douche stond, was het of ze gloeide.

In werkelijkheid waren Deirdre en Serena totaal verschillend. Deirdre was een snelle meid in een snelle stad: ze pasten perfect bij elkaar. De eerste paar jaar was Serena haar dankbaar voor het feit dat ze haar voor de poort van de hel had weggehaald, maar het was onvermijdelijk dat ze vroeg of laat haar eigen weg zou gaan. Uiteindelijk was ze bij Deirdre weggegaan en ergens anders gaan wonen.

Ze hadden elkaar nooit meer gesproken. Bij Deirdres dood werd Serena bedolven onder schuldgevoelens die ze had weggefilterd met flessen wodka.

Ze herinnerde zich hoe wonderlijk ze het had gevonden dat ze de flessen in de vriezer kon leggen en dat de alcohol kouder en kouder werd zonder te bevriezen.

Eenendertig kilo. Mijn god.

Ze volgde de aanwijzingen van Jay Walling en stopte in de berm aan het eind van een lange, onverharde weg, een zijweg van de oude 395, naast het huis waar de moord was gepleegd. Ze stapte uit en genoot van de stilte. De weinige geluiden die ze hoorde, waren scherp en helder, zoals de steentjes onder haar schoenen en een vliegtuig dat in de verte van het vliegveld van Reno tot boven de bergen klom. Boven haar hoofd cirkelde een roofvogel, de grond afspeurend, maar verder was er in de hele omgeving geen levend wezen te bekennen.

Een handvol boerenarbeidershuisjes stond her en der tussen de met onkruid overwoekerde akkers. Een stukje verderop lagen allerlei ongebruikte landbouwwerktuigen te roesten en telefoondraden hingen diep doorzakkend tussen de palen. In het westen zag ze hoge bergen met naaldbomen die de flanken bedekten en plekken hardnekkige sneeuw op de toppen. Dichterbij waren de uitlopers van die bergen bedekt met een kastanjebruin dons dat groen zou worden wanneer het ging regenen.

Het huis dat ze ging bekijken was eenvoudig, met twee verdiepingen. Er stond een camper naast. De naaste buren woonden vele honderden meters verder. Er was een grote weide met een wit hek eromheen waar ze paarden verwachtte; maar hij was leeg en het gras boog in de koele bries. De lucht was vervuld van de geur van bloemen.

In een kleine supermarkt een paar mijl terug had ze een grote beker koffie gekocht. Terwijl ze leunend tegen de motorkap wachtte, nam ze er kleine slokjes van. Een kwartier later zag ze een witte Ford Taurus achter haar stoppen. Hij glom, alsof hij net uit de wasstraat kwam. Serena vermoedde dat Jay Walling zich persoonlijk beledigd voelde door elk stofje dat de euvele moed had zich aan zijn auto te hechten. Ze kende Walling goed. Een jaar ervoor hadden ze aan een smerige moordzaak gewerkt waarbij in de woestijn bij Las Vegas een lichaam was gevonden en het hoofd was opgedoken in het ballenrek van een bowlingbaan in Reno. Wie durfde beweren dat moordenaars geen gevoel voor humor hadden?

'Zeg, Jay,' zei Serena toen Walling uitstapte. 'Hoe kom je aan die vogelpoep op je jas?'

Hij keek vol afgrijzen omlaag en Serena lachte. Walling droeg een zwarte schapenleren jas die hem tweeduizend dollar moest hebben gekost en die hij als zijn kind vertroetelde. Hij had een zwarte gleufhoed op, zodat hij eruitzag als een overblijfsel van Manhattan jaren vijftig. Hij was lang, met een lang gezicht en een borstelige snor.

'Ik heb je gevoel voor humor gemist, liefje,' zei Walling. 'Ik hoop dat mijn telefoontje van vannacht geen inbreuk op een liefdesfestijn van jou en rechercheur Stride betekende. Ik rekende erop dat ik je voicemail zou krijgen.'

'Tien minuten vroeger en je had een zwaar gehijg gehoord.'

'O, ja ja.' Walling wist niet goed raad met de details. 'Dus het is serieus?'

'Ik geloof het wel,' bekende Serena. 'Volgens mij denkt hij er ook zo over. Ik doe mijn best om het niet te verpesten.'

Walling, die iets meer van Serena's achtergrond wist, knikte bedachtzaam. 'Ik waardeer het in ieder geval dat je hierheen bent gekomen. Kun je me iets meer vertellen over dat bonnetje dat jullie hebben gevonden?'

Serena deed beknopt verslag van de hit-and-runzaak waarbij Peter Hale was gedood en de vondst van de auto van Lawrence Busby op de parkeerplaats van de Meadows Mall. 'Het bonnetje lag onder de bestuurdersstoel.'

'Geen enkele aanwijzing omtrent de dief van de auto?'

Serena schudde haar hoofd.

'Jammer. Het kan zijn dat het niks te betekenen heeft, maar er zit een luchtje aan. Dat bonnetje van jou is van een winkel nog geen vijf mijl hiervandaan. Ongeveer twee uur na de aankoop van die zes Krispy Kreme-donuts is er op deze ranch een vrouw vermoord. En het bonnetje duikt op in een gestolen auto die betrokken is bij een aanrijding in Las Vegas.'

'Het zit me niet lekker.'

'Mij ook niet.'

'En wat is hier gebeurd?' vroeg Serena, met een hoofdgebaar richting het huis.

Walling trok aan zijn snor en zette zijn hoed af. Hij streek zijn met zorg bijgehouden grijze haar glad.

'Een wrede moord. Gevallen als dit hebben we niet vaak. Albert Ford was gaan golfen, en toen hij thuiskwam, stond de voordeur open en lag zijn vrouw in het halletje. Halsslagader doorgesneden. Voor zover wij kunnen nagaan, deed ze open en heeft de dader haar meteen te grazen genomen. Een bloederige smeerboel.'

'Motief?'

'Hebben we niet,' zei Walling. 'Er was niets meegenomen. Het leek erop dat hij niet eens binnen is geweest.'

'En geen getuigen?'

Walling haalde zijn schouders op en gebaarde naar het lege landschap. 'Hier? Er zijn niet veel buren. De weg loopt in het oosten dood. We hebben niemand gevonden die iets heeft gezien.'

'Wat is er bekend van de vermoorde vrouw?'

'Deugdzame mensen,' zei Walling. 'Allebei. De familie Ford woont al generaties lang in Reno. Allebei gepensioneerd. Albert Ford heeft tientallen jaren paarden gefokt en de fokkerij een paar jaar geleden verkocht. Zijn vrouw, Alice, was onderwijzeres. Dat is ze vijfendertig jaar geweest, en toen Albert de paarden wegdeed, is zij ook gestopt.'

Serena schudde het hoofd. 'Een onderwijzeres?'

'Precies. Het slaat nergens op.'

'En Al gaat vrijuit?'

Walling knikte. 'Zijn golfmaatjes hebben zijn alibi bevestigd. Alice was al een aantal uren dood toen hij haar vond.'

'Hebben ze kinderen?'

'Vier, allemaal volwassen. De jongste is begin dertig.'

'Woont er een in Las Vegas?' vroeg Serena.

'Nee. Twee in Los Angeles, een in Boise en een in Anchorage. Alle vier schoon. Alice heeft een broer in Reno, en daar houdt het mee op. Albert is de enig overgeblevene van zijn familie.'

'Ik neem aan dat de broer niet verdacht wordt,' zei Serena.

Walling begon te lachen. 'De gepensioneerde directeur van een adoptiebureau. Zit nu in een verzorgingshuis.'

'Dus we hebben een jongen van twaalf die is doodgereden en een gepensioneerde onderwijzeres met een doorgesneden keel,' zei Serena. 'Geen enkele overeenkomst in werkwijze of de locatie. Het enige waarmee we deze zaken met elkaar in verband kunnen brengen zijn een paar donuts. Misschien staan we onze tijd te verdoen, Jay.'

'Behalve dat de twee slachtoffers iets gemeen hebben,' zei Walling.

'O ja?'

'We kunnen voor geen van beiden een reden vinden waarom iemand ze zou willen vermoorden.'

11

Rex Terrell was een halfuur te laat.

Het was vijf uur, en Stride en Amanda zaten bij Battista's in een hoekbox naast een muur behangen met foto's van decennia aan beroemdheden. Ze hadden de accordeonist die op het punt stond een serenade voor hen te spelen al weggebonjourd en de huiswijn die bij de maaltijd hoorde afgeslagen. Maar ze hadden uiteindelijk wel twee kommen pasta met sauce bolognese geaccepteerd, voor rekening van het huis.

Terrell had de plaats uitgekozen, in een zijstraat achter de Barbary Coast. 'Het echte Vegas,' had hij gezegd. 'Een herkenningspunt.'

Stride had Terrells telefoonnummer van het antwoordapparaat van M.J., en het was hem halverwege de middag pas gelukt Terrell te pakken te krijgen. Terrell bleek freelance journalist te zijn die gossipachtige stukjes voor publiekstijdschriften schreef, waaronder *LV*. Stride wilde weten wat Terrell aan M.J. Lane had verteld over zijn vader en de Sheherezade.

Ze werden ongeduldig. Amanda zat in haar pasta te prikken. 'Vertel eens wat over Minnesota,' zei ze.

Stride begon te grijnzen. 'Dacht je aan verhuizen?'

'Wie weet. Ik weet hoe het klinkt, maar ik zou het helemaal niet erg vinden ergens te wonen waar het minder raar is. Bobby en ik praten over weggaan.' Ze voegde eraantoe: 'Het zou ook fijn zijn om ergens te wonen waar niet iedereen het wist, snap je? Mijn geheimpje, bedoel ik.'

Stride knikte. 'Minnesota is koud.'

'Koud? Goh, dat is nieuw voor me. Zal ik je eens wat vertellen, Stride? Dat witte spul dat ze daar de helft van het jaar hebben? Dat heet sneeuw.'

'Dat bedoel ik niet,' zei Stride. 'Het gaat me niet om het weer. Ik woonde pal aan Lake Superior. Ik kon vanaf mijn patio de grote ertstankers langs zien komen.'

'Waarom ben je dan weggegaan?' vroeg Amanda.

Hij aarzelde, vroeg zich af hoeveel hij zou vertellen en besefte toen dat hij het nog steeds deed: hij was een inwoner van Minnesota, stopte alles weg. 'Ik begon me te realiseren dat het een kille plek is. Minnesotans zijn moeilijk te doorgronden. Ze laten je niet toe. Aardiger lieden zul je niet vinden, maar je kunt tientallen jaren met ze omgaan zonder te weten wat er in hen omgaat, wat echt belangrijk voor ze is.'

'Dat doet me sterk aan Serena denken,' zei Amanda.

Stride schudde zijn hoofd. 'Begrijp me niet verkeerd. Ik ben net zo. En inderdaad, Serena ook. Maar we zijn tot elkaar gekomen op een manier die nog niemand is gelukt. Ik heb gemerkt dat ik het fijn vind. Dus was het voor mij de moeite waard daarvoor te verhuizen.'

'Maar je mist Minnesota.'

'O ja.'

'En wat vind je van Vegas? Als het voor mij al te vreemd is, kan ik me niet voorstellen wat jij ervan vindt.'

Stride liet zijn blik door het restaurant gaan. Terrell had gelijk. Dit was Vegas in al zijn kitscherige, bitcherige glorie. Hij dacht aan Walker, die de stad zedeloos noemde, en aan mensen als Gerard Plante van de Oasis, die zijn gasten rustig manipuleerde. Maar je had er ook de bergen en het blauwe water van Lake Mead. En Serena. En iets onweerstaanbaars en verschrikkelijks van al die dingen bij elkaar.

Hij keek op en tot zijn geluk hoefde hij niet te antwoorden.

Rex Terrell zwaaide naar hen terwijl hij door het restaurant liep, met zijn andere arm gedrapeerd om de nek van de gerant. Hij had een limoengroen shirt aan, niet ingestopt, op een dure broek van zwarte zijde. Zijn blonde haar zat in de gel en stond overeind in onregelmatige punten, en hij had een smalle zwarte zonnebril op. Hij was ongeveer midden dertig, van gemiddelde lengte en gespierd. Hij had een cognacglas in de hand met een koperkleurige drank die over de rand klotste toen hij dichterbij kwam.

'Rex Terrell,' zei hij en stak zijn hand uit. 'Jullie zijn rechercheurs? Wat een trip. Een echt moordonderzoek. Helemaal *CSI*.'

Stride schudde zijn hand, die klam was, en stelde zich voor. Amanda deed hetzelfde.

'Amanda Gillen?' Rex deed zijn bril af en bracht zijn gezicht tot pal voor dat van Amanda. 'O, mijn gód, ik ken jou. Wat een schitterende krantenkoppen. "Metroseksueel: Non-op diender vindt haar 'apparaat' geen punt."' Hij giechelde, morste meer drank. 'Herinner je je die nog?'

'Rot op,' zei Amanda.

Terrell ging zitten en pakte een vork. Hij plukte een mondvol pasta uit Amanda's kom. 'Helemaal niet. Ik vond het prachtig! Jouw rechtszaak? Ik stond vierkant achter je. Ik heb staan juichen toen je won. En moet je nou kijken: je bent hot! Transseksueel wordt het helemaal.'

Stride zag het ijs in Amanda's ogen. Ze hield haar glas water zo krampachtig vast dat hij dacht dat het in haar hand zou knappen. 'Je speelt met vuur, Rex,' zei hij.

Terrell kakelde door. 'Moet je horen, schat. Wat dacht je van een stuk in *LV*? We zouden er een dubbele pagina foto's bij kunnen doen. Niet zoiets als "een meid met een pik", hoewel dat waanzinnig zou verkopen. Nee, heel smaakvol, heel erotisch, decolleté, misschien een bobbel op de juiste plaats. Iets heel artistieks, dus.'

Amanda greep Terrells kaak en hield die in een klem tot hij zijn mond hield. Ze trok zijn gezicht met een ruk naar zich toe. 'Even goed luisteren, Rex. Ik ben geen kermisattractie, geen circusnummer. Ik ben Amanda. Ik ben een beetje anders dan de meeste mensen, maar het enige wat ik wil is een normaal leven.

Wat ik niet wil is dat mensen zich met mijn privéleven bemoeien. Laat me met rust, want anders zie ik me genoodzaakt de operatie die ík niet wil hebben jóú hier ter plekke te geven, met een botermesje. Begrepen?'

Ze duwde Terrell weg en hij wreef over zijn kaak. 'Au, au au.' Hij keek Stride aan. 'Ze is vuurgevaarlijk. Maar ik mag dat wel, echt waar.'

'Misschien kunnen we ter zake komen,' zei Stride.

'Zeker weten. Ik ruik een verhaal. M.J. vermoord? Ik wil alles weten.'

Stride schudde het hoofd. 'Geen verhaal, Rex. Dit is helemaal, absoluut, volstrekt onpubliceerbaar. En de informatie gaat maar één kant op. Jij vertelt óns wat je over M.J. weet.'

'Begin maar met te vertellen waar je zaterdagnacht was,' zei Amanda.

'Denken jullie dat ík hem heb vermoord? Wat spannend. Nee, hoor. David en ik zijn om tien uur naar de Gipsy gegaan en daar zijn we de hele nacht geweest.' Hij knipoogde naar Amanda. 'Jij mag David wel bellen en het controleren, als je wilt. Niet die partner van je, want David heeft een klein beetje een zwak voor sterke, zwijgzame types.'

'M.J.,' porde Stride.

'Tja, wat moet ik vertellen?'

'Hoe heb je hem leren kennen?' vroeg Stride.

'Hij belde me toen het artikel was verschenen. Diep geschokt. Maar dat kun je hem niet kwalijk nemen. Ik bedoel, als het mijn vader was geweest...'

'Wat voor artikel?' vroeg Amanda.

Terrell legde een hand op zijn hart. 'Het beste wat ik ooit voor *LV* heb geschreven. Ik wist zeker dat ik doodsbedreigingen zou krijgen, maar niet één. Het valt me bitter tegen. Maar ik heb namen genoemd, iets wat verder niemand heeft gedaan. Twee grote namen ook. Walker Lane en Boni Fisso.'

Stride herinnerde zich dat er een nummer van *LV* bij M.J. op het nachtkastje had gelegen, onder het krantenverhaal over de sloop.

'Waar ging dat verhaal over?' vroeg Stride.

'Het had als titel "Het smerige geheim van de Sheherezade". Kunnen jullie daar iets mee?'

'M.J. noemde zijn vader een moordenaar,' zei Stride. 'Beweerde jij dat ook in je verhaal?'

'Hij is een moordenaar. Schandalig, hè?'

'We hebben Walker Lane gesproken. Die beweert dat jij M.J. op bepaalde gedachten hebt gebracht.'

'Hebben jullie Walker gesproken? En heeft hij het over mij gehad? O, helemaal te gek. Ik vroeg me af of hij er iets van zou horen. Walker Lane die met anderen over Rex Terrell praat. Mijn god, David flipt als hij het hoort.'

Stride en Amanda trokken allebei een geërgerd gezicht.

'Waar ging dat verhaal over?' zei Stride. 'De beknopte versie graag.'

Terrell knikte. Zijn glas was leeg en hij zwaaide ermee naar een serveerster.

'De Sheherezade was Boni Fisso's eerste grote tent. Toen was Vegas nog echt Vegas. Net als Battista hier. Authentiek. Als je de bars in de stad nu ziet, is het allemaal nep. Er hangen foto's van beroemdheden, maar allemaal van mensen als Tara Reid en Lindsay Lohan, en over tien jaar kijken de mensen ernaar en vragen ze wie dat is. Sinatra, die was authentiek. Alan King, Rose Marie.'

'Rex,' zei Stride knarsetandend.

'Ik wil maar zeggen dat ik een echt Vegaskind ben,' ging Terrell verder. 'Dat is een zeldzaamheid. Geboren en getogen. Ik ben authentiek. Tegenwoordig komen ze allemaal uit Californië.'

Amanda pakte een botermesje en begon ermee op haar handpalm te slaan. Terrell trok bleek weg.

'Oké. Voor jullie laat ik de leuke stukken weg. In 1967 was de Sheherezade dé uitgaansgelegenheid hier. Net als de Sands. Dat kwam voor een deel door de shows. Ze hadden een waanzinnig goede danseres. Amira Luz. Een Spaanse schone, zwart haar, vurige tante. Zonder meer een seksmachine, ongelogen.

Ze deed een naaktdans die de tent vulde. Elke avond alleen staanplaatsen. Weet je, er werd toen in veel shows met tieten geschud, maar dat was allemaal groepswerk, dodelijk vervelend. Amanda had een flamencodans waarbij ze stripte als een heel dure callgirl. Opwindend!'

'En?' vroeg Stride.

Terrell boog zich naar voren en fluisterde: 'Op een warme julinacht werd Amira dood aangetroffen op de bodem van het zwembad van de luxesuite op het dak van de Sheherezade. Iemand had haar de schedel ingeslagen.'

'En jij denkt dat Walker Lane dat heeft gedaan?'

'Zeker weten. Iedereen wist het, maar iedereen hield toen zijn mond dicht.' Terrell draaide zijn wijs- en ringvinger om elkaar heen. 'Zo dik waren Boni Fisso en Walker Lane toen. Walker was Boni's kip met de gouden eieren. Hij was er elk weekend. Had dezelfde luxesuite waar Amira is vermoord. Liep alle feesten af, kon niet genoeg van Vegas krijgen, liet zich graag zien met de maffia.'

'Dat zegt nog niks,' zei Amanda.

Terrell trok een quasi-verbaasd gezicht. 'Hé, zeg. Doe niet net of je gek bent. Ik heb met mensen gepraat die Walker dat weekend in het casino hebben gezien, hoewel de officiële versie is dat hij niet in de stad was. En ook niet in de suite. Hou op, zeg. Walker was een hitsig hondje dat tegen Amira's been wilde oprijden en hogerop naar haar bontje. De mensen vertelden dat hij door haar geobsedeerd was en dat Amira niet geïnteresseerd was. Dat ze hem domweg afwees. Maar Walker legde zich niet neer bij een *Nee* van een Spaanse stripper. Baf, krak.'

'De politie zag het blijkbaar anders,' zei Stride. 'Ze hebben Walker niet gearresteerd.'

Terrell zuchtte dramatisch. 'De politie? Meneer de rechercheur, we hebben het over 1967. Dacht u dat Boni de politie niet kon manipuleren? Alsjeblieft, zeg. De rechercheur die de leiding had was Nick Humphrey, en Boni had Nicky in zijn zak. Dat wist iedereen. Boni goochelde Walker schielijk de stad uit. Walker deed Roman Polanski na en verdween goddomme naar het buitenland. En Nicky keek de andere kant op. Jezus, een moord in een luxesuite, die moet toch makkelijk op te lossen zijn? Maar het verhaal waar de politie mee kwam, was dat een fan vanaf het onderhoudsdak in de daktuin was geklommen en haar had vermoord.'

'Wat deed Amira in die suite?' vroeg Amanda.

'Men zei dat ze bij een van de receptionisten een sleutel had losgepraat en dat ze daar na haar optredens naakt wilde zwemmen als de suite vrij was. Ook dit is weer de officiële versie. Kun je nagaan.'

Stride schudde zijn hoofd. 'Heb je dat allemaal in je artikel gezet? Bereid je dan maar voor op een rechtszaak, Rex.'

'O, maar we hebben het woord voor woord door een advocaat laten lezen,' antwoordde Terrell met rollende ogen. 'We hebben er heel veel misschiens en alsen en andere ontkrachtende woorden in gezet. Trouwens, denk je dat Walker de zaak nog verder wil opblazen door een rechtszaak? Vast niet. Walker wil dat het in de doofpot verdwijnt. En Boni ook. Want dan kan hij zijn spleetoog-baccaratpaleis neerzetten.'

'En wat M.J. betreft,' vroeg Amanda, 'waar komt hij in beeld?'

'Wacht even, schat. Mijn kont trilt. Klotemobieltje. Dat ding gaat zo vaak over dat ik een orgasme zou kunnen krijgen als ik het in mijn onderbroek droeg, ik zweer het je.' Hij trok een heel dun mobieltje uit zijn achterzak en keek wie er belde. 'O, zij weer. Niks aan de hand. Een blonde persagente, heeft nooit een echt verhaal. Zal haar klanten wel neuken.'

'Rex, onze tijd is bijna op,' zei Stride.

'Chillen, rechercheurs. Zoals ik al zei, belde M.J. me toen het artikel uit was. Hij vroeg naar mijn bronnen, die ik hem niet kon vertellen – hè, hè – afgezien van de tip om in de archieven van de bibliotheek te duiken. Het meeste zat verstopt in de roddelrubrieken van toen, maar dan moet je tussen de regels kunnen lezen. Smakelijk leesvoer. Hij vroeg me op de man af of ik dacht dat zijn vader dat meisje had gedood, en ik heb hem ronduit gezegd dat ik dat echt dacht. Einde conversatie.'

'Maar je hebt op de dag van zijn dood een bericht op zijn antwoordapparaat ingesproken,' zei Stride.

'Inderdaad. In mijn werk geef ik jou een beetje en jij geeft mij een beetje. Dat doet me eraan denken dat ik jullie een heleboel geef, dus vergeet jullie vrienden niet. Ik dacht dat M.J. me wel wat stof over Karyn Westermark zou kunnen geven, maar ja, iemand heeft hem voor die tijd omgelegd.'

'En heb jij enig idee wie hem dood wil hebben?' vroeg Amanda.

'Behalve Walker en Boni?' Terrell grijnsde. 'Nee, M.J. leek me wel een fatsoenlijke beroemdheid. Behoorlijk doorsnee, als je het mij vraagt. Maar hij hing hem er wel overal in, dus misschien moeten jullie op zoek naar een jaloerse echtgenoot.'

'Wie bijvoorbeeld?' vroeg Stride.

'Ik heb alleen maar geruchten, meer niet.'

'Laat maar horen,' zei Amanda.

Terrell loerde om zich heen naar de andere tafeltjes. 'Ik wéét dat de vrouw van Moose Dargon, dat serveerstertje van in de twintig, bij veel beroemdheden in de Oasis rondhangt en graag meedoet. Ik heb gehoord dat ze erg onder de indruk was van M.J.'s prestaties op die seksvideo met Karyn. Het gerucht gaat dat Moose zijn worst niet meer gestopt krijgt, ook niet met Viagra. En je weet dat Moose een kort lontje heeft. Vroeger zat hij om de haverklap in de cel omdat hij iemand in elkaar had geslagen.'

'Zijn vrouw heet Tierney, hè?' vroeg Stride. Hij herinnerde zich dat Karyn Westermark haar ook al had genoemd als een van M.J.'s liefjes.

'Tierney,' kreunde Terrell. 'Asjeblieft! Waar zijn de gewone namen gebleven? Hebben jullie al gehoord van die acteur in Hollywood die het een giller vond om zijn dochter Pipi te noemen?'

'Hoe ziet Tierney eruit?'

'Brunette. Een soort flessenborstel-look. Stond vorig jaar in de *Playboy*. Borsten als de piramiden in Egypte. Ken je dat model?'

Stride wel. Hij realiseerde zich dat ze Tierney en haar kegelvormige borsten op de video in M.J.'s appartement hadden gezien. Hij vroeg zich af wat een man als Moose Dargon zou doen als hij zijn vrouw voor de camera overspel zag plegen en of het genoeg zou zijn om hem een beroepsmoordenaar te laten inhuren.

'Wat kun je ons nog meer over Moose vertellen?' vroeg hij.

'Hij bruist nog altijd van leven, zelfs met één been in het graf,' zei Terrell. 'Hij heeft zich uit veel dingen teruggetrokken, maar hij doet nog wel liefdadigheidswerk, geldinzamelingen voor de gouverneur, dat soort zaken. Zijn grappen zijn intens smerig, en om je kapot te lachen.'

'Is zijn lontje nog steeds zo kort?'

Terrell begon te stralen; hij leunde over de tafel en fluisterde: 'Ooo, of hij M.J. uit de weg zou ruimen omdat die de kleine Tierney heeft gecondomiseerd? Wat een verrukkelijk idee. En het zou het toppunt van ironie zijn.'

'Hoezo?' vroeg Stride.

'Omdat Moose in de jaren zestig een vaste gast van de Sheherezade was. En wie neukte hij in die tijd? Niemand minder dan Amira Luz.'

12

Sawhill zat weer te bellen met gouverneur Durand.

Stride en Serena zaten in de twee stoelen tegenover Sawhills weidse bureau, terwijl de inspecteur zijn lippen langs elektronische weg aan de kont van de gouverneur hechtte. Cordy leunde tegen de muur, handen in de zakken. Amanda stond er ook, en Stride moest een glimlach onderdrukken toen hij zag hoe ze met Cordy stond te spelen. Ze schoof telkens een paar centimeter op en Cordy kroop telkens met een gepijnigd gezicht een stukje langs de muur achteruit in een poging afstand te bewaren. Toen haalde ze diep adem, zodat haar borsten beter uitkwamen, en rekte zich lui uit. Cordy moest er wel naar kijken.

Sawhill zag het spelletje ook en knipte met zijn vingers naar hen.

'Ik heb op dit moment net overleg met mijn team,' zei hij tegen de gouverneur op losse, familiaire toon. 'Nee, nee, ik kan u verzekeren dat die kant van het onderzoek is afgesloten. U kunt dat bekendmaken.'

Stride was niet blij met die woorden. Sawhill keek hem recht aan toen hij dat zei, en Stride had het deprimerende gevoel dat hij werd klemgezet.

Het was geen geheim dat Sawhill met zijn afdeling op hoge doelen mikte met het oog op de baan van sheriff, politiechef. Stride moest erkennen dat Sawhill wist hoe hij het spel moest spelen en begreep welke connecties in de politiek hij nodig had om de concurrentie te passeren. De huidige sheriff had al aangekondigd volgend jaar met pensioen te gaan. Minstens twee Metroveteranen die ouder en hoger in rang waren dan Sawhill hadden te kennen gegeven werk van die baan te willen maken. Maar Sawhill werd door niemand uitgesloten. Bij de verkiezing van een sheriff ging het meer om steun dan om stemmen, en Sawhill was al tien jaar bezig met het koesteren van hooggeplaatste vrienden.

Maar hij wist vooral dat krantenkoppen over moordzaken slecht zijn voor de politiek.

Sawhill legde de hoorn neer. Hij pakte de dinsdageditie van de Las Vegas *Sun* die op zijn bureau lag.

'Ik heb twee moordonderzoeken op de voorpagina,' hield hij hun voor. 'Daar is de gouverneur niet blij mee. Ik ben er niet blij mee. Daarom wilde ik jullie allemaal hier hebben, zodat jullie me kunnen vertellen wat jullie doen om deze zaken van de voorpagina's te laten verdwijnen.'

Hij zei het op een manier alsof de vier rechercheurs in de kamer er wel blij mee waren en genoten van de media-aandacht.

'Serena,' vervolgde de inspecteur en schoof zijn halve brilletje naar de punt van zijn neus zodat hij haar over de rand kon aankijken. 'Jij eerst. Vertel me eens wat meer over de moord in Reno en of er een verband is met de dodelijke aanrijding van de jongen in Summerlin.'

'Iemand heeft Alice Ford, onderwijzeres, op haar ranch de keel doorgesneden,' vertelde Serena. 'Jay Walling en ik hebben anderhalf uur met de man van het slachtoffer gepraat. We hebben geen enkel verband kunnen vinden tussen Alice Ford in Reno en Peter Hales familie in Summerlin. Er is geen enkele aanwijzing voor een gemeenschappelijk motief met betrekking tot beide slachtoffers.'

'Er is dus misschien geen verband,' concludeerde Sawhill. 'En de winkel van dat bonnetje staat aan de weg tussen Reno en Carson City, een belangrijke verkeersader. Vergeleken met Las Vegas lijkt het misschien wel een dooie uithoek, maar over die weg rijden elke dag duizenden auto's. Alleen het feit dat onze misdadige automobilist daar dezelfde dag dat Alice Ford werd vermoord een paar donuts heeft gekocht, wil nog niet zeggen dat hij die moord heeft gepleegd.'

'Ik hou niet van toeval.'

'Ik ook niet, maar het komt voor. Behalve dat bonnetje is er niets dat deze zaken met elkaar in verband brengt.'

'Dat is zo,' gaf Serena toe.

'En als het een huurmoordenaar betreft?' suggereerde Amanda aan de andere kant van de kamer. 'Het kunnen twee aparte opdrachten zijn geweest, en jullie zijn toevallig op een manier gestuit om ze met elkaar te verbinden.'

'Ja, die mogelijkheid bestaat,' zei Serena. 'Maar wie neemt er een huurmoordenaar in de arm om een jongen van twaalf en een gepensioneerde onderwijzeres te vermoorden?'

Sawhill hakte de conversatie met een handgebaar af. 'Laat Reno zijn eigen zaakjes opknappen,' zei hij tegen Serena. 'De misdaad waar ik mee zit, speelt hier. Wat heb jullie verder nog?'

Cordy schraapte zijn keel, gaf toen een piep en maakte bijna een luchtsprong alsof hij, toen hij omlaag keek, een tarantula over zijn voet zag kruipen.

'Wat heb je, Cordy?' vroeg Sawhill.

Cordy werd vuurrood. 'Niks,' mompelde hij. 'Sorry, hoor.'

Serena zag dat Amanda met moeite een lach onderdrukte.

Cordy probeerde zijn onverstoorbaarheid terug te krijgen. 'We hebben in Summerlin nogmaals een buurtonderzoek gedaan. Omdat we nu weten dat het een Aztek was, dacht ik dat we wat meer geheugens konden opfrissen. Het voertuig is spuuglelijk, dus je kunt hem niet missen.'

'En?' vroeg Sawhill.

'Raak. Een buurvrouw herinnerde zich dat ze aan de overkant van de straat een blauwe Aztek heeft zien staan. Dat betekent dat hij op de loer heeft gestaan. Hij had het op die jongen gemunt.'

'Heeft de getuige de bestuurder gezien?' vroeg Sawhill.

Cordy schudde het hoofd. 'Ze was op de bovenverdieping en kon niet eens zien of er iemand in zat.'

'En wat hebben we nog meer?'

'Jay Walling heeft me een stapel bonnen gestuurd van de winkel die die Krispy Kremes heeft verkocht,' zei Serena. 'Aankopen van donuts en een Sprite van de afgelopen maanden, betaald met een creditcard. En van mensen die binnen een uur rond de aankoop door onze man tegelijk met hem in de zaak waren. Ik zou graag wat hulp krijgen bij het bellen van mensen.'

Sawhill knikte.

'We onderzoeken verder alle gevallen van doorrijden na een aanrijding waarbij een kind betrokken was in de hele zuidwesthoek,' vervolgde ze. 'Misschien dat hij het al eerder heeft gedaan. En we breiden ons onderzoek naar de achtergronden van familie en vrienden uit om te zien of er iemand ergens een wrok over koesterde.'

'Doe dat wel discreet,' bracht Sawhill haar in herinnering. Hij stak een slanke vinger uit naar Cordy. 'En jij ook, Cordy.'

Beiden knikten. Stride wist dat hij aan de beurt was.

'Rechercheur Stride, je bent nieuw op deze afdeling,' hield Sawhill hem voor. 'Maar gouverneur Durand kent je naam al.'

'Ik voel me gevleid,' antwoordde Stride vrolijk. Serena gaf hem een schop.

'Daar is geen reden voor. Hij heeft er enkele krachttermen aan vooraf laten gaan. Walker Lane heeft hem gebeld met de klacht dat je meer belang leek te stellen in een moord van veertig jaar geleden dan in het uitzoeken van wie zijn zoon heeft vermoord.'

'Ik wist niets van de moord op Amira Luz tot het gesprek met Walker Lane. Hij is degene die ons op Rex Terrells spoor heeft gezet.'

Sawhill snoof. 'Rex Terrell heeft *LV* veranderd in de *National Enquirer*. Hij schrijft roddel en bagger. Daar is geen plaats voor in dit onderzoek.'

'Maar er is in de Sheherezade wel een moord gepleegd.'

'Ja, daar ben ik van op de hoogte, rechercheur.'

'Ik zou graag de rechercheur spreken die het onderzoek heeft geleid,' zei Stride. 'Nick Humphrey. Leeft hij nog?'

'Jazeker, maar dat is tijdverlies.' Sawhill boog zich naar voren en zette zijn bril af. 'Wat Rex Terrell jullie waarschijnlijk niet heeft verteld, is dat de moord op Amira Luz is opgelost.'

Stride aarzelde. Hij had nog geen enkel dossier over de moord bekeken. 'U hebt gelijk, dat wist ik niet.'

'De moordenaar heeft zelfmoord gepleegd,' antwoordde Sawhill bondig. 'Het was een stalker, een werkloze gokverslaafde uit Los Angeles. Zijn hele slaapkamer hing vol met foto's van die vrouw. En hij had een betaalbon van de Sheherezade van de avond van de moord. Ik denk dat Rex dat niet heeft vermeld in zijn verhaaltje.'

Stride voelde dat zijn wangen begonnen te gloeien. 'Toch klopt het niet. Terrell heeft mensen gesproken die Walker die dag in Vegas hebben gezien. En daarna heeft hij het land verlaten en is er amper nog terug geweest. Waarom?'

'Misschien is hij gek op Canadees spek. Misschien wou hij altijd al een Mountie worden. Ik zou het niet weten, rechercheur, en het interesseert me niet. Walker Lane heeft niemand vermoord.'

'M.J. dacht van wel.'

'M.J. had het mis. Rex Terrell had het mis. Jij hebt het mis. Er is geen verband met de dood van M.J., want er is niets geheimzinnigs aan. Laat het rusten. Is dat duidelijk?'

Stride knikte. 'Volmaakt duidelijk.'

Maar de twijfel bleef. Hij was bereid toe te geven dat Rex Terrell van alles uit zijn duim had gezogen, dat het meer fantasie dan werkelijkheid was. Het was mogelijk dat Walker Lane, als hij na de dood van dat meisje door nare roddels was achtervolgd, had besloten de stad te verlaten, ook als hij onschuldig was. Maar er was nog een naam die halverwege het verhaal bovenkwam, als een badeendje dat niet wilde zinken.

Boni Fisso.

Boni, eigenaar van de Sheherezade en connecties had met zowel Amira Luz als Walker Lane.

Boni, die voor twee miljoen dollar in het Orient-casinoproject zat. *De moeite van een moord waard.*

Sawhill was niet dom. Hij zag het in Strides ogen. 'Volgens mij ben je niet overtuigd. Vertel me eens: wat voor verband zou er kunnen zijn tussen de dood van Amira Luz en de moord op M.J. Lane?'

Stride schudde zijn hoofd. 'Ik kan niets bedenken,' gaf hij toe.

'Mooi. Laten we dus op zoek gaan naar een plausibeler moordtheorie. En ik hoop echt dat jullie er een hebben.'

'We weten dat M.J. een affaire had met Tierney Dargon,' zei Stride.

'De vrouw van Moose?'

Stride vroeg zich af hoeveel Tierney Dargons er in Las Vegas konden zijn. 'Er was een videoband in de flat van M.J. waar ze allebei op stonden. Zowel Karyn Westermark als Rex Terrell had het erover, dus het was bekend.'

Sawhill leunde achterover in zijn stoel en plukte aan zijn puntige kin. 'Moose is een woesteling, altijd al geweest. Ik zie hem er best toe in staat in een vlaag van woede iemand te vermoorden. Hij is er een paar keer heel dichtbij geweest.'

'Alleen was dit geen crime passionel,' bracht Amanda naar voren. Ze kwam naar het bureau en boog zich eroverheen. 'Dit was gepland.'

'En tenzij hij tientallen jaren jonger en vijftig kilo lichter is geworden, is de moordenaar niet Moose zelf,' zei Stride.

'Hij kan iemand hebben ingehuurd,' zei Sawhill. 'Gaan jullie met Tierney praten?'

Stride knikte.

'En de videobanden van het casino, hebben die nog een blik op de moordenaar opgeleverd?'

'Als hij er is geweest, heeft er hij anders uitgezien dan zaterdagavond,' zei Stride.

'Goed, hou me op de hoogte.' Hij maakte een wuivend gebaar, stuurde hen weg en nam de telefoon weer ter hand. Met zijn andere hand pakte hij het roze stressballetje dat op zijn bureau lag en kneep erin. Stride hoopte dat hij iets zachtzinniger omging met de borsten van zijn vrouw.

'Ik wil dat jullie mensen dag en nacht met de zaken bezig zijn.

Haal ze van de voorpagina. Of lever me de daders. En Stride, ik wil niet dat je nog met Walker Lane praat zonder overleg met mij.'

'Begrepen,' zei Stride.

Ze schoven achter elkaar de kamer uit. Stride trok de deur achter zich dicht. Cordy vuurde een vuile blik af op Amanda, die naar hem knipoogde en even met een gekromde wijsvinger naar hem zwaaide. Cordy stormde weg.

'Wat deed je eigenlijk met hem?' wilde Stride weten.

Amanda giechelde. 'Ik heb hem in zijn kont geknepen.'

13

Amanda reed naar de zuidzijde van vliegveld McCarran en zette de auto op een parkeerterrein vanwaar ze de vliegtuigen kon zien landen op baan 25 Links. Ze reed nu in haar Toyota en niet in de Spyder, die ze bewaarde voor het weekend en tochtjes. Ze stemde de radio af op de frequentie van de verkeerstoren en luisterde naar het geratel tussen de piloten en luchtverkeersleiders. Tierney Dargons United-toestel uit San Francisco zou met een halfuur landen.

In haar buurt stonden nog een paar vliegtuigspotters. Sommigen hadden lijsten met de binnenkomende en vertrekkende vluchten en vinkten ze af als ze de toestellen zagen landen of opstijgen. Zover ging Amanda niet. Ze vond het gewoon fijn om er met een kop koffie en een sigaret te zitten kijken. Ze rookte niet veel, niet meer, maar als ze hier kwam, gunde ze zichzelf er een, en voor die gelegenheden lag er een pakje in het handschoenenvak. Het roken en de zoete koffie, het gebulder van de vliegtuigmotoren en de lucht van kerosine hadden iets dat voor haar de tijd stilzette, als een soort hypnose; ze kon haar gedachten de vrije loop laten. Ze nam Bobby hier zelfs niet mee naartoe. Dit was haar plekje.

Ze had het ontdekt toen ze vijf jaar geleden vanuit Portland hierheen was gekomen. Toen was ze nog Jason Gillen, een intelligente diender uit Oregon die een intelligente diender werd in Vegas. Toen liep ze nog rond met zelfmoordplannen. Ze herinnerde zich dat ze hier had gezeten met haar pistool op de stoel naast haar en zich afvroeg of ze de moed zou hebben om het te doen, om uiteindelijk tot de conclusie te komen dat er helemaal geen moed voor nodig was om weg te lopen. Moedig was het om vol te houden en degenen te overbluffen die bang voor haar waren omdat ze anders in elkaar zat.

En zo was Jason gestorven en Amanda geboren.

Ze nam de sigaret uit haar mond, blies een rooksliert naar buiten en glimlachte toen ze lipstick op het witte papier zag.

De mensen dachten altijd dat het met seks te maken had. Dat ze, om te zijn zoals zij was, wel een wild leven moest leiden. Dat ze dit haar lichaam kon aandoen en elke dag ladingen hormonen kon slikken alleen maar omdat ze was geobsedeerd door seks. Ze geloofden haar nooit als ze hun vertelde dat Bobby en zij in feite heel behoudend waren, zowel binnen als buiten de slaapkamer. *Zij* waren geobsedeerd door seks. Zij werden opgewonden van haar. Geilden op haar. Mannen zowel als vrouwen. Ze wilden weten hoe ze het deed, in welke standjes en hoe vaak. Ze wilden haar zien. Proeven.

Het ergst waren haar machocollega's. Mensen zoals Cordy. Ze liet hen niet onberoerd. Ze waren zo bang voor het feit dat ze hen opwond, dat ze niet wisten hoe snel ze weg moesten komen. In het begin zat ze ermee, nu speelde ze ermee. Het was haar manier om te laten merken dat ze lef had, dat ze haar niet weg kregen. En misschien was het ook een kleine wraakoefening.

Ze wist dat de grappen doorgingen, maar nu ondergronds, omdat de leiding de andere dienders had gemaand hun fatsoen te bewaren. Schikkingen met zeven cijfers hadden het vermogen mensen ervan te weerhouden opmerkingen te maken, niet in haar gezicht tenminste. Maar niemand wilde haar in zijn buurt hebben. Dat wist ze. Ze negeerden haar, kletsten achter haar rug en wachtten tot ze het geld zou aannemen en de benen zou nemen. Het vrat aan hen dat ze bleef.

Ze had zich zorgen gemaakt om Stride. Met de gewone collega's redde ze zich wel, maar een foute partner kon je leven ernstig verzieken. En het ergste was dat hij uit het midden van het land kwam, uit de Midwest. Ze dacht dat de mensen uit de agrarische gordel bekrompen waren, snel klaar met hun oordeel. Ze had verwacht dat hij haar als een buitenaards wezen zou beschouwen. Maar Stride had haar verrast. Ze begreep wat Serena in hem zag. Hij was aantrekkelijk, dat stond buiten kijf, maar hij had ook nog een innerlijk leven dat wel een mijl diep leek. Sinds hij over de schok heen was, behandelde hij haar gewoon als een mens. Hij was nieuwsgierig – iedereen was nieuwsgierig – maar ze voelde dat hij respect had voor wat er in haar hersens zat, niet voor wat er tussen haar benen zat.

Dat was zeldzaam.

Achter het hek tilde een Boeing 737 van Southwest elegant zijn neus op en steeg steil op naar de hemel. Ze wist dat de meeste passagiers naar huis teruggingen, met legere zakken, dat ze de fantasiewereld achter zich lieten en terugkeerden naar de werkelijkheid. Zij zag het als vrijheid. Er kwam misschien een dag dat ze het geld echt opnam, met Bobby in de Spyder stapte en weg was. Niet omdat ze er niet meer tegen kon, maar omdat ze ergens wilde zijn waar niemand haar kende, waar de mensen haar niet aanstaarden.

Bobby verdiende het ook. Hij vertelde haar waarschijnlijk nog niet de helft van de ellende die hij over zich heen kreeg omdat hij met haar samenwoonde, of waar hij voor werd uitgemaakt. Maar hij stond en sliep al meer dan drie jaar naast haar. In het begin, toen ze alleen nog maar met elkaar uitgingen, had ze maandenlang seks met hem omzeild omdat ze bang was dat ze hem zou kwijtraken wanneer hij achter de waarheid kwam. Toen ze het hem uiteindelijk had verteld, was ze hem inderdaad kwijt geweest, tenminste gedurende de weken die hij nodig had gehad om erachter te komen wat hij voor haar voelde. Toen was hij teruggekomen en gebleven, zonder haar ook maar één keer te vragen anders te zijn dan ze was.

Ze had nooit een volledige geslachtsaanpassing willen hebben, de laatste stap willen zetten. Ze was bang dat er iets mis zou gaan, dat de onderdelen niet zouden functioneren, dat ze geen enkele seksuele gevoeligheid zou overhouden. Ze had het niet nodig om zich vrouw te weten. Maar ze had het willen doen voor Bobby, om zich voor hem ietsje normáler te maken. Maar hij had het afgewezen, gezegd dat hij het niet wilde, tenzij ze het zelf wilde. Ze had hem erom lief.

Het leek aanlokkelijk, op een dag met hem de benen nemen, aan de wreedheden ontsnappen. Naar San Francisco misschien, waar Tierney nu vandaan kwam. Daar zou niemand bijzondere aandacht voor hen hebben. Niet in de 'City by the Gay'.

Amanda gooide haar peuk naar buiten. Ze lachte in zichzelf en schudde haar hoofd. Ze fantaseerde er net zo hard op los als de mensen in het vliegtuig. De waarheid was dat ze nooit zou weggaan.

De radio kwam krakend tot leven. United 1580 kreeg toestemming om te landen.

Amanda startte de motor. Tierney Dargon kwam thuis.

Ze zag Tierney bij de bagageband. Ze stond een beetje apart, een mobieltje tussen haar schouder en oor geklemd. Ze was broodmager en knap, met een ruimvallend roze topje waarin haar borsten vrijelijk zwaaiden, en een roze strakke broek. Maar afgezien van haar Vegaslijf deed ze geen enkele moeite om er heel sexy uit te zien. Haar bruine haar hing in een warboel van slappe krullen tot op haar schouders. Ze droeg geen make-up of sieraden, op een gouden armband na die ze zenuwachtig met haar andere hand rond haar pols draaide. Haar ogen waren rood.

Amanda liep op haar af, maar zag haar pad geblokkeerd door een reusachtige Samoaan in een hawaïshirt, kennelijk een bodyguard. Ze liet onopvallend haar penning zien. De man vroeg haar even te wachten, slenterde toen naar Tierney toe en fluisterde haar iets in het oor. Het meisje liet een onderzoekende blik over Amanda gaan, mompelde iets tegen de Samoaan en ging verder met haar telefoongesprek.

'Mrs. Dargon vraagt zich af of ze in haar limo met u zou kunnen praten,' meldde de bodyguard. 'Hij staat voor de deur. Met een portret van Mr. Dargon op het portier.'

Amanda haalde haar schouders op. 'Best.'

Ze vond de limo zonder enig probleem. De Samoaan had blijkbaar de chauffeur al gebeld, want die stond naast het open portier op haar te wachten. Hij was in de zestig en tikte aan zijn zwarte pet toen Amanda instapte.

'Er staat champagne, als u daar zin in mocht hebben,' zei hij tegen haar. 'En we hebben ook muffins. Maar van de havermoutmuffin met bosbessen moet u afblijven. Dat is Mrs. Dargons lievelingsmuffin.'

Amanda lachte. 'Eet ze dikmakers?'

De chauffeur lachte maar antwoordde niet. Hij sloot het portier achter haar.

Ze had nog nooit in een verlengde limo gezeten. Haar achterwerk glibberde over de leren zitting toen ze het zich gemakkelijk wilde maken. In een hoekmeubel voor in het compartiment was een tv ingebouwd, met op de planken eronder een stereoset en een dvd-speler. Er stond een rapvideo op, maar zonder geluid. In de hoek ertegenover stonden onder andere een koelkast en een rond, glazen dienblad met zoetigheden, fruit, een open fles champagne en een karaf jus d'orange.

Er was een portret van Moose Dargon op de middelste zitting links van haar op zwart fluweel gestikt. Hij zag er twintig jaar jonger uit, met woest golvend zwart haar, borstelige wenkbrauwen en een roodgeaderde knol van een neus. Amanda klakte ongelovig met haar tong. Elvis zat nog altijd in de limo.

Ze gaf er de voorkeur aan op Mooses gezicht te gaan zitten omdat het fluweel haar wat houvast gaf. Onder de zittingen waren houten laden ingebouwd. Ze keek even naar buiten, trok toen de la tussen haar benen open.

Geen verrassing. Drugs. En een sixpack condooms. Amanda haalde het envelopje met cocaïne weg.

Ze voelde de auto schommelen toen de chauffeur uitstapte. Een paar tellen later zwaaide het achterportier open en glipte Tierney naar binnen. Ze ging tegenover Amanda zitten en veegde haar ongewassen krullen uit haar gezicht. Ze lachte niet.

'Het gaat om M.J., hè?' Haar stem was meisjesachtig, zodat ze nog jonger klonk dan ze al was.

Amanda knikte.

'Sorry, ik zal er wel niet uitzien,' verontschuldigde Tierney zich. 'Ik ben helemaal kapot van wat er is gebeurd.'

'Je ziet er prima uit.'

Tierney lachte verbaasd. 'Wat aardig van je om dat te zeggen.'

Verbazingwekkend, dacht Amanda. In Las Vegas was zelfs een moord nog geen excuus om er niet op je best uit te zien.

'Ik neem aan dat jullie de video hebben gevonden,' voegde Tierney eraan toe.

'Inderdaad.'

'O god, hoe heb ik zo stom kunnen zijn. Maar M.J. vond het spannend om het voor de camera te doen. Moose vermoordt me als dit bekend wordt.'

Amanda trok een wenkbrauw op. 'Ik heb gehoord dat hij erg driftig kan zijn.'

'Nee, nee, ik bedoel het niet letterlijk. Moose zou me met geen vinger aanraken. Maar hij zou het verschrikkelijk vinden, vernederend. Dat zou ik nooit willen.'

Ze had een verdedigingsmuur opgetrokken. Amanda besloot het op een andere manier aan te pakken. 'Wanneer ben je naar San Francisco gegaan?'

'Zondagmorgen. Meteen nadat ik het had gehoord van M.J. Mijn ouders wonen daar. Ik heb Moose gezegd dat ik een tijdje bij hen wilde zijn. Maar ik heb de meeste tijd in een hotel in de stad gezeten en gehuild. Ik wou niet dat Moose me zo zou zien. Dan zou hij zich dingen gaan afvragen.'

Ze was een instorting nabij. Amanda besefte dat Tierney geen koude kikker was, zoals Karyn Westermark. Deze meid had echt om M.J. gegeven.

'Hield je van hem?'

'Van wie? Van Moose?' Tierney begreep de vraag verkeerd. 'Natuurlijk. Ik weet wel wat iedereen denkt, dat hij een snolletje aan zijn arm wilde en dat ik op zijn geld uit was. Maar zo zit het niet. We geven echt om elkaar.'

'Hij heeft een heleboel geld,' voerde Amanda aan. Moose

woonde in Lake Las Vegas, een ommuurde wijk aan de andere kant van de bergen.

'Ja, maar daar krijg ik niets van. Ik ben met hem samen omdat hij grappig en lief is en me fatsoenlijk behandelt. Voor die tijd was ik helemaal niemand.'

'En M.J.?'

Tierney staarde een hele tijd met lege ogen naar het tv-scherm in de limo voordat ze antwoord gaf. 'Ik ben vierentwintig, oké?' Ze zei het alsof daarmee alles zonneklaar was.

'Je staat bekend als een meid die alle feestjes afloopt. Veel losse contacten.'

'Nou, dat is gelul,' zei Tierney kortaf. Er kwam een boze rimpel boven haar ogen. 'Ik ben maar met een paar kerels naar bed geweest. De laatste tijd alleen maar met M.J.'

Amanda vroeg zich af hoe het zat met de condooms in de la onder haar voeten. 'Wist Moose van M.J.? Of de anderen?'

'Het was meer van "ik vraag niks, jij zegt niks". Hij weet dat er dingen zijn die hij me niet kan geven.'

'Maar stel dat hij erachter was gekomen. Moose heeft vroeger wel wat mensen het ziekenhuis in geslagen.'

'Dat was jaren geleden! Jezus, hij is bijna tachtig.'

'Maar zou hij iemand kunnen inhuren om de boodschap over te brengen? Niet dat hij jou iets zou aandoen, maar M.J.?'

'Denk je dat Moose M.J. heeft vermoord?' Tierney ontkende met een heftig hoofdschudden. 'O nee. Ten eerste zou hij dat nooit doen. Ik zei toch dat we een afspraak hadden? En ten tweede wist hij niks van M.J.'

'Hou op, Tierney,' schamperde Amanda. 'Doe niet zo naïef. Het was bekend. Van de video wisten wij niet wie je was. We vroegen iemand met wie M.J. naar bed ging, en jouw naam was de eerste die werd genoemd.'

Tierneys mond viel open. 'Shit! Hoe kan dat nou?'

'Hield je van M.J.?'

'Of ik van hem hield? Ja, wel een beetje, geloof ik. Ik ga niet naar bed met mensen die me niets doen, ook al denk je dat misschien niet.'

'Als Moose dacht dat je iets voor M.J. voelde, kan hem dat het gevoel hebben gegeven dat hij heel kwetsbaar was. Dat je bijvoorbeeld bij hem weg zou gaan.'

'Je vergist je,' zei Tierney vol overtuiging. 'Moose weet dat ik dat nooit zou doen. Hij is ziek. Kanker. Hij heeft niet lang meer te leven, en hij weet dat ik er dan voor hem ben. M.J. was... Ik dacht ook aan de toekomst. Nadat.'

Amanda wist werkelijk niet of ze Tierney moest zien als een lief, eenzaam meisje, of als een sluwe schatgraafster die zich alweer op de volgende goudader richtte. Als ze toneelspeelde, deed ze het goed.

'Was je op de hoogte van M.J. en Karyn Westermark?' vroeg Amanda.

Tierney perste haar volle lippen op elkaar tot ze een dunne streep waren. 'Ja.'

'Zat het je dwars?'

'We hebben een keer een triootje gedaan. Ik knapte er helemaal op af. Ik wilde niet nog eens. Maar M.J. wel.'

'Was je zaterdagmorgen bij M.J.?'

Ze knikte. 'En vrijdagnacht ook.'

'Waarom ben je zaterdag weggegaan?'

'Ik moest zaterdagavond ergens heen met Moose. Een party.'

'Waar?' vroeg Amanda. Ze noteerde de details die Tierney haar vertelde. 'Was je de hele tijd bij Moose? Heeft hij gebeld met zijn mobieltje, of is hij gebeld?'

Tierney schudde haar hoofd. 'Hij heeft met Jan en Alleman gepraat. Het was een politieke toestand voor de gouverneur. De herverkiezingen komen eraan. Ik ben de hele avond bij Moose geweest.'

'Wist je dat M.J. die avond met Karyn samen was?'

'Ik vermoedde het,' zei ze triest.

'Zo te horen ben je jaloers.'

Tierney draaide een krul om haar vinger en speelde ermee. 'Karyn speelt in de hoogste klasse, dat weet ik. Ik ben alleen maar een serveerster die op het goede moment op de goede plaats was. Ik doe mijn best om erbij te horen, bij M.J. en zijn kliek, maar het lukt niet. Niet echt. Ze lachen me uit, dat weet ik.'

'Waarom zoek je ze dan steeds op?'

'Wat moet ik anders? Mijn oude vrienden weten niet wat ze met me aan moeten, vanwege Moose. Een huis bij het meer, bodyguards, de limo. Ze zien niet dat ik nog steeds dezelfde ben. Als je jong bent en geld hebt, kom je vanzelf in de Oasis terecht. En al die mensen daar vallen ook uiteen in allerlei kliekjes. Net de middelbare school.'

'Bij welke kliek hoorde M.J.?'

'Die van Karyn. Zo heb ik hem leren kennen, ongeveer een halfjaar geleden. Hij was met Karyn in het casino. Ze was heel aardig tegen me, en pas later kwam ik erachter dat het was omdat ze wou dat ik bij hen in bed terechtkwam. Maar M.J. vond ik aardig, dus daarom deed ik het. Vanaf die tijd gingen we geregeld samen uit, wij tweetjes.'

'Wat vond Karyn daarvan?'

Tierney haalde haar schouders op. 'Ik denk niet dat het haar iets kon schelen. Als ze zin had, ging ze gewoon met hem naar bed.' Er klonk iets van verbittering in door.

'Karyn zegt dat M.J. van plan was je te dumpen,' zei Amanda.

Tierney was zichtbaar geschokt. 'Zei ze dat? Kan niet. Dat geloof ik niet. Dat zou M.J. nooit doen.'

'Heb je enig idee wie hem kan hebben vermoord?'

'Nee. Ik kan me niemand voorstellen. Maar Moose zeker niet.'

Amanda vroeg: 'Weet je of M.J. contact had met Boni Fisso? Kenden ze elkaar?'

'Boni? Niet dat ik weet. Hij heeft het nooit over hem gehad.'

'En Moose? Kent hij Boni?'

Tierney knikte. 'Ja, beslist. Moose stond vroeger altijd in de Sheherezade.'

Amanda wist niet zeker of dat iets wilde zeggen. Maar Moose was een opvliegende man, ondanks zijn leeftijd en gezondheid. Het was heel goed voorstelbaar dat, als iemand als

Moose een huurmoordenaar nodig had, hij daar Boni over aanschoot.

Ze bedankte Tierney en wilde het portier van de limousine openen. Tierney pakte haar arm zachtjes vast. Haar hand voelde klein aan.

'Moet het bekend worden, van M.J. en mij?'

'Ik kan niets beloven,' zei Amanda. 'En zoals ik al heb gezegd: het is een publiek geheim.'

Tierney knikte. Haar ogen dwaalden af naar de la tegenover haar, die niet helemaal dicht was. Ze keek weer naar Amanda en daarna opzij. 'Je hebt mijn stuf gepakt, hè?'

'Ja,' zei Amanda. 'Maar ik ben niet van die afdeling. Ik spoel het door. Overigens, ik weet dat het mijn zaken niet zijn, maar volgens mij ben je niet geschikt voor het snelle leven, Tierney. Misschien zou je wat dingen moeten veranderen.'

'Dank je.' Tierney liet een vermoeide blik door het interieur van de limo gaan en zei met een half lachje: 'Je kunt het geloven of niet, maar soms zou ik willen dat ik nog gewoon drankjes verkocht in de Venetian. Soms is het makkelijker om buiten te staan en naar binnen te kijken.'

Stride leunde naar achteren op de ongemakkelijke houten stoel en strekte zijn armen. De spieren in zijn rug, vol knobbels, protesteerden en spanden zich. Hij voelde een pijn achter zijn ogen en sloot ze, in de hoop zijn hoofdpijn te bedwingen. Hij zat al drie uur achter het microficheapparaat naar wazige veertig jaar oude beelden te turen en had het gevoel dat hij in 1967 was neergepoot. Het jaar dat Amira Luz was vermoord. Het was vreemd om naar krantenkoppen uit die tijd te kijken als je wist hoe het verder allemaal gelopen was. De jonge vrouwen in de advertenties van toen waren nu oud. Er was een foto van Robert Kennedy. Iedereen had een sigaret tussen de lippen.

Toch was het toen niet zo anders. Las Vegas dreef nog boven de tijd, corrupt en op een of andere manier niet corrumpeerbaar. Hij zag artikelen over barre tijden voor zwarten in North Las Vegas, en een paar bladzijden verderop advertenties van zwarte entertainers die met grote letters op de Strip werden aangekondigd. Hij zag de namen van mensen uit het verleden die toen op hun hoogtepunt waren: Red Buttons, Milton Berle, Ann-Margret. Minirokjes waren in. De nieuwe Bondfilm, *You Only Live Twice,* draaide die zomer. Connery was cool.

Hij probeerde zich voor te stellen hoe het leven toen was, deel van die tijd te zijn. Op afstand zag het er ouderwets uit, net als de potloodtekeningen van modellen en de fletse kleuren van foto's. Verfijnd maar naïef. Hij voelde het trekken van de nostalgie, het verlangen naar de goede oude tijd. Maar nostalgie was niets dan treuren om voorbije tijden. De goede oude tijd wás niet zo goed. Hij zag krantenkoppen over stakingen en omkoopschandalen. De dood van een kopstuk van de Cosa Nostra duizenden mijlen verder in New York zorgde voor koppen op de voorpagina's in Las Vegas. De kranten stonden vol geruchten van duistere zaken naast Sinatra's oude zwarte magie, als de schaduwen van overtrekkende wolken.

Hij pakte een kopie van het eerste artikel dat hij had uitgeprint. Het was gedateerd 18 juni:

AMIRA'S TRIOMFANTELIJKE TERUGKEER

Terug na een tussendoortje van zes maanden in Montmartre in Parijs ontving de Spaanse danseres Amira Luz zaterdagavond een daverend welkom van een bomvolle zaal in de Sheherezade, waar ze een gewaagde nieuwe show vertoonde onder de titel 'Flame'.

Zoals andere shows die momenteel in de casino's hun intrede hebben gedaan, laat 'Flame' een decor zien van weelderig uitgedoste topless showgirls en daarnaast een hilarisch en turbulent optreden van Stripveteraan Moose Dargon. Maar Luz is de ster. Haar succesnummer is een flamencostriptease waarbij het toneel wordt verlicht door tientallen kaarsen, en één enkele gitarist haar begeleidt bij het uittrekken van haar vurig rode Spaanse jurk...

Stride pakte er een ander artikel bij, uit de derde week van juli. Amira stond toen op de voorpagina:

MOORD OP SHOWGIRL SCHOK VOOR STRIP

De politie van Las Vegas heeft vandaag bevestigd dat Amira Luz, ster van de successhow 'Flame' in de Sheherezade, vrijdagnacht is vermoord in een luxesuite van dit populaire casino. De politie gaf geen verdere details, maar bronnen in het casino zeggen dat de danseres zaterdagmorgen vroeg met ingeslagen schedel is aangetroffen in het zwembad op het dak. Luz is vrijdagavond voor het laatst gezien tijdens de late voorstelling van 'Flame'.

Rechercheur Nicholas Humphrey weigerde te speculeren over een motief voor de moord of mogelijke verdachten. In een vooraf opgestelde verklaring zei casino-eigenaar Boni Fisso 'diepbedroefd' te zijn om de dood van Luz en beloofde hij 'volledige medewerking met de politie bij het opsporen van de gestoorde figuur die ons terrein heeft onteerd teneinde deze afschuwelijke misdaad te plegen'.

De moord was net een dag oud en Boni legde al de basis voor het beschuldigen van een buitenstaander. Stride wilde dat hij Nick Humphrey kon spreken.

Toen hij het artikel nog eens doorlas, voelde hij ervaren handen zijn schouders masseren. Hij keek op en Serena boog zich voorover en legde haar hoofd naast het zijne.

'Is dit jouw idee van een lunchafspraak?' vroeg ze. 'In de bibliotheek?'

'Als je maar niet ophoudt,' zei Stride tegen haar. 'Wat voelt dat lekker aan.'

Haar vingers gingen door met kneden en het losmaken van de knopen in zijn rug. Ze keek over zijn schouder naar de krantenartikelen en de stapel dozen met microfiches.

'Heb ik het misschien niet goed gehoord?' zei ze plagend. 'Zei Sawhill niet dat deze zaak opgelost was?'

Stride grinnikte. 'Heeft hij dat gezegd? Dan heb ik hem niet goed verstaan.'

Serena sleepte een stoel over de versleten vloerbedekking en zette die naast de zijne. Stride zag dat verscheidene mannen in de bibliotheek naar haar keken. Het tussen-de-middagpubliek van de bibliotheek bestond voornamelijk uit mannen, werkloos, in spijkerbroek en met een honkbalpet op. Sommigen zaten met veel vertoon de krant te lezen. Anderen staarden gewoon in de ruimte.

'Iets gevonden?' vroeg Serena.

Stride haalde zijn schouders op. 'Je moet tussen de regels lezen. Het meeste bestaat uit geruchten en verdachtmakingen. Er was toen een roddelrubriek die een paar vage suggesties heeft gedaan. Ik denk dat Rex Terrell er een hoop details voor zijn verhaal in *LV* uit heeft gehaald.'

'Begrijp me niet verkeerd, Jonny,' hield Serena hem voor. 'Ik heb vertrouwen in jouw instinct, maar ik weet niet of ik dat verband ook zie. Ik weet niet hoe je van een moord uit 1967, die naar men zegt is opgelost, een lijn kunt trekken naar de dood van M.J. nu.'

'Misschien is er niks te zien,' gaf Stride toe. 'Het kan zijn dat er niets is. Maar ik ben net als jij. Ik hou niet van toevalligheden.'

'Zoals?'

Stride leunde achterover. 'Wat ik heb, is het volgende. M.J. begint te neuzen in de moord op Amira Luz, omdat hij in *LV* de beschuldiging leest dat zijn vader haar zou hebben gedood. Kort daarop wordt M.J. zelf vermoord. De moord op Amira vond plaats in een casino dat eigendom was van Boni Fisso, die al dan niet banden met de georganiseerde misdaad heeft en die van plan is dit jaar te beginnen met de bouw van een ontwikkelingsproject van twee miljard dollar. Nou, wat zeg je ervan?'

'Je hebt mijn aandacht,' zei Serena. 'Eerste vraag: wie was Amira Luz en waarom is ze vermoord?'

Stride knikte. 'Amira was een stripdanseres, en een heel goede, volgens de kranten. Men zei dat ze Spaanse was, maar ik heb een biografie gevonden volgens welke ze half Spaans was. Haar vader was een Spaanse diplomaat en haar moeder was een blonde spetter, dochter van een congreslid uit Texas. Toen Boni eind 1965 de Sheherezade opende, was Amira, eenentwintig jaar oud, het visuele klapstuk in een show rond een komiek. Je mag raden wie dat was.'

'Moose Dargon,' raadde Serena.

'Precies, nog een interessante toevalligheid. Hoe dan ook, Amira was een daverend succes. In mei 1966 had ze haar eigen show in Lidostijl, met achter zich een rij danseressen die ook wel zoiets wilden. Tegen het eind van het jaar ging Amira voor zes maanden naar Parijs om daar te dansen. Of misschien bereidde ze daar haar nieuwe programma voor. Hoe het ook zij, in juni '67 is ze terug in Las Vegas, waar ze in de Sheherezade met een geheel nieuwe show, *Flame,* komt en nog meer succes heeft dan daarvoor.'

'Tot iemand haar vermoordt,' zei Serena.

'Inderdaad. Als de show een paar weken draait, wordt Amira vermoord in een penthouse-suite van de Sheherezade. Overigens, Moose was de tweede act in Amira's nieuwe show en was zijn solo-optreden kwijt. Ik denk dat hij er niet zo blij mee was.'

'Ga door,' zei Serena.

'En dan nemen we nu Walker Lane onder de loep. Hij maakte dat voorjaar in Vegas opnamen voor een van zijn films en raakte verslingerd aan de stad. Hij was al snel een vaste klant en kwam elk weekend van LA hierheen gevlogen. Zijn favoriete hangplek was de Sheherezade. Walker was dikke maatjes met Boni Fisso. En Rex had gelijk: in juni suggereerden de roddelrubrieken dat Walker zijn oog had laten vallen op "een donkere schone die regelmatig te zien was op een toneel in Vegas". Amira.'

'En hoe luidt de theorie?' vroeg Serena. 'Wat is er met Amira gebeurd?'

'Wat vind je hiervan? Walker verliest zijn zelfbeheersing wanneer Amira hem in zijn suite afwijst. Of hun ruige seks loopt uit de hand en ze vindt de dood. Vervolgens helpt Boni Walker weg te komen en vindt in LA een sukkel die de schuld krijgt.'

'Waarom bleef Walker weg nadat de politie de zaak had gesloten?' vroeg Serena.

'Dat weet ik niet. Misschien dat Boni een geheime afspraak met de politie had dat Walker nooit meer een voet in Vegas zou zetten. Hoe dan ook, het is allemaal oude koek, tot Rex Terrell het verhaal in *LV* zet en alle oude geruchten over Amira, Walker en Boni weer boven water haalt. Vervolgens krijgt M.J. het onder ogen en begint vragen te stellen.'

'En wordt vermoord.'

Stride knikte. 'Ik kom telkens weer uit bij Boni's plan om de Sheherezade te slopen en zijn Orientplan uit te voeren. Het laatste wat je wilt wanneer er zoveel geld mee gemoeid is, is een veertig jaar oud skelet in de kast. Zoals de moord op Amira.'

'Ik vind het heel naar om je erop te wijzen, maar Sawhill wil niet dat je er vragen over stelt. Hoe ga je dat aanpakken?'

'Er vragen over stellen,' zei Stride.

Serena schoot in de lach. 'Dan zou je wel eens de snelst aangenomen én ontslagen rechercheur in de geschiedenis van de Metro kunnen zijn. Kom op, ik wil hier weg. En dan mag je me op een lunch trakteren.'

'Deal.'

Stride verzamelde zijn kopieën en stopte ze in de zak van zijn blazer. Hij stapelde de dozen met microfiches op elkaar en hield ze met moeite in evenwicht. 'Kun jij de *LV* pakken? Dat is het exemplaar met Terrells artikel.'

Serena pakte het tijdschrift op. Bij een van de pagina's was een gele sticker geplakt en ze opende het blad om te kijken.

'Dat is Amira,' zei Stride.

Het was een grote zwart-witfoto uit de jaren zestig met Amira in een sexy zwarte Spaanse jurk, met haar zwarte haar voor haar bezwete gezicht, terwijl ze met een hand haar rok optilde om haar blote, gespierde been te laten zien. Achter haar stond een showgirl in dezelfde pose, maar dan in het wit.

Stride zette de dozen neer bij de bibliothecaresse. Hij draaide zich om en merkte dat Serena zich niet had bewogen. Ze had het tijdschrift in haar handen en staarde ernaar.

'Wat is er?'

Serena leek hem niet te horen. Toen vouwde ze het tijdschrift open en wees op de foto.

'Dat meisje in het wit achter Amira, dat is de grootmoeder van Peter Hale. De jongen die is gedood bij die aanrijding.'

DEEL TWEE

CLAIRE

14

Inbreken in de auto was kinderspel.

Hij wachtte op de achterbank van de Lexus, geparkeerd in het donker onder de inrit van de ondergrondse garage van de Fashion Show Mall. Zijn wapen, een Sig .357, lag op de zitting naast hem.

De Lexus stond bij de ingang van Nieman's. Natuurlijk. Ze was een modieuze dame. Vijfenzeventig, weduwe. Mager als een vogeltje. Ze stond op een gehandicaptenplaats, want ze had artritis in haar benen. De ramen van de auto waren getint en niemand kon naar binnen kijken. Maar hij kon wel naar buiten kijken en haar zien aankomen.

Hij zag een glimp van zichzelf in de achteruitkijkspiegel. Hij merkte dat hij naar zijn donkere trekken zat te kijken: zijn dikke, zwarte haar, de zware baardlijn. En zijn ogen, zo donkerbruin dat ze kleurloos leken. Hij joeg de mensen angst aan met zijn ogen. Altijd al. Wanneer ze in die ogen keken, was het of ze in een kast zaten, donker, zonder licht, terwijl de wanden hen insloten.

Hij was als zijn ogen. Zonder emotie. Alleen op zijn doel gericht.

Behalve dat hij wist dat het niet waar was bij de jongen, bij Peter Hale. Hij had toen iets gevoeld, ondanks alle training, ondanks de soldaten die hem hadden laten zien hoe je pijn en dood door een microscoop moest bekijken. Bestudeer het. Leer ervan. Maar voel niets.

Hij had iets gevoeld bij de jongen, zozeer dat hij halverwege zijn plan had veranderd, iets wat hij nóóit deed. Hij koos een ander doelwit.

Het plan was de moeder geweest. In plaats daarvan nam hij de jongen.

Niemand behalve hijzelf zou weten van zijn dwaling. Maar het zat hem dwars. Hij wilde zichzelf niet meer zien als een schepping van woede, niet zoals vroeger. Dergelijke schepsels maakten fouten. Hij was een strateeg, een huurling in het veld, met een doel en een plan.

Hij zag dat de deuren van de lift opengingen en dat de oude vrouw eruit kwam met in beide handen een boodschappentas. Ze liep voorzichtig. Elke keer als haar rechtervoet op de grond kwam, vertrok haar gezicht, voelde ze de pijn in haar gewrichten. Hij zag haar duidelijk, maar zij kon hem niet zien, niet toen ze bij de auto kwam en de tassen in de achterbak legde, niet toen ze met haar sleutels hanneste bij het bestuurdersportier. De parkeergarage was donker, de auto was donker. Zelfs toen ze het portier had geopend en haar frêle lichaam naar binnen manoeuvreerde, zag ze hem niet. Ze trok de deur dicht. Hij bevond zich pal achter haar, keek naar haar. Hij hoorde haar ademhalen, zuchten, eindelijk verlost van de druk op haar voeten.

Ze boog zich voorover, had moeite de sleutel in het contactslot te steken. Toen dat eindelijk was gelukt, begon de motor te lopen en vulde de auto zich met lichtklassieke muziek. Ze ging rechtop zitten, leunde met haar hoofd tegen de zitting, ontspande.

Toen keek ze in de spiegel en zag ze hem.

Zijn hand was al rond haar mond, klemde haar schreeuw af. Hij liet zijn wapen voor wat het was, dat had hij niet nodig. In plaats daarvan boog hij zich voorover, met zijn kalme stem naast haar oor, en stelde haar gerust.

'We gaan alleen een stukje rijden,' zei hij.

Hij wilde niet dat ze een hartaanval kreeg en erin bleef; voor wat ze ging doen, moest ze kalm zijn. De oude dame moest hem Lake Las Vegas binnenloodsen. Ze woonde daar, alleen, in een buitenhuis waar hij veilig kon wachten tot het donker werd.

Hij wist dat dit de moeilijke manier was. Als het alleen maar om het doden van het meisje zou gaan, waren er wel eenvoudiger methodes. Ze ging naar casinofeesten. Ze kleedde zich uit in de kuuroorden. Hij kon haar op al die plaatsen te grazen nemen. Maar hij liet een boodschap achter: beveiligen heeft geen zin.

Ik sla overal toe.

Ik kom je halen.

15

Linda Hale zei dat ze Bonanza Road in oostelijke richting moesten nemen totdat ze mormonen zouden worden. Daar woonde haar moeder.

Haar moeder – Peters grootmoeder – die als danseres met Amira Luz op het podium had gestaan.

Stride begreep de verwijzing naar de mormonen niet, totdat Serena die kant op reed. Toen ze aan het eind van Bonanza kwamen, in de buurt van de bergen, waren ze nog maar één straat verwijderd van de reusachtige mormonentempel van Las Vegas die met zijn witte torenspitsen overal in de vallei te zien was. In de omgeving van de tempel stonden weelderige huizen met Jaguars voor de deur, rotstuinen aangelegd met grote kandelaarcactussen en niervormige, helderblauwe zwembaden.

Linda's moeder, Helen Truax, had ongeveer recht tegenover de tempel een huis dat stralend wit gestuukt was en met een uitzicht op de vallei dat volgens Stride minstens twee miljoen dollar waard was. Volgens Linda was haar moeder niet mormoons en vond ze het leuk dat haar rijke, gelovige buren wisten dat ze in het verleden een schaars geklede danseres was geweest.

Toen Helen Truax opendeed, leek ze in niets op welke grootmoeder dan ook die Stride ooit had gezien. Ze was kletsnat, had een doorschijnende witte badmantel om haar schouders geslagen; hij was open en bood zicht op een eendelig blauwgroen badpak. Ze was op blote voeten en minstens zo groot als Stride. Hij wist dat ze zestig was, maar ze kon voor veertig doorgaan.

'Kom toch binnen.' Ze lachte naar Stride met sneeuwwitte tanden, had een bel witte wijn in de hand en de meest obscene blauwe ogen die hij ooit had gezien.

'Uw dochter zegt dat u eruitziet als een showgirl,' zei Serena. 'Ze heeft gelijk.'

Helen lachte. 'Ik wou dat ik kon beweren dat het allemaal originele uitrustingsstukken zijn, maar dat is niet zo. Gaat het zakken, dan hijs ik het op. Gaat het rimpelen, dan trek ik het strak.' Ze legde haar handen om haar volle borsten. 'Zonder hulp zouden deze schatjes naar mijn tenen wijzen.'

Ze maakte rechtsomkeert. Het badjasje kwam niet tot onderaan haar badpak, en Stride keek naar het wiegen van haar billen toen ze voor hem uit liep. Serena gaf hem een venijnige por in zijn ribben.

Helens huis was spaarzaam ingericht. Het had grote, lege muren, geschilderd in glanzend wit en zachte pasteltinten. In alle kamers lag hetzelfde honinggouden tapijt. Als er ergens kunstvoorwerpen waren, waren ze Italiaans, voornamelijk handgeblazen glas en landschappen in olieverf, dik in de siena en de omber. In de brede gang naar het achterste deel van het huis zag Stride echter een serie foto's in smalle lijsten. Helen in een weelderig kostuum, met Sinatra. Helen met Wayne Newton.

Helen met Boni Fisso.

Ze zag dat Stride de foto's bewonderde. 'Helena Troy,' zei ze, 'dat was mijn artiestennaam. Vindt u die niet mooi?'

'Zo te zien hebt u alle grote sterren gekend,' zei Stride.

'Ja, natuurlijk. Het was toen nog maar een stadje. Alle entertainers kenden elkaar. Las Vegas was zo'n beetje onze eigen speeltuin. De wereld was ons toneel. De toeristen die hier kwamen, waren net kinderen die hun neus tegen de etalageruit drukten en naar ons keken omdat ze iets van onze glamour wilden opvangen.'

'Is dat nu dan niet meer zo?' vroeg Stride.

'O nee. De mensen hebben geen oog meer voor de magie van

die tijd. De jaren zestig waren onze gouden eeuw. Er was een enorm gevoel voor klasse. Tegenwoordig is het allemaal bedrijfsmatig. Het is Disneyland met een topless Minnie Mouse. Je vindt niets meer terug van de sterallures van toen. Pa en ma Doorsnee komen hier en ze hebben zich gekleed alsof ze met de kinderen naar een pretpark gaan. Zelfs de beroemdheden die hier logeren zijn lomperiken. Ik mis vroeger, echt waar.'

Helen zuchtte. Ze ging hun voor naar de lager gelegen zitkamer met uitzicht op de vallei. De oostmuur bestond uit ruwe natuursteen en bevatte een grote open haard. Rechts was een bar met spoelbak en erachter een spiegelwand met een kristaluitstalling ervoor. Helen nam hen mee door de openslaande deuren naar de open patio. Ze trok drie stoelen onder een glazen tafel uit en knikte de parasol zo dat hij de zon weghield.

Strides blik viel op twee ligstoelen die naast elkaar bij een zwembad van een meter of twaalf stonden. Twee stel natte voetafdrukken droogden snel in de middagzon. Helen had duidelijk een gast die niet bij het gesprek was uitgenodigd.

'Linda was helemaal van de kaart toen ze me belde,' zei ze. 'Ze deed het voorkomen alsof u dacht dat ik verantwoordelijk was voor Peters dood.'

'Zo ligt het helemaal niet,' verzekerde Serena haar. ''We bekijken of er een verband is tussen Peters dood en de moord op M.J. Lane, het afgelopen weekend.'

'Wie?' vroeg Helen. Het klonk volstrekt oprecht. Ze zag hun verbazing en vervolgde: 'U vindt me waarschijnlijk ouderwets, maar ik gebruik mijn televisie alleen voor het kijken naar oude films. En ik lees geen kranten. Te veel slecht nieuws.'

'M.J. Lane is vermoord, niet ver van de Oasis,' zei Stride. 'Hij was de zoon van Walker Lane.'

Helen knipperde met haar ogen en trok een ongelukkig gezicht. 'Goed, ik heb Walker Lane wel gekend. Maar dat was veertig jaar geleden. Ik zie niet in wat het verband is met de dood van Peter.'

'We hebben twee moorden in een week, beide onder ongewone omstandigheden,' zei Serena. 'Beide slachtoffers hadden familiebanden met mensen die in 1967 in verband stonden met de Sheherezade, en in het bijzonder met...'

'In het bijzonder met Amira Luz,' maakte Helen de zin af.

'Juist,' zei Stride. Hij ging af op een ingeving. 'U hebt toch met Rex Terrell gepraat? Hij noemde u in zijn artikel een van de mensen die profiteerden van Amira's dood.'

Helen knikte.

Stride boog zich naar voren, met zijn ellebogen op de tafel. 'Waarom vertelt u ons niet wat er toen precies is gebeurd?'

Helen staarde weg, naar de vallei, wendde zich toen met iets hards in haar gezicht tot Stride. 'Ik heb een fijn leven. Mijn man is advocaat, verdient veel geld. En hij is vaak in het buitenland. Ik neem aan dat u begrijpt wat ik bedoel.'

Ze wist dat Stride de voetstappen had gezien.

'Er is een groot verschil tussen met een journalist roddelen over achtergronden,' ging Helen verder, 'en getuigen voor de politie. Het gaat om een moord in een casino van Boni Fisso. Boni heeft een lange arm en een heel goed geheugen.'

'Bent u bedreigd?' vroeg Serena. 'Denkt u dat iemand u iets wil vertellen door uw kleinzoon te vermoorden?'

'Nee,' zei Helen ronduit. 'Absoluut niet. Ik heb van niemand iets gehoord. En al helemaal niet van Boni. Het idee dat Peters dood mij op een of andere manier zou betrekken bij iets dat in het verleden is gebeurd.... Dat komt als een complete verrassing. Ik zie niet in hoe of wat.'

'Daarom moeten we weten wat er in 1967 is gebeurd,' hield Stride haar voor. 'Om het verband te vinden.'

'Dat is misschien de enige manier om te ontdekken wie Peter heeft gedood,' voegde Serena eraan toe.

'Peter,' mompelde Helen. Ze worstelde met haar onwil. 'Ik kan nog niet geloven wat hem is overkomen. Ik ben nooit een erg gevoelig type geweest. Ik ben niet iemand die gelooft dat relaties voor altijd zijn. Vraagt u dat maar aan mijn exen. Maar van die jongen hield ik echt.'

Ze trommelde met haar vingers op de patiotafel en beet op haar lip.

'Ik denk dat ik moet beginnen met te zeggen dat het aanvoelt of ik ook bloed aan mijn handen heb. Ik haatte Amira. Ik was waanzinnig jaloers op haar. Ik moet bekennen dat ik blij was toen ze werd vermoord. Gek, hoe onbenullig dat lijkt als je terugkijkt. Maar ik was toen net eenentwintig, en ambitieus, en Amira stond in de weg.'

'Hoe was ze?' vroeg Serena.

'Amira? Ze was aanstootgevend.'

'In welk opzicht?'

Helen liet een vals lachje zien. 'U bent te jong om te begrijpen hoe het toen was. De seksuele revolutie was weliswaar aan de gang, maar de wereld kende nog veel jaren vijftig-zaken. Enorme pruiken. Lelijke zwarte brilmonturen, zodat we eruitzagen als bibliothecaressen, veel belachelijke hoeden, flodderige minirokjes die zo klein waren dat je praktisch onze poesjes zag, maar toch moesten we er bijna maagdelijk uitzien.' Ze lachte. Stride dacht dat ze het leuk vond te merken dat haar taalgebruik hen verraste.

'Er was toen veel bloot,' ging ze verder. 'Je had het Lido in de Stardust, de Folies in de Trop, Minsky's in de Slipper. Allemaal met blote borsten, maar heel tam. Toch kregen we het nog hard te verduren. Een aantal gemeenteraadsleden in Henderson dacht dat een paar tieten op het podium het einde van onze beschaving betekenden. Ze wilden dat de meiden tepellapjes droegen, dat de podia werden verhoogd, allemaal van dat soort onzin. Gelukkig werd er niet naar ze geluisterd. Zoals ik zeg, dat blote was heel onschuldig.'

Ze nam een slokje wijn. 'Maar toen kwam Amira. Terugkijkend kan ik toegeven dat ze iets had wat ik niet had. Ze was volkomen ongeremd. Toen Boni haar de sterdanseres van onze naaktshow maakte, was ze een sensatie. De show zelf was knap behoudend. Maar *Flame*... Mijn god. Iedereen dacht dat ze voor een halfjaar naar Parijs ging om daar als prima donna te dansen. Maar toen ze terugkwam, onthulde ze *Flame*. Zoiets hadden we nog nooit gezien. Amira stripte niet, ze danste niet. Ze had net zogoed op het podium een potje kunnen masturberen. Voor 1967, lieve mensen, was dat schandalig.'

'Hoe was Amira als mens?' vroeg Stride.

'Koud, ambitieus, egoïstisch.' Helen ging met een gelakte nagel over de rand van haar wijnglas. 'Klinkt dat scherp? Ik geef het toe, ik had vanaf het begin iets tegen haar, omdat ze me behandelde als een hoop stront. Zo deed ze tegen alle danseressen. De meesten van ons gingen als maatjes met elkaar om, zorgden voor elkaar. Amira niet. Die had alleen maar interesse in zichzelf.'

'Weet u hoe ze in Vegas is terechtgekomen? Hoe is ze begonnen?'

'Als je toen een jonge meid was die iets uitstraalde, had je twee plaatsen om heen te gaan,' zei Helen. 'Hollywood of Vegas. Ik denk dat Amira er niet voor voelde om filmster te worden. Ze moest het van haar publiek hebben. Ze vond het fijn op te treden voor een zaal. Ze was een en al seks. Vegas was de aangewezen plek voor haar.'

'Maar het is niet zo dat je een stad binnenwandelt en een ster wordt,' zei Serena.

'De meesten van ons niet, nee. Maar Amira was niet als wij. Het eerste wat ze deed, was het aanleggen met Moose, en hij zette haar in zijn show. Zo kreeg ze publiek. Vanaf dat moment deed haar sexappeal de rest.'

'Hoe legde ze het aan met Moose?'

Helen lachte. 'Moose was toen niet moeilijk in te palmen. Hij vertelde me later dat Amira het beste neukte van iedereen. Hij realiseerde zich natuurlijk niet dat het krengetje zich tegen hem zou keren en hem een mes in de rug zou steken, dat ze zijn show zou overnemen.'

'Hij zal wel kwaad zijn geweest,' zei Stride.

'Woedend. Wat bij Moose heel wat wil zeggen. Hij sloeg zijn kleedkamer aan puin toen Boni hem vertelde dat hij geen eigen show meer had en als variétéartiest in *Flame* zou optreden. Boni moest Leo naar hem toe sturen om met hem te praten.'

'Leo?' vroeg Serena.

'Leo Rucci, Boni's rechterhand. Hij had de dagelijkse leiding in het casino.'

'Wat zal Leo volgens u tegen Moose hebben gezegd?'

'Dat hij met een verbouwd gezicht op straat zou eindigen als hij zijn kop niet hield.'

'Dus koesterde Moose een flinke wrok jegens Amira,' zei Stride.

'Reken maar. De meesten van ons. Het liet Amira koud wie ze de grond in boorde, zolang ze haar zin maar kreeg.'

'Had Amira een vriend?' vroeg Stride. 'Na Moose, bedoel ik.'

'Niet dat ik ooit heb gezien. Ik geloof eigenlijk niet dat ze veel vrienden had. Als ze niet op het toneel stond, zat ze bijna nooit in de speelzaal. De rest van ons vond het leuk om met de andere sterren te gokken en te drinken. Amira trad op en daarna verdween ze. Ik denk dat ze onder andere daarmee haar image cultiveerde. Ze was ongenaakbaar. Daardoor begeerden de mannen haar juist.'

'Vertelt u eens iets over Walker Lane,' zei Stride. 'We hebben gehoord dat hij ook achter Amira aan zat.'

Helens ogen twinkelden. 'Nou, hij wilde míj eerst.'

'Hebt u met hem geslapen?' vroeg Serena.

'Eén keer. Hij was dat voorjaar in Vegas bezig met filmopnamen. *Neon Nights*. Kent u die nog? Nou ja, hij is snel vergeten, maar bracht toen een heleboel geld op. Een paar scènes werden in de Sheherezade opgenomen, en ik maakte kennis met hem toen hij naar de show kwam kijken. Volgens mij heeft hij in een paar maanden tijd alle danseressen geneukt.'

'Hoorde Amira daar ook bij?'

Helen schudde haar hoofd. 'Ze was op dat moment nog niet terug uit Parijs. Maar toen *Flame* die zomer van start ging, viel Walker als een baksteen voor haar. Elk weekend vloog hij vanuit LA naar Vegas en zat hij op de voorste rij. Als een jong hondje. Maar voor zover ik weet, is Amira hem niet ter wille geweest.'

'Het is een grote stap van onbeantwoorde liefde naar moord,' zei Serena. 'Zo te horen had Moose een beter motief. Of u, als het eropaan komt.'

'Dat is waar,' erkende Helen. 'Maar daar staat tegenover dat wij niet meteen na de moord de stad hebben verlaten. Waarom denkt u dat er anders bekend werd gemaakt dat Walker die avond niet in Vegas was? Boni dekte zijn kip met de gouden eieren. Maar Walker was er wel. Ik heb hem bij de eerste show zien zitten.'

'Vertelt u eens wat er die avond is gebeurd,' zei Stride.

'Dat weet ik niet, niet echt. We gaven die avond onze twee voorstellingen van *Flame*, om acht uur en om elf uur. Amira trad in beide shows op. Ze vertrok rond een uur of een 's nachts. Ik zag haar via het achtertoneel vertrekken. Dat was helemaal niks bijzonders. Maar de volgende ochtend was het in het hele casino bekend dat ze was vermoord.'

'Hebt u Walker bij de tweede show gezien?' vroeg Stride.

'Nee. Als hij in de stad was, kwam hij meestal naar beide voorstellingen. Maar die nacht was hij alleen bij de eerste.'

'Hebt u hem na de eerste show nog ergens in het casino gezien?'

'Ik heb hem daarna nooit meer gezien. Punt, uit.' Helen trok haar wenkbrauwen op alsof ze wilde zeggen: Dat heb ik toch al gezegd.

'Wat hebt u na de laatste voorstelling gedaan?' vroeg Serena.

'Ik ben naar een van de hotelkamers gegaan. Daar had ik afgesproken met Leo, en we hebben een uur lang op de lakens liggen zweten.'

'Leo Rucci, de bedrijfsleider?'

Helen knikte. 'Die titel gaf hij zichzelf: bedrijfsleider. Maar meestal was hij gewoon een dommekracht voor Boni. Hij gaf mensen leiding door ze te treiteren en te bedreigen en als dat nodig was in elkaar te slaan.'

'Waarom ging u dan met hem naar bed?'

Helen leek geamuseerd door hun naïviteit. 'In het begin was ik ambitieus, net als Amira. Ik wist dat ik, wanneer zij ergens anders meer geld kon verdienen, een goede kans had op de leidende rol. Ik dacht dat Leo wel een goed woordje voor me zou kunnen doen bij Boni, en dat deed hij ook.' Ze knipoogde. 'Maar dat was het niet alleen. Leo had ook de grootste pik die ik ooit had gezien. Twintig centimeter en zo dik als een rookworst. Ik kon hem alleen maar neuken na de show, want als ik dat ding in me had gehad, kon ik het optreden wel vergeten.' Ze zei het heel zakelijk. Stride kreeg het gevoel dat Helen het heerlijk vond om aanstootgevende taal uit te slaan. Hij probeerde niet te blozen, maar voelde zijn gezicht gloeien.

'Hoelang bleef Leo toen bij u?' kwam Serena hem te hulp.

'Ongeveer een uur. Dat was rond twee uur 's nachts. Normaliter kon ik bij Leo wel op een paar rondjes rekenen, maar hij moest weg.'

'Waarom?'

'Mickey belde hem dat er een probleem was.'

'Wie is Mickey?'

Helen haalde haar schouders op. 'Een van de badmeesters. Er waren altijd studenten die een zomerbaantje namen om geld te verdienen en wat vrouwen te naaien als hun man aan de speeltafel zat. Mickey zei tegen Leo dat er een dronken kerel bij het zwembad was die wilde knokken. Leo ging naar buiten om hem een gebroken neus te bezorgen.'

'Was dat de manier waarop Leo de problemen meestal oploste?' vroeg Stride.

'Ja. Het was een vuile rotzak. Heel groot, als een line-backer. Hij gaf mij ook een paar keer een lel, en toen hoefde ik niet meer.'

'Hebt u nog iets meer gehoord over die ruzie?' vroeg Serena.

'Geen woord. Ik denk dat het een onbelangrijk persoon is geweest. Als het Dean of Shecky was geweest, had het de krant gehaald. In dit geval gingen de gesprekken de volgende dag alleen over Amira.'

'En u hebt Leo die nacht niet meer gezien?'

'Nee, de volgende dag pas.'

'Heeft hij u toen iets verteld over de moord?' vroeg Stride.

Helen glimlachte. 'Alleen dat ik mijn mond moest houden en geen vragen moest stellen. Hetzelfde verhaal bij de andere meiden. Als iemand vragen stelde, wisten we van niets.'

'En de rechercheur die het onderzoek deed. Hij heette Nicholas Humphrey. Hebt u ooit met hem gepraat?'

'Jazeker. Hij heeft ons samen ondervraagd, en Leo was er ook bij. Niemand die een woord zei. Als u het mij vraagt, gaf Nick niet de indruk al te zeer teleurgesteld te zijn. Ik weet niet of hij wel echt in de waarheid geïnteresseerd was.'

'Nick?' vroeg Stride. 'Kende u hem?'

'Hij was een vaste klant van de Sheherezade. Soms verdiende hij bij met het beveiligen van sterren.'

Stride kreeg zo langzamerhand het idee dat Rex Terrell misschien gelijk had en dat er sprake was van doorgestoken kaart. 'Heeft Nick Humphrey wel eens beveiligingswerk voor Walker Lane gedaan?' vroeg hij.

'Tja, het zou kunnen dat Nick hem heeft geholpen tijdens *Neon Nights*. Maar ik weet het niet zeker.' Helen boog zich dichter naar hen toe. Een paar druppels van haar badpak vielen op de patiotafel. 'Mag ik u iets vragen? Op welke manier ben ik hierbij betrokken? Of Peter?'

'Onze eerste gedachte was dat iemand probeerde u het zwijgen op te leggen,' zei Serena.

'Maar ik ben helemaal niet bedreigd,' herhaalde Helen.

Stride bekeek haar van dichtbij. Hij zag nu haar leeftijd, hoezeer ze ook haar best deed die met plastische chirurgie en make-up te verbergen. Hij zag ook verdorvenheid, heel veel. Maar geen bedrog. Geen angst. Ze verborg zich niet voor iemand, verhulde geen waarheid.

'Op dit moment weten we niet wie dit doet en waarom,' gaf Stride toe. 'Maar wees intussen alstublieft wel voorzichtig. Zolang we niet weten wat voor spel deze persoon speelt, weten we ook niet wat zijn volgende zet is.'

16

Als je hier stond, dacht Stride, was het of je bovenop de wereld stond. Puntige, kale bergtoppen van oranjerode steen staken af tegen een blauwe lucht die tot de hemel zelf leek te reiken. Erosiegeulen in de kliffen leken groeven die met een mes in de bergen waren gekerfd. Het was een pure, ongeëvenaarde schoonheid die de vallei omringde.

De namiddagzon was warm maar niet heet, hoewel hij zelfs in de afnemende gloed van de zon nog kon voelen hoe fel die kon zijn. Hij dacht terug aan de zomer en hoe hij toen gestoofd was, nauwelijks adem had gekregen, gloeiend heet stof zijn longen verstopte. Hier waren geen briesjes of buien vanaf het meer zoals in Minnesota, geen onweersbuien met donder en bliksem, vochtige koelte. Het was gewoon een oven, ingesteld op drie maanden braden.

Hij wierp nog een laatste blik op Helens vorstelijke onderkomen.

'Hoe denk je dat ze in bed is?' vroeg hij met een lachende blik op Serena.

'Volgens mij meer dan jij aankunt,' antwoordde Serena.

Zijn mobieltje ging over. Sara Evans. *Restless.*

'Met Sawhill.' Stride zag hem voor zich met zijn stressballetje in de hand, ritmisch knijpend.

'Dag, inspecteur,' zei Stride.

Serena trok een vinger langs haar keel en articuleerde geluidloos: *Hij gaat ons terugfluiten.*

'Cordy vertelt me dat jullie denken dat er verband bestaat tussen de moord op M.J. en de dood van Peter Hale,' zei Sawhill.

'Daar lijkt het wel op.' Hij legde uit hoe ze de link tussen Helen Truax en Walker Lane hadden ontdekt, en wat Helen hun had verteld over Amira Luz.

'Ik dacht dat ik je had gezegd dat die kant van het onderzoek dood was,' zei Sawhill.

Stride koos zijn woorden met zorg. 'Dat hebt u gezegd, sir. En het was ook zo. Dit was beroepsmatige nieuwsgierigheid, meer niet. Het was puur toeval dat Serena de grootmoeder van de jongen herkende op een foto in *LV*, in het artikel van Rex Terrell.'

'Beroepsmatige nieuwsgierigheid.' Sawhill herhaalde de formulering alsof hij een slok zure wijn in zijn mond had. 'Zeg eens, Stride, denk je nou echt dat ik dat geloof?'

'Nog geen seconde,' antwoordde Stride.

Sawhill lachte echt. 'Goed. Ik ontsla dienders die denken dat ik gek ben. Ik heb respect voor een diender die op zijn instinct vertrouwt, ook als hij erdoor in de problemen komt. En dat laatste kan nog altijd, Stride.'

'Dat realiseer ik me,' erkende Stride.

'Hoe zit het met die moord in Reno?'

'Serena heeft met Jay Walling gepraat. Tot nu toe lijkt het er niet op dat de vermoorde vrouw, Alice Ford, of haar familie enige band met de Sheherezade of Amira heeft. Maar hij blijft spitten.'

Terwijl hij op straat met Sawhill stond te praten, hoorde hij Serena's telefoontje overgaan. Hij zag haar opnemen en een stukje verderop gaan staan.

Sawhill praatte door. 'Voorlopig houden we de pers hierbuiten. Begrepen?'

'Uitstekend.'

'Mijn voorwaarde geldt nog steeds: je praat niet met Walker Lane zonder mijn toestemming.'

'Akkoord,' zei Stride. Hij vertelde niet dat Walker Lane alweer op zijn lijstje stond, samen met nog een naam waarbij Sawhill door het lint zou gaan: Boni Fisso. Dit onderzoek had alles in zich om uit te groeien tot een politieke draaikolk waarin mensen zouden worden meegezogen.

'Wat is je volgende stap?' vroeg Sawhill.

'Ik wil met Nick Humphrey gaan praten,' zei Stride. 'De rechercheur die het oorspronkelijke onderzoek naar Amira's dood heeft gedaan.'

'Goed, ik geef je zijn adres,' antwoordde Sawhill. 'Hij woont nog hier.'

Stride hoorde het gerammel van sleutels en daarna ratelde Sawhill een adres in North Las Vegas af. Stride pende het neer in zijn notitieboekje.

'Ga met beleid te werk, rechercheur. Ik ben bereid je je gang te laten gaan, omdat ik de indruk heb dat je instinct gelijk heeft. Maar hou je beroepsmatige nieuwsgierigheid in bedwang.'

Sawhill hing op. Een paar meter verderop deed Serena hetzelfde.

'Een reprimande,' zei hij tegen Serena. 'Sawhill denkt dat het verband mager is, maar hij houdt ons niet tegen. Nog niet.'

Serena lachte: 'Het is een vuile leugenaar.'

'Hè?'

'Dat was Cordy,' zei Serena. 'Het verband is helemaal niet mager. We hebben de Aztek op vingerafdrukken onderzocht, en aan de binnenkant van de voorruit was een pracht van een exemplaar voor ons achtergelaten. Hij komt overeen met de afdruk die jullie op de fruitautomaat in de Oasis hebben gevonden. Het was dezelfde kerel.'

'Krijg nou wat! En Sawhill wist dat?'

'Cordy kwam net bij hem vandaan.'

'En dan te bedenken dat ik keurig netjes tegen hem was,' lachte Stride.

Ze stapten in de Bronco en reden over de lange Bonanza Boulevard terug naar de stad. Toen ze afdaalden naar de vallei verdwenen de fraaie landhuizen achter hen en werden vervangen door saaie burgerhuizen achter grauwe muren. Stride stopte voor een verkeerslicht en draaide zijn hoofd peinzend naar Serena. Ze werkten opnieuw samen aan dezelfde zaak. Net als bij de moord op Rachel Deese die zomer toen ze elkaar voor het eerst hadden ontmoet. Het gaf hem een adrenalinestoot.

'Dus we hebben te maken met dezelfde moordenaar,' zei Serena. 'En hij laat bij elke misdaad zijn kaartje achter.'

'Heeft Jay de afdrukken op de plaats delict in Reno laten vergelijken?'

Serena knikte. 'Stemden niet overeen.'

'Misschien is er dus geen verband,' zei Stride.

'Of we hebben het nog niet ontdekt. Misschien kwam de moordenaar pas bij de aanrijding op het idee een print achter te laten. Dat hij toen besloot een spelletje met ons te spelen. En heeft hij het bonnetje achtergelaten als aanwijzing voor een verband met de moord op Alice Ford op haar ranch.'

'Het is wel zo dat Helen en Walker Lane allebei worden genoemd in dat artikel van Terrell in *LV*. Er is een verband tussen hen en Amira Luz. Voor zover we weten, is dat bij de Fords niet het geval.'

'Denk je dat het artikel van Rex het verband vormt?' vroeg Serena. 'Dat het daarmee begonnen is?'

'Misschien wel,' antwoordde Stride. 'Jarenlang heeft niemand zich druk gemaakt om Amira, totdat hij ging rondneuzen. Het kan zijn dat Rex iemands aandacht heeft getrokken.'

17

Toen ze de oprit naar Nick Humphreys huis opliepen, flitste er iets wits als een pijl uit de boog uit het buurhuis. Ze bleven staan toen een West Highland-terriër om hun benen rende, op haar achterpoten danste en op haar rug ging liggen. Serena ging lachend op haar hurken zitten en wreef haar buik. De hond sloot de ogen, hemels verrukt.

Een oudere man kwam hinkend uit het buurhuis. 'Neemt u me niet kwalijk.'

De hond stond meteen op haar poten en begon tegen de man op te springen omdat ze wilde worden opgetild. De man bukte zich grommend en tilde haar op. 'Mooie waakhond ben jij,' bromde hij. Ze likte zijn gezicht.

'Wat een schatje,' zei Serena.

'Ja, ze is dol op mensen,' antwoordde de man. Hij voegde eraan toe: 'Ik ben Harvey Washington. Komt u voor Nicky?'

Ze knikten.

'Hij is binnen. Kijkt waarschijnlijk naar de sportzender. Ikzelf kijk liever naar History Channel. Ik vind vooral die programma's met dinosauriërs mooi.' Hij zette het hondje neer, dat ging zitten en naar hem op keek. 'Dat was voor jou geen leuke tijd geweest, hè dametje? Dan was je al snel een voorafje geweest voor zo'n T-rex.'

Het leek haar niet te raken. Ze klauwde naar Serena's been en liet zich weer op haar rug rollen.

'Gedraag je alsjeblieft eens als een dame,' zei Harvey. 'Stel die buik van je niet zo tentoon. Wat moeten de mensen wel niet van je denken?'

Harvey had grijze krullen en een brede neus. Zijn chocoladekleurige huid was gerimpeld en hing als slecht passende kleding aan zijn armen en benen. Hij droeg een marineblauwe short en een wit poloshirt.

'Kent u Nick allang?' vroeg Stride.

'O, al jaren. Lang voordat we allebei hierheen zijn verhuisd.'

'Zat u ook bij de politie?' vroeg Serena.

'Nee, helemaal niet. Ik kan wel zien dat jullie van de politie zijn. Dat kun je aan u zien. Dat pik ik er zo uit.'

Stride zag iets in Harveys ogen twinkelen en vroeg zich af of de man de politie misschien uit eigen ervaring kende. In vroeger tijden kon je in Las Vegas maar beter niet zwart zijn.

'Ik houd u niet langer op,' zei Harvey. 'Ik weet zeker dat u en Nick heel wat te bepraten hebben. Wilt u hem, als u hem ziet, vragen of hij zijn Lisinopril wel neemt. Met zijn bloeddruk kun je een champagnefles ontkurken.'

Hij zwaaide hen gedag met een poot van zijn hond en schuifelde terug naar zijn eigen tuin.

Er zeilde een vliegtuigje over, met jankende motor. Ze waren niet ver van North Las Vegas Airport. Nick Humphrey woonde in een buurt met allemaal identieke huizen vlak achter Cheyenne. Er lag daar nog veel terrein braak. Stride hoorde het grommen van bulldozers die ergens de stenige grond weghaalden en zo ruimte maakten voor net zo'n woonwijk als deze. Elk huis was goedkoop en zielloos, geschilderd in hetzelfde saaie beige, naast elkaar neergepoot als een invuloefening voor beginnende architecten. Stride vond het treurig dat Humphrey zich niet méér kon veroorloven na tientallen jaren bij de politie.

Stride en Serena liepen door naar de voordeur en drukten op de bel. Humphrey deed meteen open, alsof hij hen had opgewacht. Zijn blik was gesluierd van wantrouwen. Stride vertelde wie ze waren en dat ze met hem over een oude zaak wilden praten, maar zijn gezicht bleef van graniet.

'Amira Luz,' zei Stride erbij.

'Ja, dat dacht ik wel,' zei Humphrey. Schokschouderend liet hij hen binnen.

Humphrey had helwit stekeltjeshaar en een sik. Hij was massief voor zijn leeftijd, en toen hij hun een hand gaf, was zijn greep een bankschroef. Hij liep in spijkerbroek en op slippers, zonder overhemd, maar met een groene badjas losjes rond zijn middel dichtgeknoopt. Hij ging hun voor naar een kleine woonkamer met achter zich een geurspoor van tijgerbalsem.

'Willen jullie een biertje? Als iemand vragen stelt, zeg ik gewoon dat het mineraalwater was.' Ze bedankten en het leek hem niet te verbazen. Hij zei: 'Prima. Geen mens gelooft trouwens dat ik mineraalwater in huis heb.'

Zijn woonkamer was een echte vrijgezellenkamer, een smerige bende. De salontafel was bezaaid met medicijnflesjes en bierblikjes, en het fineer zat vol krassen en vochtkringen. Op de vloer stapels boeken en kranten. Stride ging op de bank zitten en hoorde het doorgezakte frame door de kussens heen kreunen. Op de armleuningen kwam de vulling door de gescheurde bloemetjesbekleding.

Stride zag een oude honkbal op de salontafel liggen en pakte hem op. Hij zag dat de bal een verkleurde blauwe handtekening had. *Willie Mays*.

'Die is vast een hoop waard,' zei Stride.

'Ja. En? Mag ik geen mooie dingen hebben?'

'Dat zeg ik niet.'

Humphrey snoof. 'Ik verzamel ze.' Hij ging in een oude leren fauteuil tegenover hen zitten. 'Zo. Ik heb gehoord dat Sawhill nu hoofd Moordzaken is.'

'Dat klopt,' zei Serena.

'Stelletje mormomen runt nu Sin City,' zei hij met smalend opgetrokken lip. 'Wat een bak. Maar ik denk dat binnenkort de indianen alle gokgelden binnenhalen. Je mag kiezen.'

'Hebt u met Sawhill gewerkt?' vroeg Serena.

'Jazeker. Vol ambitie, maar slim. Eerst de politiek, dan God. Ik heb me laten vertellen dat hij volgend jaar wil meedingen naar het sheriffschap.'

Serena knikte. 'Maar het gerucht gaat dat de sheriff een ander zal steunen.'

'Wees daar maar niet zo zeker van. Hij krijgt het nog hard te verduren. Sawhill heeft een broer die een belangrijke assistent van de gouverneur is, en hij heeft een zus die politieke advertenties maakt en heeft meegewerkt aan de vorige campagne van de burgemeester. En zijn ouweheer, Michael Sawhill, is een grote casinobankier. De hele familie heeft connecties.'

'U leek niet verbaasd dat we hier zijn voor Amira Luz,' zei Stride.

'Ik heb het stuk in *LV* gelezen,' reageerde Humphrey verbitterd. 'Die snotneus van een Terrell heeft me er nog net niet van beschuldigd dat ik me heb laten omkopen. Ik heb een advocaat gebeld, maar die zei dat er weinig tegen te doen was. Helaas. Van een smaadproces zou ik de zaak hier leuk kunnen opknappen.'

'Een hoop mensen dachten toen dat Walker Lane bij de moord betrokken was,' zei Serena.

Humphrey haalde zijn schouders op. 'Er was geen bewijs van zijn betrokkenheid. En er was ruim voldoende bewijs dat die knaap uit LA het had gedaan.'

'Maar Walker was die avond wel in Vegas,' zei Stride.

'Ja, dat weet ik ook wel. Dat vervloekte artikel stelt dat we hebben geklungeld. Maar ik had zes getuigen die zeiden dat Walker Lane vóór de tweede voorstelling vertrokken was. Hij is naar LA teruggereden.'

'Kunnen ze tegen u gelogen hebben?' vroeg Serena.

'Dat kan best. Maar als dat zo is, dan hadden ze hun verhalen goed op elkaar afgestemd.'

'Hebt u rechtstreeks met Boni Fisso over de gebeurtenissen van die avond gepraat?' vroeg Stride.

Humphrey schoof onrustig heen en weer en sjorde aan zijn kruis. 'Boni die praat met de politie? Mooi niet. Ik moest het met Leo Rucci doen. Dat was de regelaar, Boni's baas op de werkvloer. Alles liep via Leo. De grootste smeerlap die ik ooit heb gezien.'

'We hebben gehoord dat Leo in de nacht van de moord betrokken was bij het beëindigen van een knokpartij. Hebt u dat onderzocht?'

'Knokpartij? Geen woord over gehoord. Daar heeft Rucci niets over gezegd. Zijn alibi was dat hij een van de danseressen aan het palen was, en zij heeft dat bevestigd. Bovendien maakte Rucci meestal geen eind aan een knokpartij: hij veroorzaakte ze.'

'En hoe zit het met een badmeester, ene Mickey? Hij haalde Rucci erbij. Hebt u met hem gepraat?'

'Nee. Bij het zwembad stikte het van de mooie jongens.' Humphrey duwde zich omhoog uit zijn stoel. 'Ik moet piesen,' zei hij. 'De prostaat. Rotding. Ik durf te wedden dat die van mij nu zo groot is als een sinaasappel.'

Hij ging de kamer uit en Stride stond hoofdschuddend op van de bank. 'Oud worden is klote.'

'Vertel mij wat,' zei Serena met een duivels lachje.

Hij dacht er wel eens over na, over hun leeftijdsverschil van bijna tien jaar, en maakte zich zorgen over de dag dat ze wakker zou worden met de vraag wat ze met zo'n ouwe kerel aan moest. Hij voelde zich niet ouder of jonger dan zijn leeftijd, maar hij was geen superman. Nu hij halverwege de veertig was, vertoonden enkele onderdelen enige slijtage. Hij voelde zich lichamelijk een stuk beter zonder de kou van Minnesota, had minder te lijden van de tot het bot doordringende pijn die de snijdende wind vanaf het meer bracht.

Serena daarentegen was fysiek op haar hoogtepunt, in zijn ogen tenminste. Haar ziel voelde ouder aan, en dat was wat hen met elkaar verbond. Het was of ze al jong begonnen was haar ziel te kneuzen en te laten verweren. Alleen wilde hij dat ze er meer over losliet. Ze liet hem nu wel af en toe een glimp zien, alsof ze de luiken van een adventskalender opende, maar hij wist nog steeds heel veel niet van haar.

Hij keek rond in Humphreys woonkamer om te weten te komen wat voor man het was. Naast zijn fauteuil lagen sportkaternen van kranten, niet alleen van de plaatselijke krant, maar ook uit Los Angeles, Chicago, New York. Iemand die alles van sport wil weten. Humphrey besteedde er waarschijnlijk veel tijd aan in de hoop de toto te winnen.

De fauteuil zelf rook naar menthol. Het hele huis rook bedompt, alsof de ramen te lang dicht waren. Hij bespeurde ook nog een restje geur van cajunkruiden. Alsof iemand een jambalayaschotel had gemaakt.

'Moet je kijken,' riep Serena.

Ze bekeek een stel ingelijste foto's aan de muur. Het waren publiciteitsfoto's van oude Vegassterren, vergelijkbaar met die welke Stride bij Battista's had gezien. Hij herkende Dean Martin, Elvis, Marilyn Monroe.

'Ze zijn allemaal gesigneerd,' zei Serena.

Stride haalde zijn schouders op. 'Hij verzamelt aandenkens. Dat zei hij toch?'

'Nee, ze zijn allemaal voor hem persoonlijk.'

Stride kwam naast haar staan en zag dat ze gelijk had. Op elke foto stond Nicks naam met een persoonlijke boodschap en de handtekening van de ster. 'Helen zei toch dat hij privé beveiligingsklussen deed,' zei Stride.

'Klopt. Maar moet je zien wat Marilyn schrijft,' zei Serena tegen hem.

Stride boog zich verder naar de foto van de glimlachende platinablonde. Over een naakte schouder had een vrouwelijke hand met een viltstift geschreven: *Nicky, wat een nacht. Ik had je nodig en je was er. Liefs en kusjes, MM.*

'Dat was een fantastische meid,' zei Humphrey toen hij achter hen de kamer weer binnenkwam. Hij had een cognacglas in zijn hand met iets wat op whisky leek.

'Zeg, Nick,' zei Stride. 'Misschien trappen de mensen erin met Willy Mays en Dean Martin. Maar niet met Marilyn. Daar trap ik niet in.'

Humphrey was in zijn sas. Hij zette zijn whisky neer en rommelde in een stapel paperbacks op een bijzettafeltje. Hij trok er een uit en gooide het door de kamer naar Stride. Het was een biografie van Marilyn Monroe.

'Na bladzij 72 staan wat foto's,' zei hij. 'Op een ervan staat een foto van een brief van haar aan DiMaggio. En dan moet jij me eens vertellen of dat niet hetzelfde handschrift is.'

Stride en Serena vonden de bladzijde en hielden het beeld van Marilyns oude brief naast de foto aan de muur. Humphrey schoot in de lach toen hij hun verbaasde gezichten zag. Stride moest toegeven dat het een en hetzelfde handschrift was.

Humphrey liet zich in zijn stoel achteroverzakken, pakte de whisky en grijnsde hen toe, enorm in zijn nopjes.

'Willen jullie me nu dan vertellen wat jullie hier werkelijk komen doen?' vroeg hij. 'Ik kan me niet voorstellen dat de Metro over voldoende middelen beschikt om moorden van veertig jaar geleden op te graven.'

Stride en Serena gingen weer zitten. Stride merkte dat hij blikken op de foto van Marilyn wierp en nog steeds dacht dat Humphrey hen een loer draaide.

'Twee naaste familieleden van mensen die in Terrells artikel worden genoemd, zijn de afgelopen twee weken vermoord,' zei Serena. 'Een en dezelfde dader. We willen weten of deze moorden op een of andere manier verband houden met de dood van Amira Luz.'

'Veertig jaar wachten met een vendetta is wel lang,' antwoordde Humphrey.

'Toch zou ik maar wat voorzorgsmaatregelen treffen,' stelde Stride voor. 'En zeg je familieleden dat ze hetzelfde doen.'

Humphrey haalde zijn schouders op. 'Nooit getrouwd geweest, geen kinderen. Bij mij houdt de lijn op.'

'Heb je enig vermoeden van de dader? Of de reden?' vroeg Serena.

'Absoluut niet,' zei Humphrey. 'Ik hoop niet dat jullie denken dat ik het ben. Een geriatrische seriemoordenaar, dat zou iets nieuws zijn. Iets voor *Law & Order: Het Bejaardenteam.*'

'Wat zou er volgens jou dan aan de hand kunnen zijn?' vroeg Stride.

'Luister, jullie hebben hem al genoemd,' zei Humphrey. 'Boni Fisso. Die is toch bezig met een groot project?'

Stride knikte. 'Dat was ook het eerste waar wij aan dachten, namelijk dat Boni bang was dat de waarheid over Amira's dood bekend zou worden. We dachten dat hij de mensen die er toen bij betrokken waren een seintje wou geven: Jullie moeten je mond houden.'

'Boni zou seintjes en familieleden te veel werk vinden,' zei Humphrey. 'Hij zou ze gewoon elimineren.' De oude rechercheur schudde zijn hoofd, alsof hij het allemaal al had doordacht. Stride besefte, toen hij zag hoe de hersens van de man werkten, dat Humphrey een intelligente diender was geweest. Wat de gaten in het onderzoek van Amira's dood alleen maar verdachter maakte.

'Keer de zaak eens om,' zei Humphrey. 'Misschien wil iemand Boni's nieuwe, grote casino laten mislukken als een soort vreemde gerechtigheid voor Amira. Dus gaat hij mensen vermoorden en laat hij broodkruimels achter, zodat jullie achter hem aan komen. En het voert allemaal naar het verleden.'

Broodkruimels, dacht Stride. *Bijvoorbeeld vingerafdrukken.* 'Had Amira nog nabestaanden?'

'Ik heb ze niet kunnen vinden. Ze was enig kind, haar ouders waren dood. Maar het hoeft geen familielid van haar te zijn. Boni heeft toen heel veel vijanden gemaakt.'

'De vraag is waar de broodkruimels heen leiden,' zei Stride. 'Als je gelijk hebt wat deze vent betreft, schijnt hij te denken dat er meer aan Amira's dood vastzat dan naar buiten is gekomen.'

'Hij heeft het mis,' zei Humphrey vastbesloten. 'De zaak is gesloten.'

'Zeg, Nick,' zei Serena, 'je moet wat ik ga zeggen niet verkeerd opvatten. Men zegt dat je een vaste klant van de Sheherezade was. Dat je daar een hoop privébeveiligingswerk hebt gedaan.' Ze wees op de foto's aan de muur. 'Zo te zien heb je daar de bewijzen hangen.'

Humpreys blik werd zo koud als het ijs in zijn glas. 'Ja, en?'

'Het waren andere tijden. Er golden andere regels. Dit was een wetteloze stad. We vragen ons af...'

'Jullie vragen je af of ik ben omgekocht,' zei Humphrey. Zijn stem werd opeens hard en scherp. 'Ja toch? Jullie zijn verdomme net zo erg als Rex Terrell.'

'Dat hebben we niet gezegd,' zei Serena. 'Maar er zijn nog veel vragen, en je lijkt me te intelligent om ze over het hoofd te hebben gezien. We willen weten of er vanuit een bepaalde hoek druk op je werd uitgeoefend om niet te diep te graven.'

Humphrey staarde hen aan, en Stride dacht de pijn van een gecompromitteerde man te zien. De gepensioneerde diender keek in zijn glas en dronk het in één keer leeg. 'Er was geen druk,' zei hij met schorre stem en toegeknepen keel.

Vanuit zijn ooghoek zag Stride iets bewegen. Harvey Washington, de buurman, stond in de deur van de woonkamer met zijn hondje op de arm en een treurige blik in zijn ogen. Het hondje worstelde om te worden neergezet.

'Nick, waarom vertel je ze de waarheid niet? We zijn allebei oud. Er is geen mens die zich nog druk om ons maakt.'

Humphrey leek niet verrast. 'Jezus, Harvey, ik kan altijd nog in moeilijkheden komen. Wij allebei.'

Harvey schudde zijn hoofd en zette het hondje neer. Het stoof meteen de kamer door, sprong bij Humphrey op schoot en krulde zich op om te gaan slapen.

Serena knipperde met haar ogen. 'Is het jouw hond?'

'Zouden jullie ons in godsnaam willen vertellen wat er aan de hand is?' vroeg Stride.

Harvey sloeg zijn armen over elkaar en wachtte. Humphrey krabde de kop van het hondje en weigerde op te kijken. Hij haalde nukkig zijn schouders op. 'Je doet maar wat je niet laten kan,' zei hij tegen Harvey.

'Man, doe niet zo kinderachtig,' zei Harvey. Hij trok een krakkemikkige houten stoel bij de muur vandaan en ging zitten. 'Er werd wel druk uitgeoefend,' zei hij tegen Stride en Serena. 'Maar niet zoals jullie denken. Nicky heeft geen cent aangenomen. Hij heeft die kerels niet te hard aangepakt vanwege mij.'

Stride begreep er niets van. 'Jou?'

'We zijn al bijna vijftig jaar levenspartners.'

In de leunstoel haalde Humphrey diep adem. Als er in de kamer een kast was geweest, zou hij er weer ingekropen zijn. 'Leo Rucci wist het. Ik weet niet hoe hij het wist. Maar voor die kerels was toen niets geheim. Ze wisten alles van iedereen. Hij maakte me duidelijk dat als ik het onderzoek de verkeerde kant op stuurde, de politie erachter zou komen dat ik homo was. Dat had me mijn baan gekost.'

'En de verkeerde kant was Walker Lane?' vroeg Stride.

Humphrey spreidde zijn armen. 'Wat denk je? Ik wist dat het niet klopte. Maar ik zat in de tang.'

'Het was meer dan dat,' voegde Harvey eraan toe. 'Nick beschermde me. Hij zou zijn baan zijn kwijtgeraakt, en ik zou in de bak zijn beland. De wet en ik zijn het niet op alle punten met elkaar eens.'

Stride zag Marilyn Monroe aan de muur lachen. 'Je bent een vervalser,' gokte hij.

'Hij is een echte kunstenaar,' beweerde Humphrey.

Harvey boog even bescheiden het hoofd. 'Ik maak dingen na. Toen ik jonger was, maakte ik er niet zo'n punt van of de mensen wisten wat echt was en wat niet.'

'Is dat nu anders?' vroeg Stride, en pakte de honkbal van Willie Mays.

Harvey grijnsde. 'Ik geef Nicky af en toe een cadeautje. Voor ons is het een spelletje. Ik kan mijn imitaties tegenwoordig via eBay verkopen en er heel leuk aan verdienen. Maar begrijp me goed, ik zeg erbij dat het imitaties zijn, niet de echte artikelen.'

'En je weet zeker dat je kopers er even eerlijk mee zijn als ze die doorverkopen,' zei Serena.

'Dat is niet mijn probleem,' antwoordde Harvey vrolijk.

Stride kon het niet geloven. Een homodiender met een partner die vervalser was. Het gevolg was dat iemand – Walker Lane? – wegkwam met een moord en dat een of andere arme donder uit LA werd gedood om de zaak te kunnen afronden. En veertig jaar later kwam er weer een reeks moorden.

'Leeft Leo Rucci nog?' vroeg Stride. 'We moeten met hem gaan praten.'

'Hij leeft nog,' zei Humphrey. 'Maar Rucci was alleen maar het lichaam. Boni was altijd het brein. Hij is de enige die weet wat er die avond is gebeurd.'

'Maar Boni praat alleen met ons als we een aanhoudingsbevel hebben. En dan komt hij met zeven advocaten die elke vraag binnenstebuiten keren,' zei Stride.

'Kijk of Sawhills vader hem kan bellen,' zei Humphrey. 'Die ouwe heeft jarenlang heel veel deals voor Boni en andere casino-eigenaren afgesloten.'

'Heeft Sawhill banden met Boni?' vroeg Stride.

'Het is een klein stadje,' antwoordde Humphrey.

'Jullie zouden ook met Boni's dochter kunnen gaan praten,' stelde Harvey voor.

Serena keek op, verbaasd. 'Ik wist niet dat Boni een dochter had.'

Humphrey knikte. 'Claire Belfort. Ze heeft de naam van haar moeder aangenomen. Claire en Boni hebben jaren geleden een daverende ruzie gekregen. Ze is folkzangeres in een van de tenten op de Boulder Strip.'

'Waarom zou ze ons willen helpen?' vroeg Stride.

Humphrey haalde zijn schouders op. 'Kan best zijn dat ze niet wil. Waarschijnlijk zelfs. Maar als er íémand is die je met één telefoontje bij Boni binnen kan krijgen, is het Claire.'

18

Hij parkeerde de Lexus op de weg langs het meer voor een groot huis met donkere ramen. De eigenaar van het huis was die avond naar de stad, of misschien ook zeilde hij ergens tussen de Griekse eilanden. Dat was wat de mensen deden die in Lake Las Vegas woonden. Ze konden zich veroorloven te doen en te laten wat ze wilden.

Niet dat het echt iets uitmaakte of er iemand binnen was. Als ze naar buiten keken en een Lexus voor hun huis zagen staan, zouden ze niet wantrouwig worden. Gewoon een van de buren die een avondwandelingetje langs het meer maakte. Vreemden konden er tenslotte niet komen. Je kwam er alleen in door de bewaakte poort op de zuidoever.

De oude dame had haar rol goed gespeeld. Ze had naar de bewaker gelachen alsof er niets aan de hand was, alsof er niemand met een pistool achter haar zat. Ze draaide het raampje omhoog en reed de poort door, zoals ze bijna elke dag deed. Het enige waar iets aan te merken viel, voor zover hij haar van achter kon zien, was het hevige trillen van haar vingers op het stuur. Dat was geen Parkinson zoals je bij een oude vrouw kon verwachten. Dat was doodsangst geweest.

Hij had de rest van de middag bij haar thuis doorgebracht, had gezien hoe haar angst toenam, hoe de zon onderging. Ze zat vastgebonden op een stoel, een prop in haar mond, volgde met grote ogen wat hij deed terwijl hij voor het raam heen en weer liep. Toen het donker was, kon hij eindelijk verder. Hij wist dat ze erop wachtte dat hij haar zou doden, en hij vroeg zich af of haar hart eindelijk niet meer tekeerging nu hij gewoon de deur uit was gegaan, de auto had gepakt en was weggereden.

Hij reed niet ver. Een paar straten maar, tot hij bij het meer was waar de grootste landhuizen aan het water stonden. Hiervandaan had hij een prachtig zicht op het grote huis dat de straat domineerde.

Wachten.

Hij had trek in een sigaret maar durfde de getinte ramen van de auto niet te openen. Als er iemand langsreed, kon de auto beter leeg lijken. Hij zat bijna bewegingloos, observeerde het grote landhuis, de lampen die van kamer tot kamer aan- en uitgingen, zag af en toe een silhouet achter de gordijnen bewegen. Hij gebruikte een miniatuurkijker om naar binnen te kijken en zeker te weten dat ze beiden nog thuis waren. Alleen zij beiden.

Heel af en toe liet hij zijn blik snel over het meer gaan. De lichtjes van de resorts twinkelden sprookjesachtig. Die werd hier aan de man gebracht. Illusie.

Hij zette zijn gedachten weer op een rij. Hij had dit al vele malen gedaan en hij was niet nerveus, maar maakte zich nog steeds zorgen over de geestelijke tik die de jongen hem had gegeven. Hij had zich laten gaan door boos te worden, zijn emoties te veel ruimte te geven. Bij de anderen was het geen probleem geweest. Hij wilde niet dat het nu weer een probleem werd. Niet vanavond. En ook de komende dagen niet.

Hij zag iets bewegen in de achteruitkijkspiegel. Koplampen. Een lange, zwarte limousine gleed langs de Lexus, reed de weg langs het meer verder af en draaide de oprit op van het huis dat hij observeerde. De chauffeur zette de motor niet uit, doofde de lichten niet, toeterde niet. Het was gewoon het tijdstip waarop hij er moest zijn, en bij een afspraak met een beroemdheid was je altijd op tijd.

De deur van het landhuis ging open.

Hij zette de kijker aan zijn ogen en zag de grote man het grote huis verlaten en naar het achterportier van de auto lopen. Alles aan de man was meer dan levensgroot. De chauffeur was snel uitgestapt en wachtte daar, met de hand aan zijn pet, en een glimlach.

Het autoportier ging dicht. Het voorportier ging dicht. Hij zag de limo achteruit de oprit afrijden en langs het meer terugrijden langs de Lexus.

Hij wachtte nog tien minuten, wachtte in stilte en duisternis. De straat bleef verlaten. Ten slotte keerde hij de auto, deed de lichten niet aan, liet de auto zachtjes uitrollen over de laatste meters wegdek tot hij voor het grote landhuis was. Hij zette de automaat in de parkeerstand, trok de handrem aan maar liet de motor draaien. Dit zou niet lang duren. Het verbaasde hem altijd te horen van fouten die andere profs soms maakten, bijvoorbeeld door de motor uit te zetten en dan bij terugkeer van de plaats van actie tot de ontdekking te komen dat de motor niet wilde starten. Zo'n kleinigheid kon iemand vijfentwintig jaar van zijn leven of het leven zelf kosten.

Hij keek nog één keer in de spiegels en stapte uit. De Sig lag bijna onzichtbaar in zijn rechterhand.

Toen hij de oprit opliep, voelde hij heel even iets van een aarzeling, die hij meteen probeerde te onderdrukken. Toen begreep hij het: hij kende haar. In bijna alle gevallen had hij tegenover een onbekende gestaan, iemand wiens levensverhaal hij niet kende. Hij was intiem met haar geweest en hij mocht haar. Ze maakte een verloren indruk, een slachtoffer, zo'n beetje als hijzelf. Hij stond voor de buitensporig grote voordeur van hout en koper, en bedacht hoe klein ze leek in deze enorme omgeving.

Uiteindelijk deed het er niet toe. Iedereen was vroeg of laat slachtoffer. Dat zei de stem, de stem die er altijd was, die hem leidde.

Amira.

Hij belde aan. Er verstreken enkele seconden. Hij voelde zich niet op zijn gemak, zo volop in het licht van het portaal. Zijn wapen hield hij verborgen achter zijn rechterdijbeen.

Ze had moeite met het openen van de deur en toen het was gelukt, lachte ze naar hem omdat ze hem herkende. Er stond geen angst op haar gezicht te lezen.

‘O, hoi,’ zei ze met haar kinderlijke stemmetje. Knap. Kwetsbaar. ‘Heb je het bericht niet gekregen?’

Dat waren haar laatste woorden. Toen ze het wapen zag, had ze maar een tel voor verwarring en daarna angst, toen was het voorbij. Je kon je niet veroorloven om te aarzelen wanneer je iets van twijfel koesterde. Tien seconden later zat hij weer in de Lexus, met de ramen open om de scherpe kruitlucht kwijt te raken, en reed hij terug naar de heuvels die naar de stad voerden.

19

Serena bestelde een fles mineraalwater met bubbels en een champagneglas. Ze vond een tafeltje voor twee in de buurt van het podium en gaf de kelner een fooi van twintig dollar voor het weghalen van de andere stoel.

Ze vond het heel vervelend in haar eentje naar een casino te gaan waar ze de hele avond dronken aanpappers moest afweren en moest toezien hoe anderen drankjes ingeschonken kregen die haar eraan herinnerden wat *zíj* niet mocht nemen. Maar Stride had gesuggereerd dat Claire, Boni's dochter, misschien beter op haar zou reageren, van vrouw tot vrouw in de losse omgeving van een club, dan wanneer ze er samen heen gingen.

De casino's van de Boulder Strip trokken vooral inwoners, kenners die ervan uitgingen dat hun kansen hier beter lagen dan op Las Vegas Boulevard (niet waarschijnlijk) en dat ze met minder geld meer konden patsen en meer voordeeltjes konden krijgen dan daarginds (dat was waar). Serena wist dat Cordy een vaste klant was bij Sam's Town, het grootste casino in Boulder, een paar mijl ten noorden van waar zij nu was. Hij stortte elk jaar duizenden dollars in hun hebberige handen, maar in ruil daarvoor behandelden ze hem als een vorst.

De club waar Claire zong, de Limelight geheten, was een klasse lager dan de grote neven zoals Sam's Town, Arizona's Charlie of Boulder Station, en had geen hotel. Hij lag aan het verlaten zuidelijke eind van de snelweg, waar nog altijd stukken vervuild land braak lagen, afgewisseld met caravanparken, seksshops en pandjeshuizen. Aan de randen kropen een paar woonwijkjes naderbij; de buitenwijken breidden hun greep op de woestijn uit.

De Limelight was onlangs opgeknapt op basis van het geraamte van een lang geleden dichtgetimmerd wegcasino, een goedkope drank- en goktent waar 's nachts geregeld gevechten uitbraken en pechvogels hun laatste schaarse dollars vergokten. Niemand betreurde het dat die tent verdween. De Limelight was dan wel niet van grote klasse, het was een van de weinige gelegenheden in de stad waar je voor de prijs van een paar drankjes live countrymuziek kon horen. Stride en zij waren er al een paar keer binnengevallen. Het was eigenlijk niet meer dan een bar met een luciferdoosgrote ruimte met speeltafels en gokautomaten, en een claustrofobie veroorzakend zaaltje met groene muren, een lange bar met videopokerapparaten en een stuk of vijftig ronde tafeltjes die zonder veel ademruimte voor het toneeltje op elkaar stonden geperst.

Serena nam een slokje van haar water en zag dat de tafeltjes snel bezet raakten. Claire Belfort was blijkbaar bekend. Op een zaterdagvond kreeg iedereen de club wel vol, maar het was nu dinsdag, en dat betekende dat men voor háár kwam. Serena had in eerste instantie gedacht dat Boni's geld de weg had gebaand voor de carrière van zijn dochter, maar daar was ze nu niet meer zo zeker van. De Limelight was een obscure tent, maar het publiek bestond uit muziekliefhebbers.

Om negen uur namen de bandleden hun plaats in. Het was een typische countrybezetting: viool, bas, drums en steelguitar. In de zaal gingen de lichten uit, de lampen boven het podium gingen aan. De band begon met een klaaglijk, melancholiek nummer dat Serena onmiddellijk herkende als een van haar favorieten – 'You'll Never Leave Harlan Alive' – een bitter klaaglied over het treurige leven van de kompels in Kentucky. Serena had het Patty Loveless horen zingen, en Patty was moeilijk te evenaren.

Maar achter het podium hoorde ze een rokerige stem die zich om de woorden wikkelde en alle pijn van de wereld in de muziek verweefde. Claires stem voldeed aan alle eisen van de blues. Hij was krachtig en rijk aan emoties, maar met nuances in de expressie die Serena alleen bij de rijpste countryzangers had gehoord. Ze klonk een beetje als Allison Moorer, met een stem zo droevig en betoverend dat Serena het er warm van kreeg en ze er onweerstaanbaar toe aangetrokken werd, alsof Claire een van de sirenen was.

Claire kwam vanuit een hoek van het podium op. Ze zong door toen er een applaus losbarstte dat verstomde toen men weer naar het nummer wilde luisteren. Ze had lang, rossig haar waarvan de golvende uiteinden rond haar schouders zwiepten. Haar gezicht was hoekig, met harde randen en kuiltjes in de wangen en een kleine moedervlek in een van de kuiltjes die haar gezicht zowel onvolmaakt als aantrekkelijk maakte. Ze had een doordringende, intelligente blik. Haar witte blouse van pure zij, waarvan de bovenste drie knoopjes open waren, hing over een zwarte broek die strak om haar slanke benen sloot, en ze stond op een paar messcherpe stilettohakken. Licht werd weerkaatst door haar gouden oorringen.

Ze liep helemaal naar de rand van het podium, pal boven Serena, terwijl ze een aangrijpend nummer zong over een grootvader in de negentiende eeuw die de mijn weer in ging om zijn gezin te onderhouden maar daar net als vele anderen het leven liet. De muziek greep je aan. Serena merkte dat ze betoverd naar Claire opkeek. Hun blikken troffen elkaar en er sprong een vreemde, sterke vonk over. Serena deed het af als verbeelding, maar het voelde echt en intens aan.

Tijdens het eind van het nummer, toen Claire de slotregels telkens als een geest fluisterde, stond Serena tot haar eigen verbazing hard te klappen. Ze zag de blos op Claires gezicht en hoe ze tot bloei kwam door de energie van het publiek.

Claire ging verder met een andere countryballad en liet die volgen door een rockabilly stampnummer en een medley van bluegrassnummers. Maar het waren allemaal trieste nummers, met teksten over verlies en overgave en dood, het soort songs dat vals zou klinken bij een slechtere zangeres. Claire bracht ze tot leven, maakte ze levensecht en droevig. In elke tragedie waar ze over zong, vond ze een innerlijk verlangen dat Serena herkende en zich herinnerde.

Haar ogen kwamen telkens terug bij Serena. Ze sprak tot haar, daagde haar uit. Serena verbeeldde het zich niet. Wanneer ze elkaar aankeken, krulden Claires lippen zich tot een lachje, niet van pret of ironie, maar van verwantschap. Het was bijna of Claire haar toezong. Zo voelde het tenminste aan.

Serena merkte dat ze werd verleid.

Het was een gevoel van lang geleden, iets dat ze al jaren niet meer had gekend. Ze dronk alleen maar water, maar toch voelde ze zich dronken. De muziek en de rook maakten haar licht in het hoofd. Claires stem voelde aan als zachte handen op haar lichaam, en Serena voelde zich naakt en blootgelegd.

Het was opwindend.

Een uur later opende Claire de deur van haar kleedkamer met dezelfde vage glimlach. Haar huid glom van het zweet van haar optreden. Toen ze Serena zag, straalden haar ogen nieuwsgierig.

'Ik ben Serena Dial,' deelde Serena mee. 'Ik ben rechercheur Moordzaken bij de Metro. Ik zou u graag spreken.'

De meeste mensen zakten in en veranderden in stopverf als ze hoorden wat ze deed. Claire trok slechts een wenkbrauw op om haar verrassing te tonen en opende de deur iets verder, zodat Serena langs haar heen naar binnen kon schuiven.

De kleedkamer was klein en somber. Gelig linoleum op de vloer, een plafond van piepschuimplaten met vochtkringen en een paar aluminium koekblikken op de grond om vallende druppels op te vangen die muzikaal tingelden. Er stonden een slaapbank en een kaarttafeltje met wat stoelen eromheen. Aan een verrijdbaar kledingrek hingen hangertjes met Claires kostuums. Er waren een koelkast, een aanrecht en achterin een toilet.

Claire maakte een uitnodigend gebaar naar de bank en het kaarttafeltje. 'Kies maar uit.'

Serena koos een stoel bij het tafeltje.

'Wil je iets drinken?' vroeg Claire. Toen Serena haar hoofd

schudde, zei ze erachteraan: 'Ik denk dat het niet juist is om een agent een joint aan te bieden.'

Serena lachte. Claire pakte een fles water uit de koelkast en plofte neer op een van de stoelen, de lange benen gestrekt, ellebogen op tafel. Met slanke, delicate vingers opende ze de fles water. 'Serena Dial,' zei ze. 'Schitterende naam.'

'Dank je.'

Claire boog zich naar haar toe en kamde met haar vingers door Serena's haar. 'Mooi haar ook. Wat gebruik je ervoor?'

Serena vertelde het haar, zich generend voor de goedkoopte van de shampoo.

Claire knikte en wiegde naar achteren op haar stoel. 'Rechercheurs zullen wel niet over dat soort dingen praten. Jullie zijn hard, hè? Rechercheurs zijn bikkels. Jij hoort dik te zijn en een slecht zittend pak te dragen in plaats van zo knap te zijn.'

'Zo zie ik eruit na mijn werk,' zei Serena lachend. 'Overdag ben ik dik en loop ik in een polyester pak.'

Lachend vroeg Claire: 'Wat vond je van mijn show?'

'Ik vond je fantastisch,' zei Serena oprecht. 'Waarom zit je niet in Nashville?'

'Heeft dit te weinig glamour?' Claire ving een van de druppels van het plafond op in haar hand. 'Ik doe dit niet voor het geld, en hier kan ik zingen wat ik wil en wanneer ik dat wil. In Nashville willen ze de baas over je spelen.'

'Zoals je vader,' zei Serena.

Claire kneep haar lippen op elkaar. 'Ja, zoals mijn vader. Moet ik nu onder de indruk zijn omdat je weet hoe het zit? Het is geen geheim.'

'Maar je loopt er ook niet mee te koop.'

'Inderdaad. Ik denk dat hij het zo ook wel zo prettig vindt. Is dat de reden van je komst? Om over Boni te praten?'

Serena knikte. 'Gedeeltelijk.'

'En verder?' vroeg Claire, en nam een slok water.

'Om je te vertellen dat je mogelijk gevaar loopt.'

'Dat maakt nieuwsgierig,' zei Claire. 'Word jij een van mijn beschermers?'

'Dit is geen grap. Er zijn al twee mensen dood.'

Claire knikte. 'Ik heb nooit gezegd dat het een grap was. Maar waarom zou iemand mij dood willen hebben? Omdat ik Boni's dochter ben? We zijn dan wel van elkaar vervreemd, Serena, maar je moet wel gek zijn om dat te doen. Ik ken mijn vader, en jij bent van de politie, dus jij zult hem ook wel kennen. Boni roeit ze uit. Foltert ze. Ze zouden ergens tussen de maïs eindigen, net als Spilotro.'

'Ik denk niet dat degene die dit doet ermee kan zitten.' Serena vertelde haar over de dood van Peter Hale en M.J. Lane, en het verband dat er bestond met de dood van Amira Luz, veertig jaar geleden. Ze eindigde met: 'Had je de naam Amira wel eens gehoord?'

'Nee,' zei Claire. 'Boni heeft het er nooit over gehad. Maar ik ben pas aan het eind van dat jaar geboren.'

'En Walker Lane?'

'Ik ken hem natuurlijk van naam, maar meer niet. Ik zou je niet kunnen vertellen of hij iets te maken heeft met mijn vader.'

'Hoe komt het dat jij en je vader geen contact meer met elkaar hebben?' vroeg Serena.

Claire gaf geen antwoord. Ze zette de fles aan haar lippen en nam weer een paar slokken. Toen pakte ze een van Serena's handen en draaide die met de binnenkant naar boven. Serena trok niet terug. Met haar middelvinger ging Claire lichtjes van haar handpalm naar haar pols. Claires vinger was nat van de condens op de fles.

'Ik kan je de hand lezen, weet je dat?' zei ze met iets plagerigs in haar stem.

Serena speelde mee. 'Wat zie je dan?'

'Nou, we weten al dat je een harde bent.'

'Klopt.'

'Je zit bij de politie, dus durf ik de gok bij je levenslijn wel aan. Ik moet helaas constateren dat je liefdeslijn is afgebroken.'

'O ja?'

'Absoluut. Ik zie ook dat je een hartstochtelijke relatie met een andere vrouw hebt gehad toen je jong was.'

Serena trok haar hand met een ruk terug. 'Jezus, wat is dit?'

Claire hield verdedigend haar handen op. 'Rustig. Het was maar een grapje.' En ze voegde eraan toe: 'Maar volgens mij is het een gevoelig punt.'

Serena merkte dat haar hart bonsde. 'Nee, het overviel me gewoon.'

'Ach, trek het je niet aan,' antwoordde Claire soepeltjes. 'Ik las mijn eigen hand. Het is mijn eigen achtergrond. Ik ben lesbisch, als je het nog niet had gemerkt.'

'Maar daar was Boni niet blij mee?'

'Onder andere.'

'Dus er is meer.'

Claire zuchtte. 'De eerste achtentwintig jaar van mijn leven heeft Boni geregeerd, zoals hij alles om zich heen regeert. Ik ben zijn enige kind en hij wilde dat ik hem zou opvolgen. Ik ben hier naar de universiteit geweest, ik heb een doctoraal hotelmanagement, allemaal zodat ik de zaak zou kunnen overnemen wanneer hij eraan toe was om eruit te stappen. Dat wilde ik ook. Hij had al zijn ambities in mij overgepoot.'

'En toen?'

Op Claires gezicht viel geen emotie te lezen. 'Hij moest kiezen tussen mij en de zaak. De zaak kwam eerst. Wie had dat nou gedacht?'

Serena vermoedde dat ze iets verborgen hield.

'En je moeder?'

'Die is in het kraambed gestorven. Het was altijd Boni en ik. Tenminste, tot ik de benen nam. Ik kwam tot de conclusie dat ik wilde zijn wie ik was, geen kloon van mijn vader.'

'Jij klinkt ook behoorlijk hard,' zei Serena.

'Ik zei je toch dat ik mijn eigen hand las. Hoe dan ook, dat is ruim tien jaar geleden, en we hebben elkaar sindsdien nauwelijks nog gesproken. Hij doet wel iedere keer toenaderingspogingen, maar ik kan heel goed zonder hem. Ik wil me niet door hem laten kopen. En daar is hij woedend om. Ik ben de enige in de wereld die hij niet kan domineren.'

Serena wist dat Claire in bepaalde opzichten erg op haar vader moest lijken. Koppig. Dominant. Ze stelde zich zo voor dat ze in de loop der jaren reusachtige ruzies moesten hebben uitgevochten. Ze vond het indrukwekkend dat Claire stand had weten te houden. Dat had ze zelf ook gemoeten tijdens de roerige overgang van haar moeder naar Deirdre. Mensen die beloofden haar te redden en haar dan lieten vallen.

'Je maakt het me moeilijk te vragen wat ik had willen vragen,' gaf Serena toe.

Claire schudde haar hoofd. 'Nee, hoor. Je mag me alles vragen. Maar dan mag ik ook naar een paar van jouw geheimen vragen.'

'Ik moet je vader spreken. We denken dat hij zou kunnen weten wat er aan de hand is, en waarom. Als de gebeurtenissen rond Amira ermee te maken hebben, is hij de enige die de puzzelstukjes kan neerleggen.'

'En jullie willen dat ik hem bel,' zei Claire.

'Dat klopt.'

'Sorry, Serena, maar daar ben ik nog niet klaar voor. Als ik erdoor bij hem in het krijt kom te staan, doe ik het niet.'

'Dat begrijp ik. Maar er staan mensenlevens op het spel. Mogelijk ook het jouwe.'

'Denk je echt dat ik gevaar loop?' vroeg Claire.

'Ja, echt waar.'

Claire knikte. 'Ik moet erover nadenken.' En even later: 'Ik kan je er nu nog geen antwoord op geven. Goed?'

'Wacht niet te lang,' drong Serena aan. Ze zocht een kaartje in haar zak en gaf het haar.

Claire keek ernaar en tikte er even mee op tafel. 'Nu moet jij *míj* iets vertellen,' zei ze.

Serena lachte: 'Best.'

'Had ik gelijk?'

'Je bedoelt over mij?' Serena wist heel goed wat ze bedoelde. De relatie. Een gevoelig punt. 'Dat gaat je niets aan.'

'Dat vergat ik: je bent een harde.'

Claire stond op en rekte zich loom uit. 'Ik ga douchen.'

Serena schraapte haar stoel naar achteren over het linoleum en stond op. 'Dan ga ik maar.'

'Nee, dat hoeft niet.' Claire wuifde haar terug op haar stoel. 'We kunnen gewoon doorpraten.'

Ze overbrugde de korte afstand naar de deur van de kleedkamer en deed hem op slot. Ze begon haar blouse open te knopen. Toen ze daarmee klaar was, liet ze de blouse open hangen, zodat de gleuf tussen haar borsten en haar middenrif te zien waren.

'Doe jij aan zingen?' vroeg Claire.

'Ik? Nee. Als ze karaoke gaan doen, ben ik weg.'

'Waar leef je je dan in uit? Er moet toch iets zijn?'

'Ik maak foto's,' zei Serena. 'Foto's van de woestijn.'

Serena keek hoe ze voorzichtig twee handen gebruikte om de grote gouden oorringen af te doen. Claire legde ze op tafel, ging met haar handen door haar haar en haalde rustig de lokken uit elkaar.

'Die zou ik best eens willen zien,' zei Claire.

Claire liet de blouse van haar schouders glijden. De zijde was eerst stroef op haar huid, liet toen los en gleed van haar rug. Haar borsten waren naakt, volmaakt wit met opgerichte rode tepels. Ze trok zachtjes de manchetten over haar polsen, draaide zich om en hing de blouse in het kledingrek. Haar ruggengraat golfde, dook weg bij het holle deel van haar rug.

'Wil je iets eten?' vroeg Claire terwijl ze zich omdraaide.

'Sorry, ik kan niet.'

Claire trok de zijrits van haar zwarte broek naar beneden. Ze duwde de broek omlaag, over haar achterste, haar dijen en boog eerst haar ene en daarna haar andere been om eruit te stappen. Ze had alleen nog een zwarte tangaslip aan.

Ze draaide zich weer om. 'Jammer.'

Serena wist dat ze de kans had om iets zeggen, een grap te maken, weg te gaan. Toen ze bleef zitten, zonder te bewegen, zonder zelfs adem te halen, trok Claire de slip, uit zodat haar kastanjerode schaamhaar zichtbaar werd dat zover was weggeschoren dat er nog net een licht streepje krulhaar over was.

Ze bleef even staan en verdween in de badkamer. Het water in de douche begon te lopen.

Serena stond op. Ze keek naar de afgesloten deur van de kleedkamer en wist dat ze gewoon kon weggaan. Maar Claire kwam uit de douche, een handdoek om haar nek die groot genoeg was om haar borsten te bedekken maar de rest niet.

'Het duurt altijd eindeloos voor het water warm is,' zei ze.

Serena knikte en probeerde met haar tong haar lippen te bevochtigen, maar ze had een heel droge mond.

Claire kwam bij haar staan, zo dichtbij dat Serena zich onrustig voelde. 'Je kunt meegaan.'

'Nee, dat kan ik niet doen.'

'Je bent heel mooi,' zei Claire tegen haar.

'Jij ook.' Het was eruit voor ze het besefte.

'Ik zou je graag nog eens zien.'

'Ik ben niet lesbisch,' zei Serena.

'Maakt dat wat uit? Ik voel me aangetrokken tot mensen, en het interesseert me niet of het mannen of vrouwen zijn. En ik voel me aangetrokken tot jou.'

'Ik heb een relatie,' zei Serena. 'Met een man,' voegde ze eraan toe.

'Maar jij voelt je ook aangetrokken tot mij.'

Serena wilde ontkennen, maar deed het niet. 'Maar het leidt tot niets.'

Claire stak een hand uit en legde de bovenkant even tegen Serena's gezicht. 'Houd het niet voor hem verborgen. Je koestert nu een geheim.'

'Het spijt me.' Serena trok zich terug. 'Ik heb de verkeerde signalen afgegeven.'

'Het waren geen verkeerde signalen. Je verlangt zo naar me dat je het kunt proeven. Wat is daar erg aan?'

Serena's mobieltje ging over. Ze stoof naar achteren alsof de kamer in brand stond en dook in haar zak om hem tevoorschijn te halen. Ze hoorde Strides stem en voelde zich overspoeld door schuld. Ze kon niet geloven waar ze mee bezig was, wat ze had willen doen. *Niet meer sinds Deirdre,* dacht ze bij zichzelf.

'Wat is er?' vroeg ze, en ze haatte zichzelf omdat haar stem hees was van verlangen.
Stride zette haar met twee benen op de grond.
'Er is weer een moord gepleegd.'

20

Amanda staarde naar het lichaam van Tierney Dargon en drong met moeite haar tranen terug, hetgeen een verrassing voor haar was. Ze had zich in de loop van de tijd gehard tegen de dood, en de lichamen die ze dag in dag uit zag, waren maar zelden mensen die ze had gekend toen ze nog leefden. Het waren lijken, vlees, wonden, ontdaan van hun menselijkheid. Maar Amanda had Tierney nog zo kort ervoor gezien dat ze zich haar parfum en meisjesachtige manier van spreken nog goed kon herinneren. Ze had haar gemogen, met haar te doen gehad. Tierney was een goed kind dat verdwaald was geraakt in het snelle leven van Vegas. Maar nu niet meer.

Nu leek ze op M.J.: ogen wijd open van schrik en angst, bloedsporen uit de gapende kogelwond in haar voorhoofd die strepen over haar gezicht trokken. Dood in de hal van Moose's enorme huis, net als Alice Ford in Reno, geen tijd om te reageren of te schreeuwen. Deur open, de dood in het gezicht zien en beng. Haar hersens waren weg voor ze tijd hadden om te reageren. Op slag.

Amanda keek de hal door naar de rest van het huis en besefte dat Tierney, zelfs toen ze nog leefde, hier niet op haar plaats was geweest. Ze was jong, en dit was het huis van een rijke oude man. Moose had er een relikwieënuitstalling van zijn verleden van gemaakt: boekenplanken vol prijzen, decennia oude posters waarin zijn shows werden aangeprezen, en tientallen foto's van Moose op het toneel. Hij was meer dan levensgroot, en hetzelfde gold voor zijn buitenhuis, dat protserig en veel te groot was. De woonkamer was aangekleed als een weelderig casino, met grote klassieke zuilen, gouden sierlijsten, een vleugel en – het allerindrukwekkendst – een zwembad met glazen bodem op de eerste verdieping, zodat bezoekers, als ze omhoogkeken, het blauwe water zagen. Moose had een van de mooiste locaties in Lake Las Vegas, in het MiraBella-complex, net tegen de golfbaan en het kunstmatige meer aan, met in de verte het maanlandschap van de heuvels in de woestijn.

Iedereen deed hier zonder aarzelen zijn deur open, zelfs voor een onbekende. Lake Las Vegas lag achter de bergen een paar mijl ten oosten van de stad, aan de weg naar Lake Mead. Er was maar één smalle weg in en uit MiraBella en de andere complexen op de zuidoever, met een wachtpost om vreemden en kijkers buiten te houden. Als je binnen was, zat je goed.

Maar deze keer niet.

Amanda vroeg het zich af: Hoe had de moordenaar kans gezien binnen te komen?

'Waar is Moose?' vroeg ze aan een van de geüniformeerde agenten ter plaatse. Ze zag de afkeer in zijn ogen en voelde haar nekharen overeind komen.

'De bewaker bij de poort zei dat hij om een uur of zes met de limo is weggegaan,' zei hij. 'Ik neem aan dat hij ergens wordt opgespoord.'

'O, dat neem je aan?' reageerde Amanda. De agent haalde zijn schouders op, en ze voegde er op scherpe toon aan toe: 'Je neemt niets aan. Je zoekt het uit en laat het me weten.'

'Yes, sir,' antwoordde hij op bijtende toon. Hij vertrok en Amanda voelde haar stemming verder zakken.

Er was een grote ploeg bezig met het moordonderzoek. Dat was een van de voordelen als je werd vermoord op een plek als Lake Las Vegas, waar je meestal was gevrijwaard van dit soort misdaden, behalve wanneer een rijke vrouw haar rijke man doodschoot. Een lijk kreeg hier alle aandacht. Er was gebeld door een buurman die een schot had gehoord. Het was iemand die geregeld ging jagen en het verschil hoorde tussen een pistoolschot en de knal van een geweer, een geluid dat in de heuvels niet ongewoon was. Hij was op onderzoek uitgegaan en had de deur wijd open gevonden en Tierney vlak erachter.

Amanda's mobieltje ging over. Het was Stride.

'Waar ben je?' vroeg ze.

'Ik sta met mijn auto naast de jouwe,' zei Stride. 'Ik dacht dat je de Spyder niet gebruikte als je naar een plaats delict ging.'

Amanda wist niet wat ze ervan moest denken. 'Meestal niet, nee. Maar het is een heerlijke auto voor in de bergen. Hoezo?'

'Kun je even buiten komen?'

Amanda slikte een zure smaak weg en voelde een steen van bezorgdheid op haar maag liggen. Ze klapte haar telefoontje dicht en zette koers naar de voordeur. Toen ze langs twee forensische rechercheurs kwam, hoorde ze achter zich fluisteren en lachen. Ze draaide zich snel om, maar kon niet uitmaken wie er iets had gezegd. Ze wierp hun een felle boze blik toe en stortte zich langs Tierneys lichaam de warme buitenlucht in. De ronde oprit werd grondig onderzocht op bewijsmateriaal. Ze maakte een omweg door de rotstuin en kwam langs een stel surveillancewagens aan de rand van de met tape afgezette plaats delict. Achter het huis was de diepe duisternis van het meer en zag ze de twinkelende lichtjes van het hotel aan de overkant.

Stride stond tegen zijn Bronco geleund, naast haar Spyder, een meter of tien verderop. Hij stond onder een straatlantaarn, met zijn armen over elkaar. Toen ze bij hem was, knikte hij naar de deur van haar sportwagen. Amanda zag het en vloekte.

De auto was ontheiligd. Iemand had met grote letters het woord SMEERLAP in het portier van de Spyder gekrast.

'Ik wilde niet dat je dit ontdekte terwijl je alleen was,' zei Stride.

Amanda voelde dat ze heen en weer werd geslingerd tussen woede en vernedering. 'Klootzakken,' mompelde ze. 'Het houdt maar niet op. Bedankt dat je me hebt gewaarschuwd.'

'Ik heb overal gevraagd, maar niemand geeft toe iets te hebben gezien.'

'Verbaast me niks.' Amanda ging met haar vingers over de

krassen in de lak. Op een of andere manier was het als verkracht worden. Alsof ze dat in feite wilden wanneer ze haar ergens alleen zouden aantreffen.

'Je moet het niet over je kant laten gaan, Amanda,' zei Stride.

'Dat zou de eerste keer zijn.' Maar Amanda vroeg zich af hoeveel ze nog kon hebben. Het maakte geen enkel verschil hoe vaak ze zich bewees, ze bleven haar belagen, proberen haar weg te krijgen. Ze liet haar blik weer op het woord rusten. Smeerlap. Ze voelde de haat van degene die het had geschreven. Dit was niet bedoeld als grap, als pesterijtje. Dit kwam van diep weg en het was afstotelijk.

'Gaat het?' vroeg Stride, met zijn blik op haar.

Ze schudde haar hoofd. Ze voelde zich rot. 'Ik had de Green River Killer kunnen oppakken, en dan nog zou het op de voorpagina over mijn pik zijn gegaan. Is dat nou echt zo'n punt?'

Stride begon te lachen. Amanda besefte wat ze had gezegd en lachte mee. Iets van haar spanning zakte weg. 'Goed, het is wel een punt,' zei ze schalks. En erachteraan: 'Ik weet wat de mensen denken, maar het doet pijn als je het steeds naar je hoofd geworpen krijgt.'

Ze besteedde nog even wat tijd aan zelfmedelijden. Stride wachtte, joeg haar niet op, en ze voelde een golf van warmte voor hem. Ze herinnerde zich wat Serena haar had verteld: dat Stride vanuit het niets haar leven was binnengezwierd en een reddingslijn voor haar was geworden. Amanda had dat gevoel nu ook een beetje. Niet als een echte geliefde, want ze hield van Bobby en ze wist dat Serena van Stride hield. Maar ze had het gevoel minder eenzaam te zijn binnen de politie, alsof ze eindelijk een medestander had, een vriend. Die had ze niet meer gehad sinds ze Jason was geweest. Haar vrienden van vroeger waren stuk voor stuk weggevallen.

'Je moet me toch eens vertellen,' zei ze tegen Stride, 'waarom je me niet haat, zoals de rest.'

'Hou op, Amanda. Die vraag is beneden je stand.'

'Je hebt gelijk, domme vraag. Het was een ander die dat vroeg, niet ik.'

Stride werd weer een en al zakelijkheid. 'Je zei toch dat Tierney een bodyguard had? Waar was hij?'

'Wie? Die Samoaan? Dat was volgens mij gewoon een ingehuurde kracht. Behalve Tierney was er niemand in het huis.'

'In een paleis als dit heb je toch inwonend personeel?' zei Stride. 'Een butler, zes dienstmeisjes en een paar tuinlieden om de rotsen te bewateren?'

'Niet volgens de buurman die haar heeft gevonden. Ik heb met hem gepraat. Hij zei dat er alleen overdag personeel is. Moose wil 's avonds blijkbaar in zijn blootje kunnen lopen.'

'Heerlijk dat je me dat beeld voor ogen tovert,' zei Stride.

'Ik vraag me af hoe de dader op het terrein is gekomen. Hij is vanavond beslist niet vanaf de snelweg hierheen komen lopen.'

'Houden ze bij welke voertuigen er in- en uitgaan?'

Amanda knikte. 'De geüniformeerde jongens trekken elke auto uit het beveiligingslogboek na, te beginnen met de auto's die het terrein hebben verlaten na het tijdstip van de moord.'

'Heeft hij de huls weer achtergelaten?'

'Ja, een .357, net als bij M.J. Ik durf te wedden dat de kogels matchen, als we ze kunnen vinden. Hoewel ik me afvraag of dat nodig is. Hij doet helemaal niet zijn best om zijn sporen te verbergen. Ik laat ze onderzoeken op vingerafdrukken om te zien of hij ons nog een ander aandenken heeft gegeven.'

'Drie moorden,' zei Stride. 'Vier, als je Reno meerekent. Hij zet er vaart achter.'

Amanda zag koplampen aankomen over de brede weg langs het meer waaraan Moose en een handjevol rijke buren hun onderkomen hadden. Toen het voertuig onder de eerste straatlantaarn door reed, herkende ze het als de limo waarin ze met Tierney Dargon had gezeten. Toen Tierney nog jong en levend was.

Stride kon zien waar de komiek zijn bijnaam aan ontleende. Net als een eland was hij verbazend groot en een en al benen, als een circusfiguur op stelten. Hij had een kop met lang, slordig haar, onnatuurlijk zwart en dik voor een man van zijn leeftijd. Het zwaaide voor zijn gezicht toen hij ging zitten met zijn ellebogen op zijn knieën en zijn lange, tentakelachtige vingers voor zijn gezicht. Zijn smoking zat ruim. Hij had het strikje losgemaakt en dat lag nu als een geplette vleermuis op de ruches van het overhemd.

Hij zat met alleen Stride en Amanda achter in de limo. Zijn voeten kwamen bijna tegen de kussens tegenover hem.

'Mijn mooie meisje,' zei hij. 'Ik had haar moeten laten zitten waar ze zat. Ik ben een egoïstische hufter. Ik wilde iemand hebben die voor me zorgde. Die me zou begraven. Nu moet ik haar begraven.'

Hij keek hen aan met donkere, opgejaagde ogen. Stride moest naar zijn woeste, pelsachtige wenkbrauwen kijken, Moose's handelsmerk, die hij naar believen kon laten kronkelen en golven. Ze waren deel van zijn act. Hij kon zijn wenkbrauwen laten dansen, en het publiek kwam niet meer bij. Stride had hem een jaar of twintig ervoor in een stand-upprogramma op tv gezien. Zijn humor was zwart en zelfdestructief, met allemaal grappen over drank, scheiden en hersenbloedingen, allemaal naar aanleiding van zijn eigen leven. Maar zijn wenkbrauwen maakten alles luchtiger, alsof ze twee sprekende poppen waren en hij de buikspreker.

Maar nu lagen ze roerloos boven zijn ogen als slapende honden.

'Kunt u ons vertellen waar u vanavond was, Mr. Dargon?' vroeg Stride. Hij was beleefd maar duidelijk.

Moose kwam langzaam bij de les. Hij leek echt verdoofd door verdriet, maar Stride was te vaak door lijdende echtgenoten om de tuin geleid. Te vaak bleken zij de dader te zijn, geen slachtoffer. En Moose was acteur.

'Ik was aan het werk voor een geldinzamelingsactie,' zei hij, en wees op een button voor de herverkiezing van gouverneur Durand op zijn revers.

'Waarom ging Tierney niet mee?'

Een van Moose's wenkbrauwen kwam heel even tot leven.

'Wanneer ik een show heb, ben ik niet te harden. Voor en na de voorstelling praat ik met geen mens. Tierney zou de hele avond aan een tafel vol opgeblazen juristen hebben moeten zitten. Dan had ze naar hun zelfingenomen gezwam moeten luisteren terwijl ze ondertussen naar haar tieten zaten te loeren. Dat zou ze verschrikkelijk hebben gevonden.'

'Wie wist er verder nog dat ze alleen thuis zou zijn?' vroeg Stride, met een lichte nadruk op het woord 'verder'.

'Ik kan niemand bedenken,' zei Moose. 'Als ik moet optreden, gaat Tierney meestal stappen. Ze is jong. Maar ze besloot vanavond thuis te blijven om films te kijken.'

'Heeft ze iemand van haar plan verteld?'

'Alleen het beveiligingsbedrijf. Ze heeft ze rond het middaguur gebeld en gezegd dat ze vanavond geen beveiliging nodig had.'

Stride wierp een blik op Amanda, die al in haar notitieboekje zat te pennen. Hij vroeg Moose om nadere gegevens over het beveiligingsbedrijf, dat Premium Security heette. Stride herinnerde zich dat Karyn Westermark, wanneer ze in Vegas was, ook een bodyguard nam, en hij maakte een aantekening dat hij haar wilde vragen of ze dezelfde firma had.

Amanda boog zich naar Moose over. 'Mr. Dargon, kende u M.J. Lane?'

Op Moose's gezicht was niets te lezen. 'De zoon van Walker? De jongen die vorige week is vermoord? Ik heb zijn vader gekend, lang geleden, in de jaren zestig, maar M.J. niet. Hoezo?'

'Ik kan geen manier bedenken om dit delicaat te brengen,' zei Amanda tegen hem. 'Tierney had een verhouding met M.J.'

'O.' Moose leunde met zijn hoofd achterover tot hij naar het dak van de limo staarde. 'Nu snap ik het. Jullie denken dat ik een jaloerse hoorndrager ben. Eerst heb ik haar minnaar laten vermoorden, en nu mijn vrouw zelf.'

'U staat erom bekend dat u erg opvliegend bent,' zei Stride.

Moose keek hem met een treurig lachje aan. Zijn wenkbrauwen golfden. Stride zag nu hoe grauw en bleek zijn gezicht was, hoe de beenderen van zijn schedel de vorm van zijn hoofd bepaalden. Hij had dat beeld eerder gezien, bij zijn vrouw Cindy, toen ze bezig was aan kanker te sterven.

'Vroeger. O ja. Maar toen waren we allemaal stoute jongens. We dronken, we feestten, we gingen door het lint. We waren kleurrijke figuren, en zo zag men ons graag. Ik pieste altijd in de fonteinen bij Caesars' Palace. Ik zat knappe jongens te jennen tot ze naar me uithaalden en dan sloeg ik ze een gebroken kaak. Ik danste op de blackjacktafels. Dat hoorde bij de show. Als ik over de schreef ging, gooiden ze me in de cel tot ik nuchter was, en dan zat ik 's morgens met de politieagenten aan de eieren met bacon. Ik kende elke diender in de stad bij zijn voornaam, en ik ging naar bijna alle verjaardagen van hun kinderen.'

'Dus die rotkant van u was gewoon spel?'

'Ik bedoel dat ik was wat men wilde dat ik was. Ik kon inderdaad ontploffen. Ik was soms een ontstellende etter. Maar ik ben nu tachtig, mensen. Ik ben op weg naar de uitgang. Ik ben een krijsend biggetje dat gecastreerd wordt. Mijn boze dagen, toen ik een kort lontje had en dat best fijn vond, liggen ver achter me. Ik ben niet met Tierney getrouwd om de seks, en ook niet om een leuk jong ding aan de arm te hebben. U kunt het geloven of niet, maar we waren erg op elkaar gesteld. We waren vrienden. Ik moedigde haar aan om uit te gaan met jonge kerels als ze dat wilde, omdat ik wist dat ze naar dat leven terug moest wanneer ik er niet meer was. Ik vroeg niet naar details, dus ik had geen idee van een relatie met M.J. of wie dan ook.'

Stride luisterde of hij valse noten hoorde, maar nee.

'Herinnert u zich Helen Truax?' ging Stride verder. 'Haar artiestennaam was Helena Troy.'

'Jazeker. Dat was een danseres in de Sheherezade.'

'Hoe goed hebt u haar gekend?'

'Goed genoeg om af en toe wat met haar te drinken,' zei Moose. 'Maar daar is het bij gebleven. Ze was Leo Rucci's vriendin, dus ik bleef verder uit haar buurt. Waar wilt u heen met die vragen?'

'Nog geen twee weken geleden is Helens kleinzoon gedood bij een aanrijding, waarna de bestuurder is doorgereden,' lichtte Stride toe. 'Daarna is de zoon van Walker Lane vermoord. En nu uw vrouw. Wij denken dat een en dezelfde persoon voor alle drie de moorden verantwoordelijk is.'

Moose ging rechtop zitten. 'Denken jullie dat dit allemaal te maken heeft met de Sheherezade?'

'Alle drie zijn ze genoemd in het artikel dat Rex Terrell heeft geschreven over de moord op Amira Luz. Hebt u met Terrell gepraat?'

Moose's bovenlip en wenkbrauwen krulden tegelijk van walging. 'Ik? Praten met zo'n miezerig onderkruipsel als Rex Terrell? Ik dacht het niet.'

'Rex zegt dat u, Helen en anderen profijt hadden bij de dood van Amira.'

'Ik zal niet ontkennen dat ik geen traan heb gelaten toen dat kleine kreng dood en begraven was,' zei Moose. 'Amira heeft me belazerd. Ze heeft me gebruikt om bij Boni te komen en me vervolgens ongelooflijk bedonderd.'

'Helen zegt dat u hebt verteld dat Amira de beste minnares was die u ooit had gehad,' zei Stride.

'Dat was geen geheim. We hadden een relatie. Dat Spaanse bloed is vurig. Maar door mij te gebruiken om hogerop te komen was ze geen haar beter dan een hoer.'

'Waar was u de avond dat Amira werd vermoord?' vroeg Amanda.

Moose lachte. 'Dronken, in de bak. Zoals ik al zei, dat gebeurde toen vaak. Achteraf gezien was het een mazzel dat ik een alibi had, want ik zou een mooi doelwit zijn geweest.'

'Dus u gelooft ook dat Walker het heeft gedaan?'

'Het is het meest logische,' zei Moose. 'Maar het verbaasde me wel.'

'Hoezo?'

'Ik had nooit gedacht dat Walker er het lef voor had. Het was een zachtaardige man. Hij vond het leuk om gevaarlijk te leven, maar het was en bleef gewoon een rijk knaapje uit LA.

Om Amira te vermoorden moest je een hoop lef hebben. Dat hij daarna in leven is gebleven, is niet te geloven.'

Stride en Amanda keken elkaar aan. 'Hoe bedoelt u dat?'

'De meeste mensen wisten het niet. Maar ik wel, omdat ik Amira kende. En Walker zal het hebben geweten. Hij móét het hebben geweten. Ik weet dat hij helemaal weg was van haar nummer, want hij miste geen enkel optreden. Maar Leo Rucci zal hem hebben laten weten dat de service voor de beste klanten niet ook Amira omvatte.'

Strides ogen werden spleetjes. 'Waarom niet?'

De wenkbrauwen van Moose maakten een dansje, als rupsen die kronkelen op de muziek van de Dans van de Suikerfee. 'Amira was het bezit van slechts één man,' zei hij. 'De man met wie je geen ruzie wilde hebben: Boni Fisso.'

21

Serena zette de auto op de oprit van haar huis. Ze stapte niet uit, maar zette haar telefoon uit en bleef onbeweeglijk in het donker zitten.

Ze herinnerde zich de eerste keer dat het gebeurde, met Deirdre, toe ze achttien was. Ze stond onder de douche. Deirdre wist dat ze af en toe onder het water vergetelheid zocht, dat ze het over haar hoofd liet stromen wanneer de herinneringen terugkwamen, en hoopte dat het tot boven haar lippen zou stijgen zodat ze verdronk. In Phoenix nam ze altijd een douche als Blue Dog, de drugsdealer van haar moeder, klaar met haar was. Bruin water, lauwwarm, later koud.

Ze wist niet hoelang ze daar de eerste keer had gestaan. Bevroren. Verloren. Ze had zich een verlamde gevoeld, zich wel bewust van haar omgeving maar niet in staat om zich te bewegen of te reageren, machteloos als het erom ging een eind te maken aan wat haar overkwam. Ze was gedwongen haar verleden terug te spoelen en het telkens opnieuw te zien gebeuren. Het was of ze, sinds ze twee jaar ervoor aan Phoenix was ontsnapt, nog helemaal niet ontsnapt wás, maar werd verteerd door één enkele, onhoorbare schreeuw.

Toen voelde ze iemand in haar cocon kruipen. Geluidloos, uit het niets, was Deirde bij haar geweest. Achter haar in de douche, naakte huid tegen naakte huid. Deirdre met haar lippen bij haar oor die steeds maar kirde: *It's okay, baby.'* Deirdres handen die om haar buik werden gelegd en haar liefdevol vasthielden, vertroetelden, redden. Serena leunde tegen haar aan, en vanbinnen liep iets vast. Een damwand van angst en schaamte begon scheuren te vertonen en af te brokkelen. Serena snikte. Ze trilde over haar hele lichaam en had het onbeschrijflijk koud, koud tot in haar ziel; alleen Deirdre gaf haar warmte. Hoe meer tranen er vloeiden, hoe steviger Deirdre haar vasthield en troostte.

It's okay, baby.

Serena draaide zich om en begroef haar hoofd in Deirdres schouder, en nog altijd hield Deirdre haar vast, liet haar uithuilen. Toen ze uit haar ondergelopen grot klom en weer in het licht stapte, wist ze niet hoelang ze daar hadden gestaan. De douche liep nog, het water was koud, maar zíj waren warm. Toen Serena Deirdre eindelijk in de ogen keek, voelde ze zich vrij. Ze zag Deirdres natte, mooie gezicht en voelde dat ze werd overspoeld door een golf van liefde en dankbaarheid die overging in hartstocht. Deirdre begon en Serena hield haar niet tegen. Ze deed mee. Hun lippen vonden elkaar. Hun gladde lichamen leken in elkaar over te gaan. Ze voelde dat Deirdre genoot van haar aanraking, en hoe meer Deirdre reageerde, hoe meer Serena haar best deed om haar te laten genieten. Ze kuste haar. Masseerde haar onderrug. Hoorde haar fluisteren dat ze door moest gaan. Ze liet vingers in haar glijden, overal, voor en achter, diep en onderzoekend. Wilde in haar klimmen.

In haar herinnering was het of ze nog druipend van de douche naar het bed waren geglibberd, waarna ze, terwijl de avond viel, uren samen waren geweest, eindeloos met elkaar hadden gevrijd in het piepende tweepersoonsbed waar Serena meestal alleen in sliep. Waarna ze uiteindelijk, toen ze elkaar volledig hadden bevredigd, uitgeput, verstrengeld, in slaap vielen.

Ze waren een halfjaar elkaars minnares geweest. Ze wist dat Deirdre het zo had willen houden, en in het begin had Serena het ook gewild. Ze was bang voor mannen en voelde zich in Deirdres armen veilig. Ze had geen moeder, en ook die rol speelde Deirdre voor haar. Dat was een tijdlang voldoende geweest.

Maar toen Serena's zelfvertrouwen terugkeerde, besefte ze dat hun relatie op zand was gebouwd. Ze hield van Deirdre, maar wilde niet langer haar minnares zijn. Ze wilde zien wat ze voor zichzelf kon opbouwen, op eigen kracht, zonder nog langer op iemand te leunen of naar iemand toe te rennen om zich te laten redden.

Ze kregen er ruzie over. Deirdre werd hysterisch. Uiteindelijk drong het tot Serena door dat Deirdre de angstige was, degene die háár liefde nodig had en bang was voor mannen. Deirdre was degene die niet zonder Serena kon.

Maar Serena zette er hoe dan ook een punt achter. Waarna Deirdre een nieuw leven begon. Ze dook onder in prostitutie en drugs. Ze dacht steeds dat Deirdre het deed om zich op haar te wreken, als een verwijt. Serena gaf zichzelf er nog steeds de schuld van. Haar fout. Haar schuld. Deirdre was er voor haar geweest toen ze in de allerdiepste put zat, en Serena was weggelopen toen Deirdre haar nodig had. Ze had haar gewoon laten doodgaan zonder haar op te zoeken, zonder te proberen haar te troosten.

Serena zat in haar auto en keek naar de herinneringen die in haar hoofd werden afgespeeld. Ze was weer achttien. Zo voelde het. Toen Claire het toneel op was gekomen, had Serena Deirdre gezien. Toen Claire haar had aangeraakt, had ze Deirdres handen gevoeld. Ze leken in niets op elkaar, maar dat was het punt niet aan. Claire had gelijk: Serena had naar haar verlangd. Wat ze had gewild, was achter Claire aan de doucheruimte instappen, zich uitkleden, kussen, aanraken en een manier vinden om weer met Deirdre de liefde te bedrijven. Om haar te vertellen hoezeer het haar speet. Om haar te vertellen dat alles in orde was.

Its okay, baby.

22

'Wat nu?' vroeg Amanda. Ze stonden bij Moose voor de deur.

'Ik ga morgenochtend weer bellen met Walker Lane,' zei Stride. 'Het kan me geen donder schelen wat Sawhill zegt.'

'Walker zal niet toegeven dat hij Amira heeft vermoord.'

'Nee, maar hij weet misschien wel wie er nu bezig is en waarom. Dit is geen vendetta op willekeurige personen. Het gaat om bepaalde personen.'

'Als Walker Amira wel heeft vermoord, waarom heeft Boni hem dan niet om zeep gebracht?' vroeg Amanda. 'Aangenomen dat Moose gelijk heeft en Boni en Amira een relatie hadden.'

Stride dacht aan de penthouse-suite in de Charlcombe Towers en aan Boni Fisso, die omlaag keek naar zijn oude casino. En zijn nieuwe Orientproject. 'Leden van een gezin doden, dat gaat nog wel. Maar de hoogste baas van een bedrijf en beroemdheid als Walker vermoorden, dat moffel je niet zomaar weg. Als Walker Lane was vermoord of verdwenen, was men vragen gaan stellen.'

'Walker *is* verdwenen,' zei Amanda. 'Hij is naar Canada gevlucht.'

Stride knikte. 'Misschien was hij op de vlucht voor Boni. Misschien is hij nog altijd op de vlucht.'

Hij hoorde zijn mobieltje overgaan. Hij viste het op in de verwachting dat Serena belde, maar het was een onbekend nummer.

'Stride,' zei hij.

Hij hoorde een mannenstem, vlak en zonder emotie. Een onbekende. 'Heb je haar al gevonden?'

Stride wist het zonder ernaar te vragen. Vanaf het moment waarop hij zag hoe de moordenaar in de Oasis een vingerafdruk voor hen achterliet, had hij erop gerekend dat dit zou gebeuren. De man zou een manier zoeken om contact te maken, om het tot iets persoonlijks te maken.

Hij knipte met zijn vingers om Amanda te waarschuwen. Ze zag aan zijn gezicht en toen hij op zijn telefoontje wees wat er aan de hand was. Hij drukte op de speakerknop. 'We zijn nu bij het huis van Moose,' zei hij.

'Haar bedoel ik niet,' was de ongeduldige reactie. 'Niet het meisje.'

'Waar hebt u het over?' vroeg Stride. Hij articuleerde geluidloos naar Amanda: *Nog een slachtoffer?*

'Je zult sneller moeten handelen, meneer de rechercheur. Ik heb geen tijd om het je allemaal voor te kauwen. Ik ben het hek uit gereden in een zilveren Lexus. Dat beperkt het aanzienlijk.'

Stride luisterde of er iets triomfantelijks in de stem te horen was, maar nee, hij klonk niet onevenwichtig, als een monster. 'Waarom belt u nu?' vroeg Stride.

'Ik doe jouw werk, meneer de rechercheur. Ik ga een moordenaar vangen.'

'Waarom moorden om een moordenaar te vangen?' vroeg Stride op scherpe toon. 'De mensen die je hebt gedood, waren onschuldig. Waarom kom je niet naar het bureau en vertel je ons wie volgens jou Amira heeft vermoord? Het gaat toch om gerechtigheid voor haar?'

'Zoals jullie veertig jaar geleden hebben gedaan?'

'Je hebt een kleine jongen vermoord,' snauwde Stride. 'Dat is erger dan alles wat er toen is gebeurd.'

Er viel een lange stilte en hij dacht dat hij een gevoelige snaar had geraakt. Hij hoorde de ademhaling van de man sneller en luider worden.

'Je snapt niet wat er toen is gebeurd,' zei de man ten slotte.

'Leg het me dan maar uit,' zei Stride. 'En vertel me dan ook wat dit allemaal met jou te maken heeft.’ Hij praatte niet tegen een oudere man, maar tegen iemand van hooguit zijn eigen leeftijd. Het was uitgesloten dat de man deel had uitgemaakt van de gebeurtenissen in de Sheherezade.

‘Ben je daar nog?’ zei Stride erachteraan toen er geen antwoord kwam. ‘Hallo.’

De stilte strekte zich uit tot in de dode lucht. Hij controleerde zijn toestel en zag dat het gesprek was afgelopen. De beller had opgehangen.

Toen hij op de terugbelknop had gedrukt, ging het andere toestel eindeloos over zonder dat er werd opgenomen.

‘Shit,’ zei hij. ‘Er is hier nog ergens een lichaam.’

Maar dit lichaam leefde.

Een halfuur later vonden ze Cora Lansing, een weduwe van vijfenzeventig, vastgebonden op een veel te grote stoel van walnotenhout in haar eetkamer, in een huis niet ver van Moose’s landhuis in MiraBella. Er zat een strook grijze tape over haar mond geplakt. Haar ogen waren groot van angst, en ze had zich bevuild, een stinkbom in haar met lavendel besproeide huis. Maar ze was niet gewond.

Ze riepen een ambulance op, waarvan de bemanning haar zuurstof toediende en voorzichtig de tape van haar mond verwijderde. Er bleven een rode plek en lijmresten achter waar ze met geïrriteerde vingers aan zat te plukken. Ze was net een teer vogeltje, maar pisnijdig, zelfs nadat ze had gedoucht en schone kleren had aangetrokken. Stride schonk haar een groot glas Remy Martin uit haar drankkast in om haar te kalmeren.

Ze kregen haar verhaal snel los. Ze had gewinkeld bij Nieman’s en toen ze bij haar auto kwam, zat er een onbekende in. De man had haar gedwongen door de bergen naar de zuidelijke ingang van Lake Las Vegas te rijden en zich verborgen op de achterbank terwijl zij de bewaker groette. Hij had haar duidelijk gemaakt dat, als ze probeerde de bewaker in te seinen, hij hen beiden zou doodschieten, en uit zijn manier van spreken had Cora opgemaakt dat hij het zonder twijfel zou doen.

Ze was met hem naar haar huis gereden, waar hij haar had vastgebonden, een prop in de mond gestopt en gewacht tot het donker werd. Toen was hij in haar auto weggereden.

'Hebt u gezien hoe hij eruitzag?' vroeg Stride.

'Jazeker,' antwoordde Cora onmiddellijk, tot zijn verbazing. 'Ik zal zijn gezicht nooit vergeten.'

Stride voelde een golf van opwinding, vermengd met een angstig voorgevoel. Tegen Amanda zei hij: 'Laat een tekenaar komen.'

Stride keek naar Cora en dacht bij zichzelf wat hij nooit hardop tegen de vrouw zou zeggen: *Waarom ben je in godsnaam nog in leven?*

'Kunt u hem beschrijven?' vroeg hij.

Cora schilderde snel een beeld van een man die hetzelfde postuur had als de man die Elonda bij de bushalte had gezien voordat M.J. was vermoord: niet zo groot als Stride, mager maar heel sterk, met kort donker haar en een hoekig gelaat. Of hij had zijn baard afgeschoren of die van zaterdagnacht was vals geweest. Cora gaf voldoende details om een politietekenaar in staat te stellen een goed gelijkend portret te maken. Stride keek om zich heen naar de smaakvolle, dure kunst in Cora's huis. Ze had een scherp oog.

'Heeft hij iets tegen u gezegd?' vroeg Stride. 'Over wie hij was of waarom hij dit deed?'

Cora schudde haar hoofd. 'Met geen woord. Hij heeft nauwelijks iets gezegd. Maar hij was zeer aanwezig. Heel bedreigend.'

Stride bedankte haar en snorde een agente op om haar gezelschap te houden tot de tekenaar vanuit de stad was gekomen. Hij verliet Cora's huiskamer en liep naar buiten. Het telefoontje van de moordenaar liet hem niet los. Hij wou dat het langer had geduurd, omdat hij niet zeker wist of de man nog eens zou bellen. De man had gezegd wat hij te vertellen had en Stride ingelijfd in de jacht. Maar de jacht waarop?

Amanda kwam bij hem staan. 'Je ziet er niet gelukkig uit,' zei ze tegen hem. 'Is dit niet wat je noemt een doorbraak? Een aanwijzing? Het is toch iets positiefs?'

‘We hebben die alleen maar omdat hij die ons heeft gegeven,’ zei Stride. ‘Hij had die vrouw kunnen doden, en dan hadden we geen flikker gehad. Maar hij wil ons laten weten hoe hij eruitziet. Waarom?’

‘Misschien omdat het een arrogante klootzak is. Het zou niet de eerste seriemoordenaar zijn die over zijn eigen ego struikelt. Kijk maar naar “Born To Kill”. Ze hadden hem in Wichita nooit te pakken gekregen als hij na dertig jaar geen brieven naar de krant was gaan sturen.’

Stride schudde zijn hoofd. ‘Hij weet dat hij een risico neemt, dat we hem zouden kunnen vinden. Zijn kop komt in alle kranten. Iemand zou hem kunnen herkennen.’

‘Hij denkt misschien dat hij zijn sporen zo goed heeft uitgewist dat het niet uitmaakt.’

‘Volgens mij niet, Amanda. Ik weet zeker dat hij zijn sporen heeft uitgewist, maar ik geloof niet dat hij ons iets geeft zonder dat het een deel van zijn plannen is. Jezus, hij had Tierney op elk gewenst moment in de stad kunnen vermoorden. Dan had hij geen manier hoeven bedenken om de beveiliging hier te omzeilen. En hij had ons al helemaal zijn gezicht niet hoeven te tonen.’

‘Hij wil indruk maken,’ suggereerde Amanda.

Stride dacht erover na. Hij hoorde de stem van de moordenaar weer in zijn hoofd. Koel, doelbewust. Klagend over dingen die hij voorkauwde. Alsof de politie zijn schema in de war stuurde.

‘Of het was een boodschap,’ zei Stride.

23

Woensdagmorgen verscheen Serena bij zijn kantoorhokje. Hij leunde gevaarlijk ver achterover met zijn bureaustoel en had zijn voeten op zijn formica werktafel gelegd.

'Hoi, meissie,' zei hij. Hij was thuisgekomen toen Serena allang in bed lag en was er bij het ochtendgloren weer uitgestapt en had haar laten slapen.

'Hoi,' zei ze.

'Je moet echt het machtige moordenaarsontbijt proberen,' zei hij. Serena keek hem niet-begrijpend aan en hij wees naar zijn werktafel. De rimpels verdwenen van haar voorhoofd en ze lachte toen ze een zak Krispy Kreme-donuts en een grote plastic fles Sprite zag.

Sererna kwam binnen en ging zitten, maar Stride zag aan haar manier van doen dat ze niet op haar gemak was.

'Is er iets?' vroeg hij.

Hij was blij dat ze niet probeerde hem af te wimpelen met een gemaakt lachje en te doen of er niets aan de hand was.

'Er is gisteravond iets gebeurd,' zei ze.

'O. Toch niks ergs?'

'Nee.' Ze aarzelde, en voegde eraan toe: 'Ik ben nog niet zover dat ik erover kan praten.'

Stride was een pokeraar. Op zijn gezicht viel niets te lezen.

'Moet ik me zorgen maken?' vroeg hij.

'Nee. Of misschien wel. Ik weet het niet.' Ze schudde haar hoofd. 'Heel verhelderend, hè? Sorry hoor.'

Hij keek haar een hele tijd aan en probeerde achter haar ogen te kijken en te begrijpen wat ze verborgen hield.

'Ik ben er voor je als je zover bent,' zei hij. 'Maar duw me niet weg.'

'Zoveel geluk heb je niet,' hield Serena hem voor. Ze knipoogde, probeerde alles weer prettig te maken. Hij voelde zich er iets beter door.

Amanda boog zich om de wand van het hok met een stapel wit papier. 'Hier heb je onze dader,' zei ze. Ze gaf hun beiden een kopie van de tekening die de politietekenaar had gemaakt aan de hand van Cora Lansings beschrijving. Strides blik werd onmiddellijk naar de ogen van de man getrokken, die donker maar opmerkelijk expressief waren. Hij dacht dat die ogen hem zouden volgen als hij de tekening aan de muur hing.

'De uniformdienst gaat nogmaals de buurten door waar de moorden zijn gepleegd om te zien of iemand hem herkent,' vertelde Amanda. 'Ik heb hem ook naar Jay Walling in Reno gefaxt. Sawhill geeft de prent vanmorgen op een persconferentie vrij voor de media.'

Stride moest lachen, want hij wist hoe graag Sawhill in de schijnwerpers stond. Hij zou de indruk geven dat dit het product van een fraai staaltje briljant recherchewerk van zijn afdeling was. Geen cadeautje van de moordenaar.

'Heb je Walker gebeld?' vroeg Amanda.

'Sawhill wil een paar uur de tijd hebben om met de politici te overleggen,' zei Stride. 'Ik heb hem gezegd dat ik ga bellen als ik tegen de middag niks heb gehoord.'

'Hoe zit het met Boni? Maken we daar enige vorderingen?'

Stride wendde zich tot Serena. 'Heb jij Claire gesproken?'

Ze knikte. 'Ze hebben geen contact. Ik denk niet dat ze hem zal bellen. Maar ze heeft de deur niet helemaal dichtgeslagen.'

'Wat is het voor iemand?' vroeg Amanda.

'Uiterst onafhankelijk. Het scheen haar niet te deren dat ze misschien gevaar loopt. Ze heeft als zangeres trouwens buitengewoon veel talent. En ze is charmant. Ik denk dat ze net als haar vader alles doet om haar zin te krijgen.'

Stride wendde zich tot Amanda. 'We moeten mensen waarschuwen. En snel. In het artikel van Terrell worden nog een paar namen genoemd. Het kan zijn dat zij of hun gezin in gevaar zijn. En ik wil ook Leo Rucci natrekken. Hij was Boni's rechterhand in de Sheherezade en degene die met Helen naar bed ging. Iedereen die op zoek gaat naar wat er met Amira is gebeurd, komt Leo's naam tegen.'

'Hij staat al op mijn lijstje,' zei Amanda. 'Misschien kan ik hem uithoren over de moord op Amira.'

'Ja, ik weet zeker dat hij wel wil praten. Probeer er ook achter te komen hoe het zit met die ruzie in de nacht van de moord. En wie die Mickey was. Daar zit ik mee in mijn maag.'

'Goed.'

Tegen Serena zei hij: 'Kun jij, of anders Cordy, voor ons een aanwijzing nalopen? Tierney maakte gebruik van een beveiligingsfirma hier in de stad, Premium Security. Ik weet niet of Karyn ze ook gebruikt, maar ze vertelde dat ze 's middags een bodyguard mee had gehad, voordat ze naar die afspraak met M.J. ging. Het is de moeite waard om daar de tekening van de dader ook te laten zien. Misschien had hij toegang tot informatie over de agenda's van de slachtoffers.'

'Goed, doe ik.' Serena greep een handvol tekeningen en maakte aanstalten om het kantoor te verlaten. Toen, met een glimlach naar Amanda, boog ze zich voorover en gaf Stride een lange kus.

'Zo beter?' vroeg ze hem.

'Nou en of.'

Ze gaf hem ook nog een knipoog toen ze de deur uitging.

'Als ik jou was, zou ik een aanklacht wegens seksuele intimidatie indienen,' plaagde Amanda hem.

'Mooi niet.'

De telefoon op zijn bureau rinkelde en Stride greep de hoorn. Hij was nog niet helemaal bij adem na de kus. 'Stride.'

'Met Walker Lane. Ik begrijp dat u me wil spreken.'

Stride herkende de hese stem. Hij leunde achterover en zette zijn gedachten op een rij. 'Ja, inderdaad, Mr. Lane. Hebt u even tijd voor me?'

Het was een hele tijd stil aan de andere kant, zoals hij bij Walker was gaan verwachten. 'Ik had iets anders in gedachten. Ik dacht aan een persoonlijke ontmoeting.'

'Komt u naar Las Vegas?' vroeg Stride verrast.

'Nee, nee. U weet hoe ik over die stad denk. Ik stuur mijn privéjet. Als u om twee uur op McCarran bent, brengt hij u naar Vancouver. Kunt u daarmee akkoord gaan?'

24

De secretaresse op het kantoor van Leo Rucci in de voorstad Henderson deelde Amanda mee dat Rucci op woensdag altijd ging golfen. Amanda bleef er lang genoeg rondhangen om te weten te komen dat Rucci in Nevada en Zuid-Californië een goedlopende keten van bedrijven voor snelle autoservice had. Hij was multimiljonair, gescheiden en had één zoon die net als M.J. maar één bezigheid had: het uitgeven van papa's geld.

Het was duidelijk wie Rucci had geholpen bij het opzetten van zijn zaak. Er hing een grote foto in de hal van het bedrijf van Leo Rucci en Boni Fisso die samen het lint doorknipten bij het eerste snelservicestation.

Maar Rucci was niet langer welkom in Boni's casino's. Of welk casino dan ook. Hij stond in het *Black Book*, een lijst opgesteld door de Staatscommissie voor Kansspelen van personen wier banden met de georganiseerde misdaad en andere onwettige activiteiten maakten dat ze zelfs geen gebruik mochten maken van de toiletten in welk casino in Nevada dan ook. Volgens Nick Humphrey had Rucci in de jaren zeventig voor Boni de schuld op zich genomen toen de FBI een inval in de Sheherezade deed, op jacht naar bewijzen van belastingontduiking. Boni kwam er zonder een schrammetje van af. Maar de FBI moest een trofee hebben, en dat werd Leo. Hij zat vijf jaar in de gevangenis wegens belastingfraude, maar liet nooit iets los over zijn baas.

Toen hij begin jaren tachtig vrijkwam, had Boni een legitiem bedrijf voor hem opgezet. *Loyaliteit is lonend*, dacht Amanda.

Langs de weg van Henderson naar de Interstate 15 nam ze op de parkeerplaats bij McCarran haar gebruikelijke pauze met koffie en een sigaret. Ze keek naar de vliegtuigen en dacht serieuzer na over het opgeven van haar baan en ontsnappen uit de stad. Vreemd, hoe je ideeën in een dag tijd konden omslaan, gezien het feit dat ze de dag ervoor nog aannam dat ze nooit zou weggaan. Maar Bobby en zij hadden, toen ze de vorige avond thuiskwam uit de wereld van de misdaad in Las Vegas, een lang gesprek gehad. Hij bleef altijd op om haar te verwelkomen. Lief van hem. Maar toen hij de krassen in het portier van de Spyder zag, kreeg hij een woedeaanval en wilde hij meteen door naar het stadhuis. Hij was de pesterijen zat, en zij ook. Ze wist dat het nooit zou veranderen. Zolang ze in Las Vegas bleef, zou ze een rariteit zijn, gehaat en ongewenst.

Het probleem was dat ze van haar werk hield. Het idee dat ze zich liet wegpesten, beviel haar niet.

Ze drukte haar sigaret uit en reed naar het Badlands-golfterrein in de noordwesthoek van de stad, op zoek naar Leo Rucci. De bediende in de pro-shop zei haar dat het drie man tellende gezelschap van Rucci ergens op de Diablo negen waren, en hij vond het goed dat ze een golfkarretje nam om hen te gaan zoeken. Terwijl ze over de paden reed, werd ze zoals altijd weer verliefd op de stad. De fairways waren weelderig groen en liepen in smalle banen omhoog en omlaag tussen de reusachtige buitenverblijven en de gouden woestijnstruiken, en hier en daar werd het groen onderbroken door het wit van een bunker. De messcherpe toppen van rood gesteente rezen een mijl verder naar het westen op. De temperatuur was rond de dertig graden, maar de stevige bries op haar gezicht hield haar koel.

Ze vond Rucci en zijn drie golfpartners op de green van een van de laatste holes. Hun rauwe lach droeg ver op de wind. Ze wachtte tot ze hadden geput en op weg waren naar hun eigen golfkarretjes, reed toen naar hen toe en parkeerde achter hen. Ze stapte uit met de wapperende politietekening in haar hand.

'Leo Rucci?' riep ze.

Ze bleven alle vier staan en bekeken haar wantrouwend. Een van de jongere kerels liet een hand in zijn binnenzak glijden, en Amanda vroeg zich af of hij gewapend was. Rucci wuifde de anderen weg en kwam zwaaiend met de putter op haar af. Hij was duidelijk het alfamannetje, de langste en zwaarste van de groep. Hij was eind zestig maar met een indrukwekkend voorkomen, met een gladgeschoren kop en een nek die op een boomstam leek. Hij droeg een zonnebril, een antracietkleurig en zwart Tehama-windshirt en een korte kakibroek. Ze kon zich hem goed voorstellen als de jongere man die als manager van de Sheherezade voor Boni koppen in elkaar ramde.

'Ja, ik ben Rucci. En wat zou dat? Wie ben jij?'

'Ik ben Amanda Gillen van de afdeling Moordzaken van de Metro.'

Rucci vertrok geen spier. 'Zo, een smeris. Wat moet je van me?'

Amanda gaf hem de tekening. 'Ik zou graag van u vernemen of u deze man kent.'

Rucci pakte het papier aan zonder er een blik op te werpen, frommelde het in elkaar, gooide het in de lucht en liet het door de wind meenemen. 'Nee, die ken ik niet.'

'Fijn dat u zo goed hebt willen kijken,' zei Amanda.

'Ik hou niet van smerissen. Dat betekent dat ik jou niet mag. Als je iemand wil opbergen, dan doe je dat maar zonder mij.'

'Deze man zal misschien proberen je te vermoorden,' zei Amanda. 'Of je zoon.'

Rucci dook in zijn broekzak en haalde er een golfbal uit. Hij nam hem in beide handen en vlocht zijn vingers in elkaar. Met zijn armen horizontaal kneep hij. Zijn vingers werden rood, maar zijn gelaatsspieren trokken niet samen, alsof het hem geen enkele inspanning kostte. Amando hoorde gekraak toen het omhulsel van de golfbal scheurde. Rucci opende zijn handen, pelde het plastic van de bal en gooide de resten samen met de binnenkant weg.

'Niemand rotzooit met Leo, schat. Als iemand me te pakken wil nemen, kan ik het zonder jouw hulp af.'

'En je zoon?' vroeg Amanda. 'Zorg je ook voor zijn veiligheid?'

'Mijn Gino kan heel goed voor zichzelf zorgen,' zei Rucci.

'Nou, dan kun je hem maar beter waarschuwen dat iemand misschien een schietschijf op zijn rug schildert. Er zijn al drie mensen dood, onder anderen een kleine jongen. Ze hadden allemaal iets te maken met de Sheherezade en Amira Luz. Net als jij. Dus jij of je zoon Gino kan de volgende zijn.'

'Bedankt voor je goede raad.' Rucci draaide zich om en wandelde naar zijn drie makkers met hun uitgestreken gezichten.

'Hé, Leo,' riep Amanda hem na. 'Wie heeft Amira vermoord?'

Rucci bleef staan. Hij kwam terug en zei, leunend op zijn putter: 'Een of andere mafketel uit LA. Waarom vraag je dat niet aan Nick Humphrey? Hij heeft het onderzoek geleid.'

'Er zijn mensen die denken dat Walker Lane Amira heeft vermoord.'

'Er zijn mensen die denken dat Castro Kennedy heeft vermoord. Daarmee is het nog niet waar.'

'Ik denk dat Walker wel verdomd veel lef moest hebben gehad om Amira te vermoorden. Ik bedoel, gezien het feit dat ze Boni's maîtresse was. Wist Walker dat?'

Rucci kwam met een grauw op haar af terwijl hij met de putter zwaaide alsof hij haar wilde slaan. Amanda deed onwillekeurig een stap achteruit. 'Boni Fisso heeft meer voor deze stad gedaan dan alle smerissen en politici bij elkaar. Als je dat maar weet. Hij is een van de kerels die deze stad groot hebben gemaakt. Dus ga niet tegen mij over hem lopen zeiken, ja? Een scheet van Boni is meer waard dan alles wat jij ooit zal presteren.'

Amanda herstelde zich en stapte in Rucci's schaduw. Ze was vijftien centimeter kleiner dan hij en ze wist donders goed dat hij haar moeiteloos in tweeën kon breken. Maar toch bracht ze haar gezicht tot vlak voor het zijne. 'Waar was jij toen Amira werd vermoord?'

'Dat weet je best,' was Rucci's onmiddellijke reactie, waarbij hij voor het eerst grijnsde. 'En je weet ook waar ik mee bezig was. Ik was een van de danseressen aan het palen. Ze kon amper nog een stap zetten toen ik klaar was met haar. Misschien dat je ook wil weten hoe dat aanvoelt, rechercheur.'

'Misschien snij ik hem er gewoon af en maak ik er een presse-papier van,' zei Amanda met een brede grijns. 'Vertel me maar eens over de ruzie die avond.'

'Wat voor ruzie?'

'De danseres met wie je die avond sliep, Helen, zegt dat je werd gebeld door een van de badmeesters, een knaap die Mickey heette. Er werd gevochten door een dronken kerel en jij ging erheen om er een eind aan te maken.'

Rucci schudde zijn hoofd. 'Helen heeft het mis. Voor haar eigen bestwil kan ze maar beter haar mond houden en niet met de politie praten.'

'Dat is bedreigen van een getuige, Leo. Daar krijg je spijt van.'

'Ik hoef niemand te bedreigen. Er was geen ruzie. Er was geen telefoontje. Helens geheugen is in de war. Kan gebeuren. Ze is een oude vrouw nu, onder al die botox en nep. We hadden voortdurend dronkenlappen die bonje maakten, en ik sloeg ze een gebroken neus en stuurde ze terug naar waar ze vandaan kwamen. Maar die avond niet.'

'Denk je dat Mickey hetzelfde verhaal zal vertellen?' vroeg Amanda.

'Als je hem kan vinden, moet je het hem maar vragen.'

'Enig idee waar ik hem kan vinden?'

'Natuurlijk. Ik hou contact met elk snotjong dat 's zomers in het casino meiden uit hun bikini kwam helpen.'

'Wat is zijn achternaam?'

Rucci grijnsde. 'Mouse.'

Hij slenterde terug naar zijn karretje en ramde de putter terug in de tas. Het viertal reed weg in hun twee karretjes, en onderweg draaide een van hen zich om en stak een middelvinger op naar Amanda.

Ze zwaaide terug.

25

Serena liet Cordy in zijn PT Cruiser naar het kantoor van Premium Security rijden. Ze zat naast hem en staarde naar buiten terwijl ze probeerde te ontdekken welk gevoel de overhand zou krijgen. Ze was kwaad op zichzelf omdat ze in het verleden bleef hangen, verward door haar gevoelens voor Claire, stapelverliefd op Jonny en nog geil ook. Kies maar uit.

Cordy had een Spaanstalige radiozender aanstaan en trommelde met zijn vingers op het stuur op de maat van een stomvervelende, bonkende beat van een nummer dat ze niet verstond. Toen Serena er niet langer tegen kon, boog ze naar voren en zette de radio uit.

'Wat zit je dwars, mama?' vroeg Cordy.

'Niks. Ik ben alleen niet in de stemming voor *La Bamba*. Mag dat?'

'Ja, hoor. Mij best.'

Ze stopten voor een verkeerslicht en Cordy bleef het nummer neuriën.

'Vertel eens, Cordy,' zei Serena. 'Het ging toch goed met jou en Lavender? Waarom verpest je het dan?'

Cordy wees naar buiten. Op de hoek stond een langbenige brunette pas op de plaats te joggen, in afwachting van groen licht. 'Zie je dat? Dat is een sexy *muchacha*. Ik zie haar, en het eerste wat er gebeurt is dat ik haar in mijn hoofd helemaal uitkleed. Wat voor kleur hebben haar tepels? Hoe groot zijn ze? Je weet wel, een kwartdollar, een halve, nog groter. Wat voor slip heeft ze aan. Bikini, tanga, misschien wel niks. En dan vraag ik me af hoe ze in bed zal zijn. Volgens mij is zij...'

'Zo is het wel genoeg,' kapte Serena hem af.

Cordy haalde zijn schouders op. 'Jij vroeg ernaar.'

Serena hoopte dat hij het onderwerp zou laten rusten, en dat deed hij ook. Ze had trouwens geen behoefte aan de raad van een man. Wat er in haar hoofd omging, had niets met lust te maken. Of niet alleen met lust.

Ze vroeg zich af of ze biseksueel was. Die gedachte was al die jaren nooit bij haar opgekomen. Zelfs in de tijd met Deirdre had ze het nooit beschouwd als vrouw met vrouw, maar gewoon als twee vriendinnen die elkaar troostten met behulp van seks. Ze had nooit iets met een andere vrouw gehad. Haar ervaringen met mannen waren, totdat Jonny verscheen, op z'n best roerig, maar dat schreef ze toe aan haar agressieve verdediging, gevolg van de hel waarin ze in Phoenix had geleefd.

Er was niets gebeurd met Claire, hield ze zichzelf voor. Maar ze was niet erg gerust op haar wilskracht. Toen Claire had geprobeerd haar te verleiden, had ze op het punt gestaan toe te geven, en het was alleen aan het telefoontje van Jonny te danken dat haar stemming was omgeslagen en haar een excuus had gegeven om weg te gaan.

'Hier is het,' zei Cordy en draaide de parkeerplaats bij een rijtje bouwvallige winkels aan Spring Mountain Road op die eruitzagen alsof ze bij de eerste beste bries zouden wegwaaien. Ze bevonden zich een paar mijl ten westen van de Las Vegas Boulevard.

Serena keek met een frons op. 'Zit hier Premium Security?'

Cordy wees op het bord op de glazen deur voor hen waarop de naam van het bedrijf in bladderende witte letters stond vermeld. De ramen waren zo donker gemaakt dat je niet naar binnen kon kijken. Serena noteerde in gedachten welke andere bedrijven er in het kleine complex zaten, zoals een fastfood gyros-tent, een handel in auto-onderdelen en een pandjeshuis dat adverteerde met handvuurwapens.

'Weinig overhead,' zei Serena.

'Uh-huh.'

Ze stapten uit en liepen naar de deur, maar die was dicht. Serena zag een belknop en drukte er een aantal malen op. Ze tuurde door de donkere ramen, maar zag niets. Ze vermoedde echter wel dat er een camera was die hen registreerde. Een paar tellen later hoorde ze een zachte klik en kon ze de deur opentrekken. Ze kwamen in een benauwend krap halletje van iets meer dan één bij één meter, tegenover een volgende deur die op slot was. Ze had gelijk: er was een camera op hen gericht.

Ze hoorde een vrouwenstem uit een speaker boven hun hoofd: 'Laat alstublieft de buitendeur achter u in het slot vallen.'

Cordy sloot hem, en nu hoorden ze twee sloten dichtklikken. Toen hij weer aan de deur morrelde, was die gesloten. Ze zaten in de val.

'Wat kan ik voor u doen?' vroeg de lichaamloze stem.

Serena legde uit wie ze waren en hield haar penning voor de camera. Er klonk opnieuw een klik en de binnendeur zwaaide open.

Ze kwamen in een verrassend luxe wachtruimte die helemaal niet paste bij de omgeving en de rest van de winkels. Boven hun hoofd klonk zachte bigbandmuziek. Er was een kersenhouten balie met een grote vaas stralend gele narcissen. Achter de balie zat een tenger blondje, en Serena kreeg een vleug van haar parfum in haar neus.

'Gaat u zitten,' zei ze met een gulle lach. 'Mr. Kamen komt zo bij u.'

Serena en Cordy namen plaats op een veel te grote bank die hen leek op te slokken. Voor hen, op de salontafel, lagen recente exemplaren van de *Economist*, de *New York Times* en *Variety*. Ze moesten bijna tien minuten wachten voor de deur van het kantoor achter de receptioniste openging en er een man verscheen om hen te begroeten. Ze worstelden zich allebei omhoog uit de bank en gaven hem een hand.

'Ik ben David Kamen, directeur van Premium Security.' Kamen was gekleed in een zwarte tricot coltrui en een grijze broek. Hij was midden dertig, lang en aantrekkelijk, met zandkleurig haar en een sproeterige, Zuid-Californische huid. Hij droeg een bril met een vierkant, zwart montuur dat al zo lang uit de mode was dat Serena aannam dat het weer hip was.

Kamen ging hen voor naar zijn kantoor, dat even smaakvol was ingericht als de hal. Het viel Serena op dat de deur zwaar was en met een solide plof achter hen sloot.

'Zou ik, voor we gaan zitten, misschien uw identificatiebewijs mogen zien?'

Serena en Cordy gaven hem hun penning, die Kamen zorgvuldig bestudeerde. Hij gaf ze hun met een beleefd lachje terug en nodigde hen met een gebaar uit aan een ronde eikenhouten vergadertafel te gaan zitten. Inlegwerk. Nog meer narcissen.

'We hebben enkele ex-Metromensen in dienst,' deelde Kamen mee.

Serena knikte en noemde twee namen. Ze wilde Kamen laten merken dat ze hun huiswerk hadden gedaan. Hij gaf haar een waarderend knikje.

'U bent schutter?' vroeg Cordy, en wees op een foto aan de muur met Kamen in camouflagepak en een geweer in de hand. Het was een van de weinige afbeeldingen aan de muur met donker, metalig behang.

Hij knikte. 'Afghanistan.'

'Een scherpschutter met een bril?' vroeg Serena.

Kamen gaf haar een knipoog. 'Betrapt. Mijn ogen zijn honderd procent. Meer dan honderd procent. De bril laat mensen denken dat het niet zo is, en dat bevalt me wel. Bovendien is hij cool, vindt u ook niet?'

'Een groot verschil: op voddenkoppen schieten of modellen bewaken in Vegas,' zei Cordy. 'Hoe bent u hierin terechtgekomen?'

'Ik werd ervoor gevraagd,' zei Kamen. Hij vouwde zijn handen en liet verder niets los. Hij was niet iemand die uit zichzelf met informatie kwam. Hij wachtte tot ze verdergingen, trok een beleefd gezicht, maar wierp wel een blik op de klok die op tafel stond.

Serena zag dat Cordy de politietekening uit zijn binnenzak

wilde halen, maar ze stak rustig een hand uit en hield hem tegen. Ze wilde zien wat ze uit de man konden halen voordat ze hem het gezicht van de moordenaar voorlegden.

'U weet dat Tierney Dargon gisteravond is vermoord,' zei ze.

'Natuurlijk. Afschuwelijke zaak.'

'Uw bedrijf verzorgde haar beveiliging, nietwaar?'

'Mrs. Dargon maakte vaak gebruik van ons beveiligingspersoneel wanneer ze in Las Vegas was. Moose is een buitengewoon rijke man, en ze waren bang voor pogingen tot kidnapping. Maar in MiraBella voelden ze zich veilig en daar gebruikten ze ons niet.'

'Stomme zet, hè?' zei Cordy. 'Ze hadden beter een van uw mannetjes in de buurt kunnen hebben.'

Kamen gaf geen antwoord.

'Heeft Tierney u gisteren gebeld en bepaalde beveiligingsafspraken met u afgezegd?' vroeg Serena.

'Dat heeft ze inderdaad gedaan.'

'Wat was er aanvankelijk afgesproken?'

'Ze zou 's avonds naar een van de casino's op de Strip gaan. Een van mijn mensen zou haar ophalen en begeleiden. Maar rond het middaguur belde ze en gaf ze aan dat ze van plan was 's avonds thuis te blijven en dat ze geen gebruik van onze diensten zou maken.'

'Hebt u zelf met haar gesproken?'

Kamen schudde het hoofd. 'Ze heeft met onze receptioniste gesproken.'

'Ik wed dat u voor heel veel sterren werkt,' zei Cordy. 'Dan maakt u vast heel wat rare toestanden mee. En het zal wel net als bij de geheime dienst zijn: u moet uw mond houden.'

'Wij zijn uiterst discreet.'

'Hoe zit het met dat soapsterretje? De meid die die porno deed met M.J. Lane. Hebt u wel eens voor haar gewerkt?'

'Karyn Westermark is een van onze cliënten, ja,' erkende Kamen.

'Maar M.J. niet?'

'Nee.'

'En afgelopen zaterdag dan?' vroeg Serena. 'Was een van uw mensen bij Karyn?'

Hij knikte. 'Miss Westermark nam contact met ons op toen ze in Las Vegas aankwam en Blake, een van onze mensen, is bij haar gebleven toen ze 's middags ging winkelen. Ze geeft de voorkeur aan schaduwbeveiliging. Dan blijven we op de achtergrond, niet dicht bij haar. Indien nodig zijn we er, maar niet opvallend.'

'Was Blake ook zaterdagvond bij haar?'

'Nee, ze heeft hem weggestuurd toen ze haar afspraak met M.J. had,' zei Kamen. 'Ik hoop niet dat u wilt suggereren dat een van mijn mensen bij deze reeks moorden betrokken is. Of dat we informatie over de agenda's van onze cliënten hebben vrijgegeven.'

'We zijn alleen maar op zoek naar verbanden,' zei Serena. 'Wanneer twee van de drie vermoorden in verband staan met hetzelfde beveiligingsbedrijf, worden we nieuwsgierig.'

'Wij werken voor honderden cliënten, mevrouw, onder wie de beroemdste mensen in de stad. Wanneer iemand besluit om beroemdheden te vermoorden, is de kans groot dat er een verband tussen hen en ons is. Daar is niets vreemds aan.'

Serena wist dat hij gelijk had. In Las Vegas beroemdheden op het spoor komen was prijsschieten op de kermis. Ze waren overal.

Ze bracht nog wat andere namen te berde – Linda en Peter Hale, Albert en Alice Ford – en was niet verbaasd dat geen van deze gezinnen uit de middenklasse iets met Premium Security te maken had. Kamen leek opgelucht.

'Hebt u nog andere beroemde cliënten die in verband staan met de Sheherezade?' vroeg ze.

Ze zag een aarzeling in zijn ogen flitsen. 'Een groot aantal, dat weet ik wel zeker,' antwoordde hij voorzichtig. 'De Sheherezade bestaat al jaren. Waarom?'

'Er is mogelijk een link tussen de slachtoffers en het casino.'

'Wat voor link?' vroeg Kamen.

'We doen daar nog geen publieke uitspraken over,' antwoordde Serena. 'U klinkt alsof u iets voor ons achterhoudt, Mr. Kamen.'

Hij zei niets, kneep zijn lippen samen en bestudeerde haar aandachtig. Serena had het onaangename gevoel dat dit dezelfde blik was als waarmee hij zijn slachtoffers in het vizier van zijn scherpschuttersgeweer hield. 'Mr. Kamen?' vroeg ze.

'Wij hebben geen feitelijke banden met de Sheherezade,' zei hij.

Cordy boog zich iets naar voren. 'Geen feitelijke banden. En onfeitelijke banden? Zijdelingse. Wees eens wat duidelijker, Dave.'

Kamen keek alsof hij nog liever een hap glas opat. 'Het bedrijf is eigendom van Mr. Fisso,' zei hij.

'Is Boni Fisso de eigenaar van Premium Security?' vroeg Serena.

'Hij bezit vele bedrijven,' zei Kamen. 'Fabricage van gokautomaten. Direct marketing. Golfartikelen. Hij heeft geen dagelijkse bemoeienis met onze bezigheden. Het is gewoon een investering.'

Cordy's witte tanden blikkerden toen hij Kamen een vette grijns gaf. 'Dus je wilt me vertellen dat jij en de jongens nooit een privéklusje voor Mr. Fisso opknappen? Nooit een paar valsspelers leren dat ze de verkeerde proberen te belazeren?'

'Niets van dat al,' zei Kamen met een strakke mond.

Serena geloofde er geen bal van. Een beveiligingsbedrijf in handen van Boni Fisso was een schitterende manier om op afroep over gorilla's te beschikken en de duistere kanten te verbergen achter het masker van een legitieme actie. Het verklaarde ook de goedkope locatie, waardoor het hele bedrijf buiten de publiciteit bleef. Ze vroeg zich af of er wel eens geheimen van beroemdheden hun weg naar Fisso vonden als materiaal voor invloed of afpersing.

Maar ze wist dat ze niet genoeg hadden aan de connectie tussen Karyn en Tierney voor een gerechtelijk bevel om hier in de boeken te mogen spitten. Kamen en Boni waren voorlopig uit de gevarenzone.

'Als er nog iemand wordt vermoord en we ontdekken dat u over informatie beschikte waarmee dat had kunnen worden voorkomen, zullen we Premium Security aan een grondig onderzoek onderwerpen,' zei ze. 'Is dat duidelijk?' Serena wist dat het een loos dreigement was, maar ze zorgde dat ze koud en hard klonk.

'Natuurlijk, mevrouw.' Kamen was niet onder de indruk.

Cordy stak een hand in de zak van zijn jas, haalde er de politietekening uit en schoof die over de tafel. 'Tijd voor je spreekbeurt, Dave.'

'We willen dat u deze tekening bekijkt en hem aan uw mannen laat zien,' voegde Serena eraan toe. 'Als iemand deze man heeft gezien, moeten we dat onmiddellijk weten. En zeg hun dat ze voor hem op hun hoede moeten zijn als ze bij hun cliënt zijn.'

'Natuurlijk,' zei Kamen. Hij vouwde de tekening open en legde hem met de afbeelding omlaag op tafel, waarna hij met zijn duimen de vouwen platstreek. Hij draaide hem om en de donkere ogen van de moordenaar staarden hem aan.

Serena zag de kleur uit zijn gezicht verdwijnen.

26

Stride had nog nooit in een privéjet gezeten. Het was duizend keer beter dan vliegen in de afdeling veevervoer, waar hij de meeste tijd met zijn knieën onder zijn kin zat. De cabine van de Gulfstream telde acht zitplaatsen: ivoorkleurige fauteuils die zijn lichaam in leer en zachte kussen opslokten. Hij was de enige passagier: alleen hij, en dan nog twee piloten en een stewardess van middelbare leeftijd die glimlachte omdat hij zo zichtbaar onder de indruk was. Hij kon kiezen tussen een plaats aan een esdoornhouten eettafel of relaxen in de ontspanningshoek met muziek en films. Toen de stewardess, die Joanne heette, een overdadige lunch voor hem beschreef, koos hij voor de eettafel, las hij de *Wall Street Journal*, en zag hij hoe de woestijn plaatsmaakte voor de Rockies twaalfduizend meter onder hem. Je kon je makkelijk voorstellen dat je even een van de superrijken was, en hij besefte dat het een manier van leven was waar je snel aan wende.

Na de lunch ging hij ergens anders zitten: hij nestelde zich in de lounge met zwarte koffie die donker en rokerig smaakte, precies zoals hij hem het liefst had. Joanne liet hem zien hoe de afstandsbediening werkte, en hij vond de countrymuziekzender op de satelliet, zodat de cabine ervan dreunde. Hij stelde zich voor dat het de eerste keer was dat iemand in dit toestel Tracy Bird 'Watermelon Crawl' hoorde zingen, maar Joanne was aardig en klaagde niet. Hij was van plan zijn aantekeningen door te nemen en de jongste onderzoeksgegevens over Walker

Lane door te ploegen. Maar ondanks de koffie werkten de zware lunch en het schudden van het vliegtuig terwijl het over de bergen vloog als een kalmeringsmiddel. De dagen van stress en gebrek aan slaap eisten hun tol en uiteindelijk zette hij de leuning naar achteren en sloot zijn ogen.

Zijn droom nam hem mee terug naar Minnesota. Hij zat aan de oever voor zijn oude huis op een smalle strook land met aan de ene kant Lake Superior en aan de andere het rustige water van een haventje. Hij zat op een vuile plastic ligstoel en keek hoe de golven op de oever braken, en zijn eerste vrouw, Cindy, zat op net zo'n stoel naast hem. Ze zaten hand in hand. Elke hand voelde anders aan, en hij kon haar hand echt aanraken en hij voelde de zetting van de smaragd van haar ring in zijn huid krassen. Ze sprak niet. Een deel van hem wist dat het een droom was, en hij wilde het geluid van haar stem weer horen, waarvan de herinnering in de loop van de jaren was vervaagd, maar ze bleef stil, keek naar hem, liefdevol. Ten slotte viel hij in zijn droom in slaap, en toen hij wakker werd, was hij alleen op het strandje. Haar stoel was weg. Er hadden kinderen gespeeld bij het water, ze renden over het zand, maar ook zij waren weg. Er had op het meer een ertstanker voor anker gelegen, het soort schip waar zijn vader op had gewerkt tot een winterstorm hem in het meer had geblazen, maar dat schip was eveneens verdwenen.

Stride werd wakker toen een luchtzak het toestel door elkaar schudde, en hoorde Montgomery Gentry op de satellietradio 'Gone' zingen. Dat was het gevoel dat de droom hem gaf. Weg.

Joanne zei hem dat ze gingen landen, en Stride keek naar buiten, waar hij besneeuwde toppen zag achter de hoog oprijzende skyline van Vancouver. Hij wist waarom hij van Cindy had gedroomd. Ze waren een keer, een aantal jaren daarvoor, samen naar Vancouver geweest toen ze een cruise door de 'Inner Passage' in Alaska hadden gemaakt. Na de cruise waren ze twee dagen in de stad gebleven en dat was betoverend geweest, 's morgens vroeg samen joggen in het mistige Stanley Park, op een bankje aan het water Dungeness-krab eten van de markt op

Granville Island met allemaal hongerige meeuwen om hen heen. Hij herinnerde zich dat hij op die reis dacht dat hij nog nooit van zijn leven zo gelukkig was geweest. Maar niet lang na hun terugkeer was Kerry McGrath, een tiener, verdwenen, wat de aanzet was geworden voor een van de aangrijpendste onderzoeken uit zijn hele loopbaan. En tijdens dat onderzoek was zijn mooie Cindy het slachtoffer geworden van kanker, zo snel en afschuwelijk dat hij haar tegen het einde nauwelijks nog herkende. Hij bedacht dat de kanker al wortel had geschoten toen ze in Vancouver waren, en hij vroeg zich af wat dat zei over het leven. Hij betwijfelde of hij het wilde weten.

Stride was gespannen bij het vooruitzicht Vancouver terug te zien. Hij hield van de stad en wilde de confrontatie met zijn demonen aangaan, of misschien er gewoon in zwelgen. Maar toen ze waren geland, realiseerde hij zich dat het niet zo mocht zijn. Nadat hij toestemming had gekregen van een douanebeambte die naar het vliegtuig was gekomen, stond er geen auto klaar om hem naar Walker Lane te brengen, maar een helikopter. Die zwierde met hem omhoog en nam hem mee naar het zuiden, weg van de stad, naar de eilandjes in de baai ten noorden van Victoria. Hij was een beetje gespannen omdat ze over water vlogen, en niet in een watervliegtuig maar in een baksteen die met een klap op het water zou neerkomen en zinken wanneer de rotors ophielden met draaien. Het was in ieder geval kalm, wolkeloos weer. Het leek een lange vlucht, maar waarschijnlijk duurde het nog geen twintig minuten voordat Stride in het blauwe water onder hen her en der eilandjes zag liggen. Hij zag vissersplaatsjes en brede stroken met eiken en naaldbomen die de bergen bedekten en doorliepen tot de smalle, stenige strandjes. Toen ze boven een van de kleinere eilandjes vlogen, begon de piloot te dalen en vlogen ze griezelig dicht boven de boomtoppen. Achter een bergkam, op de zuidoever van het eiland, zag Stride plotseling een open plek waar een enorm landhuis pal aan het strand stond. Het was of het water bijna tegen de ramen, die uitzagen op de baai, klotste. Het huis zelf was victoriaans, met talloze gevelspitsen en een grote hoofdtoren met een kegelvormig dak. De kleuren waren donker en somber.

De piloot vloog over het huis en zette de helikopter zachtjes neer op een betonnen cirkel in de achtertuin. Hij zette de motor stil en Stride stapte uit. Hij werd opgewacht door een bediende die hem door een doolhof van in figuren geknipte heggen en langs fonteinen naar een brede achterveranda bracht met zwaar, antiek meubilair en een tegelvloer in de kleur van crème brulée.

'Mr. Lane komt zo bij u,' zei de vrouw en liet hem achter.

Stride stond bij een van de deuren en voelde de koele zeewind dwars over het eiland komen. Hij vroeg zich af wat hij van Walker Lane kon verwachten. Het enige wat hij van hem had gezien, waren foto's van tientallen jaren geleden, toen Walker nog erg veel leek op zijn zoon, met een warrige bos haar en een slungelig lijf, als een jongen wiens armen en benen te snel waren gegroeid. Hij was toen al miljonair, en in de loop der tijd was hij miljardair geworden. Stride had nog nooit een miljardair ontmoet. Walkers stem door de telefoon had de indruk gewekt van een lange, strenge man, majesteitelijk grijs, met een trui aan en een glas port in de hand.

Hij had gelijk wat de trui betrof, maar dat was het enige.

'Welkom in Canada, rechercheur,' zei Walker terwijl hij de veranda opreed in een rolstoel die hij met een joystick bediende. 'Ik ben blij dat u ermee akkoord ging hier te komen.'

Stride merkte dat hij staarde. Hij herkende de stem, die klonk als een zware storm, maar niet de man. De helft van Walkers gezicht was merkwaardig star, alsof hij de controle erover was kwijtgeraakt tijdens een hersenbloeding. Zijn rechteroog bewoog niet, en het duurde even voor Stride besefte dat het een glazen oog was. Zijn neus was misvormd, gebroken en gereconstrueerd. Wanneer hij lachte, waren zijn tanden smetteloos wit en volmaakt, dus Stride ging ervan uit dat die ook vals waren.

'Niet wat u had verwacht?' vroeg Walker droog.

Stride was te verbaasd om te antwoorden. Hij stak zijn hand uit en Walker schudde die. De hand die de man gaf was tenminste stevig en krachtig.

'Ik loop niet te koop met mijn invaliditeit,' ging Walker verder. 'Ik hoop dat ik op uw discretie kan rekenen. De meeste mensen die hier komen, tekenen een geheimhoudingsverklaring. Bij u doe ik dat niet, omdat ik u wil vertrouwen, en ik wil dat u mij vertrouwt.'

Stride was van zijn stuk gebracht door Walkers verschijning en het glazen oog, dat er wonderlijk echt uitzag. 'Ik begrijp het,' zei hij.

'Weet u wie mijn zoon heeft vermoord?' vroeg Walker op de man af. Hij klonk als de ongeduldige man die Stride aan de telefoon had gehad.

'Ja, dat weten we.' Stride zag de verrassing in Walkers goede oog opbloeien, en hij haalde de politietekening uit de dunne map die hij had meegenomen. 'We hebben hem nog niet gearresteerd, maar we weten hoe hij eruitziet. Dit is de man die M.J. heeft vermoord.'

'Laat eens zien.'

Stride gaf hem de tekening en Walker pakte hem gretig aan. Hij hield hem in zijn rechterhand ver genoeg van zich af dat zijn rechteroog zich erop kon instellen.

'Kent u hem?' vroeg Stride.

'Nee.' Walker schudde zijn hoofd, teleurgesteld. 'Hij komt me niet bekend voor.'

'Ik laat de prent bij u achter.'

Walker draaide de tekening om en legde hem op zijn schoot. 'Wilt u een rondleiding voor we ter zake komen?'

Stride was een half continent overgevlogen om deze man te spreken, en hij was nieuwsgierig naar het landhuis, het soort huis dat hij vermoedelijk nooit meer zou betreden. 'Waarom niet?' zei hij.

'Mooi.'

Walker keerde zijn rolstoel om en ging hem vanaf de veranda voor het huis in. Het decor mocht dan antiek zijn, het huis was elektronisch helemaal bij de tijd en alles werd bestuurd door computers en geregeld via een controlepaneeltje op Walkers rolstoel. Ramen, verlichting, deuren, gordijnen, daklichten, alles kon worden geopend, gesloten, aan- en uitgezet met een klik op het paneeltje. Ze gingen van kamer naar kamer, en elke ruimte deed denken aan een oud paleis in Europa, enorm groot en rijkversierd, maar steriel, als een museum. Stride wist dat het huis slechts enkele tientallen jaren oud kon zijn, maar het voelde aan als een overblijfsel van een andere eeuw. Het voelde niet aan alsof er iemand woonde.

Op de meeste plaatsen was het wel warm in het huis, maar toch zag de klamme atmosfeer van de streek soms kans binnen te dringen en de warmte naar de hoge plafonds te verdrijven. Stride merkte dat hij liep te huiveren en de knoop van zijn colbertje dichtdeed. In een paar maanden tijd, zo bedacht hij, was hij een inwoner van Minnesota die ongevoelig was voor kou veranderd in een woestijnbewoner die het koud had als het onder de vijfentwintig graden kwam.

'Ik kom amper nog van het eiland,' vertelde Walker. 'Dat wist u vast al. Maar vanhier uit kan ik bijna alles regelen. Ik zie hier praktisch elke film die wordt gemaakt.' Hij ging Stride voor naar een levensgrote bioscoop met een rolstoeloprit halverwege de zaal. Het had ook een topbioscoop in Las Vegas kunnen zijn. Stride realiseerde zich dat de zaal waarschijnlijk altijd leeg was, en dat Walker hier in z'n eentje zat en film na film analyseerde. Hij had met de man te doen.

Walker voelde zijn emoties. 'U hoeft geen medelijden met me te hebben. Ik ben geen Howard Hughes, weet u. Ik krijg voortdurend mensen op bezoek: acteurs, regisseurs, editors, agenten... Ik ben nauw betrokken bij alle aspecten van elke film die ik maak. Wanneer er gedraaid wordt, krijg ik elke dag de rushes elektronisch toegestuurd, zodat ik ze kan bekijken en de volgende ochtend mijn bevindingen naar de set kan sturen.'

'Waarom gaat u er niet heen?' vroeg Stride.

'Ten eerste omdat het niet nodig is. Ik kan het vanhier uit doen, en u zult moeten toegeven dat dit een van de mooiste plekjes op aarde is.'

Stride knikte. Dat was waar. Telkens als ze langs een raam

kwamen, zag hij het eiland, de baai, of de tuinen, en telkens was het een uitzicht om je in te verliezen.

'En ten tweede ben ik erg op mezelf. Ik ben geen feestganger, niet meer. Als ik heel eerlijk ben: de mensen voelen zich niet op hun gemak door mijn uiterlijk. Dat vind ik heel naar. De meeste mensen die hier komen, kennen me goed genoeg om mijn privacy te respecteren en niet te worden afgeschrikt door hoe ik eruitzie.'

Hij nam Stride mee door een zitkamer aan de voorkant van het huis met ramen van dubbel glas en uitzicht op het water, en daarna op een terras dat omlaag voerde naar een aanlegsteiger. Ver uit de wal zag Stride een veerboot langsvaren, op weg naar Victoria. De bomen kwamen tot dicht bij het landhuis en boven zijn hoofd zag hij verscheidene arenden cirkelen.

'Het is prachtig,' zei Stride vanuit de grond van zijn hart.

'Dank u, rechercheur.' Walker leek te voelen dat het compliment gemeend was, en het deed hem genoegen. 'U wilt weten hoe het met M.J. zit, nietwaar? Hoe het tussen ons zo fout heeft kunnen lopen.'

'Inderdaad,' erkende Stride.

Walker reed zijn rolstoel helemaal tot aan de rand van het terras, zodat hij naar de golven kon kijken die zachtjes tegen de rotsen klotsten. 'Verbaast het u als ik u zeg dat er veel vrouwen zijn die met me willen trouwen?'

Stride schudde het hoofd. 'Nee, helemaal niet.'

Walker gebruikte zijn ene oog voor een veelbetekenende blik. 'Heel vleiend, rechercheur. Maar het gaat natuurlijk om mijn geld. Actrices – zelfs een hoop acteurs, verdomme – krijgen opeens heel verlichte denkbeelden over rolstoelen en uiterlijkheden wanneer ze denken aan al het geld op de bank. Ze zeggen dat het uiteindelijk om liefde gaat. Nou, je moet wel uit LA komen om het met zo'n uitspraak te redden.'

Stride lachte. Walker ook.

'Maar bij M.J.'s moeder was het anders. Een verschrikkelijk slechte actrice: ze wilde het ontzettend graag, maar ze had absoluut geen talent. Ik denk dat de regisseur heeft geweten dat het tussen ons zou klikken, want hij heeft haar beslist niet hierheen gestuurd vanwege haar auditie. Of misschien vond hij dat ik een goede beurt nodig had. Ze wilde een rol in de film waar ik mensen voor zocht, en ze was bereid alles te doen – en ik bedoel alles – om in die film te komen. Toen ik haar afwees, was ze kapot, tranen met tuiten. Ze was heel labiel, maar ze had iets dat me aansprak, ze was een verschoppelingetje. Ik denk dat ik iemand wilde hebben voor wie ik kon zorgen. Tot grote verbazing van veel mensen in Hollywood zijn we getrouwd. Ik denk dat je kunt zeggen dat we een tijdlang van elkaar afhankelijk waren.'

'Ik begrijp wat u bedoelt,' zei Stride. Hij dacht aan zijn tweede vrouw, Andrea. Zij hadden een vergelijkbare relatie gehad. Twee mensen die elkaar nodig hadden maar niet van elkaar hielden.

'Na een paar jaar werd M.J. geboren. Ik had niet door dat ze in een zware depressie verzeild raakte. Over dat soort zaken werd niet gepraat. Ik dacht alleen dat ze niet meer van me hield en ook niet van de jongen. Dat was ontzettend stom van me.'

Stride had krantenartikelen over Walker gelezen. Zijn vrouw had een paar jaar na de geboorte van hun zoontje zelfmoord gepleegd. 'Ik denk dat ik de rest wel weet,' zei hij.

'Ja, haar zelfmoord was nieuws. Maar u weet niet waarom. M.J. heeft het uiteindelijk wel begrepen, tenminste, dat dacht hij. Hij begreep dat mijn vrouw niet meer tegen de concurrentiestrijd kon. Ze was kwetsbaar en neurotisch, en ik heb het alleen maar erger gemaakt. Omdat ik het verleden niet kon loslaten. Dat besefte M.J. ook. Daarom had hij zo'n moeite met dat gedoe rond de Sheherezade.'

Stride voelde zijn aandacht verschuiven. Hij schakelde zijn gevoelens uit en pantserde zijn hart. Dat had iets treurigs, want hij merkte dat hij Walker Lane wel mocht.

'U zei dat uw vrouw de competitiestrijd niet aankon. Wat bedoelt u daarmee? Wat kon u niet loslaten?'

Walker zuchtte. 'Tja, daarvoor bent u hier, nietwaar? Voor het echte verhaal.' Hij draaide zijn rolstoel om en wees omhoog naar de toren, die boven het huis uitrees. 'Ziet u, rechercheur?'

Stride keek omhoog, onzeker. Hij zag alleen puntdaken en stenen, en tientallen ramen met uitzicht op het water. 'Ik begrijp niet...' begon hij, maar toen viel zijn oog op vijf afwijkende stenen in de toren. Ze waren ook van grijze leisteen, maar in elk ervan was een letter uitgebeiteld. Er zaten nog andere stenen tussen, zodat ze breed uitgemeten waren en een woord vormden dat in horizontale richting van het ene torentje naar het andere liep. Jarenlange regenbuien hadden de scherpe randen afgesleten, maar hij kon het toch nog lezen:

AMIRA

Hij staarde Walker aan, vol onbegrip. Walker was in gedachten verzonken, bekeek de letters met zijn ene oog, alsof hij ze kon strelen.

'U hebt uw landgoed naar haar vernoemd,' mompelde Stride. 'Waarom?'

'Waarom? U bent geen romanticus.'

'U hebt haar vermóórd.' Het ontglipte hem.

Walker schudde zijn hoofd. Hij leek niet boos, alleen geëmotioneerd, intens verdrietig. 'Nee, nee. Begrijpt u het dan niet? Ik zou nog eerder zelfmoord plegen. Er zijn veel momenten geweest dat ik erover heb gedacht dat te doen, alleen maar om bij haar te zijn. Ik hield van Amira. En zij hield van mij. We zouden die avond gaan trouwen. De nacht dat Boni Fisso haar heeft vermoord.'

Toen ze weer op de veranda waren, zag Stride dat de wolkeloze lucht nu bezaaid was met donkere plukken. Het ging zo snel, die overgang van regen naar zon, van zon naar regen. Motregen begon de tuin te bevochtigen en strepen op de ruiten te trekken. Het werd kil. Walker riep iemand van het personeel, die houtblokken in de open haard stapelde en een laaiend vuur ontstak dat de ruimte snel verwarmde. Hij opende een fles wijn, en Stride gaf zijn verzet op en accepteerde een glas. Walker nipte aan de pinot noir en staarde in het vuur.

'Ik wou dat ik kon uitleggen hoe Vegas in die tijd was,' zei Walker. 'Ik denk dat het dezelfde allure had als Hollywood in de jaren dertig. Het was jong, opwindend, vol glamour. Miljonairs die omgingen met showgirls, entertainers die om twee uur 's nachts in het casino zaten te dobbelen. Iedereen behangen met juwelen en in smoking, alsof we naar de opera gingen. Ik weet nog dat ik iedereen er zo mooi vond. Iedereen was rijk. Het was natuurlijk een illusie. Een trucje. Daar blinkt die stad in uit. Maar als je een van de casino's binnenliep, werd je erdoor gepakt, of je wilde of niet. Dat komt misschien omdat de echte wereld er zo ver weg is. Loop honderd meter in welke richting ook en je vindt er alleen maar woestijn, één grote woestenij. Ik herinner me dat ik op die tweebaansweg van Californië urenlang in het donker reed zonder ergens ook maar een glimpje licht te zien. En dan is er een gloed aan de horizon alsof er brand is, en je komt over de heuvelrug en dan ligt daar dat eiland van neonlicht voor je.'

'Helen Truax zei dat de stad toen sterallures had,' zei Stride.

'Ja, ze heeft gelijk. Zo was het precies.'

Stride voegde eraan toe: 'Helen was een van de danseressen van Amira.'

Walker schudde het hoofd. 'O ja? Ik herinner me haar niet.'

'Haar artiestennaam was Helena Troy. Ze zegt dat ze met u naar bed is geweest.'

Walker leek zich te generen. 'Daar twijfel ik niet aan. Ik speelde het spel mee. Ik was jong en rijk, en ik vond het in die tijd leuk om met veel meisjes het bed in te duiken. Vegas heeft mij, net als vele anderen, verleid.'

'En Amira?'

'Ja, zij ook. Ze heeft me verleid. Hebt u gelezen wat ze over *Flame* schreven?'

Stride knikte.

'Woorden doen het geen recht,' zei Walker. 'Volgens mij werd ik de allereerste keer dat ik haar zag al verliefd op Amira.

Ik had heel wat affaires, maar met Amira was het anders. Ik viel voor haar, als een baksteen. Misschien geef ik mezelf te veel eer, maar volgens mij verging het haar net zo. Misschien wilde ze alleen mijn geld, of een ontsnappingsmogelijkheid, maar volgens mij hield ze ook van me, hartstochtelijk veel.'

'Maar Amira was toch Boni's maîtresse?' vroeg Stride.

Op Walkers gezicht, dat wil zeggen het deel dat bewoog, was pijn te lezen. 'Wat was ik een dwaas, vindt u ook niet? Naïef. Ik speelde met gangsters en ik dacht dat het gewoon een van mijn films was. De boeven in hun pakken en met hun gleufhoeden leken sprekend op acteurs. Maar dit was echt.'

'Wat is er gebeurd?'

'We dachten dat we het geheim konden houden,' zei Walker. 'Niemand zou te weten komen wat we voor elkaar voelden tot we lang en breed weg en getrouwd zouden zijn.'

Long gone, dacht Stride weer.

'Ik was niet goed in het verbergen van mijn gevoelens. Ik was jong, en mijn hele gezicht straalde "liefde" uit. Iedereen wist het. Ze wisten dat ik elk weekend naar de shows kwam kijken. Dat wist Boni natuurlijk ook. Leo Rucci vertelde me hoe de zaak ervoor stond, dat Amira Boni's eigendom was, alsof ze een stoel of een hond was. Daar maakte ik me ontzettend kwaad om, maar ik deed net of het een voorbijgaande verliefdheid was, niets serieus. Amira speelde het veel beter. Ze keek niet naar me als er publiek bij was. Ze zei tegen Boni dat als ik ooit een vinger naar haar uitstak, ze me tegen de grond zou slaan. Daar moest Boni om lachen, zei ze. Dus we dachten dat we ermee konden wegkomen. Na de voorstelling, midden in de nacht, glipte ze naar mijn suite op het dak en waren we samen. Het was ons geheim.'

'In Las Vegas blijft maar weinig geheim,' zei Stride.

'Inderdaad. Later realiseerde ik me dat ze mijn suite moeten hebben afgeluisterd. We dachten dat we heel slim waren, en hij wist al die tijd wat er tussen ons gaande was.'

'Vertelt u eens over die nacht.'

'Die nacht,' mompelde Walker. 'Die vreselijke, afgrijselijke nacht.' Hij hief zijn rechterhand op en raakte de verstijfde helft van zijn gezicht aan, wreef erover alsof hij er iets kon voelen. 'Na haar laatste voorstelling zouden we naar Europa gaan. We waren van plan te gaan trouwen en een halfjaar te reizen.'

'Maar Boni wist ervan.'

Walker knikte. 'Hij en ik zaten die avond samen in zijn kantoor. Dat deden we heel vaak. Ik vond Boni een charmante kerel. We hadden een hoop pret. Maar de uren verstreken en er was iets niet in orde. Hij was anders die avond. Het werd later en later, en ik wist dat Amira in mijn suite op me wachtte, en ik wilde naar haar toe. Maar Boni had telkens een ander excuus om me vast te houden, en ik zat maar op de klok te kijken. Toen kwam Leo Rucci binnen, Boni's uitvoerder. Ik vond het een angstaanjagende man, omdat je wist dat er onder dat nette pak een kwaadaardige misdadiger schuilging. Boni vroeg Leo om me naar mijn suite te begeleiden, en ik protesteerde, maar Boni hield vol. Toen ik wegging, kuste Boni me op beide wangen. Ik weet nog wat hij zei: "God zij met je, Walker." Op dat moment wist ik het. Ik wist dat het helemaal mis was.'

Stride zei niets. Hij herinnerde zich dat hij op het balkon van M.J.'s appartement had gestaan en had neergekeken op de penthouse-suite van de Sheherezade.

'Leo liep met me mee de suite in. Ik probeerde hem tegen te houden, maar hij lachte alleen maar. Ik verwachtte Amira daar aan te treffen, maar er was niemand, dus ik nam aan dat ze was weggegaan. En toen... Ik zag dat de deur naar de patio openstond. Ik kreeg een verschrikkelijk voorgevoel. Ik ging naar buiten.' Walker kon even niets meer uitbrengen. 'Ze lag in het zwembad. Het water was rood en wolkig. Ik kon alleen maar staren. En het enige wat ik dacht, was dat ik degene was die haar had vermoord. Door op haar verliefd te raken.'

'Wat hebben ze met u gedaan?' vroeg Stride, terwijl hij raadde wat er daarna was gebeurd.

Walker keek naar zijn nutteloze ledematen in de rolstoel. 'Leo nam me mee naar de kelder en zette me in een limousine. Hij zei dat ze me naar het vliegveld zouden brengen en dat ik de stad uit moest en me er nooit meer moest laten zien. Maar dat was natuurlijk niet genoeg voor ze. De twee mannen in de auto maakten een omweg door de woestijn. Weet u hoe het aanvoelt als allebei je knieën met een honkbalknuppel kapot worden geslagen? Of als je schedel met een boksbeugel in elkaar wordt geramd? Ik had er alles voor over gehad om me door hen te laten doden. Maar dat vermeden ze zorgvuldig. Boni wilde me niet dood hebben. Hij wilde dat ik wist wat hij met me had gedaan.'

In zijn rolstoel begon Walker Lane, de miljardair, te snikken.

Stride merkte dat hij kwaad werd. Hij was kwaad op Boni, een man die hij nog nooit had gezien. Hij was kwaad op Las Vegas om de levens die het ruïneerde. Hij voelde een vreemde band met de moordenaar van de politietekening, die op zijn eigen immorele manier probeerde gerechtigheid te vinden voor Amira. Het daagde hem dat de moordenaar hen al die tijd al voor was.

Het ging niet om Walker.

Het ging om Boni.

27

'Hij heet Blake Wilde,' deelde Serena Stride mee. 'Tenminste, dat is de naam die hij heeft gebruikt. Hij werkte als bodyguard bij Premium Security. De man die Premium leidt, David Kamen, herkende Wilde van de tekening. Hij is onze dader, en hij is verdwenen.'

Het was avond, en Stride zat in de privéhangar van Walker op Vancouver Airport te wachten tot de Gulfstream terug was. Die werd door slecht weer in Denver aan de grond gehouden. Ook aan de kust regende het nu.

'Hoelang heeft hij daar gewerkt?' vroeg Stride.

'Een paar maanden maar. Kamen beweert dat ze Blake hebben gescreend en dat hij clean was. Maar zijn personeelsdossier is zoek. Ze beweren dat Blake het heeft meegenomen. Ik vraag me af of Kamen het naar de versnipperaar heeft gestuurd.'

'Denk je dat ze elkaar kenden?'

'Kamen heeft een militaire achtergrond. Scherpschutter bij de mariniers in de Golfoorlog. Maar ik heb wat telefoontjes gepleegd, en het gerucht gaat dat hij banden heeft met allerlei groeperingen in het Midden-Oosten, onder andere met smokkelaars en huurlingen. Als jij Blake Wilde was en in Las Vegas voet aan de grond wilde krijgen, dan zou je toch ook een oude vriend opzoeken?'

'De vraag is waarom Blake naar Las Vegas is gekomen,' zei Stride.

'Om mensen te vermoorden.'

'Dat weet ik. Maar waarom? Waarom hij? Ik neem aan dat zijn adres vals was.'

'Een huis in Boulder City,' zei Serena. 'Een mormoons gezin, vijf kinderen en een beagle. Ze hadden nog nooit van Blake Wilde gehoord.'

'En zijn sofinummer?'

'Dat leidde naar een jongen in Chicago die op zijn vijfde is overleden.'

'Hij kreeg loon,' zei Stride.

'Hij verzilverde zijn cheques bij pandjesbazen. Telkens een andere. Dat kostte hem tien procent, maar geen camera's en geen vragen.'

Stride liep door de open deur van de hangar de regen in. 'Dus deze knaap was zaterdagmiddag bij Karyn Westermark?' vroeg hij. 'Hij was haar bodyguard?'

'Leuk, hè? Dat verklaart zijn vermomming die avond. Voor ons hoefde hij zich niet te verbergen, maar hij wilde niet dat Karyn hem zou herkennen.'

'En Tierney Dargon?'

'Ja, Kamen vertelde dat hij ook voor haar werkte. Vandaar dat ze zonder problemen in Lake Las Vegas de deur voor hem opendeed.'

Stride kon niet geloven dat ze zo dicht bij de oplossing waren, en dat het toch aanvoelde alsof ze helemaal niets hadden.

'Er moet meer zijn,' zei hij. 'Hoe zit het met onkostenvergoedingen, dingen met een creditcardnummer of een bankrekening?'

'Nada,' zei Serena. 'Alles wat hij ze heeft gegeven, was vals. En goed gedaan ook. Ik heb Nick Humphreys buurman, Harvey Washington, gebeld. Met vervalsers vang je vervalsers, zo is het toch? Hij had een paar namen voor me. Andere oplichters uit de buurt. Cordy heeft ook een paar van zijn verklikkers uitgehoord. Maar deze vent is uitgekookt. Ik durf te wedden dat hij het niet hier heeft laten doen.'

'Hij heeft vermoedelijk ook al een reserve-identiteit achter de hand,' zei Stride.

'We nemen contact op met alle mensen die hij heeft beveiligd. We waarschuwen hen dat ze moeten uitkijken als hij opduikt, en we vragen ze of Blake tijdens zijn werk voor hen iets heeft losgelaten over zijn privéleven. Waar hij boodschappen deed, waar hij at, alles wat het gebied maar enigszins kan inperken.'

'Is de tekening op tv geweest?'

'Ja. We hebben wat telefoontjes gehad, maar niets wat houvast geeft. Wat heb jij uit Walker Lane losgekregen?'

Stride gaf een kort verslag van zijn dag met Walker en wat die hem had verteld over het verband tussen Amira's dood en Boni Fisso.

'Geloof je hem?' vroeg Serena.

'Je kunt er twee kanten mee op,' zei Stride. 'Ofwel Walker heeft Amira vermoord en heeft Boni hem voor straf te grazen genomen. Of Boni heeft ze allebei willen straffen omdat Amira en Walker er samen tussenuit wilden. Dat is wat Walker zegt, en ik denk dat hij de waarheid spreekt. De man heeft meer geld dan God, en hij lijkt me nog steeds bang voor Boni.'

'Nog iets,' zei Serena. 'Boni is de eigenaar van Premium Security.'

Stride schudde het hoofd. Boni Fisso had zijn tentakels om de nek van iedereen die deel uitmaakte van het onderzoek. 'Dat betekent dus dat Kamen aan Boni heeft verteld wat er allemaal gebeurt.'

'Daar kun je vergif op innemen,' zei Serena. 'Ik vraag me af of onze dader, Blake Wilde, wist dat het bedrijf het brandmerk van Boni draagt. Misschien hoorde het bij het spelletje om zich bij een van Boni's schaduwbedrijven naar binnen te werken.'

'Ik denk dat Wilde Boni heel wat beter kent dan wij,' zei Stride. En hij voegde eraan toe: 'We moeten met Boni gaan praten. Het kan niet anders of hij weet wat erachter zit. Het voert allemaal naar hem terug. En misschien ook naar dat Orient-project van hem.'

'Sawhill zegt dat hij zijn best heeft gedaan om voor ons een gesprek met Boni te regelen,' zei Serena. 'Hij heeft zelfs zijn vader gevraagd Boni te bellen. Noppes. Het beste wat er voor ons in zit is een gesprek met Boni's advocaat.'

'Verdomme,' vloekte Stride. 'Ik kan de klootzak toch niet arresteren? Niet dat ik dat niet graag zou willen, maar ik kan het niet. Hij is geen verdachte in deze moordzaken, dus waarom zou hij in godsnaam met ons willen praten? De enige moord waarvan wij hem verdenken, dateert van veertig jaar geleden, en daar kunnen we hem niet voor pakken.'

'Boni zorgt er wel voor dat hij geen vuile handen krijgt,' zei Serena.

'Er is maar één manier om bij hem binnen te komen. Je moet nog een keer met Claire gaan praten.'

Serena zweeg opmerkelijk lang. Ten slotte zei ze: 'Ik denk niet dat het werkt. Ze wil niet met hem praten.'

'Je zei dat ze de deur nog niet helemaal had dichtgeslagen.'

'Het is zonde van de tijd,' hield Serena vol.

Stride begreep er niets van 'Jij weet altijd iedereen van alles aan te praten, dus wat is er aan de hand?'

'Claire heeft geprobeerd me te versieren,' zei ze.

Hij moest er bijna om lachen. 'Nou, wat is het probleem? Er zijn voortdurend kerels die je willen versieren. Als ze handtastelijk wordt, mag je haar van mij een mep geven.' Hij probeerde te ontdekken wat hij over het hoofd zag, waarom Serena hierdoor van slag was. Ten slotte begon er iets te dagen. 'Behalve wanneer het een geslaagde poging was.'

'Nee,' zei ze. En daarna, gegeneerd: 'Niet echt.'

'Niet echt? Dat is net zoiets als een beetje zwanger.'

'Er is niks gebeurd,' benadrukte Serena. Toen ging ze verder: 'Maar ik wou het wel. Ik bedoel dat het me overviel. Ik was bereid zo met haar in bed te springen. Daar ben ik me kapot van geschrokken. Shit, het idee dat ik je dat allemaal vertel.'

Stride wist niet hij moest zeggen. Hij probeerde zijn verstand en emoties bij elkaar te krijgen, maar hij wist in de verste verte niet wat hij voelde. Verraden. Jaloers. Hitsig. Alles tegelijk.

'Wat probeer je me te vertellen, Serena?' Hij kwam halsoverkop in een gesprek terecht waarop hij niet was voorbereid, en hij wilde het al helemaal niet over de telefoon, met een gat van duizend mijl tussen hen.

'Ik weet niet wat ik je vertel.' Haar stem werd deel van de atmosferische ruis. Hij moest zich inspannen om haar te verstaan. 'Er is nog zoveel dat je niet van me weet. Er is nog zoveel dat ik niet van mezelf weet.'

'Je blaast het veel te veel op. Je werd erdoor overvallen. Je bent niet van ijs.'

'Dat zou een heel stuk makkelijker zijn.'

'Dan heb ik een vraag: hou je van me?' vroeg hij. Hij hield zijn adem in, omdat hij plotseling niet zeker was van wat ze zou zeggen.

'Ja!'

'Heeft Claire daar iets in veranderd?'

'Nee, nee, dat is het niet. Maar nu moet ik haar weer opzoeken.'

Stride dacht erover na. 'Je weet dat je het feit dat ze zich tot jou aangetrokken voelt kunt gebruiken om haar met Boni te laten bellen.'

'Natuurlijk. Ik weet dat ik het moet doen. Maar ik ben bang dat het me boven het hoofd groeit.'

'Is de aantrekkingskracht zo groot?'

'Ja.'

Stride staarde naar de mist die als halo's om de lampen van het vliegveld hing. Zijn gevoel van ontheemding was nog nooit zo sterk geweest. Hij wilde weg, opstaan en weglopen in de stromende regen en ergens verdwijnen.

'Tja, ik kan je niet zeggen wat je moet doen,' zei hij.

Hij praatte in het luchtledige. Het signaal was weg, verloren gegaan in de regen. Voorlopig verbleven ze in verschillende werelden. Hij wist dat hij nog een hele tijd moest wachten en dat het daarna nog een lange vlucht door de duisternis zou worden

28

'Dag, Serena,' zei Claire. 'Ik ben blij dat je belde.'

Serena glipte langs haar heen het tweekamerappartement in, door de kamperfoeliegeur van Claires parfum. Hun blikken ontmoetten elkaar.

'Sorry dat ik zo laat ben,' zei Serena. 'In de Limelight zeiden ze dat het je vrije avond was.'

'Je stoort absoluut niet,' zei Claire. 'Ik zat een romannetje te lezen.'

Het licht in de flat was gedempt en er brandden verscheidene kaarsen, die een vanillegeur verspreidden. Er was een afdruk in de bank en de deken waar Claire met haar boek had gezeten. Een tiffanylamp op een bijzettafel fungeerde als leeslamp. Er stond een glas witte wijn, halfvol, op de salontafel. Uit de discreet verborgen luidsprekers kwam zachte jazzmuziek.

'Wat een heerlijke flat,' zei Serena. Hij was niet groot maar knus, met een ouderwetse sfeer, niks metaal of modern. Het houten meubilair zag er antiek maar prachtig onderhouden uit, en Serena vroeg zich af of Claire het zelf had opgeknapt. Overal stonden hebbedingetjes, houten dozen met inlegwerk, glazen engelen en stenen dieren.

'Wil je ook een glas wijn?' vroeg Claire.

'Nee, dank je, ik drink niet,' zei Serena. En met opzet voegde ze eraan toe: 'Als ik eenmaal begin, kan ik niet meer ophouden.'

'Dat snap ik. Sorry. Mineraalwater dan?'

'Graag.'

Claire verdween naar de keuken, en Serena ging op de bank zitten. Ze wist dat ze gevaarlijk spel speelde. Ze liet dingen los, verklapte geheimen die prijsgaven wie ze was. Dat was haar strategie. Claire mocht haar graag. Wanneer ze erin slaagde hun relatie op het strakke koord in evenwicht te houden, intiem maar niet té, dan zou Claire misschien doen wat ze wilde. Boni bellen.

Maar ze wist dat evenwichtskunstenaars soms lelijk konden vallen. Ze herinnerde zich wat een gescheiden vriendin haar had verteld over het hebben van een affaire. Je wilde weten hoe dicht bij de grens je kon gaan, tot je op een dag achteromkeek en zag dat die grens al een halve mijl achter je lag. Serena vroeg zich af of ze een fout had gemaakt door te denken dat ze van Claire kon krijgen wat ze wilde zonder zichzelf te verliezen.

Claire kwam terug met een champagneflûte met bubbelend mineraalwater en had ook haar eigen glas bijgevuld. Ze ging weer op de bank zitten en trok haar benen onder zich. Ze was ontspannen en op haar gemak in haar lichaam, als een kat. Ze droeg een versleten spijkerbroek en een zwartsatijnen topje met V-hals en was op blote voeten.

'Ik moet je mijn excuses aanbieden,' zei Claire.

'O?'

'Omdat ik me zo op je stortte. Het is niks voor mij om zo opdringerig te zijn. Ik moet iets van een haai hebben gehad, en zo ben ik helemaal niet.'

Serena vroeg zich af of dat waar was, of dat het gewoon fase twee van de verleiding was. 'Je hebt me nogal overvallen, dat is alles.'

'Het spijt me. Geef mijn romantische fantasieën de schuld maar. Ik dacht dat er iets tussen ons gebeurde.' Al die tijd dat ze aan het woord was, lieten haar blauwe ogen die van Serena niet los en leek ze zelfs niet één keer te knipperen. Ook haar stem was warm en uitnodigend, als warme sake die naar binnen gleed en al je verzet wegspoelde.

Zij was nu aan slag, wist Serena. Ze moest iets zeggen. Het ontkennen. In plaats daarvan danste ze dichter naar de grens. 'Dat heb je je niet verbeeld.'

Claire leek niet verbaasd. Ze nam een slok wijn. 'Daar ben ik blij om.'

'Maar er zal nooit iets tussen gebeuren,' ging Serena verder.

'Nee?' Claire trok een spottend pruilmondje.

'Nee.'

'Jammer.' Ze liet haar blik peinzend over Serena gaan terwijl ze gedachteloos met haar vingers tegen haar wijnglas tikte. 'Wie was het?'

'Wat bedoel je?'

'Het meisje aan wie ik je doe denken,' zei Claire met een veelbetekenend lachje. 'Ergens in je verleden moet er een meisje zijn geweest. Ik vlei mezelf niet met de gedachte dat heterovrouwen opeens over de schutting klimmen wanneer ze me zien.'

'Oké, er is inderdaad iemand geweest,' gaf Serena toe. 'Lang geleden.'

'Waarom vertel je niet hoe het was?'

Serena haalde diep adem. Dit was wat ze wilde, de kans om Claire in haar levensverhaal te betrekken. Een zielsverwantschap op te bouwen. Maar ze kon heel gemakkelijk uit het oog verliezen waar haar strategie ophield en haar eigen loutering begon. Ze wilde al jaren met iemand over Deirdre praten, maar ze had het nooit gedaan. Niet tegen haar therapeut. Zelfs niet tegen Jonny. Ze had hem een klein beetje verteld, maar nooit de hele waarheid.

Serena zette haar champagneglas neer en de woorden begonnen te stromen. De herinneringen waren levendig, ook al lag er twintig jaar tussen. Ze vertelde Claire hoe ze Deirdre, die twee jaar ouder was, had leren kennen in een snackbar in Phoenix, waar ze allebei in de bediening werkten. Toen het misbruik door haar moeder en drugsdealer Blue Dog steeds afgrijselijker vormen aannam, werd Deirdre haar reddingslijn door haar een plaats te geven waarheen ze kon ontsnappen. Deirdre hield haar hand vast toen ze een abortus kreeg, een heel nare, en veel te laat. Ze hadden het erover gehad om terug te gaan en hen allebei te vermoorden, haar moeder en Blue Dog. Maar vrijheid klonk beter. Ontsnap, ga, maak dat je wegkomt. Ze waren met hun tweeën naar Las Vegas gevlucht, waar ze samen hadden gewoond, gewerkt en gefeest. Ze waren elkaars beste vriendin en uiteindelijk meer dan dat.

Geliefden. Ze had na verloop van tijd manieren gevonden om het te rationaliseren of te doen of het iets anders was. Maar ze waren geliefden. Serena besefte tijdens het vertellen van het verhaal dat ze weer iets van die seksuele macht wilde voelen. Zij wilde degene zijn die Claire opwond, en ze wist, als ze keek hoe Claire ging verzitten, dat ze haar opwond. Ze kon deze vrouw hebben. Ze kon maken dat Claire alles voor haar zou doen. Ze zou er alles voor terug kunnen krijgen wat ze wilde.

Het was een bedwelmende sensatie, alsof ze weer aan de drank was.

Zelfs toen ze vertelde over het weggaan bij Deirdre en de destructieve spiraal die tot Deirdres dood had geleid, was ze niet langer bijna in tranen, zoals meestal het geval was. Ze was sterk omdat ze sterk moest zijn.

'Er wordt heel wat aan schuldgevoelens meegetorst,' zei Claire toen Serena was uitgesproken. 'Maar ik zou bijna vergeten dat je een harde bent.'

'Ik was wreed.'

'Denk je wat je Deirdre hebt aangedaan te kunnen rechtzetten door met mij te vrijen?' vroeg Claire. Ze was te intelligent om zich voor de gek te laten houden. 'Want dat kan niet. Dat wil ik niet.'

'Wat wil je dan?' vroeg Serena.

Claire had haar antwoord klaar: 'Ik wil dat je verliefd op me wordt.'

'Dat zit er niet in,' zei Serena, hoewel het feit dat Claire het zo rustig kon zeggen haar bijna de adem benam. 'Ik was niet verliefd op Deirdre. We waren minnaressen, maar ik was niet verliefd op haar.'

'Ik ben Deirdre niet.' Claire gooide haar rossige haar naar achteren, maar het viel toch weer voor haar gezicht, dekte één oog af. 'Wat wil jij, Serena?'

'Ik wil dat je ervoor zorgt dat Jonny en ik met je vader kunnen praten,' zei Serena. 'Dat wil ik. Dat is het enige wat ik wil.'

Claire trok een gezicht alsof ze dat al die tijd al had geweten. 'Stel ik dat doe, zou je dan de nacht met me doorbrengen?'

Serena dacht aan Jonny en poker. Ze vertrok dus geen spier, ook al zou het minste zuchtje wind haar van haar strakke koord in Claires armen hebben geworpen. 'Nee. Bovendien zei je dat je dat niet wilde.'

'Ik denk dat je misschien niet zo'n harde bent,' zei Claire. 'Als ik je nu zou kussen, eindigen we in bed, denk ik. Je hoopt dat ik niet ga proberen of het zo is.'

Ze deden wie het eerst bang werd, en Serena dwong zichzelf om niet te knipperen.

'Ik wil dat je Boni belt,' herhaalde ze.

Claire reikte loom naar de salontafel, waar Serena een mobieltje zag liggen. Claire klapte het open, wierp haar haar weer naar achteren en keek Serena lang en strak aan. 'Besef je wat een enorme stap dit voor me is?'

'Jazeker.'

'Je zult nooit weten wat hij me heeft aangedaan, hoe hij me heeft verraden.'

'Ik begrijp het. Er komt misschien een dag dat je het me vertelt.'

Claire drukte één toets is. Ze had Boni dus nog steeds onder een sneltoets. Het was na middernacht, maar haar vader nam onmiddellijk op. 'Met Claire,' zei ze, terwijl ze Serena op de bank tegenover zich nog altijd aankeek. 'Je moet iets voor me doen.'

29

Een supersnelle glazen lift – getint, kogelwerend glas – nam hen mee naar de penthouse-suite in de meest noordelijke van de Charlcombe Towers. Naar Boni's hol.

Stride dacht aan M.J. terwijl ze omhoogschoten en de aarde in duizelingwekkende vaart onder zich zagen verdwijnen. M.J. had in hetzelfde complex gewoond en uitgekeken op hetzelfde casino waar zijn vaders leven was vernietigd. Waar Walkers liefde was gestorven in de gloed van Sheherezades neonlicht. Stride vroeg zich af of M.J. en Boni elkaar ooit hadden ontmoet, of hij ook maar iets had meegekregen van de titanenstrijd tussen Boni en zijn vader. Het was geen wonder dat Walker zo vurig had gewenst dat zijn zoon er wegging.

Hij keek naar Serena, die zwijgend naar buiten keek, naar de Strip. Tijdens de hele vlucht naar huis had hij zich, luisterend naar het gebrom van de motoren van de Gulfstream, afgevraagd wat voor gevoelens hij had inzake Claire en Serena. Hij wist het nog steeds niet. Hij had half verwacht dat ze er niet zou zijn, maar toen hij midden in de nacht thuiskwam, had ze in hun bed gelegen, wakker. Zonder dat hij iets had gevraagd, had ze eruit gegooid dat er niets was gebeurd. Toen had ze met hem gevrijd, intenser en hartstochtelijker dan ooit, en onwillekeurig had hij zich afgevraagd of haar gevoelens voor Claire zich uitstrekten tot in hun bed.

Niet dat hij toen iets te klagen had.

De liftdeuren gleden open.

Ze kwamen in een kleine, felverlichte hal. Een witte muur, met reusachtige dubbele eiken deuren. De marmeren vloer was ook wit, hij glom en was smetteloos. Strides oog viel op vier originele schilderijen uit de Helga-serie van Andrew Wyeth, twee aan weerszijden van de deuren. Hij veronderstelde dat ze bezoekers op hun gemak moesten stellen wanneer ze wachtten op toelating tot het heilige der heiligen. En misschien dat Boni er een boodschap mee wilde afgeven, namelijk dat het bij hem om klasse ging, niet alleen om geld. Wanneer Steve Wynn in de Bellagio Picasso's kon ophangen, dan kon Boni ook een galerie beginnen.

Stride had de verhalen over Boni gehoord, hoewel het moeilijk was te bepalen wat waarheid en wat verzinsel was. Zoals het gerucht dat hij een rat had die getraind was in het ontmannen van valsspelers in zijn casino. Daarna zou hij de 'dieven' de rattenkeutels laten opeten. Stride vond dat toch wel een hoog broodje-aapgehalte hebben. Of het verhaal dat de helft van de politici in de staat in zijn casino's had gewerkt toen ze jong en ambitieus waren, en dat ze hun ziel aan Boni hadden verkocht. Hij kon zich voorstellen dat dit waarschijnlijk wel waar was.

Een jaar geleden had Rex Terrell in *LV* een lange profielschets van Boni geschreven. Bonadetti Angelo Fisso was halverwege de jaren twintig in New York geboren. Zijn vader had een schamel inkomen verdiend als vrachtwagenchauffeur in Manhattan, maar had zijn oudste zoon Boni toch naar Columbia University kunnen sturen (volgens de geruchten met hulp van de maffiabazen). Boni studeerde af in rechten en bedrijfskunde en was slim, elegant en onbesmet. Hij ontkwam aan de diensplicht dankzij een gehoorverlies van zeventig procent aan één oor, en in de naoorlogse bloeiperiode begon hij langs de oostkust bedrijven te kopen en te verkopen. Het hardnekkige gerucht ging dat zijn aankopen werden gefinancierd door de maffia en dat Boni's bedrijven dienden voor het witwassen van bloedgeld. Verscheidene generaties FBI-agenten hadden veel belastinggeld besteed om te bewijzen dat Boni niet deugde en hadden niet meer kunnen bereiken dan dat kleine visjes in Boni's rijk, zoals Leo Rucci, een tik op de vingers kregen.

Boni ging in 1955 naar Las Vegas. Hij nam een stel goedkope casino's over, bouwde er hotelkamers bij, zette er overdadige shows en halfnaakte cocktailserveersters neer en veranderde ze in winstmachines. Hij koesterde ook een image van grote weldoener door ziekenhuizen te bouwen, parken aan te leggen en de studiekosten van de kinderen van ouwe getrouwen onder zijn personeel te betalen. In het openbaar was hij een heilige, altijd met een glimlach en een vrolijk woord. Achter de schermen ging het er echter hard aan toe. Lichamen verdwenen in de woestijn. Tanden werden uitgeslagen, botten gebroken. De rat werd vet, als je dat soort dingen tenminste geloofde.

De Sheherezade was Boni's pronkstuk. Het was het eerste pand dat hij zelf vanaf de grond opbouwde, en toen het in 1965 openging, trok het de topartiesten van die tijd, evenals de Sands en de Desert Inn. Boni had al bedacht wat Vegas-ondernemers van latere generaties pas zouden ontdekken, namelijk dat de stad altijd nieuw moest zijn, zich telkens opnieuw moest uitvinden. Dus liet Boni de Sheherezade nooit verschralen. Hij zocht nieuwe shows, nieuwe sterren, zoals Amira met *Flame*. Hij vond nieuwe manieren om de mensen te shockeren en te verleiden. En het geld stroomde binnen.

Stride had foto's gezien van Boni's overleden vrouw, de moeder van Claire, met wie hij een korte en stormachtige relatie had gehad. Eva Belfort was een blonde, aristocratische schoonheid geweest, in de verte verwant aan het Franse koningshuis. Zijn huwelijk met haar verleende Boni een aura van Europese stijl. De waarheid was dat Eva, net als alles in Boni's leven, was gekocht en betaald. Haar familie bezat een kasteel aan de Loire en dreigde het kwijt te raken door een belastingschuld toen Boni, tijdens een rondreis in het wijngebied, Eva had ontmoet. De familie was snel weer rijk geworden en Boni had zijn trofee, een bruid. Het moest een verschrikking voor haar geweest zijn, dacht Stride: een rijke vrouw van het Franse platteland die gedwongen was te leven in een door zand gegeselde versie van de hel. Volgens Rex Terrell was Eva een driftkop geweest en hadden zij en Boni verschrikkelijke ruzies gehad over Boni's neiging tot affaires met danseressen. Stride vroeg zich af of ze op de hoogte was geweest van die met Amira.

Niet dat het veel uitmaakte. Hun huwelijk, Boni's enige, duurde maar drie jaar. Eva had een paar maanden langer geleefd dan Amira. Ze was in het kraambed gestorven, en Boni was achtergebleven met zijn enige kind, Claire.

Serena en Stride hadden bijna tien minuten in de hal van Boni's suite staan wachten voordat de dubbele deuren met een klik werden ontsloten en naar binnen openzwaaiden. Een aantrekkelijke vrouw van een jaar of vijfentwintig, met opgestoken bruin haar en een maatpakje, stond klaar om hen te begroeten.

'Rechercheur Dial? Rechercheur Stride? Komt u binnen. Het spijt ons dat we u zo lang hebben laten wachten.'

Ze wuifde hen door naar een lounge die zich als een voetbalveld zo lang leek uit te strekken. De noordelijke wand bestond geheel uit ramen met uitzicht op de Strip en naar het oosten en westen op de bergen.

'Mr. Fisso komt zo bij u,' deelde ze hun mee. 'We hebben een ontbijtbuffet klaarstaan, dus bedien uzelf.'

Ze liet hen alleen, verdween door een deur in een met leer beklede muur die naar de rest van de suite voerde. Stride liet zijn blik over het buffet gaan en besefte dat hij trek had. Wat er op de mahoniehouten werktafel was uitgestald, was voldoende voor twintig man. Hij nam een bord, besmeerde een halve bagel met roomkaas en belegde hem met gerookte zalm. Hij schonk een glas jus d'orange in en ook een voor Serena.

De ruimte ademde een ruige westernsfeer, met werk van cowboyschilders als Frederic Remington. Er stond ook een beeld, een rodeoscène. Het kostte Stride moeite om zich Fisso, geboren en getogen in Manhattan, voor te stellen met een cowboyhoed. Hij stond op het punt er tegen Serena een grap over te maken, maar was blij dat hij het niet deed, want hij merkte dat Boni Fisso geruisloos was binnengekomen.

Fisso las zijn gedachten. 'In hun hart zijn alle mannen cowboys, rechercheur. Ik ben een Italiaanse cowboy. U kent de term "spaghetti western"? Nou, dat ben ik.' Hij lachte, een luid, diep gebulder dat in de grote ruimte weergalmde.

Hij bewoog zich voor iemand van in de tachtig met een opmerkelijke gratie en snelheid. Hij gaf hun beiden een hand en dirigeerde hen naar de glazen wand, waar hij met een armzwaai op het uitzicht wees. 'Moet u die stad nou zien! Mijn god, wat een plek. U weet dat men zegt dat door elke stad van wereldklasse een rivier stroomt. Gelul. Bij ons stromen er zand en yucca's en ratelslangen doorheen. De enige rivier hier is geld. En dat heb ik honderd keer liever dan alle rioolwater en vissenkoppen in de Missouri of de Hudson.'

'Mist u vroeger niet?' vroeg Stride. 'Iedereen uit die tijd schijnt te vinden dat het Vegas van de jaren zestig beter was.'

'Jezus, nee!' riep Boni uit. 'Oké, ik wou dat ik het lijf en de helft van de energie van toen had, maar dat vinden we allemaal, toch? Ik ben ook een hoop vrienden kwijt. Iedereen wordt ouder. U begrijpt wat ik bedoel. *Tempus fuck-it.* Maar dat is de schoonheid van deze stad. Die is altijd jong. Gooi het verleden plat en ga door. U bent opgegroeid met magie, rechercheur. Ik garandeer u dat de mensen over veertig jaar zeggen dat ze het Vegas van onze tijd missen.' Boni schonk zich een glas champagne van het buffet in. 'Kom, eet eens wat, jullie. Jezus, ik lijk mijn grootmoeder wel.'

Ze konden er niet omheen: Boni was charmant. Stride moest zijn uiterste best doen om niet te vergeten dat deze man zonder enig gewetensbezwaar opdracht voor een moord zou geven als hem dat beter uitkwam. Hij dacht aan Walker in zijn rolstoel, die door Boni's krachtpatsers bijna was doodgeslagen. En Amira en haar ingeslagen schedel.

Boni keek hem met stralend blauwe ogen aan, en Stride dacht dat de man precies wist wat hij dacht. Het was waarschijnlijk wat iedereen ervoer wanneer hij voor het eerst in deze ruimte tegenover deze man stond.

'Laad de borden vol, dan kunnen we gaan zitten,' droeg Boni hun op. Hij koos zelf een roodleren leunstoel en het viel Stride op dat hij zo laag ontworpen was dat Boni met zijn voeten plat op de grond zat. Hij was klein, nog geen een meter zeventig. De stoel zelf stond op een kleine verhoging, iets hoger dan de banken eromheen. Boni's troon. Stride verwachtte half en half een ring met een robijn om te kussen.

Boni was geheel in het zwart gekleed. Een coltrui, een scherp gesneden zwarte blazer, en een smokingbroek met een scherpe vouw. Zijn lakschoenen waren gepoetst als spiegels. Hij leek nog steeds sterk op de foto's van tientallen jaren terug, toen hij ook al een kalende kruin in zijn zwarte haar had. Dat was nu grijs, en zijn voorhoofd zat onder de levervlekken. Onder zijn ogen had hij theezakjes en op zijn wangen lag een zwarte zweem die er met geen scheermes af te halen was. Maar hij was fit en sterk, en zijn ogen priemden en waren waakzaam. Zijn tanden waren nog steeds even wit als die van een filmster.

Maar dan wel in de film *Jaws*, dacht Stride bij zichzelf.

'Mr. Fisso – ' begon Serena.

'Toe zeg, ik heet Boni. Anders voel ik me zo verdomd oud.'

Stride zag dat Serena het niet prettig vond deze man te tutoyeren, maar ze deed haar best om de naam eruit te gooien. 'Goed dan, Boni. Mijn naam is – '

Boni onderbrak haar opnieuw. 'Laat maar, laat maar. Serena Dial. Woonachtig in Las Vegas, afkomstig uit Phoenix, als mijn bronnen zich niet vergissen.' Zijn toon was licht, maar Stride had het gevoel dat Boni elk detail van Serena's verleden had kunnen oplepelen, misschien wel meer dan hij zelf kon. 'En u bent nieuw in de club,' ging hij verder, nu tegen Stride. 'Uit Minnesota? Een hoop meren daar. Ik zou kunnen vragen wat je in godsnaam in de woestijn te zoeken hebt, maar dat is wel duidelijk.'

Hij gaf hem een knipoog en wierp even een blik op Serena, en het was duidelijk dat hij alles van hun relatie wist. Stride vroeg zich af of het van Sawhill afkomstig was.

'Ik moet je bedanken,' zei Boni tegen Serena. 'Ik heb mijn dochter in jaren niet gesproken. Het was goed haar stem te horen. Ooit, zo dacht ik, zou ze hier wonen en mijn koninkrijk samen met mij bestieren. Die meid had een zakelijk inzicht zoals ik nog nooit had meegemaakt. Ach, dat heeft ze natuurlijk van haar vader. Eva, haar moeder, kon je wel onder tafel lullen, maar háár echte talent was geld uitgeven, niet verdienen. Nee, mijn Claire is de meest begaafde van de familie. Daar kan ik niet tegenop.'

'Waarom zijn jullie van elkaar vervreemd?' vroeg Serena.

Boni's gezicht werd zo hard als beton. 'Een politierechercheur die bezorgd is om mijn gezinsleven. Wat aardig. Je komt hier toch niet om me te helpen het weer goed te maken met Claire?'

'Nee, maar...'

'Luister. Claire en ik waren het niet eens over mijn manier van zakendoen. Dus ging ze het huis uit om haar treurige liedjes te zingen, alleen maar om mij te treiteren. En in dat flatje van haar te hokken, terwijl ik donders goed weet dat ze met beleggen miljoenen heeft verdiend.' Boni observeerde Serena, die niet kon voorkomen dat de schok op haar gezicht te lezen viel. 'Ze heeft waarschijnlijk tegen je gezegd dat het is omdat ze met vrouwen slaapt. Dat is niet zoals het hoort volgens de katholieke kerk. Goed, ik had liever gehad dat ze met een potige kerel als rechercheur Stride was getrouwd. Ik heb haar een paar keer gedwongen uit te gaan met knappe kerels. Is dat zo erg? Maar nee, ik krijg godbetert elke zondag bij de biecht dat gemeier over Claire over me heen. Pater D'Antoni vraagt altijd naar haar, om te zien of ze weer op het rechte pad is. Hij wil graag de details horen, als je het mij vraagt.'

'Heb je haar horen zingen?' vroeg Serena.

'Ja. Grote klasse. Die meid zou de baas in Nashville kunnen zijn als ze daarheen zou gaan. Maar dat zal wel nooit gebeuren. Ze is Las Vegas in hart en nieren.' Boni liet zich terugzakken en nam een slok champagne. 'Maar wij hebben andere zaken te bespreken, nietwaar? Claire zei dat jullie een onofficieel gesprek met me wilden, zonder advocaten erbij. Daar moet ik me bij neerleggen. Ik ben zelf jurist, en ik kan jullie wel zeggen dat de meesten net zogoed een sprekende papegaai op hun bureau kunnen zetten die "Nee, nee, nee" zegt. En de rekeningen voor die papegaai zetten ze op duizend dollar per uur. Nee dus, er zijn hier geen advocaten. Alleen wij drieën. Dit gesprek heeft niet plaats. Is dat duidelijk?'

Ze knikten allebei.

'De reden dat we hier – ' begon Stride.

'De reden dat jullie hier zijn, is dat jullie een moordenaar proberen te vangen. En jullie willen mijn hulp.'

Stride knikte. 'Dat klopt.'

'Ik heb de tekening gezien. Ik kan jullie niet helpen. Het spijt me.'

'Hij heeft voor uw bedrijf gewerkt,' zei Serena. 'David Kamen van Premium Security heeft hem aangenomen. Ik ben er zeker van dat je dat weet, omdat ik er zeker van ben dat Kamen je heeft gebeld.'

'Ja, hij heeft me gebeld,' zei Boni. 'Maar dat verandert niks aan de zaak. Ik heb die Blake Wilde nooit ontmoet, en ik weet niet hoe jullie hem moeten vinden. Ik wou dat ik jullie kon helpen.'

'Je beseft dat Claire zijn volgende doelwit kan zijn?' zei Serena.

'Ik ben niet gek, rechercheur,' zei Boni op scherpe toon. Hij keek Serena met zijn blauwe ogen strak aan en ging verder: 'Ik laat Claire altijd in de gaten houden. Ook al weet ze het niet, ik laat haar altijd beschermen.'

Serena sprong er meteen op: 'Was Blake een van de mensen door wie je haar liet beschérmen?"

Boni gaf geen antwoord, en Stride dacht dat ze een pijnlijke plek had aangeraakt.

'Mr. Fisso, mag ik vrijuit spreken?' vroeg Stride.

'Graag.'

'Het heeft niet in de krant gestaan, maar u wist vermoedelijk nog eerder dan wij dat deze moorden één ding gemeen hebben: de Sheherezade. Of nauwkeuriger gezegd: Amira Luz. Blake Wilde, wie het ook moge zijn, schijnt erop gebrand te zijn Amira's dood te wreken, omdat hij denkt dat het anders is gegaan dan de kranten en de politie beweren. Daar zou hij best eens gelijk in kunnen hebben. Maar we zijn hier niet om het onderzoek naar de moord op Amira Luz te heropenen. Die zaak is afgesloten.'

'O ja? Ik begrijp anders dat je er een hoop vragen over stelt, rechercheur. Ik heb gehoord dat je zelfs een bezoek aan mijn oude vriend Walker Lane hebt gebracht.'

'U weet dat hij in een rolstoel zit?' zei Stride. 'Dat is sinds die nacht.'

'Afschuwelijk. Een auto-ongeluk toch? Een harde les met betrekking tot dronken achter het stuur zitten.'

'Dat is niet Walkers versie.'

'O nee?'

'Hij zegt dat u hem in elkaar hebt laten slaan, tot hij invalide was. Als wraak omdat hij uw minnares had afgepakt.'

'Ik neem aan dat hij me er ook van beschuldigt Amira te hebben vermoord?' was Boni's kalme reactie.

'Inderdaad.'

'Ach, ja. Ik mocht Walker heel graag, rechercheur, maar hij gedroeg zich zo roekeloos. Wanneer je fouten maakt die afschuwelijke gevolgen hebben, probeer je vaak andere mensen de schuld te geven.'

'Dus u hebt Amira niet vermoord?' vroeg Stride.

'Nee, natuurlijk niet.'

'Nee? Ze was toch uw bezit? U bezat haar toch?'

Boni liet tuttende geluidjes horen, alsof Stride een kind was. 'Amira was niemands bezit. Van niemand. En al helemaal niet van Walker. Ik denk dat hij daardoor enorm gefrustreerd was.'

'Dus u wilt zeggen dat Walker haar heeft vermoord?' vroeg Stride.

'Voor zover mij bekend heeft een ontspoorde fan dat gedaan. Walker was er niet toen Amira werd vermoord. Die was alweer op weg terug naar Los Angeles. En toevallig heeft hij toen dat ongeluk gehad.'

'Ik weet zeker dat we een proces-verbaal van dat ongeluk zullen vinden als we diep genoeg spitten,' zei Stride.

'Daar ben ik zeker van. Anderzijds wil er in veertig jaar tijd nog wel eens iets zoekraken.'

'Hoe zit het met de personeelsgegevens van de Sheherezade uit die tijd? Zijn die ook zoek?'

'Hoezo?' vroeg Boni. 'Waar zijn jullie naar op zoek?'

'Een knaap die die zomer in het hotel heeft gewerkt als badmeester. Hij heette Mickey.'

Boni keek Stride met een opgetrokken wenkbrauw aan. 'En waarom maken jullie je druk over zo iemand?'

'Hij belde in de nacht van Amira's dood met uw casinobaas Leo Rucci met de mededeling dat er buiten werd gevochten. Daar wil ik wel wat meer van weten.'

'Nou, het spijt me, rechercheur. Ik weet zeker dat de oude personeelsgegevens ergens in een opslag midden in de stad liggen, half opgevreten door de kakkerlakken. Maar wanneer er hier 's zomers studenten werkten, liet ik ze door Leo meestal cash uitbetalen. Het gedoe met papierwerk en de belastingen was de moeite niet waard.'

Stride had het gevoel dat hij in gevecht was met een oude eland met een enorm gewei die te allen tijde bereid was om de strijd aan te gaan.

'Waarom is Blake Wilde erop gebeten om Amira's dood te wreken als er verder niets achter steekt?' vroeg Serena. Ze wekte de indruk genoeg te hebben van de jongens die een wedstrijd deden wie de grootste had.

'Het is een seriemoordenaar. Jullie weten meer van de manier van denken van zo iemand dan ik.' Hij kon een gemeen lachje niet onderdrukken.

'Als we zouden weten waaróm hij het doet, zouden we enorm geholpen zijn,' zei Stride. 'En volgens mij weet u het waarom.'

'Dat heb je zelf toch al gezegd, nietwaar, rechercheur? Hij heeft verwrongen ideeën over wat er met Amira is gebeurd.'

Stride schudde zijn hoofd. 'Moet u horen. Ik weet dat u hem het eerst wilt pakken. Ik weet dat u hem wilt hebben en op uw manier wilt laten boeten.' Stride zweeg en constateerde dat Boni het niet weerlegde. 'Maar het belangrijkste is dat een van ons hem snel te pakken krijgt voordat hij weer iemand vermoordt. Als u hem het eerst hebt, dan zullen we dat nooit weten. Maar ik denk niet dat het voor u nadelig is als wij hem oppakken.'

'Dacht je dat echt?' zei Boni. Het masker verschoof even. Een glans van staal.

Stride wist dat hij gelijk had. Het was een wedstrijd, en Boni moest winnen. Niet alleen om Blake te vermorzelen, maar om hem snel en geruisloos van de voorpagina's te laten verdwijnen.Wie weet wat Blake zou vertellen als hij in voorarrest zat? Of wat hij wist. Alleen al zijn aantijgingen konden Boni onder vuur houden en de investeerders ertoe brengen zijn Orientproject de rug toe te keren.

Hij ging hen niet helpen.

'En stel dat je te laat bent, Boni?' vroeg Serena. 'Stel dat hij voor die tijd Claire te pakken neemt? Is dat het risico waard?'

Het bleef stil toen Boni op de vraag kauwde.

'Waar heeft Kamen hem gevonden?' vroeg Serena.

'Daar schieten jullie niets mee op,' zei Boni. 'Wilde was als huursoldaat in Afghanistan. David heeft hem een paar keer gebruikt voor operaties die buiten de boeken bleven. Hij was goed. Kende geen angst. Meedogenloos. Maar dat is allemaal schimmig. Valse namen, geen voorgeschiedenis.'

'Zijn er nog anderen met wie Kamen werkt die hem gekend zouden kunnen hebben?'

Boni schudde het hoofd. 'Dat is het laatste wat ik jullie zou vertellen. Of wat David jullie zou vertellen.'

Stride wist dat er militaire kanalen waren die hij zou kunnen gebruiken, maar als Wilde een solitaire speler was, zou de legertop net als Boni niet genegen zijn hem enige informatie te geven. 'Vertel ons dan waarom,' zei hij.

Stride zag Boni's hersens alles doorrekenen. Voor hem was het puur rekenwerk, debet en credit. De waarde van informatie. Hij dacht eerst dat Boni hen weer zou laten zitten, maar de oude man boog zich naar voren met zijn handen op zijn knieen.

'Ik vertel jullie één ding, en dan zijn we klaar.'

Ze knikten beiden.

'Amira was niet celibatair, als je begrijpt wat ik bedoel. Ze kwam naar Vegas en dook in bed bij Moose. Slimme meid. Moose had invloed. Binnen de kortste keren was ze eerste danseres in onze shows. Toen ging ze naar Parijs. Speciaal contract. Daar deed ze het idee voor *Flame* op.'

Boni leek te genieten van de verwarring op hun gezichten.

'Het punt is dat ze niet naar Parijs ging,' vervolgde hij. 'Ze was zwanger en wilde het stilhouden. Dus heb ik haar een paar maanden weggestuurd, en kreeg ze een kind.'

Een kind, dacht Stride. Een geheim kind. Soms zijn de lastigste problemen in feite het eenvoudigst. Blake Wilde was *Amira's zoon.*

'Wat is er met het kind gebeurd?' vroeg Stride.

'Geadopteerd,' zei Boni. 'Amira kon het kind niet snel genoeg onderbrengen. Ze werd helemaal gek daar in haar eentje. Ze popelde om terug te komen. Ze wist dat *Flame* een daverend succes zou worden.'

'En Moose wist van niks?' vroeg Serena.

'Niemand wist ervan.'

In Strides hersens zeurde iets door. Er verschoof een plaat, en net als bij een aardbeving viel er een puzzelstuk op zijn plaats.

'U zei "daar",' zei Stride. 'Waar hebt u haar heen gestuurd?'

'Een zakenpartner van me had in Reno bij het meer een stel huisjes,' antwoordde Boni. 'Daar gingen een hoop meiden uit Vegas heen wanneer ze dit soort problemen hadden.'

Stride en Serena keken elkaar aan. 'Reno,' zeiden ze.

DEEL DRIE

BLAKE

30

'Nou krijg ik je twee keer per week te zien,' zei Jay Walling toen Serena voor het verzorgingstehuis niet ver van het centrum van Reno uit haar huurauto stapte. Hij had zijn zwarte hoed zwierig schuin opgezet. 'Ik ben een gezegend man.'

'Doe niet zo gek, Jay,' zei Serena vrolijk.

Ze ritste haar leren jack dicht. Het was koud in de stad, met een straffe bries vanuit de bergen en sneeuwvlagen. In Las Vegas joeg een najaarshittegolf de temperaturen omhoog, maar hier voelde het al winters aan. De lucht was somber steenkoolzwart en de bergen zagen er boos uit.

'Hij heet William Borden,' zei Walling. 'De broer van Alice Ford.'

Toen ze eenmaal wisten dat er een connectie was tussen Blake en Reno, had het hun niet veel tijd gekost om datgene te vinden wat er vanaf het begin had ontbroken: iets om de moord op Alice Ford op haar boerderij buiten Reno te koppelen aan de doden in Las Vegas. Ze hadden ontdekt dat haar broer dertig jaar lang directeur was geweest van een jeugdzorgorganisatie die in het noorden van de staat werkte. Daar hoorde ook het regelen van geheime adopties van kinderen voor zwangere showgirls als Amira bij.

'Heb je nog meer over de organisatie kunnen vinden?' vroeg Serena.

'Het zijn heiligen, als je de mensen in Carson City mag geloven. Bescheiden budgetten, veel kleine jaarlijkse giften, geen ernstige klachten. Ze doen goed werk.'

'Had Borden de leiding toen Amira haar kind kreeg?'

Walling knikte. 'Hij heeft in 1960 de leiding overgenomen en is tot aan zijn pensioen de baas gebleven. Hij is nu terminaal, met hartklachten. Vorig jaar hierheen verhuisd.'

Serena liet haar blik over het verzorgingstehuis gaan, een betonnen doos van drie verdiepingen van vuil wit beton, en voelde een depressie opkomen. Niet veel verderop stonden enorme oude huizen die uitkeken op de snelstromende Truckee, maar ze hadden net zogoed in een heel ander universum kunnen staan. Het werd nog erger toen ze binnenkwamen. De verpleging deed heel erg haar best met kindertekeningen aan de muren en een brede glimlach, maar het was en bleef een plek waar opgebruikte mensen kwamen om te sterven. Ze kwamen langs een diabetespatiënt zonder ledematen, een bevende vrouw met een ernstige vorm van Parkinson. Mensen met lege ogen, zonder geest. Serena kreeg een claustrofobisch gevoel.

Ze vonden William Borden in de recreatieruimte op de eerste verdieping. In een hoek stond een tv met een tiental mensen op banken en in rolstoelen eromheen die naar een herhaling van *Friends* keken. Een verpleegster wees Borden voor hen aan. Hij zat apart in een leunstoel aan de andere kant van de zaal, met een boek op schoot.

Ze stelden zich voor, schoven een paar stoelen bij en gingen tegenover hem zitten. Serena trok haar jas uit. Er werd stevig gestookt.

'Ik vind het heel erg naar van uw zus,' deelde Serena hem mee. Het viel haar op dat het boek in zijn handen *Gezinnen en de zin van de dood* heette. Ze vroeg zich af hoe iemand er ooit de zin van zou kunnen inzien. Vooral van een gewelddadige dood. Bordens ogen staarden in de verte.

'Ik voel me verschrikkelijk schuldig,' antwoordde Borden. Hij had een professorale stem, bedachtzaam en ietwat pompeus. Het was een kleine man met een grijze baard en zilver haar dat nodig moest worden geknipt. Hij droeg een lichtblauwe pyjama en pantoffels. 'Ik denk dat dat van het begin af aan de bedoeling van de man is geweest: schuldgevoelens en pijn te veroorzaken. Ik heb Al nog niet gezien. Ik vraag me af of hij me nog komt opzoeken nu ik hem zijn vrouw heb afgepakt.'

'Maar dat hebt u toch helemaal niet gedaan, Mr. Borden,' zei Walling nadrukkelijk.

Borden haalde zijn schouders op. 'O nee?'

'We zouden graag kijken of u de man kunt identificeren die volgens ons uw zus heeft vermoord,' begon Serena. Ze wilde hem de politietekening geven, maar Borden maakte een afwerend gebaar.

'Hoeft niet. Ik weet wie het is. Toen Mr. Walling me belde, wist ik precies wie het moest zijn.' Het was heel warm in de zaal, maar ondanks de wollen plaid over Mr. Bordens benen huiverde hij.

'Hij noemt zich Blake Wilde,' zei Serena.

Borden schudde het hoofd. 'Die naam zegt me niets. Maar ik weet zeker dat hij in de loop der tijd allerlei namen heeft gehad. Toen ik hem kende, heette hij Michael Burton. Maar dat was meer dan twintig jaar geleden.'

'Toch zou ik heel graag willen dat u even naar de tekening kijkt,' zei Serena.

Borden zuchtte. Hij pakte hem aan en bekeek hem met duidelijke afkeer. Ten slotte sloot hij zijn ogen en knikte. 'Hij was nog maar zestien toen ik hem voor het laatst zag, maar hij is het beslist. Die ogen. De rest van zijn gezicht is ouder geworden, maar die ogen zijn nog precies zoals toen.' Er klonk een giechelend gelach van de mensen die rond de tv zaten. Hij fronste zijn wenkbrauwen. 'Dat is de kern waar het hier om gaat. Verzamel de stervenden als vee en wacht tot ze stuk voor stuk afhaken. Het is ironisch, hoor. Ik heb mijn hele werkzame leven geprobeerd kinderen een beter leven te geven. Ik heb nooit tijd gehad om te trouwen en zelf kinderen te krijgen. En in plaats daarvan eindig ik nu hier met een zwak hart, en niemand die me komt opzoeken, behalve mijn zus. En die is nu dood. Door een fout die ik lang geleden heb gemaakt. De enige grote vergissing in dertig jaar tijd.'

'Was Blake, of Michael, de zoon van Amira Luz?' vroeg Serena.

'Ik zou het echt niet weten. Dat wist ik nooit. De moeders zag ik nooit.'

'Vertelt u eens wat er is gebeurd,' vroeg Walling.

'Er kwam een man bij me,' vertelde Borden. 'Dat was in het voorjaar van '67, na sluitingstijd. Hij had een baby bij zich, heel erg jong, hoogstens een paar dagen oud. Hij zei dat de moeder niet voor het kind kon zorgen en vroeg of ik een tehuis voor het jongetje kon vinden.'

'Weet u wie die man was?'

Borden schudde zijn hoofd. 'Hij noemde geen naam. Het was een grote kerel, met een nek als een boomstam. Om bang van te worden.'

Dat leek op Leo Rucci, dacht Serena, hoewel er in die tijd talrijke spierbundels voor de casino's werkten. 'U nam die baby aan? Zomaar, zonder vragen te stellen?'

'Die dingen gebeurden toen aan de lopende band. De meisjes in Vegas knoopten relaties aan met mensen uit de jetset en werden zwanger. Men wilde het geruisloos oplossen, zonder papieren, zonder problemen met erfenissen en zo. Elke maand was er weer zo'n meisje, weer zo'n baby. Iedereen denkt met zoveel heimwee terug aan de tijden van de Rat Pack, maar dat zijn vooral de rijke blanken. Niemand wilde weten wat er achter de schermen gebeurde. Heftig racisme. Misbruik van vrouwen. Kinderen die werden weggegooid.'

'Dus u hebt de baby aangenomen?' vroeg Serena.

Borden knikte.

Walling boog zich naar hem toe en fluisterde: 'Ik neem zonder meer aan dat u een brave burger bent, Mr. Borden, maar verdiende u er misschien ook iets aan?'

Borden keek naar het plafond. 'Ja, ja, ik kreeg ook geld. Deze mensen betaalden altijd vorstelijk. Maar ik bezweer u dat ik er nooit een cent van in mijn eigen zak heb gestoken. Het ging allemaal naar de organisatie. Daarmee kwamen we moeilijke tijden door.'

'En het gezin?' vroeg Serena. 'Stelde dat nog vragen?'

'Alles ging toen anoniem. Voor hen was het niets bijzonders.

Het was niet zoals nu. Nu houden veel biologische moeders nog lang na de adoptie contact met hun kind.'

Walling streek zijn hoed, die hij nog in de hand had, glad. 'Ik begrijp iets niet helemaal, Mr. Borden. U wist niet waar de baby vandaan kwam en het gezin wist het ook niet, dus hoe kwam deze man erachter dat Amira Luz zijn moeder was? En waarom begon hij zijn griezelige spelletje met het vermoorden van uw zus?'

Gekweld haalde Borden een paar maal diep adem, en het viel Serena op hoe moeizaam dat ging. 'Hoe hij Amira heeft gevonden, weet ik niet. Maar de vendetta... die is lang geleden begonnen.'

'Leg uit,' zei Walling zakelijk.

'Ik zei al dat ik een fout heb gemaakt. Een afschuwelijke fout. Niet het aannemen van de baby of het geld, dat bedoel ik niet. Dat zou ik vandaag zo weer doen. Mijn opdracht was kinderen beschermen.'

'En toen?' vroeg Walling.

Serena keek naar Bordens ogen, en begon te beseffen wat er was gebeurd. Ze had hetzelfde meegemaakt. Ze voelde dat de warmte in de ruimte verstikkend werd. Het woord hing tussen hen in, wachtte om te worden uitgesproken.

Misbruik.

'Mijn fout lag in de keuze van het gezin,' zei Borden.

Walling zag het nu ook. 'Wat hebben ze de jongen aangedaan?'

'U moet het volgende begrijpen,' zei Borden. Serena dacht dat hij de beslissing voor zichzelf probeerde te verdedigen. 'Het plaatsen van kinderen bij adoptiegezinnen is geen exacte wetenschap. We proberen tot een zorgvuldig oordeel te komen door een aantal gesprekken. Maar af en toe gaat het mis. Ik moet bekennen dat ik toen jong was en te veel zelfvertrouwen had. Ik was afgestudeerd kinderpsycholoog, en dacht dat ik een adoptiegezin wel kon peilen en in een paar minuten kon zeggen of ze al dan niet geschikt waren. Ik wist toen nog niet wat ik nu weet.'

'De Burtons waren niet geschikt,' zei Serena.

Borden schudde het hoofd. 'De man misschien nog wel. Een fatsoenlijke, hardwerkende arbeider. Ze waren vijf jaar getrouwd. Snakten naar een kind. Zijn vrouw, Bonnie, wilde dolgraag. Ik dacht dat ze het als ouders prima zouden doen. Ik heb de signalen gewoon niet opgevangen. Afgaande op wat ik nu weet, ben ik er zeker van dat Bonnie zelf ook is misbruikt. Ze zette de traditie gewoon voort. Hoewel ze, als de jongen de waarheid vertelde, buitengewoon wreed was.'

'Waren er geen controlebezoeken?' vroeg Walling.

'Natuurlijk. Het zag er allemaal prachtig uit. Mr. Walling, u moet beseffen dat het niet om lichamelijk misbruik ging, aftuigen, geweld. Ik heb het over seksueel misbruik. Toen Michael nog heel jong was, was Bonnie Burton al intiem met hem.'

Serena kreeg het gevoel dat het plafond langzaam omlaagkwam en haar in de grond zou drukken. Ze kreeg een flashback van haar eigen moeder en Blue Dog, die zich op het bed over haar heen bogen. Het zweet brak haar aan alle kanten uit.

'Het was niet puur seks,' ging Borden verder. 'Ze terroriseerde de jongen om hem te kunnen domineren. Ze had hem psychisch volkomen in haar macht. Wanneer hij zich verzette, deed ze onbeschrijfelijke dingen.'

'Zoals?' vroeg Walling.

Serena wilde de details echt niet horen.

'De jongen vertelde me dat Bonnie hem soms in de badkamer opsloot, naakt, in het donker. En dan liet ze dingen los onder de deur door.'

'Dingen?'

'Meestal kakkerlakken.'

'Shit,' zei Serena onwillekeurig. 'En daar wist u toen niets van? En haar man ook niet?'

'Nee, ik wist nergens van. We staakten de contacten met een gezin in een vroeg stadium. En wat haar man betreft: als hij het heeft geweten, heeft hij er niets tegen gedaan. Ik hoop dat hij het niet wist.'

'Hoe bent u erachter gekomen?' vroeg Serena.

Er trok een zenuwtrek over Bordens gezicht. De groep voor de tv lachte weer. 'Dat was pas jaren later. De jongen brak bij mij in terwijl ik lag te slapen. Hij bond me vast. Ik had eerst geen idee wie het was en dacht dat hij me kwam beroven. Maar nadat hij me had vastgebonden, kwam hij naast het bed zitten en vertelde wie hij was. Hij wilde zijn moeder zoeken.'

'Dus hij was toen al door haar geobsedeerd,' zei Serena.

'O, ja. In zijn denken was zijn moeder een slachtoffer, net als hij. Door dat misbruik had hij een denkbeeldige band met haar gekregen. Hij vertelde dat ze soms bij hem kwam en hem dingen influisterde. Dan zei ze dat alles goed zou komen. Dat hij haar moest gaan zoeken.'

It's okay, baby, dacht Serena bij zichzelf, en de kamer tolde om haar heen. Ze was kwaad op zichzelf omdat ze haar eigen verleden in het heden liet kruipen. Het infecteerde haar.

'Vertelde hij hoe hij werd misbruikt terwijl u daar gebonden lag?' vroeg Walling.

Borden knikte. 'Tot in details. Mocht u zich afvragen of hij het verzon, dan kan ik u verzekeren dat het niet zo was. Ik heb met duizenden kinderen gepraat en ik weet wanneer ze liegen of fantaseren, maar bij hem was het geen van twee. Wat hij daarna ook mag hebben gedaan, wat hij is geworden, deze jongen had thuis onbeschrijflijke martelingen doorgemaakt.'

'Wat voor iemand was het?' vroeg Serena. 'Was hij gewelddadig?'

'Gewelddadig, ja,' antwoordde Borden. 'Maar het was geen onbeheerst geweld. Hij was niet kwaad, zocht geen ruzie, hij was gewoon kalm en wreed. Hij had met de pijn leren omgaan door zich af te sluiten en zijn gevoelens los te maken van wat er om hem heen gebeurde. Hij was – ik weet dat het vreemd lijkt – zeer gefocust, zeer professioneel. Voor zijn leeftijd was hij heel volwassen. Geweld was niets anders dan een middel om te krijgen wat hij wilde.'

'En wat hij wilde, was zijn echte moeder,' zei Serena. Ze dacht aan Blake als jonge knaap en besefte dat ze begreep waarom hij zo reageerde. Hij was een soort prikkeldraad geworden, net als zij. Hij had zich bevroren, was naar binnen gegaan.

'Precies. Helaas voor hem kon ik hem niet helpen.'

Wallings ogen werden spleetjes. 'Wat heeft hij u aangedaan?'

Borden deed zijn pyjamajasje open en trok de stof rustig opzij. Zijn verschrompelde borst droeg het ritssluitinglitteken van openhartchirurgie. Maar er waren nog andere littekens, tientallen, over zijn hele borst, ronde misvormingen als potloodgummetjes. 'Hij begon met vragen te stellen over de adoptie, wat voor gegevens er bewaard werden en waar hij ze kon vinden. Ik vertelde hem eerst allemaal leugens, dat we de gegevens van die tijd niet meer hadden, dat ze bij een verhuizing waren verdwenen. Hij wist dat ik loog. Tijdens de ondervraging rookte hij een sigaret, die hij bij elk verkeerd antwoord gebruikte om me te brandmerken. Ik kan u niet vertellen hoeveel pijn dat doet. Maar hij beleefde geen plezier aan mijn pijn. Het was klinisch. Pijn toedienen om te krijgen wat hij wilde. Antwoorden.'

'Hebt u hem de waarheid verteld?' vroeg Serena.

'Heel snel. Het duurde een hele tijd voor hij geloofde dat er van deze adoptie geen gegevens waren, dat ik helemaal niets wist van zijn biologische moeder. Ik beschreef de man die hem als baby had gebracht zo goed als ik kon, maar zestien jaar later had hij daar niet veel aan. Ik vertelde hem dat ik al die tijd had gedacht dat er een maffialuchtje aan zat. Maar een zestienjarige, van huis weggelopen jongen in Nevada zou de muur van stilzwijgen tussen de casinobazen niet kunnen neerhalen.'

'Dus u denkt dat hij Amira toen niet heeft gevonden?' vroeg Serena.

'Ik zou niet weten hoe hij dat zou hebben moeten doen. Ik wist het zelf niet tot u het me vertelde.'

'Goed, stel dat het hem op een of andere manier is gelukt. Waarom zou hij zoiets dan volgens u doen? Wat voor plan heeft hij?'

Borden staarde naar de tekening in zijn hand. Een hele tijd zei hij niets, en Serena merkte dat er een traan over zijn wang liep. Hij veegde hem weg. Ze vroeg zich af of het voor hemzelf was, voor zijn zus, of voor de jongen die hij per ongeluk tot een gekweld leven had veroordeeld. Misschien voor alle drie.

'Voor een deel is het beslist wraak. Niet voor zichzelf, maar voor zijn moeder. Hij zoekt gerechtigheid voor haar.'

'Maar waarom familieleden?' vroeg Walling. 'Waarom doodt hij niet de mensen die volgens hem een rol bij Amira's dood hebben gespeeld?'

'Naar zijn idee komt het verlies van een familielid harder aan,' zei Borden. 'Dat is zijn eigen pijn, iets dat hij kan invoelen. Hij wil dat de mensen die hem zijn moeder hebben afgenomen, weten wat het is om je familie te verliezen. Zoals hem is overkomen. En ook Amira.'

'Voor zover we weten was Amira blij dat ze het kind kwijt was,' zei Serena.

'Dat kan wel, maar dat weet hij niet. Ik weet zeker dat hij het ook niet zou gelóven.'

'Maar u hebt Amira niet gedood,' kwam Walling ertussendoor. 'Waarom is hij dan bij u begonnen?'

Borden schudde het hoofd. 'Het gaat niet alleen om degenen die haar hebben vermoord, maar iedereen die haar heeft verraden. In zijn denken was ik de eerste. Ik heb moeder en kind uit elkaar gehaald. Dat was al duidelijk die keer dat hij bij me langskwam. Hij gaf mij de schuld omdat ik hem als baby had geaccepteerd, en ook omdat ik hem bij de Burtons had geplaatst.'

'We moeten met de Burtons gaan praten,' zei Serena tegen Walling. Een deel van haar vond het afschuwelijk weer te worden geconfronteerd met een ontspoorde moeder, en een ander deel wilde de vrouw een pak slaag geven.

'Dat zal moeilijk gaan,' onderbrak Borden hen. 'Die avond dat de jongen mij een bezoek bracht, had hij al besloten weg te lopen, de stad uit. En voor hij vertrok heeft hij het huis van de Burtons laten afbranden. Met hen erin.'

31

Blake herinnerde zich nog levendig hoe hij de waarheid omtrent Amira te weten was gekomen.

Het was toeval. Een wonder, zouden sommige mensen het noemen. Er waren een miljoen redenen waarom hij er nooit achter had moeten komen. Maar hij was op die plaats, en het tijdschrift lag er, en hij had de waarheid als een zuur door zijn aderen voelen stromen. Het leven hangt aan een zijden draadje.

Een aantal maanden geleden zat hij in de wachtkamer van een tandarts in Cancun, een tandarts wiens specialiteit geen wortelkanaalbehandelingen of gaatjes was, maar Amerikaanse toeristen te voorzien van cocaïneshots. De tandarts had de stomme fout begaan geld van mensen boven hem in de leveringsketen achter te houden, mensen die geen diefstal tolereerden. Blakes opdracht was eenvoudig geweest: laat de tandarts afstand doen van twee van zijn snijtanden.

Terwijl hij zat te wachten tot de laatste patiënt was vertrokken, ontdekte Blake dat de tandarts nog een passie had: gokken. Daarom had hij waarschijnlijk ook een extra punt van de taart willen hebben. Zijn wachtkamer lag vol tijdschriften uit Las Vegas, Mississippi en Monte Carlo, waaronder een recent exemplaar van *LV*. Bij toeval was dat het nummer met het artikel van Rex Terrell over Amira Luz en de Sheherezade.

Een zijden draadje.

Hij sloeg het tijdschrift open en daar was zijn moeder; ze staarde hem van een veertig jaar oude foto aan. Hij kende geen greintje twijfel. Voor hem was het, als hij naar Amira keek, of hij in de spiegel keek en zijn eigen ogen zag. Hij had niemand nodig om het hem te vertellen. Hij had geen DNA-test nodig. Hij *wist* het. De band tussen hen scheen van de pagina af in zijn botten te springen.

Toen hij het artikel las, vielen de stukjes op hun plaats, werd bevestigd wat hij op de foto zag. Het ontbrekende stuk in haar leven, toen ze naar men beweerde in Parijs danste, viel samen met het tijdstip van Blakes geboorte. *Maar je was niet in Parijs, hè? Je was in Reno, een eenzaam meisje dat een kind kreeg.*

Zelfs de relatie met de maffia klopte, precies waar de man van het adoptiebureau hem voor had gewaarschuwd.

Boni Fisso.

Daar in die wachtkamer riep zijn moeder hem terug naar Nevada, terwijl hij had gezworen er nooit meer een stap te zetten. Ze schreeuwde om gerechtigheid.

Blake liet de tandarts achter op de grond, buiten westen van de pijn, badend in een plas bloed uit zijn mond. Hij waste de tanden en stopte ze in zijn zak als talisman. Herinnering aan het moment waarop zijn oude queeste eindigde en zijn nieuwe begon. Hij was al bezig een lijst op te stellen van mensen die voor hun zonden moesten boeten. Zonden begaan tegen Amira en haar zoon.

Via de grens met Mexico glipte hij in Texas de VS weer binnen. Dat was niet moeilijk. Het grootste deel van zijn leven was hij bezig geweest manieren te vinden om grenzen over te steken van landen als Colombia, Afghanistan, Nigeria en Irak. Hij had zich tientallen identiteiten eigengemaakt die hij zonder moeite aannam omdat hij het gevoel had dat hij geen eigen identiteit bezat. Zijn eigen verleden was geëindigd in Reno, toen hij zijn adoptieouders had vastgebonden, overgoten met benzine, net als het huis. En toen stond hij buiten en streek de lucifer af, zag het huis der gruwelen met een knal in brand vliegen, hoorde hun laatste erbarmelijke kreten toen het vuur de trap op was gerend om hen te zoeken, als een bloedhond op een sterke geur. Hij had diep ademgehaald, de lucht opgesnoven toen het vuur hun vlees schroeide en was weggerend.

Een nieuw leven. Bijna vijfentwintig jaar op de vlucht.

Hij was er kapot van geweest toen de zoektocht naar zijn moeder doodliep. De man van het adoptiebureau had hem gesmeekt, in tranen, zijn borst vol brandwonden, te geloven dat Blake een maffiababy was die uit het niets was gekomen. Uiteindelijk had hij hem geloofd. Ergens vond hij het wel mooi, het mysterie dat eromheen hing. Het paste wel, een man van nergens te zijn, letterlijk iemand zonder verleden. Maar het verlangen naar de waarheid ging nooit weg, zoals ook zijn moeder nooit wegging. Vanbinnen, in zijn hoofd, praatte ze nog altijd tegen hem. Ze leidde hem. Er was nog altijd een navelstreng die hen verbond en die nooit wegging.

Blake bleef niet in de VS hangen. Hij was zestien, maar kon gemakkelijk voor twintig doorgaan. Toen de VS Grenada binnenviel, ging hij erheen met nog een stel huurlingen uit Louisiana die geld roken. Hij ontdekte dat er altijd mensen zijn die iemand tegen betaling iets voor zich willen laten opknappen. Hij had geen identiteit nodig, want niemand wilde dat hij er een had. Hij was intelligent, meedogenloos en anoniem. Meer vroegen ze niet, en ze betaalden goed.

Na Grenada ging hij naar Nicaragua. En vandaar naar Afrika. Hij trok de hele wereld over, trok door schemergebieden. Het grootste deel van het voorgaande decennium had hij in het Midden-Oosten doorgebracht, waar de risico's oneindig veel groter waren, maar de beloningen navenant. Hij genoot van de uitdagingen, maar na een tijd kreeg hij genoeg van het werken met fanatici en leed hij onder de hitte van de woestijn. Hij verhuisde naar Mexico, werkte voor de kartels wanneer hij geld nodig had en merkte dat hij genoot van de zeebries en de gebruinde vrouwen die naar de kust kwamen.

Hij zag zichzelf als iemand die al half en half met pensioen was. Er stond meer dan genoeg geld op een buitenlandse bank. Hij nam af en toe een opdracht aan, meestal alleen klussen waarbij hij aan de kust kon blijven. Voor iemand die nooit een thuis had gehad, voelde hij zich thuis in de zon en aan het water. Een stoet anonieme jonge vrouwen, toeristen maar ook plaatselijke vrouwen, bevredigde zijn seksuele behoeften in alle opzichten. Hij kocht een huis, leerde zichzelf koken en vissen, dronk Corona en speelde 's woensdagsavonds poker met de havenarbeiders en de kelners.

Maar de lege, zwarte hoek van zijn ziel bleef donker. Er scheen daar nooit licht. Onzichtbaar bewogen daar dingen, met geritsel en geklik. En altijd hoorde hij vanuit het donker haar stem. Zijn moeder fluisterde hem dingen in en had het tegen hem over onafgemaakte kwesties. Hij realiseerde zich dat hij lui en gemakzuchtig was geworden. Hij liep het gevaar zijn scherpte te verliezen, en dat kon hij zich niet veroorloven, nog niet. Na een zomer niet werken, te veel drank en elke avond een andere vrouw om te neuken, stond hij op het strand voor zijn huis en realiseerde zich dat hij niet rijp was voor een pensioen. Iets dreef hem voort, en later besefte hij dat er ergens een hand was die hem leidde. Onafgemaakte kwesties.

Een paar maanden later zat hij in de wachtkamer van die tandarts en staarde hij naar het gezicht van zijn moeder. Als hij was gestopt met werken, had hij haar nooit gevonden. Toen hij het artikel las en zijn woede voelde groeien, wist hij dat hij naar deze plaats en dit moment was geleid. Het moest zo zijn. Hij ging naar huis.

In Las Vegas had Blake een goedkoop flatje gevonden in een sombere wijk aan de verkeerde kant van een afbrokkelende muur die de lagere klasse scheidde van het rijke Cashman Field. Hij had geld genoeg voor iets beters, maar hij wilde een schuilplaats waar je buurman zich je gezicht nooit zou herinneren en waar niemand tegen de smerissen praatte.

In zulke achterbuurten gold de code dat je je ogen in je zak hield en je alleen met je eigen zaken bemoeide.

Hij verslond alles over Amira Luz wat hij kon vinden. Hij besteedde vele uren met over haar te lezen. Hij surfte over het web en vond een korrelige clandestiene film van Amira's optreden in *Flame*. Blake draaide hem telkens weer af en keek dan gebiologeerd toe hoe zijn moeder zich voor een joelend publiek van haar kleren ontdeed. Ze verleidde hem, in het gezelschap van alle anderen. Hij kon zich elk detail van de voorstelling voor de geest halen en begon anderen die in de zaal op de loer lagen en andere danseressen achter Amira te herkennen. Het was of het verhaal in het tijdschrift tot leven kwam.

Helena Troy. Op een gegeven moment wierp ze een blik op Amira, een vuile glimp die kwam en ging. Pure jaloezie en haat stonden er op haar gezicht te lezen.

Moose Dargon. Tussen de dansnummers dronken op het toneel. Zijn wenkbrauwen rolden zich op en af als zwarte slakken, terwijl hij smerige grappen maakte. *Toen God Amira schiep, rustte hij niet op de zevende dag. Hij trok zich af.*

Walker Lane. Alleen de bovenkant van zijn hoofd, langer dan de anderen naast hem op de eerste rij. Maar Blake kon hem voelen hijgen wanneer Amira opkwam. Zo zag lust eruit. Je zag het aan de manier waarop de man zijn hoofd scheef hield.

Leo Rucci. Hing rechts op het toneel rond, als een wolf. Blake voelde ook zijn honger in de manier waarop hij de meisjes bekeek. *Een man met een nek als een boomstam.* Hij was degene die Blake uit Amira's armen had gehaald.

Hij kreeg het gevoel dat hij hen allemaal kende, alsof hij door het scherm kon kruipen en in de zaal terechtkwam, waar hij de geur van de parfums, brillantine en rook opsnoof. Alsof hij zich onder hen kon mengen, gekleed in smoking, zodat hij iets meer rechtop stond en net iets cooler rondliep dan de rest. Alsof hij Amira van het toneel kon wegsleuren en in een Coronet-cabrio de woestijn in kon rijden terwijl haar ravenzwarte haar in de wind wapperde. Alsof de hele wereld een zwart-witfilm was.

Hoe meer hij zich in het verleden verdiepte, hoe makkelijker het was om het spel in het heden uit te zetten. En er was nog een bonus ook. David Kamen bevond zich in de stad, de scherpschutter uit Kabul die een vinger in de pap had bij alle zwarte markten in het Afghaanse oorlogsgebied. Blake had heel veel geheime klusjes voor Kamen opgeknapt, en die stond bij hem in het krijt. Blake had binnen de kortste keren een baan die hem toegang gaf tot juist die mensen naar wie hij zijn handen wilde uitstrekken.

Stukje bij beetje viel alles op zijn plaats.

De avond voor hij naar Reno ging, had hij in het donker opnieuw naar *Flame* zitten kijken. Hij bewaarde de tanden van de tandarts, zijn talisman, in een doos op de televisie, maar hij haalde ze eruit en zat er tijdens het kijken mee te goochelen. Hij had geen rust en popelde om te beginnen. Terwijl hij naar de film keek, dacht hij eraan hoe hij reeds als baby in de vileine handen van Bonnie Burton terecht was gekomen terwijl Amira op het toneel stond. Blake voelde geen woede meer. Morgen zou hij de weegschaal weer in evenwicht gaan brengen.

Maar hij had geweten dat hij die nacht niet zou slapen. Hij was gespannen geweest en had zijn zenuwen tot rust moeten brengen om te zorgen dat hij ongevoelig werd voor wat er ging komen. De lange rit naar Reno. De paar seconden geweld bij Alice Ford. Hij had de deur achter zich dichtgetrokken om in een club waar hij al een paar keer was geweest wat te drinken en te roken. De Limelight.

Het was bijna niet te geloven dat een paar weken later het spel alweer bijna afgelopen was.

Hij ging in zijn auto zitten, een onopvallende bruine sedan, op een parkeerplaats één straat ten noorden van een populaire stripclub bij de Stratosphere. Het was donker, maar de straat werd door neonreclames verlicht. In zijn achteruitkijkspiegel zag hij de andere auto, een cabrio, op de parkeerplaats achter de club. Anderhalf uur gingen voorbij en Blake ging ervan uit dat het niet lang zou duren voor de man weer naar buiten zou komen. De klanten die kwamen en gingen hield hij scherp in de gaten.

Zijn portierraampje was open, en hij zat te roken. Om de paar minuten kwam er een hoer langs die haar tieten in de auto hing en probeerde hem mee te krijgen. Blake blies hun alleen maar rook in het gezicht en keek hen strak aan, totdat ze zich nerveus en bang terugtrokken. Hij vroeg zich af of een van hen hem van de tekening op de tv zou herkennen. Hij zat in het donker van de auto, dus hij betwijfelde het. Hij dacht ook niet dat een van de meiden als een haas op zoek zou gaan naar een smeris.

Om halftwaalf kwam de man naar buiten. Je kon hem onmogelijk over het hoofd zien. Jong en dik, met een buik die over zijn grijze pantalon hing. Een wit overhemd en een felgekleurde stropdas die zo ver loshing dat hij tussen zijn benen hing. Hij was lang, zodat het tengere blonde meisje aan zijn arm een kleuter leek. Haar werkkapitaal zat samengeperst in een roze, nauwsluitende jurk. Ze liepen allebei alsof ze dronken waren, maar het weerhield hen er niet van in de cabrio te stappen.

Blake zag een bodyguard, die de muur van de club overeind had gehouden terwijl zijn cliënt binnen was, even vluchtig door de straat kijken. Hij had geen ervaring en nam niet eens even de tijd om de sedan te bekijken. Blake had met een kruisboog naar de cabrio kunnen lopen en de kaken van de bodyguard zouden niet eens zijn opgehouden met kauwgom kauwen.

Blake reed de parkeerplaats af de Strip op, op de rechterrijbaan. Achter zich zag hij de cabrio met de dikke man en het blondje wegscheuren. De bodyguard klom in zijn SUV, maar hij was traag. Blake liet de cabrio langsbrullen, gaf gas en hield hen in het oog. Een minuut later vloog de bak van de bodyguard langs. Blake bleef er een paar autolengtes achter.

Ze reden langs trouwkapellen, donutwinkels, borgstellingskantoren en paranormaal begaafden die de hand en tarotkaarten lazen. Er was veel verkeer. Terwijl Blake achter de cabrio aan reed, blies er een hete, droge wind naar binnen. Hij vermoedde dat ze naar een van de casino's in Fremont Street reden.

Blake had een Bluetooth-headset bij zijn oor. Hij toetste een nummer in op zijn mobieltje en hoorde een paar seconden later een norse stem in zijn oor.

'Yeah?'

'Goedenavond, Leo,' zei Blake.

'Met wie?'

'Met Blake Wilde. Weet je wie ik ben?'
Het bleef een hele tijd stil.
'O ja, ik weet het weer. Boni had het over je,' zei Leo Rucci. 'En de smerissen ook. Jij bent die knaap die denkt dat hij zijn mammie kan terugkrijgen door kleine jongetjes dood te rijden. En? Moet ik bang voor je zijn?'
'Ja, ik zou maar bang zijn, Leo.'
'Nou, mij maak je niet bang, klein stuk ellende. Waarom kom je niet naar mijn huis, nu, om het me allemaal in mijn gezicht te zeggen? Dat doe je niet, want je weet dat je hier niet levend wegkomt.'
'Ik wou alleen even weten of je het was,' zei Blake. Hij gaf gas en verkleinde de afstand tot de cabrio. Hij passeerde een limousine en schoof weer naar de rechterbaan. De cabrio met de man en het meisje reed nu links van hem.
'Hé, wat bedoel je?'
'Jij was Boni's rechterhand in de Sheherezade. Ik wil weten of jij degene bent die Amira werkelijk heeft vermoord.'
Rucci lachte. 'Een of andere geflipte fan heeft haar de schedel ingeslagen. Leg je daar nou maar bij neer.'
'We weten allebei dat het zo niet is gegaan,' zei Blake.
'O ja? Hoe weet je dat? Toen dat gebeurde, scheet jij je luiers nog vol.'
'Laat ik je één ding zeggen, Leo. Als jij het was, dan gaat het nu tussen ons. Jou en mij. Niemand anders.'
'Ik ben je niets verschuldigd, kuttenkop.'
'Oké, als je het zo wilt spelen...' Blake ademde diep in en langzaam uit. 'Ik rijd naast een witte cabrio,' ging hij verder, met zijn oog op de auto naast hem. 'Kenteken YA8 371. Dat is toch de auto van je zoon Gino?'
Weer een stilte, langer en dodelijker.
'Heb het gore lef!' fluisterde Leo.
De cabrio met de dikke man en het blondje stopte voor een rood licht. Blake stopte ernaast op de rechterbaan en draaide het raampje aan zijn kant omlaag. 'Moet je opletten, Leo,' zei Blake in zijn headset.

Leo's schreeuwde in zijn oor. 'Schoft! Als je het maar laat, vuile schoft!

Het blondje had zich tegen Gino aan gevlijd. Blake nam aan dat haar hand in zijn schoot lag. In zijn zijspiegel zag hij de bodyguard in zijn auto achter hen, lui en onbezorgd.

'Hé, babe,' riep Blake tegen het blondje. 'Hoeveel?

Ze draaide zich als gestoken om. 'Hou je bek, vuilak!'

'Toe meid, zeg nou maar hoeveel het is,' vroeg Blake opnieuw. ''Hoeveel betaalt die vetzak je om hem af te trekken? Kan niet meer dan vijf dollar zijn.'

Zijspiegel. De bodyguard lette nu wel op. Hij opende zijn portier. Blake zag hoe Gino's vlezige arm het blondje op haar stoel terugduwde. Gino leunde naar voren, zijn kop paars van woede.

'Wat een armzalig hoertje, zeg,' hield Blake hem voor. 'Kun je niks beters krijgen, loser?'

Gino klapte bijna uit elkaar. Bloedvaten klopten als vuurwerk. 'Ik hoop dat je een leuke laatste wandeling hebt gehad, vuile etter,' siste hij. 'Want je zal nooit meer een stap verzetten.'

'Luister je mee, Leo?' mompelde Blake in zijn microfoontje.

Leo krijste: 'Amira was een hoer! Ze was een vuile kuthoer!'

De bodyguard werkte zich uit zijn auto. Ook Gino kwam overeind; zijn enorme bovenlichaam kwam als een heteluchtballon van de zitting omhoog. Het blondje maakte zich klein in de leren kussens.

'Wil je nog afscheid nemen, Leo?' vroeg Blake.

'Ik maak je helemaal kapot!'

In Gino's cabrio begon een mobieltje te bellen. Blake wist dat het Leo was, die via een andere lijn probeerde zijn zoon te bereiken. Blake pakte routineus de Sig Sauer tussen zijn benen vandaan en richtte hem naar buiten. 'Moet je horen, Leo,' zei hij.

De hand van de bodyguard verdween in zijn jasje. Gino trok hetzelfde domme gezicht als M.J. toen hij zijn ogen opende. Blake haalde de trekker tweemaal over en maakte twee keurige ronde gaatjes in Gino's hoofd. Hij zwaaide zijn arm naar achteren, vuurde nogmaals en trof de bodyguard in zijn hals. Beide mannen klapten in elkaar. In de headset liet Leo een gesmoorde kreet horen. Het blondje stemde ermee in.

'Doe Boni de groeten van me,' zei Blake, en trok rustig op door het groene licht. 'Zeg hem maar dat hij de volgende is.'

32

Sara Evans weer. Restless.

Toen Stride het mobieltje uit zijn zak had gevist, zag hij het kengetal van degene die belde. Hij had zijn hele leven in het gebied gewoond dat het grootste deel van Noord-Minnesota bestrijkt. Hij nam op en hoorde een bekende stem zeggen: 'Hoe is het met je, baas?'

'Mags!' riep Stride uit. 'God, wat fijn je stem te horen. Ik mis je.'

'Ik jou ook.'

Maggie Bei was meer dan tien jaar zijn partner geweest. Ze was een Chinees poppetje, maar met het beste stel hersens dat hij ooit bij de politie was tegengekomen. Kort voordat Stride naar Las Vegas was verhuisd, had Maggie aangekondigd dat ze zwanger was en haar penning had ingeleverd. Dat had het voor Stride makkelijker gemaakt om er weg te gaan.

'Hoe is het weer daar?' vroeg Stride. Alleen een inwoner van Minnesota begrijpt dat elk gesprek moet beginnen met een weeroverzicht.

'Pet. Regen. Kou. En daar?'

'Hittegolf,' zei Stride. 'We hadden een paar weken van in de twintig graden, maar nu zitten we weer ruim boven de dertig. Ik dacht dat we daar in september van af zouden zijn.'

'Ben je al helemaal "Las Vegas", baas?' vroeg Maggie. 'Zijden overhemden, zonnebril, bubbeldrankjes met kleine parasolletjes?'

'O ja, en ik heb mijn haar ook laten verven. Ik heb het nu strak en zwart.'

'Natuurlijk. En ik ben nu blond. Haarimplant.'

Stride moest zijn Bronco aan de stoep zetten omdat hij zo hard moest lachen. 'Ik mis je echt, Mags.'

'Wie niet?' Maggie zweeg even en voegde eraan toe: 'Ik moet je iets vertellen. Niet leuk, ben ik bang.'

Stride was onmiddellijk ontnuchterd. 'Wat is er dan?'

'Ik heb een miskraam gehad.'

Hij hoorde de barst in haar stem. 'O, nee! Wat erg.'

'Ja... Het is eigenlijk al een paar weken geleden gebeurd, maar ik kon het niet opbrengen om je te bellen.'

'Shit, Mags, je had het me meteen moeten vertellen.'

Maggie zuchtte. 'Je had er toch niets aan kunnen doen.'

'Is het goed met je?' Hij schudde vol afgrijzen zijn hoofd. Dat was nou net het soort domme vraag die reporters in het avondnieuws aan slachtoffers stelden.

'Gaat wel. De dokter zegt dat het heel vaak gebeurt, dat we het nog een keer kunnen proberen, bla bla bla. Daarmee wordt het er niet makkelijker op. Eric heeft het er moeilijk mee. Hij zegt dat hij niet zeker weet of hij nog wel aan kinderen wil beginnen. Dat God ons iets duidelijk wil maken.'

'Dat slaat nergens op.'

'Weet ik.' Ze aarzelde. 'Ik vraag me af of ik weer bij de politie zal gaan. Ik heb nooit echt weg gewild. Het was Erics idee.'

'Is dat wat je wilt?' vroeg Stride.

'Ik weet het niet. Zonder jou is het niet hetzelfde.'

Stride wist niet wat hij moest zeggen, dus hield hij zijn mond. Hij wist niet waar Maggie op aanstuurde. Er was ooit een tijdje iets tussen hen geweest. Maggie was een aantal jaren verliefd op hem geweest, en kort na Cindy's dood had ze echt werk van hem gemaakt. Het was niets geworden. Ze was niet rancuneus, zelfs niet toen Serena ten tonele verscheen, maar Stride vroeg zich nog altijd af of haar gevoelens helemaal verdwenen waren. Zelfs na haar huwelijk met Eric liet ze soms doorschemeren dat ze voor de bijl zou zijn gegaan als Stride er aanleiding toe had gegeven.

'Maar ik neem aan dat je gelukkig bent in *Sin City*,' ging Maggie verder.

'O ja, ik ben hier helemaal op mijn plaats. Wat had je dan gedacht?'

Ze negeerde zijn sarcasme. 'Hoe is het om weer ondergeschikte te zijn in plaats van de grote baas?'

'Ik doe nu wat jij altijd deed: klagen over de inspecteur.'

'Leuk. Die zit. Hoe is het met Serena?'

'Goed.' Hij wist dat het mat klonk.

Het duurde een hele tijd voor Maggie reageerde. Hij kon haar nooit voor de gek houden. 'Hebben jullie problemen?'

'Ik weet niet wat we hebben,' bekende hij.

'Serena heeft duistere schimmen uit haar verleden, baas. Dat wist je toen je eraan begon.'

'Dit is geen schim uit haar verleden.' Hij haalde diep adem en vertelde haar over Serena en Claire. En over zijn verborgen angst, nauwelijks tegenover zichzelf uitgesproken, dat het erop zou uitdraaien dat hij haar kwijtraakte.

'Ze zegt dat ze nog altijd van je houdt?' vroeg Maggie.

'Dat zegt ze, ja.'

'En jij? Hoe voel jij je?'

Stride schoot een oude grap te binnen: vraag aan een inwoner van Minnesota hoe hij zich voelt op de dag dat zijn hond doodgaat, zijn vrouw hem verlaat en hij zijn baan verliest. 'Prima,' zei hij.

'Ha ha,' schamperde ze.

'Ik hou van haar, Mags. Dat weet je.'

'Nou, wat zeur je dan. Jezus, baas, dit kan de aanloop tot een triootje zijn.'

Stride lachte. 'Ja ja.' En daarna: 'Goed, ik geef toe dat die gedachte mijn dirty mind heeft gekruist. Maar hou op zeg. Ik?'

'Er gebeuren heel wat gekkere dingen,' antwoordde ze, met een stem die helemaal niet als Maggie klonk.

'Vertel me nou niet dat jij je met dat soort dingen bezighoudt.'

'Laten we het daar niet over hebben,' zei ze kortaf.

Hij voelde dat hij op eieren liep en besloot een ander onderwerp aan te snijden. 'En hoe zit het met jou? Ga je terug?'

'Ik weet het nog niet. Het is nog zo kort na de baby, weet je.'

'Ik snap het.' Hij was zo gewend Maggie als een rots in de branding te zien dat het moeilijk was te moeten horen hoe er pijn uit haar stem sprak. 'Ik vind het heel erg voor je, Mags.'

'Dank je. Maar ik belde voor nog iets anders.'

'O ja?'

'Op verzoek van K-2. Hij was te schijterig om het zelf te doen.'

Commissaris Kyle Kinnick was Strides oude baas in Duluth. 'Wat wil hij?' vroeg Stride, en voelde iets kriebelen in zijn binnenste.

'De zoektocht naar een nieuwe inspecteur bij de recherche heeft niets opgeleverd,' zei Maggie. 'Hij wilde dat ik je polste. Kijken of je interesse hebt om terug te komen.'

'Bibliotheken,' zei Amanda. 'Daar maken we de meeste kans.'

Ze stond bij het open raam in Sawhills kamer. Er was praktisch geen zuchtje wind. Op het bureau stond een ventilator te janken die zijn lucht in de richting van het gezicht van de inspecteur blies. In een deel van de binnenstad was een stroomstoring en het bureau had wel een generator, maar die bediende niet de airconditioning. Het was snikheet in de kamer.

'Deze knaap moet ergens dingen over Amira hebben opgezocht,' ging ze verder. 'Het gaat tenslotte om het Las Vegas van veertig jaar geleden. Oké, hij zal ook wel op het internet zijn gaan kijken, maar hij zal toch ook naar de bibliotheek zijn gegaan. Daar kon hij oude kranten inkijken en oude tijdschriften en al dat soort dingen. Het kan zijn dat hij zo zijn lijst van doelwitten heeft opgesteld.'

'Ga het na,' zei Sawhill. Zijn gezicht glom van het zweet, maar zijn stropdas zat nog strak om zijn nek. De enige concessie die hij in verband met de warmte had gedaan was het uittrekken van zijn zwarte colbert. 'De beschrijving van die kerel is overal op tv geweest en heeft in de kranten gestaan, maar toch kunnen we hem niet vinden. En het lukt hem op de Strip nota bene om Gino Rucci en zijn bodyguard dood te schieten. Dat moeten jullie me toch eens uitleggen.'

'We weten dat hij zich kan vermommen,' zei Stride. 'Als hij niet wil worden herkend, dan wordt hij niet herkend. Maar onze mensen in uniform en de beveiligingsmensen in de casino's kijken naar hem uit. Gisteravond is hij door getuigen gezien in een bruine sedan, maar niemand heeft een nummer genoteerd.'

'Wordt er ingebeld op de hotline?'

'Heel veel, maar geen gouden tip,' zei Stride.

'Wat weten we verder over hem?' vroeg Sawhill.

'Hij lijkt in rook te zijn opgegaan,' antwoordde Serena. 'In Reno heette hij tot zijn zestiende Michael Burton. Jay Walling heeft wat schoolrapporten van hem opgedoken, maar niets waar we nu iets aan hebben. Nadat hij zijn ouders heeft verbrand, is hij uit het systeem verdwenen. Er is nergens iets waaruit blijkt wie hij is geworden of waar hij heen is gegaan.'

'Ik heb bij defensie navraag gedaan,' voegde Stride eraan toe. 'Ik heb contact gehad met twee andere mannen van David Kamens eenheid in Afghanistan. Een van hen kon zich Wilde herinneren, en bevestigde Kamens verhaal dat Wilde in feite een huurling was. Maar hij wist niets dat ons kon helpen om hem te vinden.'

'We hebben het verband met Amira buiten de publiciteit gehouden,' zei Serena. 'Misschien moeten we het bekendmaken.'

Amanda zag de politieke raderen in Sawhills hoofd draaien. 'Wat schieten we daarmee op?' vroeg hij.

'Wilde heeft misschien met iemand over Amira of de Sheherezade gepraat. Het zou kunnen dat iemand zich hem herinnert of iets over hem weet.'

Sawhill schudde zijn hoofd. 'Niet sterk genoeg. De relatie met het casino zou voor een hoop krantenkoppen zorgen, maar ik denk niet dat het ons zou helpen hem te vinden. Het zou alleen maar afleiden.'

Met andere woorden, de mensen zouden Boni Fisso lastige

vragen kunnen stellen, dacht Amanda. 'Dat verband wordt binnenkort toch wel gelegd,' zei ze. 'Of het lekt uit, of een journalist van het type Rex Terrell telt A en B op.'

'Daar mogen zij zich dan mee bezighouden,' zei Sawhill. 'Wij houden ons bezig met het vangen van deze knaap voordat hij nog iemand vermoordt.' Sawhil trok een zakdoek uit het borstzakje van zijn overhemd en wiste zijn voorhoofd droog. 'Wat doen wij om een volgende aanslag te voorkomen?'

Serena keek achterom naar Cordy. 'Heb je de lijst bij je?'

Cordy knikte. 'Hm hm. We hebben tien anderen opgespoord die toen in de Sheherezade werkten in baantjes die iets te maken hadden met Amira en haar show. Danseressen, choreografen, het soort mensen van wie die Wilde zou kunnen vinden dat hij er een wrok tegen moet koesteren. We hebben hun verteld dat ze hun familie en gezinsleden moeten zeggen heel goed uit te kijken.'

'Maar Wilde lijkt het in de voedselketen hogerop te zoeken,' zei Stride.

'Wat bedoel je?' vroeg Sawhill.

'Ik bedoel Boni,' zei Stride. 'Wilde zou ons niet laten weten hoe hij eruitziet als hij niet in een van de laatste stadia van zijn spel was. Hij wil Boni laten weten dat hij eraankomt.'

'Waarom zijn bedoelingen bekendmaken?'

Stride haalde zijn schouders op. 'Trots. Ego. Zelfvertrouwen. Hij wil Boni laten kronkelen.'

Sawhill schommelde naar achteren in zijn stoel en fronste zijn wenkbrauwen. 'Maar hij zal Boni waarschijnlijk niet rechtstreeks te grazen nemen, hè? In alle andere gevallen heeft hij een familielid gepakt. Dan moet Boni's dochter, die Claire, dus bovenaan zijn lijst staan.'

'Ongetwijfeld,' zei Stride.

Sawhill boog zich over zijn bureau en prikte een wijsvinger in Serena's richting. 'Jij kent haar, niet? Ik wil dat je haar bescherming op je neemt. Ik wil dat je geen moment uit haar buurt bent.'

'Ik ben geen babysitter, sir,' zei Serena.

'Nee, je bent een rechercheur die een leven probeert te redden,' blafte Sawhill terug. Hij wachtte niet op een antwoord maar voegde er onmiddellijk aan toe: 'Ik wil dat je de beveiliging van Claire Belfort regelt. We laten Wilde onder geen voorwaarde bij haar in de buurt komen. Gesnapt? Ik wil dat je nu naar haar toe gaat en dat je geen moment van haar zijde wijkt totdat we die vent te pakken hebben. Laat haar bij jou logeren.'

'Begrepen,' zei Serena. Het was alsof ze door de hitte verschrompelde. Het verbaasde Amanda. Ze had altijd gedacht dat Serena cool en onverstoorbaar was.

Haar mobieltje trilde. Amanda verontschuldigde zich snel en ging de kamer uit. Ze dook een leeg hok in. 'Gillen.'

'Met Leo Rucci.'

Amanda ging zitten. Zelfs de zitting voelde warm aan, alsof de hitte zich ook al in de kussens had genesteld. 'Mijn deelneming met de dood van uw zoon,' zei ze.

'Laat maar zitten. Ik hoef geen medeleven.' Gino's dood had Rucci absoluut niet vriendelijker gemaakt.

'Ik zou u graag spreken over de moord,' zei Amanda. 'Misschien kunt u ons helpen de dader te vinden voordat hij nog iemand vermoordt.'

'Ik heb jullie niets te zeggen. Ik praat niet over het verleden, ja? En wat Gino is overkomen, is iets tussen mij en die gek van een Wilde. Ik heb jullie hulp niet nodig. Ik wou jullie alleen even laten weten dat jullie snel moeten zijn als jullie hem willen pakken.'

'Hoezo?'

'Omdat ik ook jacht op hem maak,' gromde Rucci.

33

Blake blies een wolk scherpe sigarettenrook uit die om zijn gezicht heen kolkte. Hij pakte zijn glas en nam een slok zoetzure margarita, gemengd met het zout van de rand. Eigenlijk walgde hij van de drankjes die alle toeristen in Cancun dronken. Hij had liever bier of whisky. Maar als roodharige deelnemer aan het symposium van faillissementsjuristen in Las Vegas, compleet met zonnebril, badge en een margarita, trok hij geen aandacht. Hij was gewoon een van de juristen die de blues indronken en hoopten op een mazzeltje door te flirten met de serveerster van even in de twintig.

Hij zat aan een tafeltje achter in de zaal van de Limelight. Er dromden mensen om hem heen, die ijsblokjes lieten tinkelen, te hard praatten, kuchten en winden lieten. Het was lastig gezichten te onderscheiden met de laag gedraaide verlichting en al die lijven die niet stil zaten en hem het zicht ontnamen, maar voor de show begon had hij de beveiliging al in kaart gebracht. Aan een tafeltje vlak voor het podium wisten twee forsgebouwde rechercheurs zich geen houding te geven omdat ze pijnlijk herkenbaar waren in hun pak en stropdas. Een Latijns-Amerikaanse diender, een mooie gladde jongen met glad achterovergekamd haar en een permanente grijns, zwierf achterin rond en liet zijn blik voortdurend over de mensen gaan. Hij was zo dichtbij dat hij hem bijna kon aanraken. Bij de zijwanden stonden twee knapen van Premium Security tegenover elkaar. Blake kende hen wel. Reusachtige groot, vermoedelijk half gorilla. Hersens ter grootte van een walnoot. Hij had zelfs naar een van hen gezwaaid, en de man had verveeld teruggekeken zonder door de vermomming heen te kijken. Blake moest onwillekeurig lachen.

Claire stond op het podium. Het was haar tweede optreden en het was al na middernacht. Muziek liet hem meestal koud, maar hij vond haar stem wel mooi. Ze had een wat hese, lijzige countrystem, en er klonk iets treurigs in haar zingen dat hem in herinnering bracht wat hij als jongen had moeten doorstaan. Hij kwam zelden in die hoek van zijn ziel, maar door Claires stem leek het goed om het te doen, alsof ze bij je naar binnen marcheerde en je liet geloven dat verlies iets was waardoor je leefde, dat het verlangen naar iets mooier was dan het bezit ervan.

Niet dat hij het echt geloofde.

Hij dacht aan zijn adoptiemoeder. Bonnie Burton. Na twintig jaar kwamen zijn nekharen nog overeind. Het was krankzinnig hoe hij toen van haar had gehouden en haar had willen behagen. In feite haatte hij zijn adoptievader nog meer, omdat die het allemaal had laten gebeuren en niets had gedaan om haar te laten ophouden. Toen Bonnie en Blake gemeenschap kregen, had Blake het eerst fantastisch gevonden hem te bedriegen. Nog steeds kon hij haar handen voelen. Het kon hem woedend maken dat hij soms, wanneer hij aan haar dacht, een erectie kreeg. Dat ze hem nog altijd beheerste. Ze zei altijd dat hij haar beste minnaar was, dat ze hem nooit zou kwetsen, dat haar lichaam hem toebehoorde. Dat lichaam met die hangtieten en dat donutvormige middel.

Op een keer zei ze tegen hem dat het een goed idee zou zijn om zijn vader te vermoorden, zodat zij altijd samen konden zijn. Zijn vader, die wist wat er in de slaapkamer gebeurde, maar die het niet kon schelen of die te bang was om er ene flikker aan te doen.

Hij zei dat het een goed idee was, maar voegde er niet aan toe dat het beste idee was hen allebei te doden. Een maand later stond hij in de donkere tuin en keek toe hoe het vuur hen verteerde.

Hij dacht aan het jongetje in de straat in Summerlin. Peter Hale. Dat was een les voor hem: hij was niet de rots die hij had gedacht te zijn; de razernij kon terugkomen en hem tijdelijk verblinden. Hij had gekeken terwijl de jongen de bal tegen de garagedeur liet stuiteren. Het werkte hypnotiserend, de bal die heen en weer ging, beng beng, achter elkaar door. Het zou niet moeilijk zijn om naar de jongen te glimlachen, naar binnen te gaan, Linda Hales keel door te snijden en naar de auto terug te lopen. Misschien een paar keer de bal naar de jongen terugspelen. Maar toen bedacht hij dat hij dan de jongen zonder moeder zou achterlaten, en hij besefte dat hij dat niet kon. Hij had daar gezeten, als verlamd. Beng beng, heen en weer. Een gelukkig kind. Een kind dat alles had wat Blake om geen enkele goede reden nooit had gehad, die geen Bonnie in zijn leven had, wiens moeder niet door Las Vegas was weggerukt en vermoord. De woede was opgestoken als een windhoos die uit het zand omhoogtolt. Krankzinnige jaloezie. Walging. Het had hem zo aangepakt dat hij dacht dat hij het stuurwiel in tweeën zou breken. Dat was het moment waarop hij zonder aarzelen de auto in de versnelling had gezet, het gaspedaal had ingetrapt en had gemikt op de jongen met de wens hem weg te vagen, in het niets onder de banden te laten verdwijnen.

Soms was het niets een zegen.

In de zaal van de Limelight knipperde Blake met zijn ogen. Hij was te lang van de wereld geweest, niet geconcentreerd. Dat deden herinneringen met hem. Hij gaf de schuld aan de verleiding van Claires stem, die zowel loom was als scherp als een scheermes op zijn pols.

Concentreer je, zei hij tegen zichzelf.

Amira.

Blake moest snel te werk gaan. Hij was verschillende malen naar optredens van Claire geweest en hij wist dat er nu nog drie nummers zouden komen. Hij moest nu weggaan, want anders liep hij het risico dat hij vast kwam te zitten in de meute zwetende fans die zich een weg naar de uitgang baanden. Over een paar minuten kon hij de onoverzichtelijkheid van het gedrang gebruiken om Claire onder de beveiligingsdeken vandaan te halen.

Hij wist hoe hij dat moest doen. Met hulp van haarzelf.

Toen ze klaar was met het volgende nummer, een opwindende versie van 'One More Moment' van Mindy Smith, stond Blake tijdens het applaus op en zocht zich tussen de tafeltjes een weg naar de dichtstbijzijnde uitgang. Hij had een colbertje aan, een overhemd en een das, een spijkerbroek en lakschoenen. Terug in de speelzaal, drukte hij zijn sigaret uit bij een van de fruitautomaten en liep via de glazen deuren naar de parkeerplaats. Snel nam hij de situatie in zich op. Links van hem lag de Boulder Strip. Midden over de parkeerplaats liep een tweerichtingsstrook die naar een reeks rijen leidde waar de auto's diagonaal konden worden neergezet. Zijn eigen bruine sedan stond achterin, waar hij de rijstrook kon nemen en rechtstreeks richting snelweg kon wegkomen.

Leunend tegen de kap van een rode Caprice Classic bij de tweerichtingsstrook hield een diender in burger de komende en gaande casinoklanten in het oog. Blake voelde dat hun blikken elkaar kruisten en ervoer een moment van onbehaaglijkheid toen hij zich afvroeg of de man hem herkende. Met een vriendelijk knikje slenterde hij langs hem heen naar zijn auto. Hij keek niet achterom, maar luisterde ingespannen naar voetstappen die achter hem aan kwamen. Hij hoorde niemand.

Hij stapte in zijn auto en haalde zijn mobieltje tevoorschijn. Hij wachtte tien minuten, tot hij een stroom mensen, het publiek uit de muziekzaal, uit het casino zag komen. Toen draaide hij een nummer. Claire nam meteen op. Zelfs als ze niet zong maar slechts praatte, was hij dol op haar stem.

'Met rechercheur Jonathan Stride,' deelde hij mee. 'Ik werk samen met Serena.'

Hij hoorde haar ademen en stelde zich haar voor, nog steeds opgewonden van de show. 'Juist ja,' zei ze rustig.

'We moeten je daar zo snel mogelijk weg hebben, Claire.'

'Waar is Serena?' vroeg ze. 'Ik dacht dat jullie me samen zouden ophalen.'

Blakes gezicht betrok. Hij had niet veel tijd en moest snel denken. 'Serena zit vast. We vinden dat we niet moeten wachten. Ik sta buiten het casino op de parkeerplaats. Een rode Caprice Classic in de tweede rij. Hoe sneller je hier bent, hoe beter.'

'Is dat wel veilig?'

'We hebben overal mensen die alles wat je doet in de gaten houden.' Hij voegde eraan toe: 'Eerlijk gezegd willen we die vent, als hij hier is, uit zijn tent lokken, niet wegjagen.'

'Met andere woorden, jullie willen me aan een haak slaan en als een worm laten kronkelen,' zei ze.

Blake glimlachte. 'Zo ongeveer, ja.'

Claire wachtte even voor ze antwoordde. 'Goed. Als jullie het zo willen spelen... Ik zie je zo.'

Stride reed naar de entreeluifel van de Limelight. Hij reed langs de rij taxi's en parkeerde schuin op de stoep.

'De voorstelling is al afgelopen,' zei hij.

Ze stapten uit de Bronco. Stride wuifde met zijn penning een parkeerhulp weg en ze liepen naar binnen, waarbij ze tegen de stroom mensen op weg naar de warme nachtlucht moesten opboksen.

'Weet je het zeker?' vroeg Serena.

Stride wist wat ze bedoelde. Sawhill had gesuggereerd dat Claire gedurende de jacht op Blake bij hen zou logeren. Stride dacht: weet ik zeker dat ik Claire bij ons in huis wil hebben? Weet ik zeker dat ik haar mijn vriendin wil laten verleiden waar ik bij ben? Nee, hij wist het niet zeker.

'We zijn haar babysitters,' zei Stride. 'Sawhill heeft gelijk. Het is het gemakkelijkst als we dat bij ons thuis doen.'

'Ik denk niet dat ze het ermee eens is,' zei Serena. 'Ze is erg onafhankelijk.'

'Jouw charme moet het doen,' hield Stride haar voor en zag haar blozen.

De zaal was bijna leeg. Serveersters haalden halflege wijnglazen en natte servetten van de tafeltjes. Serena zwaaide naar

Cordy, die op het podium bij de toneeldeur stond te praten met een lid van Claires band, een tweekleurig blondje met een neusring en een tatoeage van een adelaar op haar bovenarm.

'Is Claire achter?' riep Serena.

'Helemaal goed, dame.'

Ze klauterden het podium op. 'Enig teken van Blake?' vroeg ze.

Cordy schudde het hoofd. *'Nada.'*

'Door deze deur zijn alleen bandleden gekomen?' vroeg Stride.

'Precies. Ik heb ook mensen neergezet bij de deur naar het casino en de nooduitgang, die iedereen controleren die naar binnen wil. Ze hebben een lijst van medewerkers. Er komt niemand in die niet op de lijst staat. En ze hebben foto's voor de controle.'

Stride knikte. Hij en Serena gingen weg door de toneeldeur, beklommen een overloopje en kwamen uit in een armoedige gang. Links klonk in de keuken het gerammel van serviesgoed. Serena nam hem mee de andere kant op, naar een houten deur naast de nooduitgang. Er zat een slordig uitgeknipte papieren ster op de deur en een zwart-witpubliciteitsfoto van Claire. Stride had haar nog nooit gezien en was lichtelijk geschokt toen hij besefte hoe knap ze was. Net als Serena was ze een schoonheid waar je slap van in de knieën werd, met een uitdagende mond die helemaal naar seks stond, en een gekwelde blik die maakte dat je voor haar wilde zorgen.

Serena klopte aan. 'Claire!'

Geen reactie. Serena klopte opnieuw, harder. 'Ze kan onder de douche staan,' zei ze, maar Stride had een naar voorgevoel. Hij probeerde de deurkruk. Op slot. Hij bonkte er hard op met zijn vuist.

'Shit,' mompelde hij.

Hij ging op handen en knieën zitten en legde zijn hoofd plat op de grond om zo onder de deur door te kunnen kijken. Hij zag niet waar hij bang voor was geweest: een lijk. Maar de kleedkamer zag er leeg en donker uit.

'Ik kijk in het casino,' zei hij.

Serena knikte. 'Ik neem de andere kant. Misschien is ze naar buiten om te roken.'

Stride ging weer terug de gang door. Achter zich hoorde hij Serena door de nooduitgang stormen. Soepel ontweek hij een serveerster met een glas vol drankjes en dook toen even de warme, vochtige keuken in om zeker te weten dat Claire daar niet was. Hij liep verder door de dubbele deuren aan het eind van de gang en kwam terecht in het helse gerinkel van het casino.

Een man van de bedrijfsbeveiliging keurde hem amper een blik waardig. Stride voelde zijn maag krimpen. Hij pakte de man bij een schouder.

'Is Claire hier langsgekomen?' wilde hij weten.

'Wie?'

'Claire Belfort! De vrouw die we met ons allen in leven proberen te houden.'

De man haalde zijn schouders op. 'O, die. De zangeres. Ja, die is hier een paar minuten geleden langsgekomen.'

'Alleen?'

'Ja, in haar eentje.'

'En je hebt niet geprobeerd om haar tegen te houden?' viel Stride uit.

'Wat nou? Niemand heeft iets gezegd over mensen tegenhouden die eruit willen. Ik zorg er hier alleen voor dat die vent er niet in komt. Bovendien zei ze dat ze een afspraak had met iemand van de politie.'

Stride brak het zweet uit. 'Met wie?'

'Een of andere Stride.'

Stride vloekte en pakte zijn wapen. 'Welke kant ging ze op?'

De bewaker wees naar de glazen deuren bij de parkeerplaats. 'Daarheen.'

Stride stopte zijn wapen weg onder zijn colbert en rende naar de deuren, waarbij hij boze blikken van de spelers toegeworpen kreeg. In de buurt van de deuren verdrong zich nog steeds veel publiek van de voorstelling dat zich vandaar over de parkeerplaats verspreidde. Safe in het gedrang, dacht Stride. Moord, chaos, makkelijk weg te komen.

Hij worstelde zich tussen de mensen door naar de deur en voelde dat elke seconde te lang duurde. Hij wist dat het verschil tussen leven en dood een kwestie van seconden was. In de ruit dreef zijn spiegelbeeld de spot met hem. Hij kon niet naar buiten kijken en zien wat daar gebeurde.

Blake liet het lichaam van de politieman op de achterbank van de Caprice Classic glijden. Hij veegde zijn mes af aan de broekspijpen van de politieman en stopte het weer in zijn zak. Hij sloot het portier en grijnsde breeduit naar het echtpaar dat bezig was in de SUV naast hem te stappen.

'Een paar te veel,' zei hij, en maakte een drinkgebaar.

Ze knikten, niet geïnteresseerd.

Hij slenterde naar de voorkant van de auto en zag de mensen uit het casino komen. Vrouwen in strakke verleidsterjurken. Mannen die sigaren opstaken en in het klamme weer aan de boorden van hun overhemd rukten. De stellen kuierden, zonder haast, hand in hand, kussend, lachend. Niemand die enige aandacht aan hem besteedde.

Hij hield zijn blik op de deur gericht. Twee minuten later zag hij haar. Claire glipte naar buiten, haar haar wapperde toen de wind er vat op kreeg. Ze bleef aan de rand van het trottoir staan en keek om zich heen met haar blauwe ogen. Ze droeg een rode zijden blouse met lange mouwen, een spijkerbroek en hoge hakken. Haar huid glansde fris in het lamplicht.

Ze zag hem bij de auto staan. Hij knikte haar toe en zij nam er de tijd voor om hem op te nemen. Toen stapte ze van de stoep en kwam op hem toe. Hij zette zijn zonnebril af en lachte naar haar. Hij blikken kruisten elkaar.

Ze bleef staan, aarzelend, nog altijd te ver weg.

'Ik ben het,' riep hij.

Ze liep door, maar langzamer.

Over haar schouder zag Blake enige beroering, een man die zich naar buiten knokte, en hij trok een lelijk gezicht toen hij zag wie het was. Stride. De echte Stride. De rechercheur had zijn hand in zijn jasje, waar een wapen verstopt zat. Blakes hand ging ook naar zijn wapen.

'Kom nou,' drong Blake aan.

Ze bleef weer staan en volgde zijn blik. Ze keek achterom en zag Stride. Toen ze zich terugdraaide, was ze verstijfd, verlamd. Ze bekeek Blake van top tot teen en haar blik bleef hangen bij zijn handen.

Op haar gezicht stonden nu alleen nog schrik en angst te lezen.

Blake keek omlaag naar zijn handen en zag wat zij zag. Bloed.

Stride had eindelijk de mensen van zich kunnen afschudden en stond nu buiten. Ze kon niet ver zijn. Hij bekeek alle gezichten terwijl hij flarden van gesprekken opving.

Wat een stem.

Ze maakte me aan het huilen. Wanneer heb ik dat voor het laatst gedaan?

Hot. Mijn god, wat is ze hot.

Hij had Claire nog nooit gezien en hoopte haar te herkennen van de foto op de kleedkamerdeur. Leek ze er überhaupt nog wel op? Stride zette een paar stappen op het asfalt. Hij dacht erover haar naam te roepen, maar hij wilde geen aandacht op haar vestigen.

Een blondje schoof langs hem heen. Hij draaide haar om haar as, verontschuldigde zich toen hij zag dat het niet Claire was.

'Hufter,' siste ze. Het liet hem koud.

Waar was ze? Zijn ogen zochten de mensenmassa af. Claire. Blake. Hij wist dat ze er allebei waren.

Ze had een afspraak met iemand van de politie. Een zekere Stride.

Hij hoorde links van zich nog flarden van een gesprek, een zacht gefluister.

Is ze dat?

Wie?

De zangeres.

Stride volgde hun blik. Toen zag hij haar; ze draaide zich net naar hem toe, en zijn eerste indruk was die van rossig blond haar waarin het neonlicht weerkaatste. Hij voelde een enorme opluchting, maar die duurde maar even. Over haar schouder zag hij een glimp van een man met rood haar, een overhemd en een stropdas. Zijn hersens verwerkten het beeld en constateerden geen bedreiging, maar toen hij zijn aandacht weer op Claire richtte, schoot zijn hoofd uit zichzelf terug.

Het was niet het gezicht, het waren de ogen.

De ogen die hem hadden aangestaard vanaf de politietekening.

De man lachte naar hem. Hij wist het. Zijn hand ging richting jasje.

Stride rende recht op hen af. 'Claire! Ga liggen!'

Ze verstijfde even, heen en weer geslingerd tussen de twee mannen, dook toen achter een geparkeerde auto en rolde weg. Stride trok zijn wapen en hurkte in schiethouding, beide handen langs de loop, maar hij was te traag. Blake bewoog zich als een schim: hij liet zich vallen, tolde naar links en kwam weer overeind met zijn wapen schietklaar. Het enige wat Stride kon doen was op het asfalt duiken, waarbij hij voelde dat zijn kleren scheurden en zijn schouder over het plaveisel schaafde. Er schoot een regen van kogels langs hem heen die een raam van het casino troffen, zodat de ruit in popcorngrote scherven uit elkaar viel.

Om hem heen brak de pleuris uit. Mensen lieten zich op de grond vallen, anderen renden richting straat. Overal op de parkeerplaats klonk gejammer.

'Politie!' brulde Stride. 'Dekking zoeken en laag blijven!'

Hij keek even snel om zich heen en zag mensen tussen auto's wegkruipen. Blake was verdwenen. Stride schoof zijwaarts als een krab naar de eerste rij auto's, waar Claire bij het achterwiel van een pick-up zat, met haar armen om haar knieën en haar ogen zonder iets te zien naar de grond gericht. Hij ging naar haar toe en legde een hand op de hare.

'Ik ben Stride. Niet bewegen. Blijf hier zitten.'

'Er was bloed,' mompelde ze.

'Wat?'

'Aan zijn handen.'

Stride vloekte. Hij waagde het een blik te werpen door de ramen van de pick-up, maar zag niemand. De mensen op de parkeerplaats waren verdwenen, alsof de aarde hen had verzwolgen. Sommigen hielden zich verborgen tussen de auto's, anderen vluchtten richting Boulder Strip. Er waren nog veel mogelijke gijzelaars.

'Hier blijven,' zei hij nogmaals tegen haar.

Hij glipte tussen de auto's door en stak het open stuk over zonder dat er op hem werd gevuurd. Hij herkende de rode Caprice voor hem als een undercoverauto van de Metro en hij richtte zich zo ver op dat hij in de auto kon kijken. Achterin lag een lichaam half op de bank, half op de vloer. Stride opende het portier en het bloed droop eruit, vormde een plas op de grond en besmeurde zijn broek. Hij pakte de pols van de man en zocht naar de hartslag, maar er was niets.

Stride trok zich achteruit terug. Hij hoorde rennende voetstappen achter zich die van de andere kant van de parkeerplaats kwamen. Toen hij zich omdraaide, zag hij een glimp van Serena op hetzelfde moment dat er weer een salvo van het achterste deel van de parkeerplaats klonk. Hij zag haar achter de auto's duiken en vonken van kogels die afketsten op metaal.

'Serena!' schreeuwde hij.

Het was wurgend lang stil. Toen riep ze terug: 'Alles goed met me!'

Stride voelde dat zijn hart weer begon te kloppen. Hij rende naar de volgende auto in de rij en kwam in schiethouding achter de motorkap overeind. Hij zag Blake drie rijen verderop en kon twee schoten afvuren voordat de man wegdook. Zijn kogels verbrijzelden de voorruit van een Cadillac. Daar zou Sawhill hem wel voor uitkafferen.

Hij verplaatste zich weer en gebruikte een bestelbusje als dekking. Toen hij probeerde de volgende rij te bereiken, zag Blake hem en joeg hij hem met een nieuwe kogelregen de open plek over. Net toen hij in veiligheid was, voelde hij een stekende pijn in zijn borst, en hij zag een scheur van vijf centimeter in zijn overhemd waar bloed doorheen kwam. Hij rukte het overhemd open en kwam tot de conclusie dat het geen kogelwond was, alleen een stukje metaal dat van een van de auto's was afgeslagen. Maar toch, het deed verdomde pijn.

In zijn jaszak klonk de gesmoorde beltoon van zijn mobieltje. Hij pakte hem en hoorde Serena's stem. Ze fluisterde.

'Alles goed met je?'

'Licht beschadigd, maar niet ernstig,' zei Stride.

'De hulptroepen komen eraan. Over een paar minuten moeten we hier tien wagens hebben. Als we hem kunnen vasthouden, kunnen we hem omsingelen.'

'We zitten ook met een hele partij burgers.' Stride luisterde naar de stilte en die beviel hem helemaal niet. 'Zie je kans bij Claire te komen?'

'Ik denk het wel.'

'Doe maar. Ik dek je wel. Blijf bij haar. Ik wil niet dat hij met een omtrekkende beweging weer bij haar komt.'

Stride spurtte naar de achterkant van de kleine Pontiac waarachter hij gehurkt had gezeten. Hij kwam overeind in schiethouding en hij trok een lelijk gezicht toen de huid van zijn borst werd opgerekt. Hij steunde met zijn ellebogen op de kofferdeksel van de auto. Achter zich hoorde hij Serena rennend de middenbaan oversteken en hij zag een flits van een beweging een paar rijen verderop. Hij wist niet zeker of het Blake was, dus vuurde hij in de lucht. De persoon liet zich weer zakken.

Serena riep: 'Veilig!'

Stride rende voorovergebogen tussen de auto's door en schoof zo drie rijen op. Blake kon niet ver weg zijn.

Blake raakte door zijn munitie heen, en in de verte hoorde hij sirenes. Een heleboel sirenes. Nog een minuut en de Limelight zou worden overspoeld door politie, en ook al wist hij dat hij in de verwarring zou kunnen ontkomen, dan zou dat toch met veel geweld gepaard gaan.

Hij zag die vrouwelijke rechercheur, Serena, naar de andere kant van de parkeerplaats rennen, waar Claire zich verborgen hield. Stride gaf haar dekking. Blake had geen trefkans en hij wist dat zijn plan voor vanavond in duigen was gevallen. Claire was onbereikbaar.

Tijd om op te krassen.

Hij hoorde voetstappen en wist dat het Stride was die langzaam dichterbij kwam.

Blake glipte stilletjes terug de laatste rij in waar zijn bruine sedan stond te wachten. Hij stuitte op een stel dat in elkaar gedoken naast een Toyota RAV4 zat. De vrouw, te dik en met zwarte krullen, keek hem en zijn wapen met doodsangst in haar ogen aan en drukte haar gezicht tegen de borst van haar man. Die trok een dapper gezicht, keek boos terug. Hij had een bolle kop en een onderkin.

'Geen kik,' siste Blake. Hij stak zijn arm uit en richtte de Sig Sauer op het gezicht van de man.

De sirenes jankten bijna over hen heen. De eerste politiewagen kwam slippend de parkeerplaats op gescheurd. De mensen die zich tussen de rijen hadden verborgen, renden voor dekking naar de politieauto.

Stride schoot overeind toen hij nog een explosie hoorde, maar realiseerde zich toen dat het de knallende uitlaat van een auto was. Twee rijen voor hem kwam een automotor kermend tot leven. Zijn hart sloeg een paar slagen over: hij wist wat het betekende.

Hij zette het weer op een rennen en zag een bruine sedan over het groene strookje schieten dat de parkeerplaats en de Boulder Strip van elkaar scheidde. Hij hurkte, klaar om te schieten en op de banden te richten. Toen besefte hij dat de binnenverlichting aan was en zag hij twee silhouetten in de auto. Het was een te groot risico om te schieten.

'Hij heeft een gijzelaar!'

De sedan jakkerde in noordelijke richting. Stride liet zijn dekking varen en sprintte naar de weg. Hij zwaaide met beide armen en bracht drie politieauto's die bij het casino samenkwamen tot staan en dirigeerde ze vervolgens achter de sedan aan. De achterlichten verdwenen al doordat de bestuurder andere auto's links en rechts inhaalde.

De achtervolging werd ingezet.

Stride liep op een drafje naar de andere kant van de parkeerplaats. Daar stond Cordy met een stuk of zes geüniformeerde agenten bij twee politieauto's die de uitgangen blokkeerden. Ze noteerden namen en telefoonnummers van de mensen die zich nog op de parkeerplaats bevonden, maar Stride wist dat de zaak verknald was. De meeste mensen waren al verdwenen.

Hij vroeg naar Serena, en Cordy wees met zijn duim naar binnen. De twee vrouwen zaten achter in het casino, ver weg van de kapotte ruit, en om hen heen stonden verscheidene gewapende politiemensen om hen te bewaken. Claire had beide armen om Serena heen geslagen en haar hoofd op Serena's schouder gelegd.

Stride liep naar hen toe. Serena wees op zijn borst. 'Je moet naar de dokter.'

'Stelt niks voor. Een pleister is genoeg.'

'En je benen?'

Stride bekeek de rode spetters op zijn broek en fronste zijn wenkbrauwen. 'Niet mijn bloed.'

'Van Blake?' vroeg Serena.

Claire keek vol verwachting naar hem op en wachtte op een antwoord. 'Heb je hem te pakken gekregen?'

Stride schudde het hoofd.

Met een honkbalpet op en een Running Rebels T-shirt en een sportbroekje aan slenterde Blake de parkeerplaats van de Limelight af. Niemand deed een poging om hem tegen te houden. Zijn andere kleren had hij in de achterbank van een Mustangcabrio weggepropt. Hij wachtte tot er geen verkeer meer was, stak de doorgaande weg over en keek uit naar een taxi.

De sirenes in de verte waren nog enigszins hoorbaar. Die zouden de bruine sedan wel snel te pakken hebben en van de weg rijden. Hij hoopte dat de man met de bolle kop en zijn te dikke vrouw verstandig genoeg zouden zijn om hun handen omhoog te houden en geen schoten uit te lokken.

Het was een eitje geweest: de man zijn autosleutels in de hand drukken, zeggen dat hij zo snel mogelijk moest wegrijden en op z'n minst tien minuten moest blijven doorrijden. Hij had hun ook verteld dat er een bom in de kofferbak lag die hij met behulp van zijn mobieltje kon laten ontploffen als ze te snel voor de politie zouden stoppen. Volslagen onzin, maar mensen geloven alles zolang je ze een wapen onder hun neus houdt en iemand ze de kans geeft het te overleven.

Dus waren ze weggescheurd.

Hij had de sedan zelf kunnen besturen, maar hij schatte de kans om die achtervolging te overleven op niet meer dan fifty-fifty.

Niet goed genoeg. Hij had nog het een en ander te doen.

34

Stride lag naakt op bed. Het was drie uur 's nachts. Toen ze eindelijk van de plaats delict bij de Limelight waren thuisgekomen, bleek de stroom te zijn uitgevallen. De slaapkamer was pikdonker en heet, en hij lag daar met open ogen zonder iets te zien.

Hij had pijn. Zijn hele lijf deed pijn. Het was pijn in zijn botten, de ergste pijn, diep en ongenadig, niet zoals pijn in spieren die je kunt strekken en masseren. Alle plekken waar hij tuimelend en rollend over het wegdek op was terechtgekomen voelde hij nu. Er was een tijd geweest, toen hij in de twintig was, dat hij geen prijs betaalde voor deze afstraffing van zijn lichaam. Dat was verleden tijd.

De schaafwonden zorgden voor een stekende pijn. De snee in zijn borst was verbonden. Maar er waren krassen en schaafwonden die hij pas had ontdekt toen hij zich had uitgekleed en plekken had gevonden die hem bij de minste aanraking ineen deden krimpen. Hij had zichzelf gedwongen te douchen, en het warme, beukende water was scherp als messen geweest. Maar het was een beter gevoel nu hij het vuil had afgespoeld en op bed was gaan liggen.

Hij hoorde de slaapkamerdeur zachtjes open- en dichtgaan. Serena kwam binnen. Ze liep naar het open raam en bleef daar staan, keek naar buiten. Ze was een lang, prachtig silhouet.

'Claire?' vroeg hij.

'Slaapt. Ik heb haar een slaappil gegeven.'

Ze kwam naar het bed en ging op de rand zitten.

'Ik was bang dat je je daar zou laten doodschieten.'

'Nu wil ik dat ik het had gedaan.'

Hij voelde haar vingertoppen cirkels op zijn borst trekken.

'Heb je pijn?' vroeg ze.

'Overal.'

'Eens kijken of ik er iets aan kan doen.'

Haar handen oefenden zachte druk uit op zijn huid, op zoek naar de erogene zenuwuiteinden waardoor hij haar daar kon voelen.

'Claire is verliefd op je,' zei hij. 'Dat is duidelijk te zien.'

'Ik weet het.'

Claire had geen moeite gedaan om het te verbergen. Je zag het aan de manier waarop ze naar Serena keek, hoe ze tegen haar aan had gehangen tijdens de rit naar huis.

'En jij?' vroeg hij.

Serena raakte een gevoelig plekje aan en hij zoog zijn adem in van de pijn. 'Oeps,' zei ze.

'Dat deed je expres.'

'Stel dan ook niet van die domme vragen.' Toen de pijn wegtrok, legde ze haar hand als een kommetje over de huid en ging weer verder met hem betasten.

'Ik heb iets voor je verzwegen, Jonny, maar het gaat niet over Claire.'

Hij liet een donker gebrom horen, zo van: kom maar op. Het kon hem niet schelen wat ze te vertellen had, niet nu ze zo met hem bezig was.

'Deirdre en ik waren minnaressen,' zei Serena zachtjes. 'Lang geleden, toen ik nog een tiener was. Sorry dat ik je dat niet eerder heb verteld.'

Ze pakte zijn hand en wreef met haar duim over de vingers, zoog daarna op elke vinger. Even later hoorde hij het laatje van haar nachtkastje opengaan. Ze haalde er iets uit.

'Veel mannen vinden het spannend,' zei ze, 'twee vrouwen die het doen.'

'Weet ik.'

'Jij ook?'

'Wat denk je?' vroeg hij.

Ze hoefde het niet te vragen. Ze voelde welk effect ze op hem had.

Hij had altijd al gedacht dat de relatie tussen haar en Deirdre meer had ingehouden dan ze had laten merken. Hij wou dat hij wat meer had doorgevraagd. Het was zo'n belangrijk stukje van de puzzel die Serena was.

Haar handen raakten zijn lichaam weer aan, deze keer zijn benen. Ze masseerde de spieren in zijn dijen, en helemaal omhoog tot aan zijn maag en daarna omlaag tot aan zijn tenen.

'Mijn zielenknijper zou zeggen dat het om overdracht gaat,' zei Serena. 'Ik voel me schuldig over Deirdre en daarom voel ik me aangetrokken tot Claire.'

'Wat bedoel je nou?'

'Ze is een stuk en ik word geil van haar.' Serena lachte.

Ze trok zich terug en hij hoorde een vreemd geluid, als een dop die wordt geopend, en hij huiverde toen er een koele vloeistof langs zijn lid droop. Haar handen waren er weer, allebei, en hij was glibberig, en haar handen gleden op en neer alsof ze over een ingezeepte huid gleden.

'Het is jouw schuld,' zei ze. 'Jij hebt een seksverslaafde van me gemaakt, verdomme.'

Hij probeerde iets te zeggen, maar hij wist niet meer hoe dat moest. Het was of zijn lichaam zich van het bed losmaakte. De pijn verdampte.

'Voel je je al beter?' vroeg ze, en zonder haar te zien wist hij dat ze grijnsde.

Toen de spasmen door zijn lichaam begonnen te trekken, merkte hij dat hij zijn adem inhield, en het zuurstofgebrek liet in zijn hoofd beelden ontstaan. Cindy, zijn eerste vrouw, in bed, vrijend met hem. Maggie, zijn partner. Amanda. Serena. Hij dacht aan thuisloos zijn en dat hij, op dat moment, los was van zijn lichaam, dat hij erbovenuit rees, dat hij in de duisternis neerkeek.

Hij wist niet zeker hoeveel tijd er was verstreken tussen het moment dat ze naar de badkamer ging en terugkwam met een warme, vochtige handdoek waarmee ze hem schoonmaakte. Ze liet zich naast hem in bed glijden en viel bijna meteen in slaap. Haar hoofd lag op zijn arm en ze ademde in zijn gezicht. Hij verwachtte dat hij ook direct zou inslapen, maar dat lukte niet. Hij was te zeer van haar vervuld, en van Minnesota, en wat het betekende om thuis te zijn. Lange minuten later voelde hij zich eindelijk wegzakken, maar hij dacht, of droomde misschien, dat hij Claire op de gang hoorde, en hij vroeg zich af of ze daar misschien al die tijd was geweest en hen had afgeluisterd.

35

Sawhill hing op. Hij was paars aangelopen. De inspecteur die zijn emoties achter slot en grendel hield, was bezig zijn zelfbeheersing te verliezen, en Stride dacht dat de man op het punt stond voor hun neus dood neer te vallen.

'Dat was gouverneur Durand,' zei Sawhill met toegeknepen keel. 'Hij vraagt zich af waarom deze misdadiger nog leeft terwijl een van mijn mensen hem gisteravond onder schot had. Hij vraagt zich af waarom er vijf, zes patrouillewagens nodig waren om een echtpaar uit Nebraska dat hier op huwelijksreis was aan te houden, terwijl een seriemoordenaar van de plaats van het misdrijf kon wegwandelen waar hij een politieagent had vermoord en hem door geen mens is gevraagd zich te identificeren.'

Stride wist weer waarom hij de pest aan politici had. 'Met alle respect voor de gouverneur, maar die was er niet bij. Deze man is uitgekookt. Hij heeft Claire met een list naar buiten gekregen, en daardoor zaten we allemaal in een situatie waar we rekening moesten houden met burgerslachtoffers. We konden niet zomaar in het wilde weg schieten.'

'Ja, ja, ik heb het rapport gelezen. Je hebt het duel met hem verloren, Stride. Je had hem onder schot, maar hij heeft de situatie omgekeerd.'

'Dat is maar al te waar,' gaf Stride toe. 'Hij is een getrainde huurling.'

'Nou, dan spijt het me dat we hier een aanzienlijk meer ervaren crimineel hebben dan waar jij in Minnesota mee te maken had,' pareerde Sawhill. Hij stak een arm uit naar de stressbal op zijn bureau en begon er verwoed in te knijpen. 'Ik verwacht dat mijn rechercheurs beter zijn dan de mensen die ze proberen te vangen. Het enige wat jij hebt weten te bereiken, is dat je een dure auto aan barrels hebt geschoten, een auto die trouwens van de hoogste baas van Harrah's is, een goede vriend van mijn vader. Mijn vuistregel is: als je iemand onder schot hebt, dan schiet je en dan schiet je raak.'

Stride vroeg zich af of Sawhill dat had gelezen in *Zeven hebbelijkheden van uiterst effectieve rechercheurs*. 'Akkoord,' zei hij.

'En dan haalt de crimineel een eenvoudig verkleedtrucje uit en jullie tuinen er allemaal in,' ging Sawhill verder. 'Het echtpaar heeft een broodjeszaak in Lincoln Falls, en we hebben de man bijna zijn kop van zijn romp geschoten omdat jij tegen een stel surveillancewagens hebt gezegd dat hij een seriemoordenaar was die zojuist een diender had gedood.'

'Het was wel de auto van de dader,' zei Stride, maar hij had een hekel aan excuses maken. Hij wist dat hij het had verknald.

'En opnieuw heeft hij bewezen slimmer te zijn dan de mensen die proberen hem te pakken. Laat me dan tenminste horen dat de auto iets heeft opgeleverd.'

Stride schudde het hoofd. 'Vingerafdrukken, maar die hadden we al. Hij heeft de auto drie maanden geleden gekocht, met een valse naam en adres. Er lag geen flintertje papier in waaruit we zouden kunnen opmaken waar hij woont. We doen forensisch onderzoek om te zien of er iets van stof of ander sporenmateriaal is dat een aanwijzing vormt, maar daar gaat tijd mee heen.'

'We hebben geen tijd,' zei Sawhill. 'Is Claire veilig opgeborgen?'

Stride knikte. 'Serena past op haar.'

'En hoe gaan we die vent nu zoeken?'

Amanda, die zonder iets te zeggen het pingpongspel van Stride en Sawhill had gevolgd, deed haar mond open. 'We zouden een val kunnen zetten. Breng Claire opnieuw in het spel in een door ons gecontroleerde situatie.'

Sawhill snoof. 'We gaan Boni's dochter niet als lokaas gebruiken. Punt, uit. Serena zit erbovenop, en die vent weet niet waar ze is. En laten we het zo houden.'

'We zijn alle bibliotheken van de stad nagelopen,' ging Amanda verder. 'Niets tot nu toe.'

'De helft van de manschappen werkt eraan, en ze zijn erop gebeten om hem te pakken,' zei Stride. 'Hij heeft een agent vermoord en een kind gedood. Iedereen wil hem hebben.'

'Ik ook. En de gouverneur ook. Dit is slechte publiciteit voor de stad. Wat is volgens ons zijn volgende zet?'

'Ik denk dat hij opnieuw achter Claire aan gaat,' zei Stride. 'We moeten hem oppakken voor hij dat doet. We hebben ook de beveiliging verdubbeld van mensen die op zijn lijstje zouden kunnen staan, maar het feit dat hij afgelopen nacht probeerde Claire te pakken is voor mij een aanwijzing dat hij aan het eind van zijn lijst is.'

'Denk je dat hij rechtstreeks achter Boni aan gaat?' vroeg Sawhill.

Amanda knikte. 'Het is een afwijking van zijn patroon, maar het zou kunnen.'

'Boni is geen makkelijk doelwit,' zei Stride. 'Maar de Sheherezade wordt volgende week gesloopt. Dat is de connectie met Amira.'

'O, fantastisch! Het opblazen is in het hele land op tv te zien.'

'Misschien legt hij Boni tijdens de ceremonie om,' zei Stride. 'Goed voor de kijkcijfers. En voor de toeristenindustrie.'

Sawhill boog zich naar voren. 'Vind jij het soms een grap?'

'U hoeft mij niet te vertellen hoe het hier werkt,' zei Stride. 'Over een halfjaar is er een geregelde bustour langs de moordplaatsen en een nieuwe advertentiecampagne: "Wij geven Sin City zijn zonde terug."'

'Je woont hier nog maar een paar maanden, Stride, ik bijna mijn hele leven. Mijn vader heeft tientallen jaren van zijn leven aan deze stad gewijd. Hier zijn wij thuis. Jij díént deze stad, dus behandel hem met respect.'

Amanda stond op en trok net zo lang aan Strides arm tot hij ook stond. Ze gaf Sawhill een knikje. 'We zijn allebei bekaf, sir. Maak u niet ongerust, we nemen deze moordenaar heel serieus.'

Ze begon Stride de kamer uit te trekken. Sawhill stond op en legde zijn handen plat op zijn bureau. 'Dat zou ik maar doen, ja,' riep hij hen achterna. Stride en Sawhill wisselden ijzige blikken en toen had Amanda hem op de gang en de deur achter hen dicht.

Amanda leunde tegen de muur en wiste haar voorhoofd af. De airconditioning deed het weer, en in de kamer was het koud, maar zij zweette. Ze lachte naar Stride en liet een laag gefluit horen. 'Dat was niet al te tactvol.'

'Ik weet het. Sorry. Ik was niet van plan jou er zo bij te betrekken.'

'Deze stad is een onderneming,' legde ze uit. 'Voor deze mensen telt het image.'

Stride schudde het hoofd. 'Geld telt.'

'Jij zal deze stad niet veranderen, Stride.'

Hij knikte. 'Weet ik.' En voor hij het wist, voegde hij eraan toe: 'Ik weet niet zeker of ik wel blijf.'

Daar schrok Amanda duidelijk van. 'Wat zeg je?'

'In Minnesota willen ze me weer terug,' lichtte hij toe. 'Ik loop er serieus over te denken.'

'En Serena?' vroeg ze.

Stride zei niets. Hij wist dat dat de kwestie was. De kwestie waar zijn leven van afhing. En Serena?

'Er staat nog niets vast,' zei Stride. 'Laten we eerst Blake Wilde maar eens in zijn lurven vatten.'

36

Amanda zette de auto op de parkeerplaats van de centrale bibliotheek en stapte uit. De hitte schroeide haar longen. Het was tegen het eind van de middag, wanneer het oktoberweer in Las Vegas perfect zou moeten zijn, maar de zon voelde nog steeds aan als een oven in grillstand.

Sinds Stride haar had verteld dat hij erover dacht weg te gaan, had ze erop lopen kauwen. Ze had geen reden om kwaad op hem te zijn, maar ze was het toch. Nu had ze eindelijk eens een partner met wie ze overweg kon, en opeens was ze hem misschien alweer kwijt. De partner die ze daarna zou krijgen zou wel weer een Cordy zijn, iemand die achter haar rug grappen liep te maken, naar haar tieten zou gluren, naar manieren zou zoeken om haar te lozen. Ze vroeg zich opnieuw af wat ze hier eigenlijk deed en of Bobby en zij er niet beter aan deden Strides voorbeeld te volgen. Wegwezen. Naar San Francisco. Deze stad met al zijn waanzin achter zich laten.

Ze was niet in de stemming voor spelletjes. Haar geduld was op, als een T-shirt dat zo vaak is gewassen dat je erdoorheen kon kijken. Toen ze naar de andere kant van Las Vegas Boulevard keek, zag ze de auto weer. Een staalgrijze Lexus SUV. Ze had hem die middag al twee keer gezien en het kenteken laten natrekken. Ze wist wie erin reed.

Amanda stak over. De auto had getinte ramen, zodat ze niet naar binnen kon kijken. Ze roffelde met haar knokkels op het bestuurdersraampje en wachtte.

Het raampje gleed omlaag. Ze voelde een koude luchtvlaag.

'Hallo, Leo,' zei ze en probeerde niet te ontploffen. 'Achtervolg je me?'

Leo Rucci had een zonnebril op zijn neus. De rode aderen in zijn nek zwollen op als kabels. 'We leven in een vrij land, toch?'

'Klopt. Waar elke gangster uit een achterbuurt zoals jij miljonair kan worden. *God bless America*.'

'Zeg, hé...'

'Haal geen geintjes met me uit, Leo. Ik heb een rotdag. Dus je dondert op en laat je niet weer zien, want anders laat ik je oppakken.'

'Waarvoor?'

'Hinderen van de rechtsgang en het ernstig lastigvallen van een politiefunctionaris.'

'Ik kan jullie helpen,' zei Leo. 'Mijn manier is veel sneller dan zo'n halfzachte rechtszaak. Als je een spoor hebt dat naar die vent voert, bel je me en ik zorg voor de rest.'

'Ga maar weer lekker golfen, Leo. Wij houden ons wel met Blake bezig.'

Amanda maakte rechtsomkeert en liep op hoge poten naar de overkant, naar de bibliotheek. Ze hoorde Rucci's auto starten en wegscheuren. Binnen zocht ze de informatiebalie.

'Ik ben op zoek naar Monica Ramsey,' zei ze.

De bibliothecaresse wees naar een lange vrouw van in de vijftig die dozen met microfiches van een karretje in de schappen terugzette. Amanda liep naar haar toe.

'Miss Ramsey? Ik ben Amanda Gillen. Hebt u een bericht op mijn voicemail ingesproken?'

Monica Ramsey had uilachtige brillenglazen en lang zwart haar in een paardenstaart. Ze had een lijf als een wandelstok en droeg flinterdunne plastic handschoenen. 'O ja, u bent van de recherche. U bent op zoek naar die man.'

'Inderdaad,' zei Amanda, met een sprankje hoop na uren van frustratie. 'Heb u hem gezien?'

'Ja, ik denk het wel, ja. Maar het is een aantal weken geleden. Ik begrijp niet goed wat u eraan hebt.'

'Dat zou u verbazen. Vertelt u me alstublieft alles.'

'Goed. Zullen we erbij gaan zitten?'

Ze gingen op de hoek van een lange leestafel zitten, bij de boekenplanken. Monica ontdeed zich van haar handschoenen. 'Die draag ik altijd als ik met fiches werk, weet u. Dat filmmateriaal is zo gevoelig en zo oud.' Ze tikte met haar vinger op de tekening die Amanda tussen hen in had gelegd. 'Deze man ging erg ruw met de fiches om. Ik moest hem vragen voorzichtiger te zijn.'

'Weet u zeker dat het deze man was?'

'O ja. Die ogen vergeet je echt niet.'

'Neemt u me niet kwalijk, maar waarom hebt u niet eerder gebeld?'

'Het spijt me zeer, maar we waren weg. Een cruise in de Cariben. Ik ben vandaag pas weer op mijn werk.'

'Kunt u me vertellen wat u zich verder nog van de man herinnert?' vroeg Amanda.

'Nogmaals, het is een tijdje geleden. Halverwege de zomer, dacht ik. Juli, misschien augustus. Hij kwam een paar dagen achter elkaar, drie of vier dagen. Hij zocht allerlei materiaal over Las Vegas in de jaren zestig. Ik haalde microfiches, tijdschriften en boeken uit het magazijn. Hij wilde alles zien.'

'Heeft hij nog nader gespecificeerd wat hij zocht?'

'Ja, hij liet me bijvoorbeeld Lexis een zoekopdracht naar een van de oude casino's geven, de Sheherezade, dacht ik. Ja, dat klopt, want hij zat ook te lezen over Boni Fisso, en zoals u zult begrijpen, hebben we daar heel veel materiaal over.'

'Zei hij ook waar hij de informatie voor nodig had?'

'O nee. Hij zei sowieso niet veel. Geen spraakzaam type. We krijgen heel veel aanvragen voor archiefmateriaal, dus het was helemaal niet ongewoon.'

'Heeft hij u gevraagd onderzoek te doen naar andere personen? Anderen dan Boni Fisso?'

'Niet dat ik me kan herinneren.'

'Monica, je moet me echt helpen. We moeten die man meteen vinden. Ik verzoek je in gedachten terug te gaan en heel goed na te denken, en te proberen alles wat je je van hem kan herinneren naar boven te halen. Wat hij aanhad, wat hij zei, wat hij bij zich had, wat hij deed. Alles wat voor ons een aanwijzing kan zijn voor wie hij is en waar we hem kunnen vinden.'

Monica ging kaarsrecht zitten en haar nek leek nog langer te worden. De tong van de bibliothecaresse kwam naar buiten en bevochtigde haar lippen. Amanda moest denken aan een giraffe in de dierentuin die zijn nek uitrekt om een blaadje van een hoge tak te plukken.

'Hij had een blauwe rugzak,' zei ze. 'Daar had hij zijn spullen in. Maar welke kleren hij droeg, weet ik echt niet meer. Een spijkerbroek misschien? Verder was er niets bijzonders aan hem. Sorry, hoor.'

Amanda was teleurgesteld. 'Had hij een auto? Heb je hem zien komen of vertrekken en gezien welke kant hij dan op ging?'

Monica schudde het hoofd.

'Heb je hem daarna nog gezien?'

'Nee, hij is niet meer terug geweest, niet wanneer ik er was.'

Amanda stond op. 'Hartelijk dank voor je tijd, Monica. En bedankt dat je me hebt gebeld. Mocht je je nog iets herinneren, bel me dan.'

'Dat zal ik zeker doen.'

Toen Amanda zich omdraaide om weg te lopen, hoorde ze Monica giechelen. Ze keerde op haar schreden terug. 'Wat is er?'

Monica bloosde. 'Sorry, hoor, maar het is zo gek. Ik bedacht net dat als je deze man wil vangen, je bij donutwinkels moet gaan posten.' Ze moest weer lachen.

Amanda keek haar aan en vroeg zich af of het weer een domme grap over de politie was. 'Hoezo?'

'Nou, ik herinner me dat die man geobsedeerd was door Krispy Kreme-donuts. Ik betrapte hem toen hij bij het ficheapparaat een donut zat te eten en ik hem moest vertellen dat er in de bibliotheek niet mag worden gegeten. Ik zei tegen hem dat ik ze ook niet kon laten staan, en toen zei hij dat hij eraan verslaafd was.'

Amanda voelde haar hart op hol slaan. 'Nogmaals bedankt, Monica.'

Krijg nou wat, dacht ze. Krispy Kreme-donuts.

37

Claire zat met één been onder zich en het andere bungelend op Serena's bank. Ze koesterde een mok warme koffie in beide handen. Haar haar hing los en was ongekamd en ze droeg een wijd, extra lang T-shirt dat tot halverwege haar dijen kwam. Ze was op blote voeten, met rood gelakte nagels.

Ze wierp een blik op de wandklok die achter haar de minuten wegtikte. 'Het is al laat,' mompelde ze. 'Over elven. Waar is je geliefde?'

Serena keek op van haar laptop die ze op schoot had, hoewel ze zich nauwelijks nog op het scherm kon concentreren. Haar ogen waren moe.

'Hij is nog steeds op zoek naar Blake,' zei Serena.

'Je hebt er de pest over in, hè, dat je hier bij mij moet zijn.'

'Nee, ik vind het niet erg om bij je te zijn. Maar stilzitten is niks voor mij. Ik ben meer een mens voor actie.'

'Ja, dat is zo,' zei Claire. 'Je bent een harde, hè?'

'Precies.'

Eerlijk gezegd was ze er gek van geworden, de hele dag binnen opgesloten te zitten. Ze had getelefoneerd, aanwijzingen op het internet uitgeplozen en haar aantekeningen nogmaals doorgelopen om zeker te weten dat ze niets over het hoofd had gezien. Maar het haalde het niet bij op straat zijn. Ze voelde zich geïsoleerd, afgesneden van het onderzoek.

'Een aantrekkelijke man, die kerel van je. Ik snap wel wat je in hem ziet.'

'Dank je.'

'Hij houdt van je. Ik zie het aan de manier waarop hij naar je kijkt.'

Serena herinnerde zich dat Jonny de vorige avond hetzelfde had gezegd over Claire. 'Ik hou van hem,' zei ze.

'Ik ben ook wel met mannen naar bed geweest,' zei Claire.

'Wat bedoel je?'

'Nou, dat ik best begrijp dat ze aantrekkelijk kunnen zijn.'

Claire trok haar been onder zich vandaan en stond op. Ze liep naar de witte muur en bekeek de woestijnfoto's die daar hingen. 'Heb jij die gemaakt?'

Ze keek achterom en Serena knikte.

'Ze zijn schitterend. Je hebt een scherp oog voor landschappen. Dat kunnen ze je niet leren, kijken. Veel mensen weten wel hoe ze een foto moeten maken, maar kijken kunnen ze niet.'

'Je bent er aardig kalm onder,' hield Serena haar voor.

'Waaronder?'

'Dat je bijna werd vermoord.'

Claire haalde haar schouders op. 'Vannacht was ik niet kalm. Maar bij jou voel ik me veilig.'

'Ik kan je naar je vader brengen. Zijn huis is een fort.'

'Het is daar niet zozeer veilig als wel een gevangenis.'

'Hij wil het weer goedmaken met je,' zei Serena. 'Hij was blij dat je belde.'

'O, ben je nu gezinstherapeut?'

'Nee. Maar ik weet wat het is om een volwassene zonder ouders te zijn. Er zijn tal van gelegenheden waarbij ik wil dat het anders was.'

Claire bleef naar de foto's aan de muur staren, maar Serena had het idee dat ze een gevoelige snaar had geraakt. 'Ik zou het ook graag anders hebben, Serena. Maar dat is het nou eenmaal niet.'

'Hij zegt dat het hem niet kan schelen dat je lesbisch bent.'

'Katholieken hebben er nooit een probleem mee, zolang je maar celibatair leeft,' zei Claire.

Serena zag Claire glimlachen, maar het was een onecht lachje, besefte ze. Ze dacht dat Claire eigenlijk liever zou huilen.

'Het heeft niets met wel of niet lesbisch zijn te maken, hè?' zei Serena. 'Die breuk tussen Boni en jou.'

'Nee.'

'Wat dan wel?'

Claire schudde haar hoofd. 'Het is al zo lang geleden. Ik wil het niet meer oprakelen.'

Ze kon aan Claires stem horen dat het een ingrijpend en afschuwelijk geheim was, wat het dan ook mocht zijn. 'Ik heb ook van die verschrikkingen gekend,' zei ze.

'Dat weet ik. Daarom klikt het zo goed tussen ons. We hebben allebei een verleden waaraan we proberen te ontkomen.'

'Ben jij in therapie gegaan?'

'Nee.'

'Waarom niet?'

Claire zuchtte. 'Toe, Serena, laat het alsjeblieft rusten. Ik kon er toen niet over praten en dat kan ik nu net zomin. Niet met een vader die Boni Fisso heet.'

Serena liet de stilte duren terwijl Claire met niets ziende ogen naar de foto's keek. Op haar gezicht lag een gepijnigde uitdrukking.

'Boni zegt dat je miljoenen op de bank hebt,' zei Serena.

Claire glimlachte, deze keer echt. 'Wil je me nu om mijn geld?'

'Ik was gewoon nieuwsgierig.'

'Toen ik wegliep, wilde ik mijn eigen baas zijn. Boni gaf me niets mee. Ik heb mijn eigen kapitaal opgebouwd. Inderdaad, ik heb een hoop geld. Ik ben Boni's dochter: genen tellen ook mee. Plus mijn studie bedrijfskunde.'

'Maar ben je gelukkig met een bestaan in zo'n appartementje? Met je leven als zangeres?'

'Ik heb een hoop geleerd in die jaren dat ik in m'n eentje was,' zei Claire. 'Ik ben een vrij mens, niemand heeft iets over me te zeggen. Maar ik lieg als ik zeg dat ik geen ambities heb. Een deel van me zou dolgraag de leiding over de hotels hebben en ze op mijn manier runnen.'

'Dat kan nog steeds.'

Claire schudde haar hoofd. 'Niet wanneer het betekent dat ik terug moet naar mijn vader.'

'Hoe zou jij ze dan runnen?' vroeg Serena. 'Stel dat je de sleutels tot het koninkrijk had.'

'Ik? Ik heb genoeg van al dat grootschalige. Grote shows, grote namen... Volgens mij willen de mensen intimiteit. Ze willen niet opgaan in de menigte. Ze willen zangers en zangeressen, geen shows. Die reusachtige resorts zijn een en al pracht en praal, maar hebben weinig karakter.'

'Je zou je eigen tent kunnen beginnen.'

Enigszins weemoedig zei Claire: 'Ooit misschien. Het zou fijn zijn als ik Boni kon laten zien dat ik het zonder hem kan. En dat het niet nodig is dat je je ziel aan de duivel verkoopt om te slagen.'

Serena hoorde in haar stem de verbittering terugkomen. 'Wil je me vertellen wat hij je heeft aangedaan?'

'Niet hij,' zei Claire. 'Iemand anders. Maar Boni heeft het laten gebeuren. Bij hem kwam de zaak eerst, zoals altijd.' Het leek even dat ze meer wilde vertellen, maar ze sloeg haar armen om zich heen en huiverde. 'Ik wil er niet over praten.'

'Goed.'

'Het ligt achter me. Ik zit er niet meer mee. Ik wil zingen en drinken en kletsen over het leven en hartstochtelijk beminnen.'

'Ik heb genoeg aan twee van de vier,' lachte Serena.

'Welke twee?'

'Nou, je weet dat ik niet drink.'

Claire lachte nu ook. Ze kwam naar Serena toe en knielde naast de leunstoel. Ze boog zich voorover, haar blote armen op de zitting. 'Ik ga naar bed,' zei ze.

'Goed.'

'En jij?'

Serena wilde Claire niet in de ogen kijken, maar er leek geen andere plek in de kamer om naar te kijken. Haar blauwe ogen daagden haar uit. 'Is dat een uitnodiging?' vroeg Serena. Alsof ze een grapje maakte.

'Ja.'

'Ik denk dat Jonny niet echt blij is als hij thuiskomt en ons samen in bed aantreft.'

'Dat zou je nog kunnen verbazen.'

'Sorry, Claire. Als de zaken er anders voor stonden... Maar dat is niet zo.'

'Ik snap het.' Claire liet een vinger met een zijdezachte aanraking over Serena's arm glijden. Serena was zo gespannen, dat ze bijna opsprong.

'Pakken jullie Blake vannacht?' vroeg Claire.

'Als het niet vannacht is, dan toch binnenkort. Het halve politiekorps is naar hem op zoek. De vallei is niet zo heel erg groot. We krijgen hem wel.'

Serena wilde het geloven.

'Dood hem niet,' mompelde Claire.

Ze zei het zo zacht dat Serena niet zeker wist of ze het goed had gehoord. 'Wat zeg je?'

'Ik zei: dood hem niet.'

'Waarom niet?' vroeg Serena. 'Waarom zit je daarmee?'

Claire keek naar de grond. Er vielen wat blonde lokken voor haar gezicht. 'Je weet het echt niet, hè? Ik vond het zo duidelijk.'

'Wat dan?'

'Kijk eens goed naar me,' zei ze, en hield Serena's blik opnieuw vast.

Serena keek. 'En?'

'Blake is mijn broer.'

'Wat?'

'Toen ik hem zag wist ik het. Meteen. Ik kan me niet voorstellen dat jij het niet ziet. Die ogen. Hij heeft misschien een hoop van Amira, maar niet alles. Hij heeft ook iets van Boni. Boni is zijn vader.'

38

Tien minuten voor middernacht, dacht Amanda.

Ze had thuis kunnen zijn, bij Bobby. Vrijend zoals ze dat het liefste deed, op hun zij, oog in oog, tegen elkaar aan wrijvend. Veilig en knus onder de dekens. Of ze konden in de Spyder zitten, op de snelweg door de woestijn op weg naar Californië, met honderd mijl per uur door de pikzwarte nacht van Death Valley, voor altijd weg uit Las Vegas. Een nieuw leven.

Maar nee.

Ze zat in haar eentje in een Krispy Kreme-donutwinkel aan de rand van het centrum. Haar koffie werd koud, en af en toe keek ze op en werd dan weer helemaal in beslag genomen door de rijen glanzende donuts op de lopende band die bijna verdronken in het suikerglazuur. Er liepen constant late klanten in en uit. Ze was een van de weinigen die binnen wachtten, met haar rug naar de deur, een krant in haar handen, een half opgegeten donut op een servetje voor zich. Ze deed er al een uur mee.

Goed, het was feitelijk haar vierde.

De werkelijkheid was dat de adrenaline door haar aderen oeg, samen met de suiker. Het had haar uren gekost om deze aak te vinden; ze was van de ene naar de andere Krispy Kreme egaan en pas hier had de kleine Aziatische man achter de oonbank haar tekening aangepakt en hevig ja geknikt.

'Jazeker, hij hier komt. Dag, nacht, paar keer op dag. Altijd elfde. Zes original en Sprite.'

'Weet u het zeker?' vroeg Amanda. 'Deze man verandert vaak van uiterlijk.'

'Ja, ja, telkens anders. Soms blond, soms baard, soms oud, soms jong. Maar altijd zelfde bestelling. Zes original en Sprite. Is hem.'

'Vindt u het niet vreemd dat hij er telkens anders uitziet?'

De Aziaat schokschouderde: 'Dit Vegas.'

Dat was voldoende voor Amanda.

Ze zat op Blake te wachten. De Aziaat had gezegd dat hij die avond nog niet was geweest, dus de kans was groot dat hij nog een laatste shot kwam halen. Ze was zo gaan zitten dat hij haar gezicht niet kon zien, en ze had een honkbalpet op met de klep diep over haar ogen. Ze wist niet of hij haar van gezicht kende, maar ze moest ervan uitgaan dat het wel zo was. Ze wilde hem in de zaak, in een beperkte ruimte, niet buiten op straat, waar hij kon wegrennen.

Het was het gevaarlijkste dat ze ooit had gedaan, en ze probeerde daar niet aan te denken. Ze had de meldkamer doorgegeven dat ze een uur ging pauzeren en daarna haar walkietalkie uitgezet. Ze was helemaal op zichzelf aangewezen.

Ze wist dat ze om assistentie had moeten vragen. Dat was de procedure. Dan hadden ze deze plek kunnen omsingelen en in de gaten kunnen houden, maar Amanda wist niet zeker of ze haar dan wel in de winkel zouden laten zitten, en dat was wel de plek waar ze wilde zijn. Ze dacht verder ook dat Blake uitgeslapen genoeg was om een omsingeling op zes straten afstand door te hebben, en dan zou hij verdwijnen en nooit meer naar die winkel terugkeren. Ze hadden maar één kans om het goed te doen, en dat was door haar, in haar eentje.

Ze had Stride kunnen bellen, maar die zou het volgens het boekje hebben willen doen. Nog in geen miljoen jaar zou hij haar in haar eentje aan dat gevaar willen blootstellen. Of hij zou bij haar willen blijven, en ze wist dat Blake hen dan in de gaten zou hebben.

Een deel van haar wilde zich bewijzen. Blake zelf opbrengen en dan met opgestoken middelvinger de deur uitlopen.

Ze legde haar krant neer en pakte haar koffie. Koud. Ze vroeg zich af of ze hem zou laten opwarmen, maar ze wilde geen aandacht trekken. De Aziatische bedrijfsleider achter de toonbank was druk in de weer met zijn donuts. Ze had hem gezegd kalm te blijven, geen enkele reactie te vertonen, niet naar haar te kijken wanneer Blake binnenkwam. Ze hoopte dat het hem lukte. Ze had hem niet verteld dat de man van de tekening werd gezocht wegens een aantal moorden.

Bijna middernacht.

De deurbel meldde een nieuwe klant. Ze nam een hap van haar donut en pakte haar krant weer op. Ze wierp geen enkele blik op degene die langs haar liep, luisterde alleen naar de zware voetstappen en wist dat het een man was. De onbekende liep doelbewust door naar de toonbank.

Amanda hoorde de bedrijfsleider: 'Ha, baas.' En hij vervolgde: 'Zelfde als altijd? Zes original en Sprite?'

Fout. Ze hoopte dat Blake de wenk niet doorhad.

Amanda legde haar krant neer en stak tegelijkertijd haar hand uit naar haar koffie, met slechts een vluchtige blik naar de toonbank. De man keek niet naar haar. Ze zag blond haar. De lengte klopte, evenals het slanke en sterke lichaam.

Ze keek toe hoe de bedrijfsleider met een stokje de warme donuts van de lopende band pakte en in een doos deed. Hij keek niet naar haar. Hij vulde de doos, opende de koelkast en haalde er een plastic fles met frisdrank uit.

'Alsjeblieft, baas.'

'Bedankt,' zei de man.

Was dat de stem die ze door de ruis via Strides mobieltje had gehoord?

Hij betaalde nu. Ze moest klaar zijn als hij zich omdraaide, met haar wapen in de hand, gericht, klaar om te vuren. Hij was bliksemsnel, had Stride gezegd. Ze dacht aan Sawhill: *Als je iemand onder schot hebt, dan schiet je en dan schiet je raak.*

Amanda boog haar arm naar achteren, greep de kolf van haar Glock en wou dat haar hand niet nat van het zweet was. Ze haalde het wapen rustig tevoorschijn en legde het op haar schoot.

Ze hield haar ogen op Blake gericht. Als het Blake was.

'Hebt u elf cent?'

'Nee.'

'Geeft niet, baas.'

De kleine Aziaat telde het wisselgeld uit. Hij stak een hand uit naar de man voor de toonbank.

De tijd begon stil te staan.

De man stak een hand uit naar het geld maar schoot met zijn arm langs de kassa, pakte de Aziaat bij zijn strot en trok hem in één ruk aan zijn nek over de toonbank. Munten rinkelden over de vloer. Amanda's mond viel open van de schrik. Ze viel terug op haar plaats en haar stoel stuiterde achteruit. Ze sprong op, zwaaide met haar wapen.

'Politie! Niet bewegen!'

Ze legde aan, maar Blake hield het Aziatische mannetje al voor zich, met zijn pistool tegen het hoofd van de man. Diens ogen puilden uit van angst; hij deed het in zijn broek en de urine drupte uit de pijpen terwijl Blake hem omhooghield.

Amanda en Blake keken elkaar strak aan. Hij had weer een baard. Vollere jukbeenderen. Een bril. Maar hij was het. Zijn lippen krulden zich tot een glimlach.

'Heel netjes, rechercheur,' zei hij. 'Ik vroeg me al af of mijn donutverslaving me uiteindelijk niet in moeilijkheden zou brengen. Maar ze zijn zo lekker, hè?'

'Laat dat wapen vallen en laat hem gaan. Het gebouw is omsingeld, Blake. Je kunt nergens heen. Zullen we er zonder geweld een punt achter zetten?'

Blake schudde het hoofd. 'Er is daar niemand, Amanda.'

Hij wist hoe ze heette. Griezelig.

'We hebben ons verdekt opgesteld tot je er was. Zodra je binnen was, heb ik ze via de radio een seintje gegeven. Je komt niet weg.'

Blake knikte. 'Voortreffelijk. Een seintje via de radio. Leuk bedacht, Amanda. Maar ik heb jaren gewerkt met militairen die veel beter waren getraind dan welk politiekorps dan ook. Er was er hier niet een. Het gaat puur tussen ons twee. Ik heb je het afgelopen uur je koffie zien drinken en je vijf donuts naar binnen zien werken.'

'Het waren er vier,' zei Amanda. 'Laat je wapen vallen.'

'Als je niet achter me aan komt, blijf je in leven,' zei Blake. 'Net als deze aardige meneer.'

Hij begon achteruit te lopen naar het gangetje met de wc's en de nooduitgang. Amanda had de uitgang voor die tijd gecontroleerd. Vandaar uit kwam je op een terreintje bezaaid met gras dat doorliep naar Eighth Street.

Amanda liep voorzichtig achter hem aan, haar wapen op hem gericht. Had ze nu maar om assistentie gevraagd. Ze wist dat er aan de andere kant van die deur niemand was, en als Blake kon ontsnappen, zou hij in de straatjes van het centrum verdwijnen en hun opnieuw door de vingers glippen.

Dan schiet je, en schiet je raak.

Maar ze kon het niet. Ze had het niet in zich. En ze kon niet het risico lopen dat Blake als eerste schoot en de Aziaat doodde.

Blake was bijna bij de deur. 'Wij tweeën gaan nu weg. Dwing me niet om hem te doden. Blijf waar je bent.'

'Als je die deur doorgaat, schieten ze je kop als een watermeloen open, Blake.' Bluf, leugens. Ze wisten het allebei.

Ze was hem tot op twee meter genaderd. Blake stond met zijn rug tegen de deur van de nooduitgang. Hij wachtte daar, aarzelde, en ze wist niet goed waarom. Geloofde hij haar? Vroeg hij zich af of er buiten werkelijk een SWAT-team op hem wachtte?

De bel van de winkeldeur rinkelde weer. Er kwam een nieuwe klant binnen. Amanda grimaste en Blake gooide de Aziaat naar haar toe. Diens lichaam vloog door de lucht en wierp hen beiden als bowlingkegels tegen de grond. Tijdens haar val hoorde Amanda de nooduitgangdeur met een knal openslaan toen Blake zich omdraaide en verdween. Ze vloekte, werkte zich onder de bedrijfsleider vandaan en krabbelde overeind.

Ze stoof het gangetje door.

Bij de deur bleef ze stokstijf staan.

Had Blake de benen genomen of wachtte hij haar op?

Amanda hield haar wapen hoog en trapte de deur met haar voet open, zag hem openzwaaien tot tegen de buitenmuur van het gebouw.

Toen de deur openvloog en tegen de muur knalde, wist Blake dat ze slim was.

Hij dook achteruit en vuurde bijna. Zijn trekkervinger jeukte, zijn instinct nam het over, en hij besefte op het laatste moment dat ze niet naar buiten kwam. Ze wilde dat hij vuurde en zijn positie verried.

Zijn kogel, haar kogel en dan was hij dood. Een slimme truc.

Hij wist voldoende om zijn vijand te respecteren.

Maar hij vuurde niet. Ze wist niet waar hij was. Hij wist dat zíj nu moest kiezen.

Verdomme! Hij vuurde niet.

Links of rechts? vroeg ze zich af.

Ze moest een keus maken. Hij zat óf links van de deur óf rechts. Of hij rende nu weg, ontsnapte en dan gaf ze hem met elke seconde die ze wachtte meer tijd om weg te komen.

Ze kon een rol maken, draaien en vuren. Maak de goede keus en ze hadden gelijke kansen, wapen tegen wapen, man tegen... vrouw.

Maak de verkeerde keus en je bent dood. Zo simpel ligt het. Links of rechts?

Links was de enige zinnige keus. De deur ging naar links open. Aan de rechterkant had hij geen dekking. Links gaf de deur hem dekking, benam haar een milliseconde het zicht, was hij in het voordeel. Zij had het voordeel als hij rechts zat. En dat wist hij.

Tenzij hij in haar hoofd kon kijken en voorzag wat ze dacht, en zich realiseerde dat de rechterkant hem het voordeel gaf wanneer zij naar links dook en hem haar rug bood. Een gok. Een risico. Vegas.

Maar ze kon niet te veel nadenken. Ze stond tegenover een

strateeg. Hij zorgde er vast voor dat hij de beste overlevingskansen had. Dat betekende dat hij links op haar wachtte.

Of op de vlucht was.

Ze moest iets doen.

Amanda dacht aan Bobby. Ze proefde zijn laatste kus.

Ze gaf de deur weer een trap, en toen het licht naar buiten stroomde, dook ze en rolde ze naar buiten, waar ze op het plaveisel in hurkhouding overeind kwam en haar wapen naar links richtte. Ze had net genoeg tijd om het beeld tot haar hersens te laten doordringen, om de lege muur achter de deur te zien en zich bewust te worden van haar vergissing. Ze reageerde onmiddellijk, vuurde niet. Begon te kronkelen, te draaien, te duiken, weg te schieten...

Snel. Bliksemsnel. Maar niet snel genoeg.

Hij wachtte aan de rechterkant op haar, wapen in de aanslag. Ze moest naar links gaan, want haar hele training zei haar naar links te gaan, en dienders waren geconditioneerd. Toen ze dat deed, was het voor hem geen verrassing, geen plezier, geen treurnis. Elk gevecht kende een winnaar en een verliezer, en het was geen schande om waardig te verliezen.

Ze was heel snel. Hij was onder de indruk.

De meeste dienders zouden zijn verstard, zouden hebben geaarzeld, maar zij draaide in één vloeiende beweging door, herstelde zich van haar vergissing en draaide terug. Als ze voor rechts had gekozen, had ze best het eerste schot kunnen afvuren.

Maar nee.

Blake haalde de trekker over.

Het was slechts zo'n kort moment, maar het voelde zo lang aan.

Amanda stond op een steilte, een slanke rotstoren. Om haar heen waren meer toppen, een schaakbord met granieten koningen, veel van hen indrukwekkende, door wolken omgeven bergen die opklommen tot de hemel. Ze stond op de rand en keek naar beneden, maar de wereld had geen bodem. Geen smaragdgroene aarde, alleen nevels. Ze wist dat ze kon vliegen.

Toen ze achteromkeek, was Bobby daar; de tranen stroomden over zijn wangen, en ze begreep niet waarom hij zo kon treuren terwijl er hier zoveel te genieten viel.

Amanda lachte hem toe, blies hem een kushand toe, en toen stapte ze, met wijd gespreide armen, de lucht in.

39

Blake rende. De nacht gaf hem dekking. Hij sprintte het lege terrein over, voelde glasscherven onder zijn zolen versplinteren en wegschieten. Toen hij Eighth Street had bereikt, draafde hij in noordelijke richting naar de achterbuurt bij het viaduct van Highway 95. Toen hij Stewart Avenue overstak, vertraagde hij zijn pas tot wandeltempo, maar toen hij buiten het licht van de straatlantaarns was, rende hij weer door.

Hij liet zijn auto, die drie straten de andere kant op stond, voor wat hij was; het was een gestolen auto en hij kon er zo weer een stelen. Zijn flat was maar een halve mijl verderop, en het was veiliger om erheen te lopen.

Her en der zag hij mensen. Het was na middernacht, en de meesten namen het ook niet zo nauw met de wet: ze verkochten of gebruikten drugs. Ze keken wel even op als hij langs draafde, om er zeker van te zijn dat er geen politie achter hem aan zat, maar verder liet hij hen koud. Hoe dieper in de buurt hij doordrong, hoe minder mensen hij zag, tot hij alleen was. Hij ging weer gewoon lopen.

Hij zag het betonnen viaduct. De huizen om hem heen waren vervallen, met omgevallen schuttingen, scheuren in het roze stucwerk en openhangende toegangshekken. In de tuinen stonden schots en scheef geparkeerde auto's. Hij kwam langs een stel winkelwagentjes waarvan de wielen gesloopt.

In de straten om hem heen waren opeens sirenes te horen. Blake dook weg in het donker naast een huis. Hij keek naar het verkeer in het deel waar hij doorheen was gekomen en zag de rode zwaailichten van een surveillancewagen die naar een café scheurde. Het nieuws was bekend. Het zou niet lang meer duren, nog maar een paar minuten, of de hele buurt krioelde van de politie die een net om het hele gebied probeerde te leggen.

Hij liep sneller door. Hij kwam langs een huis waar aan een doorzakkende lijn was te drogen hing. Hij glipte de tuin in en pakte een spijkershirt, dat hij over zijn witte T-shirt aantrok. Er lag een honkbalpet in het zand, en hij zette hem op. Hij trok de valse baard van zijn gezicht. In zijn spijkerbroek had hij een flesje lijmoplosmiddel voor noodsituaties, en hij probeerde snel zo veel mogelijk haar en lijm van zijn gezicht te verwijderen. Het was niet volmaakt, maar op het eerste gezicht was hij tenminste weer een man zonder baard.

Blake dacht na over zijn strategie. Hij had er altijd al op gerekend dat de politie hem uiteindelijk dicht op zijn huid zou komen, maar hij had gehoopt wat meer tijd en speelruimte voor het uitvoeren van zijn plan te krijgen. Die had hij nu niet meer. Hij moest onmiddellijk handelen. Vannacht nog.

Dat was het moment waarop hij zich realiseerde dat het gedoe van de politie, die in deze smerige straten naar hem op zoek was, in feite in zijn voordeel kon werken.

Hij had slechts een paar uur nodig.

Blake liep onder het viaduct door. Het verkeer op de snelweg bulderde boven zijn hoofd, donderde in zijn oren en zorgde voor een voortdurend getril dat onder zijn voeten rommelde. Zijn blik schoot onder de betonnen constructie alle kanten op, op zoek naar overvallers of bendes. Je kon hier makkelijk in de val lopen, omdat je naar links en rechts niet weg kon en de doorgang voor en achter je probleemloos te blokkeren was. Maar hij zag geen mens, behalve een jong snolletje dat met haar rug tegen een van de pijlers zat.

Hij wist niet waarom ze daar zat. In deze buurt was geen klant te krijgen. Toen zag hij dat ze een sigaret rookte en af en toe een snufje coke van een verkreukt stukje aluminiumfolie nam. Blake bleef staan en bekeek haar, terwijl zijn hersens werkten en met een plan kwamen. Ze was jong, probeerde eruit te zien als eenentwintig, maar hij vermoedde dat ze pas vijftien was. Ze droeg knielaarzen, een jack van nepleer, slordig opgebrachte lipstick en platinablond haar dat bijna wit was. Ze zag dat hij naar haar keek en wierp hem een versuft lachje toe. Toen ze haar benen spreidde, zag hij dat ze onder haar rokje naakt was. Ze ging met twee vingers naar beneden en spreidde haar roze lippen.

'Twintig dollar, schatje,' mompelde ze.

Blake bukte zich, greep haar bij haar blonde haar en zette haar met een ruk op haar voeten. Haar sigaret viel smeulend op de grond.

'Hé!' schreeuwde ze. 'Lul, dat doet pijn!'

Hij gaf haar een harde lel. 'Kop dicht.'

Ze keek hem even in de ogen en probeerde weg te komen, maar hij had haar schouder in een ijzeren greep en draaide haar terug. Er verscheen angst op haar gezicht en ze raakte voorzichtig haar rode wang aan. Haar stem werd die van een kind, zacht en angstig. 'Doe me geen pijn.'

'Dat ben ik niet van plan. Hou je mond en luister goed. Ik heb tweehonderd dollar. Die zijn voor jou als je vannacht bij me blijft.'

Haar gelaatsuitdrukking veranderde. Hebzucht kreeg de overhand. Ze produceerde een quasi-verleidelijk lachje. 'Tweehónderd? Daar doe ik het wel voor, schat. Maar niet kontneuken, dat doe ik niet. De rest is best, maar dat niet.'

Blake pakte haar bij haar elleboog en duwde haar naast zich voort. 'Best. Kom mee, ik woon een paar straten verderop.'

'Jouw huis?'

'Ja, mijn appartement.'

Het meisje moest moeite doen om hem op haar hooggehakte laarzen bij te houden. Het idee dat ze met hem mee moest naar zijn huis leek haar niet aan te spreken.

'Driehonderd dollar,' zei Blake, en trok haar sneller mee.

'Driehonderd! Ja, goed hoor.'

Hij voerde haar weg van het viaduct en liep Eighth Street uit tot waar die uitkwam op Ninth Street en naar het noorden afboog. Hij spiedde voortdurend om zich heen. Overal waren nu sirenes te horen. Om hem heen begonnen nu politiewagens uit te waaieren.

'Een hoop politie vannacht,' zei ze.

Blake zag een eind verderop een gele flits. Hij wist wat het was: een van de dienders in neonkleurige overhemden die op de fiets surveilleerden.

Hij keerde zich naar de jonge prostituee. 'Kus me.'

Voor ze kon reageren, boog hij zich naar haar toe en drukte zijn lippen stevig op de hare. Ze reageerde hongerig en sloeg haar armen om zijn rug. Ze rook naar kleinemeisjesparfum, en haar lippen smaakten naar sigarettenrook. Haar ademhaling was gejaagd en hij kon haar hartslag in haar hals voelen, versneld door de drugs.

Hij hoorde de agent achter zich langzamer gaan fietsen om hen beter te kunnen bekijken.

Niet stoppen, dacht Blake. Hij had geen behoefte aan nog een dode en een hysterisch krijsend hoertje.

'Hé, makker,' riep de agent.

Blake maakte zijn mond los van het meisje en draaide zich net genoeg naar de straat om de agent te kunnen aankijken zonder meer dan een vage schaduw van zijn profiel te laten zien. Hij hoopte dat de diender de lijmresten op zijn gezicht niet zag glimmen. 'Wat is er?' vroeg Blake.

'Zeg, makker, we weten allebei wat ze is. Ik kan je alleen maar aanraden een condoom te gebruiken. Goed?'

Het meisje wrong zich los uit Blakes armen. 'Hé!' schreeuwde ze.

De agent lachte.

Blake greep haar bij haar middel, tilde haar op en begon haar weg te dragen, Ninth Street af. Het meisje schreeuwde een obsceniteit en spuwde in de richting van de agent.

'Dat is een vurige,' riep de agent. 'Vergeet niet wat ik je heb gezegd.'

'Bedankt, agent. En het spijt me,' antwoordde Blake, zonder achterom te kijken.

Hij haalde opgelucht adem toen hij aan het piepen van de fiets hoorde dat de agent doorreed. Hij zette het meisje neer en nam haar kin in zijn vuist. 'Als je voor we thuis zijn nog één woord zegt, gaat de deal niet door. Als we nog een smeris zien, doe je of je mijn vriendinnetje bent en hou je je grote bek. Gesnapt?'

'Hoorde je wat hij zei?' blies ze. 'Deed of ik een of andere ziekte heb.'

'Zou best kunnen.'

Het meisje haalde uit om hem te slaan, maar hij greep haar pols en draaide die om tot haar gezicht van pijn vertrok. 'Geen woord meer,' herhaalde Blake. Hij trok haar met zich mee.

Hij was blij dat ze verder haar mond hield. Haar onderlip stak naar voren alsof ze liep te pruilen. Ze staken Bonanza Road over en kwamen langs het binnenstadbureau van politie. Het was midden in de nacht, maar het was een komen en gaan van agenten langs de rij palmbomen bij de entree. Hij voelde dat het meisje haar spieren spande en fluisterde haar toe: 'Niks aan de hand. Gewoon doorlopen.'

Het was net als je proberen te verbergen terwijl je vol in het zicht bent. Hij vroeg zich af wat Jonathan Stride zou denken wanneer hij ontdekte dat Blake op een paar straten afstand van zijn eigen hoofdbureau had gewoond. Zoals te verwachten had niemand oog voor hem of voor het meisje toen ze langs het gebouw slenterden en verder liepen naar het eind van de Ninth Street. Ze kwamen bij een steegje met een muur die onder de graffiti zat. Links van hen was een kerkhof van afgedankte casinolichtbakken, de plaats waar de oude neonreclames van de stad heen gingen om te roesten en te vergaan. Hij trok haar het steegje in, dat donker en verlaten was, en ze keek naar hem op, opnieuw vol angst. Ze begon zich weer los te wringen, maar hij hield haar stevig vast.

De buurt was een honingraat van doodlopende straten. In de zwarte plekken tussen vervallen huizen gloeiden sigaretten op. Er waren nog andere tekenen van leven. Gekuch. Gemompel. Mensen die niet gevonden wilden worden. Hij bleef in het midden van het steegje en het meisje klampte zich nu aan hem vast.

Vier straten verderop sloeg hij af, zijn eigen straat in. Hij bleef staan, luisterde zorgvuldig, snoof de lucht op. Hier werd nog niet gepost, wat hij ook niet had verwacht, maar voorzichtigheid loonde. Hij begaf zich naar het chocoladebruine flatgebouw van twee verdiepingen dat al half op instorten stond. Hij zag kleren aan balkons hangen. Bij een van de deuren was een motorfiets geparkeerd. Bij de stoep stond een palmboom te verpieteren.

'Kom mee,' beval hij.

Blake trok haar mee naar binnen en ze liepen naar de eerste verdieping. Zijn appartement was achterin. Bij de gang bleef hij staan om te luisteren. In het eerste appartement stond een tv aan en was het ingeblikte gelach van een sitcom te horen. In een ander appartement was een stel aan het vrijen, en hij hoorde de overdreven gekreun.

'Hé, volgens mij ken ik haar,' zei het meisje vrolijk.

'Kop dicht en meekomen.'

Hij lette op de verklikkers die hij aan de deur van zijn appartement had achtergelaten: een draadje aan de scharnieren, een haar die vlak boven de vloer was aangebracht. Allemaal onaangeroerd. Er was niemand binnen geweest. Hij opende de deur en duwde het meisje voor zich uit naar binnen. Toen de deur dicht was, deed hij het licht aan.

'Daar is de slaapkamer,' zei hij, en wees op een deur in de rechtermuur. 'Ga daarheen en kleed je uit.'

'En mijn geld?' vroeg het meisje. Blake zuchtte, zocht zijn portemonnee en haalde er acht biljetten van vijftig uit. De ogen van het meisje lichtten op. 'Víérhonderd dollar? Cool! Je bent fantastisch! Ik ga je berijden zolang je het maar volhoudt.'

'Ga naar binnen, kleed je uit en wacht op me.'

'Je hoeft echt geen condoom te gebruiken, hoor. Echt niet. Ik heb niks.'

Blake wuifde haar richting slaapkamer en het meisje liep erheen met het geld in haar hand geklemd.

Hij keek rond in het appartement, schatte in wat hij nodig had. Zijn wapen, dat hij snel herlaadde, had hij bij zich, evenals zijn mes en een gestolen mobieltje. Hij pakte een nieuwe rol grijze tape ter vervanging van de rol die in de gestolen auto was blijven liggen. Hij keek rond om te zien of er bewijsmateriaal was dat hij moest vernietigen, maar kwam tot de conclusie dat het niet van belang was.

Hij kwam toch niet meer terug.

Blake pakte het plastic doosje dat hij uit een gomballenautomaat had gepikt. Er rammelden twee tanden in. Hij speelde ermee, bekeek de puntige wortels en dacht weer aan Amira. Er was veel gebeurd sinds hij haar foto in het tijdschrift had gezien en eindelijk een mooi gezicht kon koppelen aan de stem die hij zijn hele leven al in zijn hoofd had gehoord.

Hij zag haar daar, op het dak van de Sheherezade. Haar naakte lichaam in het koele water van het zwembad. Hij stelde zich de wanhopige kreten om hulp voor, die onbeantwoord bleven.

Hij was er klaar voor om er nu op te reageren.

Hij moest nog één laatste ding doen.

Blake ging naar de slaapkamer. Het meisje lag languit op bed met haar naakte lichaam wulps te kronkelen op de verkreukelde lakens. Haar borstjes rezen amper op van haar borstkas en haar tepels leken op muggenbeten. Ze wapperde met haar gespreide benen.

'Ben je er klaar voor, schat?'

Blake ging naast haar op het bed zitten. Ze grijnsde een brede tienergrijns, en op dat moment legde hij zijn hand over haar mond en zette de loop van zijn wapen op de huid van haar voorhoofd, tussen haar doodsbange ogen.

40

Stride sloot zijn ogen en wilde het uitschreeuwen.

Het telefoontje was gekomen. Agent neergeschoten. De bedrijfsleider die had gebeld, had Blake als de schutter aangewezen, en Stride en een tiental andere wagens waren binnen een paar minuten ter plaatse geweest. Pas toen hij bij de winkel arriveerde, hoorde hij wat de identiteit van de neergeschoten agent was.

Amanda.

Hij wilde overgeven. De pijn voelde aan alsof iemand hem met een kartelmes in zijn maag had gestoken en er in zijn borstkas mee had rondgewoeld tot ze zijn hart hadden gevonden.

Stride had wel eerder collega's verloren bij de uitoefening van hun functie, soms goede vrienden, maar nooit een partner. In de korte tijd dat ze hadden samengewerkt, had Amanda een speciale betekenis voor hem gekregen, alsof ze de leegte vulde die Maggie in Minnesota bij hem had achtergelaten. Van haar seksualiteit begreep hij niets, maar dat kon hem niet schelen. Ze was intelligent. Grappig. Een underdog. Stride had een zwak voor underdogs. Hij had meer met de prostituees en cocktailserveersters in deze stad dan met de casinobazen in hun pakken van vijfduizend dollar of de dronken toeristen en conferentiegangers die makkelijk wilden scoren.

Amanda.

Hij voelde de neerslachtigheid in zijn hersens inslaan. Hij leunde tegen de muur van de winkel en voelde dat alle keren dat hij had verloren in zijn hoofd als een treurige film werden afgespeeld.

Als hij sneller was geweest dan Blake. Als hij op de parkeerplaats bij de Limelight had geschoten.

Dat was zijn hele leven al het probleem. Hij raakte zijn schuldgevoel niet kwijt. Alles waar hij spijt van had, bleef voor altijd aan hem hangen en klonterde samen tot een harde schaal.

Hij was er niet snel genoeg bij geweest om haar nog te kunnen zien. Het ambulancepersoneel deed de deuren al dicht toen hij kwam aangescheurd. Hun gezichten zeiden genoeg. Grauw en strak. Vechten tegen de tijd, vechten tegen de dood en beide gevechten verloren. Men verwachtte dat ze de rit naar het ziekenhuis niet zou overleven.

Hij merkte dat hij kwaad op Amanda was omdat ze hierheen was gegaan. Het was briljant om Blake via de donutwinkels op te sporen. Het waren altijd kleinigheden waardoor misdadigers tegen de lamp liepen, zelfs als het zoiets simpels was als een zoetekauw te zijn met een voorliefde voor Krispy Kremes. Stride wou dat hij het zelf had bedacht, en hij vroeg zich half en half af of dat de opzet was geweest toen Blake de bon van Reno in de auto had laten liggen. Een lange neus. Een aanwijzing. Om te zien of ze er iets mee zouden doen. *Maar waarom heb je niet om assistentie gevraagd, Amanda?* Dat was zo'n basaal gegeven, iets dat je bij de opleiding al werd ingeprent. Ga nooit in je eentje op een risicovolle situatie af, wees nooit een held. Dat had ze geweten.

Maar Stride wist ook waarom. Ze wist dat Blake uitgekookt was, dat hij hen in de gaten had gehad lang voor ze hem hadden zien aankomen. Iedereen die de extremisten in Afghanistan wist te overleven had een neus voor het ontdekken van een val, opgezet door de plaatselijke politie. Ze hadden maar één kans, één bezoek aan de donutzaak, om hem te pakken. Ze had hun beste kans niet willen verknoeien, dus had ze in haar eentje geopereerd.

En dan was er nog die andere reden: de mogelijkheid de agenten die haar uit het korps wilden gooien op hun nummer te zetten. Bewijzen wie ze was en wat ze in haar mars had. Ego. Hij mocht het haar niet kwalijk nemen dat ze dergelijke gevoelens koesterde, maar toch deed hij het.

'Je had me kunnen bellen, Amanda,' fluisterde hij hardop. *Maar Blake kent jou,* hoorde hij haar er onmiddellijk achteraan zeggen.

De deur van de winkel ging open en er kwamen agenten naar buiten. Ze zagen Stride niet, die links van hen stond. Buiten bleven ze staan en staken een sigaret op, waarvan de geur van de rook naar hem toe dreef en zijn longen vulde met een verlangen zoals hij in een jaar niet had gekend. Hij keek naar zijn handen: ze trilden. Het snakken-naar was een levensbehoefte, alsof zijn ziel gortdroog was en slechts door één ding kon worden gevoed: een sigaret. Hij proefde hem op zijn lippen, inhaleerde de rook in zijn borstkas.

'Hebben jullie er ook een voor mij?' vroeg hij.

Hij kende hen niet, en zij hem ook niet. De langste van de twee, ongeveer even groot als Stride, met zwart haar en een snor, knikte en schudde een extra sigaret uit het pakje. Stride nam hem aan en boog zich naar de aansteker die de man ophield.

'Bedankt.'

Het eerste trekje was hemels. Als engelengezang. Hij kon niet geloven dat hij dit een jaar niet had gehad.

'Ken je haar?' vroeg de agent, met een hoofdknik in de richting van de winkel.

Stride knikte. Hij tuitte zijn lippen en blies een rookwolk uit. God zou het hem vergeven, ook als Serena dat niet deed. Hij had het echt nodig.

'Rotgeintje, maar die freak zijn we nu tenminste kwijt, hè?' voegde de agent eraan toe.

Stride hoorde een gebulder in zijn hoofd. Hij zag de man grijnzen. Hij keek naar de sigaret in zijn hand en plotseling was het iets smerigs en onnatuurlijks. Diep weg in zijn longen wachtte een zieke, rauwe hoest, klaar om uit te breken en hem zonder adem achter te laten. Hij liet de sigaret op de grond vallen en vertrapte hem.

‘Shit, man, die dingen zijn duur.’

Stride greep de man bij zijn shirt en gaf hem zo’n zet dat zijn voeten los van de grond kwamen. De agent kwam ruggelings tegen de muur van de winkel terecht; zijn hoofd en schouders knalden tegen het stucwerk. Versuft schudde hij zijn hoofd en zakte op zijn knieën. Stride balde zijn handen tot een vuist en stond klaar om die als een heiblok op het gezicht van de man te laten neerkomen. Hij bukte zich om de ander overeind te zetten, maar de tweede agent sprong ertussen.

‘Hou op, hou op!’ schreeuwde hij tegen Stride. ‘Ben je gek geworden?’

Hij duwde Stride tegen zijn borst, maar die gaf niet mee. Zijn voeten stonden als in de grond geworteld. De diender aarzelde, en Stride wist dat hij zich afvroeg of hij zijn wapen moest trekken.

‘Ho!’ zei de agent. ‘Hij heeft een grote bek en hij kan zich heel hufterig gedragen, ja? Het was stom van hem om zoiets te zeggen.’

Stride liep weg. Hij stond op het punt de straat over te steken, maar aan de overkant stonden veel mensen naar hen te gapen. Hij keerde om en liep naar de hoek van de straat. Er was daar een open plek waar een bestelauto op het grind stond, met tegenlichtfoto’s van bloedmooie meiden op de zijkanten. Het was het soort bestelauto dat alleen maar over de Strip op en neer reed met telefoonnummers van een escortservice voor toeristen. De escortdames zelf leken in de verste verte niet op de vrouwen van de foto’s.

Het was weer zo’n balletje-balletjespel in een stad vol bedriegers.

Stride ging op de bumper van de wagen zitten. Had hij nou verdomme die sigaret maar niet weggegooid. Hij haalde zijn telefoon tevoorschijn en belde Serena, die meteen opnam.

‘Amanda is neergeschoten,’ zei hij.

‘Nee!’

Hij gaf haar de details. En dat ze bij hun jacht op Blake in de omringende straten navraag deden in de hoop op getuigen.

'Is ze... Ik bedoel, wat zijn de vooruitzichten?' vroeg Serena.
'Niet goed.'
'Wat verschrikkelijk, Jonny.' Ze voegde eraan toe: 'Geef jezelf niet de schuld. Je had niets kunnen doen.'
'Weet ik.'
'Shit, ik wou dat ik daar was. Ik word hier stapelgek van.'
'Ik hou je op de hoogte.'
Hij hing op. Hij probeerde zijn wanhoop van zich af te schudden. Toen hij zich van de bumper overeind duwde, zag hij iemand de hoek om draven. Het was Cordy, buiten adem. De rechercheur zag hem en riep: 'Stride! Ik heb je lopen zoeken.'
Stride dacht aan de afkeer die Cody tegenover Amanda ten toon spreidde, en hij voelde zijn woede groeien. Hij had zijn kaken zo stijf op elkaar dat hij niet zeker wist of hij wel zou kunnen praten.
'Wat?' siste Stride.
Cordy bleef stokstijf staan. Hij zag hoe het er met Stride voor stond; hij trok zijn mond samen tot een dunne streep en hij leek echt heel veel wroeging te hebben. 'Ja man, ik weet het. Ik heb er spijt van. Ik heb van heel veel dingen spijt. Het geeft me een rotgevoel, echt waar. Ze is tenslotte net zo blauw als wij.'
Stride knikte. Hij haalde diep adem. 'Wat is er?'
'Het alarmnummer is gebeld door een hoertje in de buurt van Harris Avenue. Je weet wel, die shitbuurt bij het bureau. Ze zegt dat ze heeft gezien hoe onze man een andere straatmeid heeft meegenomen een appartementengebouw in.'
Stride fronste zijn wenkbrauwen. 'Een hoertje? Blake? Dat lijkt me onwaarschijnlijk.'
'Misschien vindt hij dat hij een gijzelaar moet hebben.'
'Weet ze het zeker?'
Cordy knikte. 'Ja, ja, ze zweert bij alles dat het onze man is. Ze heeft die tekening overal zien hangen.'
'Hebben we een adres? Het nummer van een appartement?'
'Dat laatste niet, het eerste wel.' Hij ratelde het adres op. 'Wel lef, hè? Die knaap heeft een hok uitgezocht zo dicht bij ons dat we uit het raam hadden kunnen pissen en hem hadden verzopen.

'Hoelang geleden heeft ze ze gezien?'

'Vijf, misschien tien minuten geleden.'

Stride begon te begrijpen wat Amanda had bezield. Het verlangen om het alleen te doen, om Blake *mano a mano* aan te pakken, alleen zij beiden, om wraak te nemen voor Amanda en al die anderen die waren gestorven. De agent op de parkeerplaats van de Limelight. Peter Hale. Tierney Dargon. M.J. Lane. Alice Ford. Stride zag Blakes gezicht al voor zich en het arrogante lachje als hun blikken elkaar kruisten. Hij wilde naar dat appartementengebouw rijden en er naar binnen stormen, op een golf van woede en adrenaline.

Vijftien jaar geleden had hij die fout misschien nog gemaakt. Zoals Amanda nu.

'Ik bel Sawhill,' zei Stride kalm. 'Hij moet daarheen komen.'

Cordy knikte. 'Mm-mm. We zouden er een kordon omheen kunnen leggen.'

'Prima. Ik wil politiewagens op alle grote kruispunten op twee straten afstand van die flat. Maar géén zwaailichten, géén sirenes. Alles zo stil mogelijk. En in die straat zelf wil ik niemand van ons hebben. Vanuit dat gebouw mag nergens een agent te zien zijn.'

'We moeten opschieten. We weten niet hoelang hij daar blijft zitten.'

'Precies. Over tien minuten moet er op Harris Avenue een commandopost zijn waar we Sawhill kunnen vertellen wat we van plan zijn.'

'Moeten we de situatie niet verkennen?' vroeg Cordy.

Stride dacht erover na. 'Ja, laten we kijken of we een undercover van Zeden kunnen krijgen. Iemand die er als een hoertje uitziet. Die laten we dan langs het gebouw lopen en een plek uitzoeken waarvandaan ze de voorkant in de gaten kan houden. Maar niet te dichtbij. Ik wil niet dat Blake zich opgejaagd voelt als hij naar buiten kijkt.'

Cordy had zijn telefoon al in de hand terwijl hij wegliep.

Stride ging terug naar de donutwinkel en zocht zijn Bronco op. Hij wilde erbij zijn als het kordon om Harris zijn beslag kreeg. Wanneer Blake van plan was thuis te blijven, wanneer hij dacht dat hij veilig was, konden ze hem misschien snel oppakken, met een minimum aan geweld.

Waarom dat meisje? vroeg Stride zich af. Hij wist dat er moordenaars waren die na hun daad seks wilden, maar hij vond niet dat dat bij Blake paste. Misschien had Cordy gelijk en wilde Blake een gijzelaar. Wat ook de reden was, het maakte de actie een stuk ingewikkelder. Het zou hen vertragen omdat ze moesten overleggen hoe ze met een derde partij in de kamer te werk moesten gaan. Misschien rekende Blake daarop.

41

Normaliter genoot Serena van de stilte in hun huis, een geschakelde eengezinswoning in een ommuurd complex, omdat het er vrij was van het lawaai van de stad. Dat was een van de vervelende dingen in Las Vegas: je ontkwam niet aan het kabaal van mens en machine. Thuis zetten Jonny en zij de muziek vaak uit om in het donker een tijdje van de stilte te genieten.

Maar deze avond voelde de stilte aan als een bedreiging waar je je niet aan kon onttrekken.

Toen ze de telefoon neerlegde, moest ze aan Amanda denken. Ze had het verdriet in Jonny's stem gehoord. Ze had Amanda niet echt gekend, niet goed, maar als geen ander wist ze wat voor effect Jonny op vrouwen had. Hoe ze verliefd werden op zijn zorgzaamheid, zijn menselijkheid. En hoe hij op zijn beurt zijn lange armen om hen heen wilde slaan en hen wilde beschermen. Sommige vrouwen vonden dat afschuwelijk, de meesten wilden zich erin verliezen. Ze wist dat Stride en Amanda binnen heel korte tijd een band als partners hadden gesmeed en dat Jonny het verlies even hevig voelde als wanneer zij zelf, of Maggie, was neergeschoten. Het maakte haar enigszins jaloers.

Serena ging naar de voordeur, deed hem open en liep de veranda op. Haar zintuigen waren in hoogste staat van paraatheid en ze voelde de angst in haar rug prikken. Ze luisterde ingespannen en speurde de omgeving zorgvuldig af. Er bewoog niets. De lamp boven de garagedeur scheen op haar Mustang cabrio, die op de oprit stond. Het web van straten binnen het omheinde complex was leeg, op de lange silhouetten van palmbomen na. Geen onbekende auto's. Geen koplampen. Ze liet haar blik rusten op de donkere plekken bij de hoeken van het huis. Ze had klamme handen bij het idee dat ze haar wapen binnen had laten liggen, dat ze hier een doelwit was, ongewapend. Maar er was niemand.

Ze ging terug naar binnen en deed de deur op slot. Ze verzekerde zich ervan dat de alarminstallatie was ingeschakeld. Voor ze naar boven ging, wilde ze alle lichten uitdoen, maar ze besloot ze aan te laten. Laat wie er ook buiten was maar denken dat ze nog op was. Deze keer nam ze haar wapen mee.

Ze voelde zich schuldig dat ze hier was, veilig. Jonny was aan het werk, zat achter Blake aan en ze zou bij hem moeten zijn. Ze bad in stilte dat hij zich niet door zijn gevoelens zou laten meeslepen, dat hij niet zo dom zou zijn als Amanda en Blake in z'n eentje zou willen pakken.

Niet doodgaan, Jonny. Laat me niet in de steek. Zo eenvoudig was het.

Maar niets was echt eenvoudig.

Ze kwam langs de logeerkamer waar Claire sliep. Ze bleef staan om te luisteren. Haar hand ging naar de deurknop, die ze zachtjes omdraaide. Om te zien of alles goed was, maakte ze zichzelf wijs. Wat ze werkelijk wilde, was naar binnen gaan en bij haar slapen. Haar aanraken. Zorgen dat ze haar geheimen prijsgaf. Serena besefte dat ze net als Jonny was, dat ze haar armen om Claire heen wilde slaan en haar wilde beschermen.

Ze liet de deurknop los, en hij gaf een luide klik. Serena trok een grimas. Ze liep snel door naar haar slaapkamer en deed de deur achter zich dicht.

De plafondventilator verplaatste koele lucht door de kamer, maar toch had ze het door alle opwinding erg warm. Ze legde haar wapen op het nachtkastje en haar mobieltje ernaast. Ze kleedde zich uit en bleef niet langer in de badkamer dan nodig was om zich klaar te maken voor de nacht en even te douchen. Toen ze in de slaapkamer terugkwam, was haar huid nog vochtig. Ze hing haar kleren voor de volgende dag over de stoelleuning voor het geval ze zich 's nacht snel zou moeten aankleden, en ging daarna naakt op bed liggen.

Ze deed de lamp op het nachtkastje uit. De kamer was donker. Ze lag op haar rug, met open ogen. De eenzaamheid van de nacht was drukkend.

Tik. Tik. Tik.

Ze verstijfde, en daar was het weer, getik tegen de ruit. Tik tik tik.

Serena sprong bijna van het bed, met bonzend hart. Ze greep haar wapen, liep naar het raam en rukte de gordijnen open. Zacht licht van de lampen die buiten hingen stroomde naar binnen. Waar het licht op het raam scheen, sloeg een witte nachtvlinder tegen de ruit, met trillende vleugels. Na een paar seconden steeg hij verder op en vloog toen weg.

Knap werk, Serena, zei ze tegen zichzelf. Een nachtvlinder doodschieten.

Ze liet de gordijnen open en ging terug naar bed, waar de lichtbundel van buiten over haar lichaam speelde.

Terwijl haar hart weer tot rust kwam, maakte slaap zich langzaam van haar meester. Ze probeerde wakker te blijven voor het geval Jonny weer belde, maar hoe meer ze probeerde haar ogen open te houden door naar de plafondventilator te kijken, hoe meer die haar hypnotiseerde tot haar ogen knipperend dichtvielen.

Dromen dreven naar binnen. Nare dromen. Het soort dromen waarin ze achterna werd gezeten, waarachter haar voetstappen bonkten en ze wegvluchtte voor iets onzichtbaars. Ze was 's nachts in de woestijn en ze hoorde ratelslangen, roofvogelvleugels, het gesnuffel van pekari's en iemands ademhaling in het donker dicht bij haar, regelmatig en hard.

Iets wekte haar. Ze wist niet wat. Toen ze op de wekker keek, zag ze dat ze een uur had geslapen. Had ze iets gehoord? Een klik. Voetstappen. Had ze het echt gehoord? Ze keek rond in de slaapkamer en zag een spook bij de dichte deur. Toen ze haar ogen tot spleetjes kneep en beter keek, bewoog de schim. Er was iemand in haar kamer.

Serena voelde zich verlamd en onbeschermd, zo naakt in het licht van buiten. Ze stak haar hand al uit naar haar wapen. 'Wie is daar?'

Vanuit het donker hoorde ze Claires stem. 'Ik ben het maar, Serena.' Claire kwam verder de kamer in, waar het licht haar vond; ook zij was naakt.

Ze kwam naast Serena op bed liggen zonder dat die daarom had gevraagd. Ze lagen beiden op hun rug en staarden naar het plafond. 'Sorry, ik kon niet slapen,' zei Claire. 'Hoorde jij daarstraks ook iets?'

'Ik dacht dat jij het was op de gang.'

'Nee, iemand anders.'

Ze wachtten en luisterden. Serena kende elk gekreun en gekraak van de balken in haar huis, maar ze hoorde niets bijzonders.

'Dan heb ik het me verbeeld,' zei Claire.

'Probeer maar te slapen.'

Serena ging op haar zij liggen, met haar rug naar Claire toe. De lichtgevende cijfers op de wekker gaven de tijd aan. Bijna twee uur. Ze vroeg zich af waar Jonny was en wanneer hij naar huis zou komen. Ze wilde haar ogen dichtdoen, maar ze was nu wakker en zich zeer bewust van Claire achter zich. Ze kon haar zacht horen ademen; zij was ook wakker. Er hing een breekbare stilte tussen hen. Ze wachtten op de volgende actie.

Claire ging ook op haar zij liggen. Zonder dat ze daartoe werd aangemoedigd, schoof ze over het bed naar Serena toe en ging lepeltje-lepeltje achter haar liggen, volgde Serena's lichaam met haar huid. Ze zei niets. Serena voelde Claires adem in korte pufjes in haar nek en haar haar kriebelde in Serena's oor. Claires tepels waren opgericht. Serena voelde ze in haar rug. Overal waar Claires huid haar aanraakte, was hij glad.

'Mag het?' murmelde Claire.

'Ja.'

Claires arm kwam om Serena's lichaam heen en bleef lichtjes op haar buik liggen. 'Je voelt fijn aan.'

'Jij ook.'

Claire ging met haar lippen heel licht langs haar nek, gaf er kusjes op. Het was teder en erotisch. Zo lagen ze daar een tijdje, met elkaar verbonden, zonder te bewegen of iets te zeggen. Serena voelde warmte, liefde en verlangen uitgaan van de vrouw achter zich.

'Zoiets als dit heb ik nog nooit gevoeld,' zei Claire.

'Het is fijn,' zei Serena, en kneep haar ogen dicht vanwege de slappe reactie. Claire zei tegen haar dat ze van haar hield. Ze wilde het niet accepteren.

'Je hebt een mooi lijf. Zo sterk. Ik voel hoe sterk je bent.'

Serena voelde zich helemaal niet sterk.

Claires vingers kwamen tot leven en begonnen Serena's buik licht te beroeren. Ze was Serena aan het uitproberen, kijken of ze zou zeggen dat ze moest ophouden.

'Wil je dat ik wegga?' vroeg Claire.

'Ik weet niet wat ik wil.' Geen ja, geen nee.

'Volgens mij wel,' zei Claire.

Haar hand leek op te vliegen, en toen hij weer neerkwam, omvatte hij Serena's borst. Serena verstrakte en Claire stopte.

'Te snel?'

'Te alles.'

'Ik kan weggaan.'

Serena voelde de warmte van Claires hand op haar borst. 'Nee, niet weggaan.'

Claires hand bewoog zich naar beneden. Serena besefte dat ze haar adem inhield.

'Ontspan je,' zei Claire. 'Laat het gebeuren.'

Claire vond haar weg tussen haar benen,

'Vind je dit fijn?'

Serena hoorde zichzelf een zucht van genot slaken.

Er viel nog maar één ding te doen, en dat was Claire binnenlaten, waar ze zou merken dat ze nat en begerig was. Haar benen openen en zich door Claire met een paar snelle, cirkelende strelingen tot een climax laten brengen. Meer was er niet nodig. Zo dicht zat ze ertegenaan.

Ze voelde hoe Claires middelvinger op onderzoek was en ze

hoorde een tevreden gegrom in Claires keel toen ze ontdekte dat ze opgewonden was, dat haar plooien soepel en vochtig waren.

Serena beet op haar lip en schreeuwde het uit.

Toen werd ze verblind omdat het licht in de slaapkamer aanging.

42

De zwarte bestelbus reed de straat door, langzaam, alsof de bestuurder naar iets zocht in de gebouwen in die straat. Maar hij reed zonder licht. Op de zijkant van de bus was in bladderende verf MEADOWS CLOTHING AND CASINO SUPPLY te lezen, hoewel een aantal letters ontbrak. De bus kwam aarzelend tot stilstand tegenover het flatgebouw waar Blake woonde en bleef daar met draaiende motor staan.

Stride en elf andere agenten in kogelvrij vest zaten op elkaar gepakt achterin. Allemaal mannen. De spanning en de opgehoopte adrenaline zinderden. Sawhill had besloten een inval te doen en ze wachtten op het groene licht.

Stride hoorde gepraat in zijn headset.

'De straat is vrij. Geen burgers. We kunnen.' Dat was de bestuurder van het busje.

Sawhill reageerde via de radio: 'Tammy, klopt dat?'

Tammy was een undercoveragente die ruim een uur vanuit een gebouw tegenover dat van Blake op de uitkijk had gestaan. 'Klopt, geen burgers. Goed om het midden in de nacht te doen, jongens.'

'Alonzo, enige beweging aan de achterkant?'

'Negatief.' Alonzo had ongezien een positie aan de achterkant ingenomen en hield Blakes appartement in de gaten.

'Brandt er licht binnen?'

'Negatief.'

'Goed. Invalploeg, gereedhouden.'

In de bus ging het wachten door, groeide het verlangen om te beginnen. De kogelvrije vesten waren warm en de mannen zaten dicht op elkaar.

Kort nadat in de omringende straten een kordon was gevormd, hadden ze een meevaller gehad. Een Vietnamese man die terugkwam van zijn werk in een casino in de binnenstad had gevraagd of hij erdoor mocht om naar huis te gaan. Hij bleek in Blakes flatgebouw te wonen. Hij herkende Blake aan de hand van de politietekening en kon vertellen dat Blake op de eerste verdieping aan de achterkant woonde. Verder leverde hij een betrouwbare plattegrond van het dertig appartementen tellende gebouw.

Het huiszoekingsbevel was een kwartier geleden gebracht. Ze konden aan de slag.

Sawhills stem kraakte over de radio. 'We nemen het nog één keer door: er gaan vier man naar de achterkant: Rodriguez en Holtz aan de noordkant, Han en Baker aan de zuidkant. Het balkon van de dader zit pal in het midden van het gebouw, dus tel tot drie vanaf het noorden of het zuiden, één twee drie. Begrepen? Sta klaar als hij over de rand wil stappen.'

In de bus werd van verschillende kanten instemmend gegromd.

'Lee, Salazar, Alexander, Odom, Stride en Angel, jullie zijn de invalsploeg. Snel en stil de gang door, Lee en Salazar doen de deur, Alexander en Odom, jullie gaan als eersten naar binnen, Stride en Angel, jullie gaan direct achter hen aan. Vergeet niet dat er een onschuldig persoon bij de misdadiger in de kamer is. Je komt eerst meteen in de woonkamer, en aan de zuidkant zijn een slaapkamer en de keuken.'

'Begrepen,' antwoordde Stride.

'Kwan en Davis, jullie zijn de achterhoede. Kwan, jij doet de gang op de verdieping en zorgt ervoor dat de bewoners binnenblijven. Davis, jij bent de back-up aan de voorkant.'

'Roger.'

'We gaan op mijn teken, over één minuut.'

De seconden verstreken langzaam. Het gaf Stride de tijd om

weer aan Amanda te denken. En aan Serena. Hij was in zijn loopbaan bij slechts enkele invallen, meest in de drugssfeer, betrokken geweest. Ze waren altijd riskant geweest.

Sawhills stem kwam zonder poespas over de radio: 'Go!'

De achterdeuren van de bus gingen op goed gesmeerde scharnieren open en de ploeg stroomde naar buiten. Voor zulke grote kerels bewogen ze zich snel en soepel. De eerste vier sloegen af, twee om via de linkerkant naar de achterkant te gaan, twee anderen die dezelfde manoeuvre aan de rechterkant herhaalden. Alle vier hadden een automatisch wapen. Stride ging zijn ploeg in een drafje voor naar de overkant van de straat en over de stoep naar de ingang van het flatgebouw. De buitendeur was open. Alexander en Odom met aanvalswapens gingen als eersten naar binnen, keken daar rond en seinden naar achteren dat alles veilig was. De twee agenten beklommen langzaam de trap naar de verdieping, waarbij de houten treden onder hun gewicht kraakten.

Stride hoorde een stem in zijn oor: 'We zijn aan de achterkant in positie.'

Twee agenten met stormrammen kwamen achter hen aan de trap op. Stride en Cordy waren de volgenden. De achterste man nam een positie boven aan de trap in, terwijl de rest de gang inging, dicht tegen de muur. Stride hoorde niet veel geluiden in de appartementen waar ze langskwamen. Het was midden in de nacht. Hij telde vijf deuren aan beide kanten, en voor hen, op nog geen dertig meter afstand, was aan het eind van de gang een identieke deur.

Blakes deur.

Ze probeerden heel stil te zijn, maar dat was bijna onmogelijk. Het complex was met goedkope middelen gebouwd en de vloeren kreunden onder het gewicht van zes potige kerels, op weg naar de achterkant. Als Blake wakker en op zijn hoede was, hoorde hij hen aankomen. Alexander en Odom hielden hun geweren op Blakes deur gericht en versnelden het tempo, omdat ze wisten dat ze toch niet onhoorbaar dichterbij konden komen. Stride zag een kijkgaatje in Blakes deur en vroeg zich af of hij er was en hen stond te beloeren. Maar als dat zo was, zou hij moeten beseffen dat hij door een overmacht van wapens was omringd.

Toen Stride langs de deur van een appartement aan de linkerkant kwam, ging die plotseling open. Hij draaide om zijn as, bracht zijn wapen omhoog en zag een oude vrouw met waterige ogen in een afgedragen witte ochtendjas. Toen ze Stride zag, viel haar mond van angst open en zou ze het hebben uitgeschreeuwd als hij haar niet naar binnen had geduwd en een hand op haar mond had gelegd.

'Stoppen,' siste hij zijn radio.

En tegen de vrouw: 'Politie, mevrouw. Niets aan de hand. Blijf binnen en houd de deur dicht.'

Ze knikte heftig.

Stride lachte tegen haar en verdween weer naar de gang. Hij sloot de deur met een zachte klik.

'Doorgaan.'

Alexander en Odom stelden zich elk aan een kant van Blakes deur op. Stride ging links achter Alexander staan, Cordy rechts achter Salazar. Ze wachtten. Vanbinnen kwam geen enkel geluid en er scheen geen licht onder de deur door.

Alexander stak drie vingers op. Daarna maakte hij een vuist en stak telkens een vinger op.

Een. Twee. Drie.

De stormrammen beukten tegelijk tegen de deur, die het onmiddellijk begaf. Alexander en Odom draaiden langs het kozijn en schoten gebukt met geheven geweer het appartement binnen. Stride en Cordy volgden hen. Ze riepen allemaal tegelijkertijd: *'Politie!'*

In minder dan vijf seconden hadden ze de ronde gedaan in de kleine woonkamer, maar daar was niemand. Eén man riep dat de keuken leeg was. De enig overgebleven kamer was de slaapkamer, en de wrakke deur was dicht. Alexander wachtte niet op de stormram maar tilde gewoon een reusachtig been op dat wel iets weg had van een stam van een eik en trapte de deur in, die uit de scharnieren werd gerukt en de kamer in vloog.

Hij stormde naar binnen.
'Gijzelaar op bed!'
Stride kwam achter hem aan de kamer in. Een jong tienermeisje was vastgebonden aan de vier hoeken van het bed. Ze was naakt, met gespreide armen en benen en een opgerold T-shirt om haar mond gebonden. Haar ogen waren zo groot als schoteltjes. Ze probeerde te schreeuwen en worstelde met het touw waarmee ze was vastgebonden.
'Vrij!' schreeuwde Alexander, toen hij de kast en de badkamer had gecontroleerd. 'De vuile klootzak is er niet!'
Sawhills schrille stem reageerde via de radio: 'Hij ís er niet?!'
'Negatief.'
'Rodriquez en Holtz, zeg dat jullie hem aan de achterkant hebben.'
'Het spijt me, sir, maar hier is niets, geen enkele beweging.'
Sawhill was perplex. 'Vijf minuten na dat alarmnummertelefoontje hadden we hier al mensen! Waar kan hij zijn? Ga alle appartementen langs en controleer ze stuk voor stuk.'
'Zonder huiszoekingsbevel?' vroeg Alexander.
'Er loopt een meervoudige moordenaar op vrije voeten door dat gebouw, dus doe het!'
Stride kwam er via zijn radio tussen. 'Geef me een halve minuut, sir, om met het meisje te praten.'
Hij gebaarde naar de kast. 'Alexander, pak een van die overhemden.' De grote agent pakte een overhemd van een hangertje en gooide het naar Stride, die er het meisje op het bed mee toedekte. Ze was klein en het overhemd kwam van net onder haar hals tot bijna aan haar knieën.
'Kalm maar, ja?' zei Stride. 'Er kan je niets meer gebeuren.'
Hij haalde een zakmesje tevoorschijn en sneed het touw door waarmee haar iele polsen aan het bed waren gebonden. Er zaten diepe rode striemen in haar huid en waar ze had geworsteld om los te komen was het touw bloederig. Zodra hij haar had losgesneden sprong ze op en sloeg ze haar armen om zijn nek. Ze huilde en snotterde op het kevlar van zijn kogelvrije vest.

Stride liet haar even snikken, maar duwde haar toen zachtjes weg.

'Waar is hij?' vroeg hij.

Ze schudde haar hoofd. 'Weet ik niet.'

'Wanneer is hij hier weggegaan?'

'Een tijd geleden. Ik weet het niet. Ruim een uur geleden, denk ik. Ik was bang dat hij zou terugkomen.'

Stride dacht niet dat Blake ooit nog zou terugkomen. 'Wat is er gebeurd nadat hij je hier mee naartoe had genomen?'

'Ik moest me van hem uitkleden. Toen bond hij me op bed vast en liet me opbellen. Hij hield een pistool tegen mijn hoofd en zei me precies voor wat ik moest zeggen. Direct na het telefoontje stopte hij die prop in mijn mond en ging weg.'

'Telefoontje?' vroeg Stride. Opeens begreep hij het en werd hij overvallen door een gevoel van afgrijzen.

'Naar het alarmnummer. Ik moest bellen en doen alsof ik buiten stond, snapt u wel?'

'Dus jíj hebt 911 gebeld?'

Het meisje knikte ijverig.

Hoofdschuddend zei Stride: 'Shit.' En in zijn radio: 'Dat 911-telefoontje was nep, sir. Blake heeft het meisje gedwongen te bellen. Hij is er direct daarna vandoor gegaan. Hij is al een hele tijd weg, al een uur of langer, terwijl wij...'

Sawhill, die nooit vloekte, zat er nu dicht tegenaan. 'Niet te geloven! Maar controleer voor de veiligheid toch de andere appartementen maar.'

Alexander knikte. 'Begrepen.'

'Hij heeft waarschijnlijk een reservehok aan de andere kant van de stad,' zei Sawhill. 'Hou in de gaten of er ergens in de buurt een autodiefstal wordt gerapporteerd. Het kan zijn dat hij een wagen heeft gepikt om in weg te komen.'

Stride stond op het punt te antwoorden, maar bedacht zich. Blake begon steeds meer in zijn denken te kruipen. Hij had niet kunnen verwachten Amanda in de donutzaak aan te treffen dus had hij snel moeten handelen om aan de politie te ontkomen. Het net zou worden aangehaald, en vroeg of laat zou de politie op deze plaats zijn terechtgekomen. Hij moest ze afleiden. Een ontsnapping. Blake was bezig met tijd winnen.

Te veel tijd, besefte Stride. Om weg te komen was het helemaal niet nodig de politie zover te krijgen dat ze een nepinval deed. Hij probeerde hen bezig te houden, op een plek vast te houden.

Zodat hij zijn laatste grote zet kon doen.

Het werd Stride koud om het hart. 'De vuile schoft.'

Hij zei het met de radio aan en Sawhill reageerde: 'Wat is er? Waar heb je het over?'

Stride rukte de headset van zijn hoofd. Hij graaide in zijn zak naar zijn mobieltje en koos een nummer. Het duurde eindeloos voor de verbinding tot stand kwam, een hoop dode lucht en stilte die maar duurden. Onder het wachten kreeg hij allerlei nachtmerrieachtige beelden.

De telefoon ging over, de telefoon bij hen thuis. Waar Serena en Claire waren.

'Neem nou op,' smeekte hij.

De telefoon bleef maar overgaan.

Er werd niet opgenomen.

Stride rende de deur uit.

43

Toen Serena's ogen zich aan het verblindende licht hadden aangepast en ze weer kon zien, wist ze dat ze op het punt stond te worden gedood. Blake stond in de deuropening met een Sig Sauer recht op haar hoofd gericht.

'Sorry dat ik stoor,' zei hij.

Er was even iets van een kil lachje. In zijn ogen stond geilheid te lezen bij het zien van de twee verstrengelde vrouwen.

Serena werd overweldigd door een stortvloed van spijt. Dat ze nooit naar Hawaii was geweest. Dat ze nooit kinderen had gehad, hoewel ze zich in de loop van de tijd had aangepraat dat het er niet toe deed. Dat Jonny hen zo zou aantreffen, naakt, samen, en zou beseffen dat ze hem had verraden. Dat haar zwakheid sterker was dan zij. Dat hij niet zou weten hoeveel ze van hem hield.

Haar ogen schoten naar het nachtkastje, en in een tel schatte ze hoelang ze ervoor nodig zou hebben om haar wapen te grijpen en te vuren. Te lang. Veel te lang.

Blake hield haar ogen in de gaten. 'Doe dat alsjeblieft niet. Dwing me niet je te doden.'

'Alsof je dat niet sowieso gaat doen.' Serena keek hem uitdagend aan. Ze legde een arm over haar borsten.

'Laten we kalm blijven,' zei Blake. 'Claire, kom van dat bec af en ga aan de andere kant van het nachtkastje staan.

Claire aarzelde, en Serena stak een hand uit en gaf haar eei kneepje in haar hand. 'Het komt heus wel goed,' zei ze tegei haar. Een leugen.

Claire deed wat haar was opgedragen.
'Mooi,' zei Blake. 'Pak nu het wapen van het nachtkastje, met twee vingers, en geef het aan mij.
Claire pakte het wapen op alsof het een dode vis was en liet het tussen haar vingers bungelen. Bake hield zijn blik al die tijd gericht op Serena. Hij nam het wapen van Claire aan en schoof het achter zijn riem.
'Kleed je aan,' zei hij tegen hen.
Claire bewoog zich niet. Ze wachtte tot Blake naar haar keek. Hij liet zijn blik over haar naakte lichaam op en neer gaan en knipperde toen met zijn ogen, alsof hij zich geneerde. Serena vond dat een opmerkelijke menselijke reactie voor een meervoudig moordenaar.
'Weet je wie ik ben?' vroeg Claire.
'Ja, Boni's dochter,' snauwde hij.
'En weet je wat ik daardoor ben?' vroeg ze. Ze keek hem strak aan. 'Je weet het, hè? Je moet het weten.'
Blakes zelfbeheersing leek een haarscheurtje te vertonen.
'Hoe kun je dit dan doen?'
Serena was benieuwd naar Blakes antwoord. Hij scheen verlegen om woorden. 'Kleed je allebei aan.'
'Mijn kleren liggen in de andere kamer,' zei Claire.
'Dan trek je maar wat van haar aan. Kom, opschieten. En geen onverwachte bewegingen.'
Serena vroeg zich af wat hij in godsnaam van plan was. Waarom aankleden? Ze had verwacht dat hij hen beiden meteen zou vermoorden, maar Blake scheen een ingewikkelder plan ten uitvoer te brengen. Dat was prima. Hoe langer ze in leven bleef, hoe groter de kans om te ontsnappen of hem te overmeesteren.
Ze zette haar benen naast het bed en probeerde zich tegelijkertijd nog steeds te bedekken. Snel trok ze de kleren aan die ze over de stoel had gelegd: slip, T-shirt, spijkerbroek. Ze trok een paar laden open en wierp Claire wat kleren toe. Ze was kleiner en tengerder dan Serena, dus zaten de kleren ruim en ze rolde de broekspijpen op.

'Waar gaan we heen?' vroeg Serena.

Blake gaf geen antwoord. Hij haalde een rol grijze tape uit zijn achterzak en gooide die naar Claire toe. 'Bind haar polsen strak aan elkaar.'

Serena keek Claire aan en hun blikken ontmoetten elkaar. Serena stak haar handen uit, handpalmen tegen elkaar.

Claire leek te verstijven. Ze had de rol in haar handen maar verroerde zich niet.

'Schiet op!'

Claire richtte haar blik nadrukkelijk op iets dat lager achter Serena was, en daarna weer op haar. Ze deed het nog eens. En nog eens. Ze vestigde Serena's aandacht ergens op.

Serena had maar heel weinig tijd nodig om het te begrijpen. Haar nachtkastje. Haar mobieltje.

'Het idee dat ik je heb vertrouwd,' zei Claire verbitterd.

'Sorry, hoor.'

'Je zei dat je me zou beschermen!'

'Kop dicht!' zei Blake scherp.

'Jou?' zei Serena. 'Arrogant klein kreng dat je bent. Je had je achter alle poen van je pa kunnen verbergen, maar in plaats daarvan ga ik ook nog dood, door jou!'

'Fuck you!' schreeuwde Claire, deed een stap naar voren, legde beide handen op Serena's borst en gaf haar een harde zet. Serena viel achterover, nam in haar val het nachtkastje mee, zodat alles wat erop lag op de grond terechtkwam. De lamp kwam met een klap neer en het peertje brak. Boeken en sleutels lagen overal op de vloer. Serena draaide om haar as en kwam op haar gezicht terecht, maar ze zag haar mobieltje al liggen.

'Opstaan!' siste Blake. 'En geen woord meer!'

'Fuck you!' blafte Claire tegen hem. Ze draaide zich om en ontnam hem gedeeltelijk het zicht op Serena toen ze zich voorover boog en Serena weer tegen de grond begon te werken. Blake sprong naar voren en trok Claire aan haar haar naar achteren. Claire worstelde om los te komen.

'Zo is het genoeg!' Blake duwde Claire weg en vuurde op een kussen op het bed. De knal weerkaatste tegen de muren en er kolkte een grote wolk veren de kamer in en dwarrelde neer op de twee vrouwen.

'Het volgende schot is voor Serena,' zei hij.

Beide vrouwen verstijfden. Claire huilde. 'Het spijt me.'

'Sta op,' zei Blake tegen Serena.

Ze kwam overeind, met een rood hoofd.

'En nu bind je haar handen vast,' herhaalde Blake tegen Claire.

Ze knikte bedeesd en begon de tape om Serena's polsen te binden.

'Strakker,' beval Blake. 'En verder naar boven.'

Claire fronste haar wenkbrauwen en deed de volgende slagen strakker; ze ging door tot ze bijna bij Serena's ellebogen was. Ze hield haar hoofd even schuin en zag kans tegen Serena een wenkbrauw op te trekken, die met een bijna onmerkbaar hoofdknikje antwoordde. Op Claires gezicht was even een vermoeden van een lachje te zien.

Toen Claire klaar was, waren Serena's armen stijf samengebonden en bungelden haar handen lager dan haar middel.

'Nu haar mond. Schiet op!'

Claire scheurde een laatste strook tape af en legde die over Serena's mond.

'Duw haar op bed,' zei Blake. Toen Claire aarzelde, wrong hij zich tussen hen en gaf Serena een zet. Ze belandde op haar rug op het bed, haar bovenlichaam belemmerd in zijn bewegingen. Ze zag hoe Blake vervolgens Claires polsen samenbond en ook haar knevelde.

'Kom mee,' beval hij. 'We gaan. Jullie twee gaan voorop. Als jullie iets willen flikken, zijn jullie allebei dood, met waarschijnlijk nog een paar onschuldige mensen erbij.'

Hij pakte Serena bij een schouder en zette haar met kracht op haar voeten. Ze ging de slaapkamer uit met Claire vlak achter zich. Ze liepen de gang door en de trap af naar de begane grond. Blake liep langs hen heen en opende de voordeur. Hij stapte de veranda op en zijn ogen schoten alle kanten op. Met een ruk van zijn hoofd gebaarde hij dat ze naar buiten moesten komen en het trapje af naar de straat.

Langs de stoep stond een oude witte Impala die haar Mustang de weg versperde.

Op een of andere manier had Blake kans gezien de auto met sleutels en al te stelen. Het kon ook zijn dat hij nog een auto achter de hand had voor het eindspel. Met de afstandsbediening aan de sleutelhanger liet hij de kofferdeksel openspringen. Serena's hart zonk weer in haar schoenen en ze had visioenen waarin ze door hem ergens in de woestijn werden achtergelaten om daar langzaam te sterven. Of levend werden begraven. Zijn verlangen naar wraak was zo verbitterd dat alles mogelijk was.

'In de kofferbak,' zei hij. 'En vlug.'

Serena probeerde vanaf haar middel voorover te buigen en zich zo in de bak te laten zakken, maar met haar vastgebonden handen kon ze zich bijna niet bewegen. Blake kwam achter haar staan, pakte haar T-shirt en haar broekriem, tilde haar op alsof ze een koffer was en dumpte haar in de kofferbak. Ze kwam met haar gezicht op de harde bodem terecht, en ze proefde bloed dat ze zo snel mogelijk doorslikte om er niet in te stikken. Toen ze zich probeerde te bewegen, knalde ze met haar hoofd tegen de bovenkant. Serena rolde verder door en twee tellen later schudde de auto toen Blake Claire erin gooide. Serena hoorde een gesmoorde pijnkreet. Claires lichaam lag strak tegen het hare.

Blake knalde de kofferbak dicht.

Een zwarte, claustrofobie veroorzakende ondoordringbaarheid omhulde haar. Amper kunnen bewegen. Niet kunnen praten. Ze kon alleen maar luisteren.

En het mobieltje voelen dat in haar spijkerbroek zat.

Ze hoorde het portier aan de bestuurderskant opengaan, maar daarna kon ze geen wijs worden uit wat ze hoorde. Een kreet, gekreun en een dreun. Gekletter toen Blakes wapen op de grond viel. De auto bewoog heftig toen er iets groots en zwaars boven hun hoofd op de Impala terechtkwam. Alsof er iets neerkwam, weggleed en viel.

Het duurde even voor ze besefte dat het geluid werd gemaakt doordat Blake op het dak van de auto werd gesmeten.

44

Leo Rucci kwam naar de voorkant van de auto, waar Blake op de grond lag, van slag en verdoofd. Blake realiseerde zich dat hij met lege handen lag, dat zijn wapen weg was. Hij stak een hand uit naar Serena's wapen achter zijn broekriem, maar door de klap was zijn reactiesnelheid vertraagd. Toen hij het wapen trok, schopte Leo het uit zijn hand. Het schoof over straat alsof het over ijs gleed en belandde bij een van de lage palmen die aan de stoeprand stonden.

'Zo, mietje, nu is het tussen ons tweeën. Denk je dat je een oude man aankan?'

Toen de mist in Blakes hoofd begon op te trekken, voelde hij Rucci's enorme handen op zijn shirt. Hij werd van de grond getild en met zijn gezicht tegen het achterportier geslagen. Het bloed spoot uit zijn neus en het was of zijn hersens tegen de binnenkant van zijn schedel klapten. Opnieuw tolde de wereld om hem heen.

'Je hebt mijn zoon vermoord. Je hebt hem als een hond afgemaakt. Ik zal ervoor zorgen dat alle botten in je lijf gebroken zijn voor ik jou ten slotte afmaak.'

Leo liet Blake om zijn as draaien. Het raam van de Impala zat onder de bloedstrepen. Leo haalde uit en zijn vuist kwam als een moker naar voren, maar Blake was voldoende bij zijn positieven om weg te duiken. Leo's vuist kwam op het raam terecht en hij maakte een grimas. Blake maakte van het moment gebruik om te proberen zich los te wringen, maar Leo had zijn schouder nog altijd in een ijzeren greep. Hij pakte hem met één hand bij zijn nek en tilde hem met een ruk van de grond.

Blake kreeg geen adem. Leo's dikke vingers knepen zijn luchtpijp dicht. Blake graaide naar de hand van de man en probeerde zich los te wrikken, maar het was of hij een boa constrictor probeerde weg te trekken die zich in een dodelijke greep om zijn nek had gekronkeld. Grijnzend haalde Leo opnieuw uit en liet een mokerslag in Blakes maag terechtkomen. Blake voelde zijn longen als ballonnen zwellen toen de opgehoopte lucht wilde ontsnappen en nergens heen kon. Hij had het gevoel een handgranaat te hebben ingeslikt die binnen in hem was ontploft, alsof zijn borstkas vanbinnen uit werd opengesneden.

Hij begon het bewustzijn te verliezen. Er klonk een gebulder in zijn oren en het was of er een miljoen bloedvaten tegelijkertijd knapten. Blake spartelde. Hij probeerde nog steeds Leo's hand los te krijgen maar bereikte er niets mee.

'Dit is nog maar het begin,' zei Leo. 'We zijn nog lang niet klaar. Wanneer je buiten westen bent, neem ik je mee naar een mooi, afgelegen plekje.'

Er drong een beeld door in Blakes brein. Iets langs en glads. Hij zag het zelfs niet meer, maar hij kon de koude aanraking van staal nog wel voelen. Zijn mes. Dat zat nog in zijn achterzak. Blake gaf zijn pogingen op om zijn strot uit Leo's greep te bevrijden en gebruikte in plaats daarvan zijn laatste paar seconden bewustzijn om een hand achter zich te wurmen. Zijn ledematen leken elke onderlinge samenhang al kwijt te zijn. Elk bericht van zijn hersens kwam versleuteld door. Hij bleef naar zijn achterzak tasten en vond niets, en zijn vingers begonnen verkrampt te schokken.

Eindelijk voelde hij het heft. Een tel lang was hij glashelder en zijn hand wroette ernaar, greep het en trok het uit de zak. Met een wanhopige zwaai plantte hij het in Leo's onderarm, waarna hij de man als een gewonde beer hoorde brullen. Leo's vingers lieten Blakes nek los en verrukkelijke lucht stroomde naar binnen. Terwijl Leo achteruit struikelde werd Blakes brein weer helder en gaf hij een woeste trap tegen het vlezige deel van Leo's knie. De oude man tuimelde opzij, een gevelde boom.

Blake had het mes nog.

Hij hield het in de aanslag, richtte de volgende messteek op Leo's borst. Leo zag het aankomen, en toen het mes naar beneden kwam, greep hij Blakes pols. Maar zijn greep was glibberig en onvast door het bloed aan zijn hand, en Blake kon zich makkelijk losmaken en opnieuw toesteken. De punt van het mes sneed in Leo' s schouder, maar voordat Blake meer schade kon aanrichten, gebruikte Leo zijn andere arm als een honkbalknuppel en mepte hij Blake weg. Die rolde een aantal malen om voordat hij, tollend, opstond.

Leo hees zich overeind. Over zijn beide armen liepen strepen bloed. Hij stond onvast op zijn benen, maar hij gebaarde dat Blake dichterbij moest komen.

'Kom op, mietje. Heb je een mes nodig om een oude man aan te kunnen? Kom dan. Probeer het nog maar een keer.'

Blake liet zich niet meer opjutten. Hij hield afstand, zwaar ademend, en probeerde weer op krachten te komen en de mistflarden in zijn brein te verdrijven. Hij hield het mes steekklaar voor zich.

Leo kwam langzaam naar voren.

'Mietje dat je bent. Als jullie hadden gevochten, had Gino je geplet.'

'Je had die kop van hem moeten zien openbarsten toen ik hem doodschoot,' reageerde Blake onmiddellijk om hem te stangen. 'Net een harige kokosnoot.'

Leo deed een uitval, brullend van woede. Blake ontweek hem en stak weer toe, trof hem in het vlezige gedeelte onder zijn schouderblad. Hij duwde het mes er tot aan het heft in. Leo gooide zijn hoofd in zijn nek en schreeuwde het uit. Blake probeerde het mes omlaag te trekken om Leo's organen te bereiken, maar die draaide zich weg, zodat Blake zijn houvast op het heft kwijtraakte. Leo maaide blindelings om zich heen en raakte Blake met een enorme vuist op de zijkant van zijn hoofd. Blake voelde de wereld opnieuw rondtollen en hij viel op handen en voeten.

Hij voelde iets van metaal onder zijn vingers. Zijn autosleutels lagen op straat. Hij legde zijn hand eromheen en probeerde op te staan.

Achter zich hoorde hij een zuigend, slurpend geluid. Het was Leo, die het mes eruittrok. Blake draaide zich om, verloor zijn evenwicht en zocht steun tegen de zijkant van de Impala. Leo en hij hielden elkaar scherp in de gaten. Leo's shirt was doordrenkt met bloed, en hij zag er bleek en zwak uit. Maar hij had nog steeds een aanzienlijk voordeel doordat hij zo groot was, en hij had nu het mes. Leo's hand was zo groot dat het mes in zijn greep piepklein leek.

Blake schoof, nog steeds tegen de auto leunend, telkens een stukje naar achteren en Leo volgde hem stapje voor stapje. Blake zocht de straat af naar zijn wapen, maar hij besefte dat hij het ergens aan de andere kant van de auto verloren was. Leo leek zijn gedachten te raden. Terwijl Blake zich richting kofferbak terugtrok, schoof Leo de andere kant op naar de voorkant van de auto.

Als het wapen daar te zien was, zou Leo er als eerste bij zijn.

Ze bleven elkaar vanaf de tegenoverliggende kanten van de auto strak aanstaren, Blake rechtsachter, Leo linksvoor, bij de koplamp. Blake zag hoe Leo's ogen de stoeprand en de oprit afspeurden en hoe er een vals lachje rond Leo's mond verscheen. Vol vertrouwen. Gemeen. Hun blikken kruisten elkaar opnieuw, en Blake wist dat Leo het pistool had gevonden. Hij keek toe hoe de oude man langzaam van de auto wegschoof naar de groenstrook voor Serena's huis.

Blake drukte op de afstandsbediening van de auto. Met een zacht getjirp ging het slot van de kofferbak open.

Leo keek hem verbaasd aan en begreep het toen. Hij draaide zich om en bukte zich, grommend van de pijn, om het pistool op te rapen.

Blake zwaaide de kofferdeksel omhoog en dook weg, in de verwachting dat er een kogel door het metaal zou vliegen. Hij zag Claire hem met knipperende, doodsbange ogen aankijken. Met beide handen tilde hij haar in één vloeiende beweging uit de kofferbak en sloeg de klep dicht. Hij draaide Claire om en sloeg een arm om haar nek. Zijn andere hand legde hij boven op haar hoofd, dat hij stevig vasthield.

Eerst zag hij Leo niet. Hij ging naar achteren, bang dat de man langs de auto kroop om hem onverwacht aan te vallen. Hij hield Claire voor zich en voelde haar angst. Ze beefde in zijn greep als een klein vogeltje.

Leo kwam overeind. Hij stond nog op dezelfde plaats, bij de voorkant van de Impala, maar hij had nu het pistool en richtte het op Blake.

'Laat haar gaan.'

'Wil je schieten met het risico dat je haar doodt? Ga je gang.'

Blake duwde Claire naar voren en schoof langzaam in de richting van de Impala. Zijn sleutels had hij nog steeds in zijn hand. 'Laat dat wapen vallen, Leo. Gooi weg.'

In Leo's ogen was aarzeling te lezen.

'Ik breek haar nek, Leo. Eén harde ruk en ze is er geweest.'

Claire spartelde heftig tegen, in paniek. Hij hield haar stevig vast.

'En jij ook,' zei Leo. 'Als jij haar vermoordt, vermoord ik jou.'

'En dan doodt Boni jou omdat je zijn dochter hebt laten vermoorden. Is dat wat je wilt? Wil jij degene zijn die Boni gaat vertellen dat je zijn dochter pal onder je neus hebt laten vermoorden? Wil je hem zo teleurstellen?'

De frustratie droop van Leo's gezicht. Blake wist dat Leo wilde vuren maar het niet kon. Ook stroomde er nog altijd bloed uit zijn wonden, en Leo zou niet lang meer op zijn benen kunnen staan. Blake schoof verder in de richting van het bestuurdersportier.

'Gooi het weg, Leo. Als je het weggooit, blijft ze leven.'

Sissend van haat gooide Leo het pistool achter zich, buiten bereik.

'Heel verstandig,' zei Blake. 'Loop nu achteruit weg van de auto. Wij gaan weg, Leo.'

Leo trok zich terug. Hij liep langzaam achteruit, dezelfde weg terug langs de voorkant van de auto en vervolgens een paar stappen de straat op. Hij had zijn handen in de lucht. Zijn blik was donker van woede en pijn.

'Je ziet er niet goed uit, Leo. Je kunt na ons vertrek maar beter een ambulance bellen.'

Leo bleef achteruitlopen. Blake opende het portier en duwde Claire naar binnen, schoof haar door naar de passagiersplaats. Hij schoof achter het stuur en trok het portier dicht, waarbij hij Leo niet uit het oog liet. De oude man leek langzaam in te storten. Zijn borst zwoegde en hij haalde moeizaam adem. Hij liep zwalkend, keek niet eens meer naar Blake of de auto. Hij strompelde terug, botste tegen een palmboom bij de stoeprand en boog zich voorover, de handen op de knieën. Er begon bloed uit zijn mond te spetteren.

Blake startte de motor. Hij reed achteruit en wilde de straat op draaien. Terwijl hij daarmee bezig was, zag hij Leo weer overeind komen, en terwijl het bloed van zijn kin droop, lachte de oude man, kwam zijn gezicht tot leven. Het was toneel geweest, het naar adem happen, het zwalken, het bijna vallen. Blake besefte eindelijk dat de palmboom waartegen Leo tot stilstand was gekomen een paar decimeter van Serena's wapen verwijderd was. Leo negeerde zijn pijn, bukte zich om het te pakken, had het een tel later in zijn hand, kwam overeind en richtte het pistool op de voorruit van de Impala.

'Bukken!' zei Blake tegen Claire. Hij reed met de auto op Leo in en drukte het gaspedaal diep in. De motor loeide en de auto sprong met krijsende banden naar voren. Blake hield met één hand het stuur vast en liet zich naar links vallen. Hij hoorde de knal op hetzelfde moment dat de voorruit in stukken ging en Claire en hij op de voorbank onder scherpe confetti werden bedolven. De auto schudde toen de bumper Leo raakte. Een tel later kwam de auto met een schok tot stilstand en de airbags deden hun werk door de klap op te vangen toen hun lichamen naar voren werden geworpen. De airbags werden weer slap en hij zag hoe Claire in de passagiersstoel terugviel.

Blake keek door de versplinterde voorruit.

De auto stond tegen de palmboom. Leo zat klem tussen de

auto en de boom; zijn onderlichaam was verbrijzeld. Het wapen was uit zijn hand gevallen. Hij leefde nog, min of meer, en hij keek naar Blake met de felheid van een man die is verslagen in een gevecht dat alles voor hem had betekend. Tranen van ellende liepen over zijn wangen, maar hij jammerde of sprak niet.

Blake stapte uit. Hij pakte het wapen van de grond. Leo, machteloos, niet in staat te bewegen, volgde hem met zijn ogen.

'Je hebt dit heel goed aangepakt, Leo,' zei Blake met onverholen bewondering. 'Gino zou trots op je geweest zijn.'

Leo probeerde naar hem te spugen. Het lukte niet.

Blake wierp een blik in de auto en zag dat Claire naar hem keek. Hij merkte dat hij iets voelde dat op barmhartigheid leek. Nadat hij het wapen achter zijn broekriem had geschoven en naar de andere kant van de Impala was gelopen, opende hij het portier. Claire leek zich in zijn armen te storten.

'Ben je gewond?' vroeg hij.

Hij zette haar overeind; ze stond onvast op haar benen maar leek niet gewond. Ze was te zeer geschokt om te lopen, dus tilde Blake haar op en droeg haar naar de kofferbak. Hij opende die en legde haar zo voorzichtig als hij kon naast Serena. Hij sloot de kofferbak en liep terug naar Leo.

'Ik weet dat de pijn ondraaglijk moet zijn,' zei Blake.

Leo keek hem niet aan.

'Ogen open of dicht, Leo. Je mag kiezen.'

Leo draaide met wat een bovenmenselijke inspanning leek zijn hoofd naar hem toe. Hij had zijn ogen open. Blake knikte, zette het wapen tegen Leo's hoofd en schoot.

45

Serena zocht Claires gebonden handen en hield ze stevig vast. Toen buiten de auto het schot klonk, wist ze dat Claire gilde achter de tape die haar monddood maakte. Ze hoorde de gesmoorde kreten toen Claire in de donkere, krappe kofferbak haar gezicht in Serena's schouder begroef. Ze voelde de vochtigheid van tranen door haar T-shirt. Claire omklemde Serena's handen met zo'n kracht dat haar nagels bijna door de huid gingen.

Ze voelde de auto schudden toen Blake instapte, en daarna reden ze, werden ze als zoutzakken heen en weer geschud toen Blake in de Impala door de wijk naar de doorgaande weg reed. Serena herkende de bekende bochten. Ze hoopte dat iemand de schoten had gehoord en het alarmnummer had gebeld, maar ze wist dat ze allang weg zouden zijn tegen de tijd dat er een surveillancewagen opdook.

Serena was bont en blauw. Ze was naar voren gevlogen toen de auto plotseling tot stilstand was gekomen en ze haar hoofd had gestoten tegen de achterwand van de kofferbak. Haar armen deden pijn omdat ze strak op één plaats gehouden werden en er was iets – een bandenlichter – dat haar precies op haar knie had geraakt. Het bot klopte van de pijn.

Ze maakte haar vingers los uit die van Claire en liet zich op haar rug rollen, waarbij ze hard op haar schouderblad terechtkwam. Ze had al eerder ontdekt dat haar armen genoeg speelruimte hadden om ze te buigen en haar handen bij haar mond te brengen. Haar vingers grepen de tape over haar mond en trokken die langzaam en met veel pijn los. Toen haar onderkaak vrij was, wreef ze hem en haalde een paar keer diep en lang adem, zoog de lucht gulzig naar binnen. Ze zweette. Het was zó warm in de kofferbak dat ze er licht van in haar hoofd werd.

De auto reed over een kuil in de straat en haar voorhoofd sloeg met een klap tegen de kofferdeksel. Ze vloekte zachtjes.

Ze zette haar linkervoet op de bodem en duwde zich op haar zij, weer met haar gezicht naar Claire. Ze vond Claires hand.

'Claire, moet je horen,' fluisterde ze. 'Waarschijnlijk kun je je handen naar je gezicht brengen en de tape lostrekken. Kun je het proberen?'

Ze hoopte dat Claire mentaal en fysiek sterk genoeg zou zijn om het te doen.

Ze liet haar los en voelde Claire worstelen om haar armen bij haar gezicht te krijgen en haar vingers bij haar mond. Claire trok de tape er snel af en Serena hoorde haar naar adem happen.

'Shit, dat doet pijn.'

Ze moesten allebei lachen. Serena was blij dat Claire nu kalm en niet over haar toeren was. Ze wurmde zich dichter naar haar toe en bracht haar mond bij Claires oor. 'We moeten zo stil mogelijk doen. Wat is er daarnet allemaal gebeurd?'

'Het was Leo,' zei Claire. 'Ik denk dat Blake hem heeft vermoord.'

'Heeft hij jou pijn gedaan?'

'Nee. Maar ik was doodsbang.'

Serena legde haar wang tegen de zachte huid van Claires gezicht. 'Het komt best in orde. We komen hier wel uit.'

It's okay, baby.

Serena ervoer een vreemd gevoel van vrijheid. Van kracht. Alsof haar een tweede kans werd gegeven, een manier om het verleden recht te zetten. Om Deirdre te redden door Claire te redden.

'Weet je waar hij ons mee naartoe neemt?' vroeg Serena.

'Ik heb geen idee.'

Serena wilde niet gaan speculeren. Geen van de alternatieven klonk aanlokkelijk. Ze had geprobeerd aan de hand van de stops en bochten bij te houden waar ze waren, maar de route was daarvoor al snel te verwarrend geworden. Ze waren nog in een druk deel van de stad, want ze hoorde veel verkeerslawaai, zelfs op dit late tijdstip.

'Het spijt me dat ik je hierin heb betrokken, Serena,' zei Claire.

'Dat heb je niet gedaan.'

Claire was even stil. 'Wat er daarstraks tussen ons is gebeurd –'

'Zullen we het daar nu niet over hebben?'

'Ik moet weten of je er spijt van hebt,' zei Claire.

'Nee.' Serena wist dat ze een ander onderwerp moest aansnijden. 'Dat was trouwens heel slim van je, wat je bij mij thuis met Blake deed. Mij een zet geven en tegen me schreeuwen.'

'Heb je hem? Heb je je mobieltje?'

'Ja, maar jij moet hem voor me pakken. Ik heb hem in mijn zak gestopt.'

Serena haalde haar armen zo veel mogelijk uit de weg en Claires hand ging onderzoekend over de voorkant van Serena's spijkerbroek tot haar vingers op de harde schaal van het kleine mobieltje stuitten.

'Kun je wat naar onderen schuiven?' vroeg Claire.

Serena duwde zichzelf omlaag en boog haar knieën toen haar voeten tegen de zijkant van de auto stootten. Ze voelde Claires vingers bij haar middel en in de nauwe zak glippen. Het had een merkwaardige intimiteit om dit in het donker, in de broeierige kofferbak te doen. Claires borsten drukten bijna in haar gezicht. Haar T-shirt plakte als lijm op haar huid.

'Normaal gesproken zou ik ervan genieten,' fluisterde Claire.

'Sstt.'

Claire had het mobieltje gevonden en liet hem tussen haar handen glijden. Toen ze probeerde hem aan Serena over te geven, liet ze hem ergens tussen hen in vallen.

'Shit!' siste ze. 'Ik heb gladde handen.'

Op dat moment maakte de auto een scherpe bocht en gleden en rolden ze heen en weer in de krappe ruimte. Ook het mobieltje gleed weg. Serena was in het donker haar richtingsgevoel kwijtgeraakt en ze wist niet meer wat voor en achter was. Ze was gedesoriënteerd. 'Claire?'

'Hier.'

Serena probeerde naar haar toe te rollen. 'We moeten dat telefoontje vinden.'

In een onhandig dansje probeerden ze allebei op hun andere zij te komen en de kofferbak te doorzoeken. Serena ging met haar benen over de met tapijt belegde bodem, in de hoop het platte rechthoekje te voelen. Claire deed hetzelfde. Serena begon de tijdsdruk te voelen, en vroeg zich af hoelang Blake ervoor nodig zou hebben om zijn plaats van bestemming te bereiken. Maar het was of het telefoontje uit de kofferbak verdwenen was.

'Heb je iets?' fluisterde Serena.

'Nee.'

De auto ging weer een bocht om en hun lichamen verschoven weer. Serena wist niet waarom, maar haar intuïtie zei haar dat ze er bijna waren, en ze had in de loop der tijd geleerd op haar zesde zintuig te vertrouwen. De weg was hobbeliger, alsof er losse stenen op het wegdek lagen. Er was buiten veel minder lawaai. Ze waren niet meer in een drukke straat.

'We moeten opschieten,' zei Serena.

'Ik heb hem, ik heb hem,' antwoordde Claire. 'Vlak bij mijn gezicht. Bij de laatste bocht gleed hij hierheen.'

'Probeer je handen erop te leggen voordat we weer een bocht maken.'

Serena hoorde Claire bewegen en manoeuvreerde zich in de richting van Claires stem. Ze boog haar armen opnieuw en bracht haar handen bij haar gezicht. Ze duwde zichzelf dichterbij en haar vingers raakten vlak voor haar Claires onderarm aan. Ze volgde de gladde huid tot aan Claires handen en voelde tot haar opluchting het mobieltje tussen haar vingers. Claire hield het stevig vast.

'Oké, geef me een beetje speelruimte,' zei Serena.

Ze wrong haar vingers in Claires handen en boog ze om het telefoontje. Het voelde klein en bekend aan.

Claire slaakte een zucht van verlichting.

De auto ging weer een bocht om en Serena hield het mobieltje stevig vast en probeerde tegelijkertijd te voorkomen dat ze weggleed. Claire botste tegen haar aan. Serena raakte het mobieltje bijna kwijt en worstelde ermee, maar uiteindelijk had ze het weer stevig in haar handen. Ze ging met haar vingers over de toetsen en probeerde zich te herinneren waar de cijfers precies zaten. De toetsen waren bijna plat en ze kon ze maar net voelen.

Ze drukte op wat naar haar idee de twee was, de snelkiestoets voor Jonny's mobieltje.

Er gebeurde niets.

Serena probeerde een andere toets: weer niets. Ten slotte herinnerde ze zich dat ze de telefoon had uitgezet toen ze hem in haar slaapkamer van de grond had meegegrist, om te voorkomen dat een inkomend gesprek zou verraden dat ze hem in haar broekzak had.

'Shit, hij staat uit.'

Ze zocht naar de aan/uittoets en drukte hem in. Op het moment dat ze dat deed, voelde ze de auto een weg vol wielsporen opdraaien die het voertuig deden stuiteren. De remmen piepten en de auto kwam met een schok tot staan.

De telefoon lichtte op, ging op zoek naar een signaal. 'Vlugger, vlugger,' kreunde Serena.

Ze hoorde het bestuurdersportier opengaan en Blake stapte uit. Stenen knarsten onder zijn schoenen.

'Schiet op,' zei Claire.

Serena drukte op de twee en hield haar adem in. Blake was bijna bij de kofferbak. De telefoon ging over.

46

Stride draaide door het hek dat om de beveiligde wijk stond en wist dat er iets niet klopte. Het hek stond wagenwijd open. Hij hield even in en voelde zijn angst groeien toen hij uit omringende straten sirenes dichterbij hoorde komen.

Hij belde opnieuw naar Serena's mobieltje, zoals hij al die tijd had gedaan tijdens de rit van het centrum naar het westen van de stad. Er werd niet opgenomen. Hij probeerde hun vaste telefoon opnieuw en hoorde Serena's stem toen het antwoordapparaat aansloeg. De steen op zijn maag werd een afschuwelijk bonzen in zijn hoofd. Hij jakkerde door de kronkelende straatjes langs de doolhoven van woonwijkjes.

Toen hij hun straat in reed, zag hij in het licht van een straatlantaarn een lichaam liggen. Een grote man, slap op de grond als een gestrande walvis. Stride stapte uit, liet de motor lopen. De man lag voorover, half naast de stoep, en er drupte bloed in de goot. Nog maar kort dood. In de lucht hing nog de geur van kruit. Stride bukte zich en zag het gat in het voorhoofd van de man, en ondanks alle rode strepen op zijn gezicht wist Stride dat het Leo Rucci was.

Hij had even gehoopt dat het Blake zou zijn.

Stride rende naar het huis met afschuwelijke visioenen van wat hij er zou aantreffen. De voordeur stond open. Met getrokken wapen schoof hij ineengedoken naar binnen. Hij spitste zijn oren voor stemmen of bewegingen op de eerste verdieping, maar hoorde niets. Toen hij automatisch naar het alarmpaneeltje aan de muur keek, zag hij dat het was uitgeschakeld. Zijn hart werd loodzwaar en leek door de vloer te vallen.

Hij stond op het punt haar naam te schreeuwen, maar hield zich in. Het kon zijn dat Blake er nog was.

Stride sloop langs de muur naar de trap en wachtte daar, luisterde opnieuw. Hij bestudeerde de lege gang en ging naar boven. Alle drie de slaapkamerdeuren stonden op een kier. Met de eerste kamer, hun werkkamer, was niets gebeurd. De tweede was de logeerkamer, en daar zag hij Claires kleren op de grond liggen. Hij controleerde de badkamer en de kast, maar daar was niets onregelmatigs te zien.

Dus bleef alleen hun eigen slaapkamer aan het eind van de gang over.

Hij bleef ernaar staan kijken en wilde er niet naar binnen. Met tegenzin snoof hij de lucht op en ontdekte tot zijn opluchting dat hij niet de metalige geur van bloed rook. Hij zag een deel van het bed, met gekreukte lakens.

Als er daar iemand was, hadden ze hem allang horen aankomen. 'Serena?' riep hij, zonder antwoord te verwachten.

Langzaam duwde hij met de punt van zijn schoen de deur open. Hij liet zijn wapen als eerste naar binnen gaan. Zijn ogen zwiepten de kamer door, en zijn hart begon weer te slaan toen hij besefte dat er geen lijken op de grond lagen. Maar er was hier wel iets gebeurd. De lamp van het nachtkastje lag op de grond en het kastje zelf hing nu scheef tegen de muur. Overal lag rommel op de vloer: een haarborstel, een boek, een lipstick.

Gevochten?

Het deed er niet toe. Ze waren er niet.

Stride liep terug naar de trap en probeerde zich een beeld te vormen. Wat had Blake met hen gedaan als hij hen niet had gedood? Zijn werkwijze was moord, niet ontvoering. Als hij hen had meegenomen, was de vraag: waarom? En waar was hij heen?

Stride ging weer naar buiten, de nachtlucht in. De sirenes waren dichterbij. De politie zou hem er al snel aantreffen, en hij wilde hier niet zijn. Met elke seconde werd het risico voor Serena en Claire groter. Hij moest hier weg.

Toen hij zich omdraaide om naar zijn Bronco te gaan, hoorde hij zijn mobieltje overgaan. Hij graaide in zijn zak en zag dat het Serena's nummer was.

'Waar zijn jullie?'

Serena verstijfde. Ze hoorde Jonny's wanhopige stem in haar oor toen hij opnam. Blake was ter hoogte van de kofferbak en ze verwachtte een vlaag frisse lucht als de kofferdeksel openzwaaide en ze hem boven hen zag opdoemen.

'Wacht, Jonny,' siste ze in het telefoontje.

Ze luisterde en realiseerde zich dat Blake was doorgelopen. Hij was ergens dichtbij en ze hoorde gerammel van metaal, als van een ketting die door een hek wordt getrokken.

'Serena!' hoorde ze in haar oor.

'Ik ben er nog, ik ben er nog,' fluisterde ze.

'Waar ben je?'

Serena wist dat de emoties met hen beiden op de loop gingen. Ze moest zich beheersen, verslag doen van de feiten. Ze hadden niet veel tijd voordat Blake terugkwam.

'Weet ik nog niet. Claire en ik liggen in de kofferbak van een witte Impala.' Ze ratelde de nummerplaatgegevens af. 'We hebben een minuut of twintig gereden en zijn nu gestopt.'

'Ben je gewond?' vroeg Stride.

'Nee. Wat blauwe plekken, maar verder is alles in orde. Hij heeft Rucci vermoord.'

'Weet ik. Ik heb hem gevonden. Weet je welke kant hij is opgereden?'

'Ik denk naar het oosten, maar ik ben de draad kwijtgeraakt.'

'Weet je wat hij aan het doen is?' vroeg Stride.

'Nee. Maar het voelt aan als een eindspel.'

'Hoe kan ik je vinden?'

Serena dacht na. 'Weet ik niet.'

'Als je je telefoon aan laat, kan ik de telefoonmaatschappij vragen het signaal te lokaliseren,' stelde Stride voor.

'Dat duurt te lang, Jonny.'

'Weet ik.'

Serena luisterde. Blake was buiten ergens mee bezig. Ze hoorde metaal schuren. 'Het klinkt alsof hij een omheining openmaakt. Ik denk dat we zo naar binnen rijden. Wacht even.'

Ze hoorde Blake terugkomen, wist niet goed wat te doen, vroeg zich af of hij hen uit de kofferbak zou laten, maar hij liep door naar het bestuurdersportier en stapte in.

'Hij is weer ingestapt,' fluisterde Serena. 'We hebben niet veel tijd meer, denk ik.'

'Kun je de lijn openhouden?'

'Ik zal het proberen. We zijn vastgebonden. Misschien lukt het de telefoon zo vast te houden dat hij hem niet ziet.'

Ze gingen verder. De Impala reed langzaam, maar door de rotsbodem schudde en stuiterde de auto. Serena had het gevoel dat een prijsvechter met zijn vuisten haar nieren bestookte. Naast zich hoorde ze Claire van pijn kreunen. Ze reden nog geen minuut, toen stopte de auto.

'Volgens mij zijn we er. Ik moet nu stil zijn, Jonny. Ik weet niet wat je wel en niet zal kunnen horen. Mocht hij de telefoon vinden, dan roep ik nog iets tegen je voor hij hem uitzet.'

'Ik weet je te vinden.'

Het bestuurdersportier ging open en Blake kwam naar de kofferbak. Serena hoorde een klik toen het slot openging. De deksel ging omhoog en ze had het gevoel dat ze weer kon ademhalen. De warme buitenlucht voelde koud aan in vergelijking met de verstikkende atmosfeer in de kofferbak. Waar ze zich ook mochten bevinden, er was maar weinig verlichting, en Serena moest haar ogen tot spleetjes knijpen om te wennen aan het weinige licht dat er was. Ze zag Blakes silhouet boven zich. Achter hem sterren in een nachtlucht.

Hij bukte zich, pakte Claire bij haar bovenlichaam en tilde haar uit de kofferbak. Haar benen waren slap en ze begon te vallen, zodat hij haar moest ondersteunen. Claire draaide zich om, keek omhoog en toen ze zag waar ze waren, hapte ze naar adem.

Serena vlocht haar vingers in elkaar en sloot haar handen

om haar mobieltje. Ze hoopte dat ze niet per ongeluk de verbinding zou verbreken. Blake haalde het pistool uit zijn riem en richtte het op haar. 'Haal alsjeblieft geen streken uit.'

Serena schudde haar hoofd. 'Het is makkelijker wanneer ik op mijn buik ga liggen.'

'Doe maar.'

Ze rolde zich op haar buik. Haar gezicht en borst werden platgedrukt tegen de bodem van de auto en ze had haar handen, die het telefoontje omklemden, tussen haar knieën. Ze voelde dat Blake haar bij haar riem en T-shirt pakte en ruw over de rand van de kofferbak trok. Daar hing ze even, tot hij een been beetpakte en zo manoeuvreerde dat het buiten de auto bijna op de grond hing. Toen pakte hij haar weer bij haar T-shirt en tilde haar opnieuw op, zodat ze zich eruit kon werken en ze op de grond stond.

Ze draaide zich om en keek omhoog naar het donkere hotel.

'Welkom in de Sheherezade,' zei Blake.

47

Het was een geplunderde, kaalgeplukte schoonheid, klaar om de slopers hun werk te laten doen. Waar de indrukwekkende entree was geweest, was nu een rafelig gat in de gevel geslagen, meer dan twee verdiepingen hoog, alsof een stripmonster zich een weg naar binnen had gevochten. De ramen op de laagste verdiepingen waren kapot, zodat er lege gaten over waren. Serena zag binnen pilaren die waren ontdaan van hun decoraties en nu nog ruw beton waren waar zorgvuldig berekende ladingen dynamiet in zouden worden aangebracht.

Verder naar boven zag het hotel eruit zoals het altijd had gedaan. Als ze er het licht aanstaken, zou het helemaal het gebouw zijn waar ze de laatste twee decennia honderden keren langs was gereden. Het was ooit een juweeltje geweest, maar dat was lang geleden. Het zonk nu in het niet bij andere gebouwen. Nog voor de slopers waren gekomen, had het zijn ware leeftijd al laten zien. Twintig verdiepingen overeind gehouden door nostalgie en echo's van het verleden. De stem van Sinatra. Het gierende geluid van de roulette. Echtparen op huwelijksreis die de liefde bedreven. Dat alles zou binnenkort tot stof vergaan.

Ze was er nooit binnen geweest, nooit zo dichtbij. Nu voor het eerst.

'De Sheherezade,' zei Serena zo luid mogelijk. *Heb je dat gehoord, Jonny?* Ze voegde eraan toe: 'Wat doen we hier, Blake?'

Maar ze wist het al. Dit was Amira's huis, waar ze had gedanst, waar ze was gestorven. Blake kwam thuis.

Hij gebaarde dat ze naar binnen moesten gaan. Serena en Claire liepen voorop. Ze moesten hun weg zoeken tussen puin en glas door. Ze liepen door het gapende gat de lobby in alsof ze kwamen inchecken voor de nacht.

'Jullie kunnen je wel voorstellen hoe het was, nietwaar?' zei Blake.

Serena begreep het. Het was makkelijk om hier terug te gaan naar de sixties. Gemakkelijker dan het een paar weken geleden zou zijn geweest, toen het hotel nog open was en het een komen en gaan was van gasten uit de eenentwintigste eeuw. Nu waren ze alleen met de spoken van het verleden. Al het meubilair was verdwenen, de lampen en decoraties weggehaald en geveild, alles was weg: stoelen, prullenmanden, asbakken, gokautomaten, schilderijen, speeltafels, tapkasten. Alleen het geraamte was over. Maar zelfs de beenderen van het gebouw vertelden een verhaal. De geometrische patronen op het behang. De plafondschildering van de woestijn. Sheherezade zelf, geëtst in bladgoud op de liftdeuren.

Blake drukte op de knop voor de lift.

'Waar gaan we heen?' vroeg Serena. Ze hoorde het dingdong toen de liftdeuren openschoven. Op het eerste gezicht was het vreemd dat de lift nog werkte in een hotel dat op het punt stond te worden gesloopt, maar toen besefte ze dat hij waarschijnlijk tot de laatste dag zou blijven werken omdat de explosievenexperts overal in het gebouw hun ladingen moesten controleren.

Ze was bang dat ze geen verbinding had wanneer de liftdeuren dichtgingen.

'Naar het dak?' speculeerde ze met luide stem. 'Ja, natuurlijk, daar is Amira vermoord. In Walker z'n suite. Daar neem je ons mee naartoe.'

Jonny, ben je daar nog?

De liftdeuren gingen dicht. Ze waren de enigen in de kleine ruimte toen hij zoemend naar boven ging. Blake had op de bovenste knop gedrukt, precies wat Serena had verwacht. Maar waarom?

'Ik zie niet in wat je hoopt te bereiken, Blake. Dit alles brengt Amira niet terug.'

'Ik ben hier voor de waarheid,' zei Blake.

Verder zei hij niets. De lift was traag, of anders waren haar zenuwen tot het uiterste gespannen omdat ze niet wist wat Blakes volgende zet zou zijn. Ze zag de nummers van de etages stuk voor stuk oplichten. Hoger en hoger klommen ze, tot ze met een schok tot stilstand kwamen. Met een vogelachtig geluidje gingen de deuren open en Blake duwde hen de hal in. Ze stonden voor een goudkleurige dubbele deur.

Er stond geen nummer op de deur. Misschien hadden ze dat op de veiling verkocht. Het kon ook zijn dat je, als je de patsersuite had, gewoon wist waar je moest zijn.

Blake draaide aan de deurkruk. De deur ging open. Hij duwde hem verder naar binnen en wachtte tot Serena en Claire langs hem heen de entree van de suite waren binnengegaan. Zonder het meubilair was het een zee van ruimte die ondanks de kale aanblik toch een zekere elegantie behield. Zelfs de vloerbedekking was opgerold en verkocht, samen met de kroonluchters. Maar er waren grote delen met verfijnde porseleinen tegels die waren blijven zitten om te worden gesloopt, waarschijnlijk omdat ze niet onbeschadigd konden worden verwijderd voor de verkoop.

Serena moest haar verbeelding gebruiken om zich voor te stellen hoe de suite eruit had gezien toen hij volledig aangekleed was. Aanwijzingen kreeg ze van de kleurrijke caleidoscoop van de tegels en de pistachekleuren van het plafond. Ze dacht aan golvende draperieën achter honingkleurige banken, overladen met kussens. Smeedijzeren hanglampen. Kostbare vazen van lapis lazuli. Dat alles, en een vijfhonderddollarhoer zouden elke patser het gevoel geven een sultan te zijn.

'Loop door,' zei Blake.

Hij duwde hen de lege suite door naar de tegenoverliggende muur met erachter de open patio. Serena schoof de deuren met gebrandschilderd glas open en stapte naar buiten, met Claire naast zich. Blake kwam achter hen aan. Ze werden onmiddellijk overspoeld door een regenboog van licht van de enorme lichtreclame van de Sheherezade, die boven hen aan- en uitging. Elke letter had zijn eigen draagconstructie en moest tien meter hoog zijn. Ze gingen aan en uit in een ritme van duisternis en kleur dat Serena deed denken aan de dansvloer van een nachtclub.

De enorme patio werd aan drie kanten omsloten door een muur van drieënhalve meter hoog, geheel bekleed met Marokkaans tegelwerk, waarboven het echte dak van het hotel lag. Ze zag een hek van prikkeldraad op het dak die moest voorkomen dat mensen vanaf het dak in de suite konden komen. De vierde zijde van de patio, aan haar rechterhand, had een veel lagere muur met een geschulpte bovenrand. Dat was aan de straatkant, en die lagere muur vormde een opvallende inham in de dakrand van de Sheherezade.

De patio was, evenals de rest van de suite, bijna geheel ontdaan van zijn versieringen. De palmbomen stonden er nog in hun in de vloer verzonken ronde stenen cirkels, en de marmeren fonteinen, in de muren uitgehakt, waren uitgezet. Het zwembad stond nog vol water, maar het was smerig en groen doordat er niets meer aan gedaan was.

Ze zag dat Blake in het troebele water stond te staren. Hij dacht aan Amira.

'Ik vind het heel erg,' zei Claire.

Blake keek op. 'Wat?'

'Dat je je moeder hebt verloren. Ik heb mijn moeder ook nooit gekend. Dan heb je een moeilijke jeugd.'

Blake zweeg. Serena vroeg zich af hoe vaak hij de afgelopen weken in het geheim naar deze plek was gekomen. Dit was niet de eerste keer, dat wist ze wel zeker. Ze stelde zich hem voor, alleen in het hotel, hier bij het zwembad, obsessief bezig met zijn moeder.

'Ik denk dat ik weet wat je wilt,' ging Claire verder. 'Maar dat zul je van hem niet loskrijgen, daarvoor ken ik hem te goed. Hij zal niets bekennen. Hij biedt geen verontschuldigingen aan. Hij zal je de waarheid nooit vertellen.'

'We zien wel,' zei Blake.

'Hij heeft mij ook verraden, Blake. Ik haat hem net zo erg als jij.'

Serena moest weer denken aan de breuk tussen Boni en Claire en vroeg zich af wat voor verschrikkelijks hij had gedaan. Wat het ook was geweest, Claire droeg het nog altijd met zich mee. Serena had het gevoeld vanaf het moment dat ze haar had leren kennen. Het was er altijd. Zelfs toen ze in bed lagen en Claire bij haar was, had Serena die aura van verlies bij haar gevoeld, alsof die haar overal achtervolgde. Dat maakte hen tot verwante zielen.

'Jou heeft hij niet afgewezen,' zei Blake. 'Jouw bestaan heeft hij niet ontkend.'

'Nee, het was nog erger.'

Claires heftigheid bracht Blake aan het twijfelen. Toen veranderde zijn gezicht weer in het harde masker. 'Ik denk dat we er allebei achter gaan komen hoeveel je werkelijk voor hem betekent,' zei hij. Hij haalde een telefoontje uit zijn zak en koos een nummer.

'Dag, Boni,' zei Blake. 'Je weet wel met wie je spreekt, hè? Ik ben op de plek waar het allemaal is begonnen. Ik ben thuis. Als je op het balkon van je fraaie penthouse gaat staan, kun je ons hier beneden zien. Bij het zwembad, waar je mijn moeder hebt laten vermoorden.'

Blake zweeg. 'Wat ik wil?' zei hij. 'Ik wil dat je hierheen komt. Je hebt twintig minuten. En anders vermoord ik je dochter.'

48

Stride parkeerde aan de andere kant van de straat, buiten het hek. Hij keek door het raam van zijn Bronco naar het dak van het hotel en probeerde te zien of er iemand achter de borstwering stond te kijken, maar zijn ogen konden niet doordringen in het nachtelijk duister. Hij moest het risico nemen. Hij stapte uit, trok zijn wapen en stak de straat over, waar hij dekking zocht achter de houten schutting die het terrein omgaf.

Hij zocht zich een weg naar de poort, die nu van het slot was en openstond. Hij glipte het sloopterrein op en liet zijn blik snel rondgaan. Behalve Blakes Impala was er niets en niemand, alleen hij zelf, en het spookachtige karkas van het hotel dat rijp was voor de sloop. Stride liep in een drafje verder. Bij de Impala bleef hij staan, haalde een Zwitsers legerzakmes tevoorschijn en sneed het ventiel van de rechterachterband door. De lucht liep er sissend uit. Hij liep naar de voorkant van de auto en deed hetzelfde met de rechtervoorband. Blake zou in ieder geval niet rijdend wegkomen.

Het dak?

Dat waren de laatste woorden die hij Serena via haar telefoon had horen zeggen voordat de verbinding wegviel. Maar het was genoeg. Hij nam aan dat ze boven in de penthouse-suite waren.

Stride ging het hotel binnen. Hij wist dat hij zich schuldig maakte aan hetgeen Amanda had gedaan en wat hij zelf nóóit deed. Hij ging er alleen op af, zonder assistentie, zonder Sawhill of iemand anders te bellen om te laten weten waar hij was.

Maar dit was anders. Serena was daarboven. Stride wist niet wat Blake ging doen als hij het gevoel had dat hij in de val zat en geen kant op kon, maar zijn angst was levensgroot dat Claire en Serena beiden dood zouden zijn voordat er met succes actie kon worden ondernomen.

Ze waren nu misschien al dood. Maar hij kon zich niet veroorloven zo te denken.

Hij zocht de liften en zag de fraaie rij gouden deuren aan zijn linkerhand. Op het moment dat hij erheen liep, zag hij de twee lichtbundels van een auto die de parkeerplaats van het hotel opreed door de lobby schijnen en dook hij weg. Toen de auto draaide, zag hij dat hij fraai gelijnd en zwart was, een limousine. Stride rende snel voorbij het gapende gat in de gevel tot hij uit het zicht was. Hij vond een verborgen gangetje tegenover de liften waar vroeger een rij telefoons had gehangen en wachtte daar. Nog geen minuut later zag hij vanuit zijn donkere hoek een kleine, elegante oude man doelbewust naar de liften lopen.

Boni Fisso.

'Boni!' siste Stride voor de man op een knop kon drukken.

Boni draaide zich geschrokken om. 'Rechercheur Stride. Was u ook uitgenodigd voor dit feestje?'

Stride schudde het hoofd. 'Serena is boven bij Blake en Claire. Ze kon me laten weten waar ze waren.'

'Komt de politie met een heel peloton?' vroeg Boni bezorgd.

'Nee, ik heb niemand gewaarschuwd. Ik verwacht een gunstiger afloop als er niet te veel mensen bij zijn.'

Boni boog het hoofd. 'Exact wat ik dacht. Dank u, rechercheur. Het kan me niet schelen wat er met Blake gebeurt. Het enige wat voor mij telt, is dat ik Claire veilig buiten krijg.'

'Officieel gezien zou ik u niet eens naar boven mogen laten gaan,' zei Stride. 'Zodra u daar naar binnen gaat, wordt u gijzelaar nummer drie. Blake wil u dood hebben.'

'Maar u gaat mij niet tegenhouden,' zei Boni. 'U wilt Serena terug, net zoals ik Claire terug wil. Uiteindelijk is het mijn hotel Bovendien, als ik niet binnen vijf minuten boven ben, dood-

Blake Claire, en vermoedelijk ook Serena. Volgens mij houdt hij zich aan zijn woord.'

'Zijn ze in de suite?' vroeg Stride.

'Nee, op het terras bij het zwembad. Daar is Amira vermoord.'

'Hoe zit het daar in elkaar?'

Uit zijn geheugen beschreef Boni de patsersuite en de patio op een manier alsof het 1964 was en het hotel fonkelnieuw. Stride was vooral geïnteresseerd in het feit dat je vanaf het dak van drie kanten op de patio kon neerkijken.

'Kun je vanaf het dak op het terras komen?' vroeg Stride.

Boni knikte. 'Er zijn een afgesloten poortje en een noodladder bij de borstwering aan de voorkant van het hotel.'

'Ik neem aan dat u de sleutel ervan niet bij u hebt.'

Boni glimlachte. 'Het is een combinatieslot. 1-2-1-6, mijn verjaardag. Ik had graag overal toegang. We kunnen nu maar beter gaan. De tijd tikt door.'

Ze namen de lift naar de bovenste verdieping. Stride wachtte op een verborgen plek tot Boni hem seinde dat de deuren naar de suite dicht waren en dat Blake nergens te zien was. Stride liep achter Boni aan de hal in. Hij zag een groen EXIT-bordje links aan het eind van de gang.

'Daar is de trap,' zei Boni. 'Vandaar komt u op het dak. Als het goed is, is de deur open.'

'Probeer zijn aandacht af te leiden. Zorg dat hij niet naar de ladder kijkt.'

'Ik doe mijn best. Succes, rechercheur.'

'U ook.'

Langzaam en behoedzaam opende Stride de deur naar het dak; hij wist niet hoever het geluid droeg. Hij glipte naar buiten en sloot de deur achter zich met een zacht klikje. De warme wind die van de bergen kwam, blies hem bijna omver. Hij was hier een speelbal, met alleen een paar ventilatorschachten om de vlagen tegen te houden.

Het dak was helverlicht, dankzij de enorme Sheherezade-neonletters die zich boven hem verhieven en hun kleuren aan en uit lieten flitsen. Een muur van anderhalve meter met uivormige bollen liep helemaal langs de rand van het dak, behalve daar waar het dak een rechthoekige inham maakte, zodat iedereen op het fraaie terras een verdieping lager vrij uitzicht had. Stride zag het hoge prikkeldraadhek dat het open stuk omgaf en had meteen daarna het afgesloten hek bij de voorgevel in de gaten.

Hij wilde erheen rennen, maar was bang dat zijn voetstappen tot op de patio zouden doorklinken. Dus liep hij in plaats daarvan zo snel hij kon en zette hij zijn voeten heel voorzichtig neer. Om er zeker van te zijn dat niemand hem kon zien, bleef hij bij het prikkeldraad vandaan tot hij bij het poortje was.

Het poortje was bij de rand van het dak. Daar woei het nog harder. Stride liet zich op zijn knieën zakken en kroop dichterbij. Toen hij bij het hek was, tilde hij zijn hoofd langzaam op en merkte dat het terras zelf onder deze hoek niet te zien was. Het enige wat hij zag, was het bovenste stuk van de patiomuur met zijn kleurrijke mozaïek. Niemand kon hem hier zien.

Hij controleerde het slot: inderdaad een combinatieslot, zoals Boni had gezegd. Hij hoopte dat de oude man zich niet in de code had vergist. Het hangslot zat niet aan het poortje zelf maar was door de schakels van een ketting gestoken die strak om het poortje en het kozijn ervan zat. Zorgvuldig stelde Stride de cijfers 1-2-1-6 in en trok aan de U van het slot. Het sprong open. Hij liet de U uit de ketting glijden en hield de schakels met zijn vingers bij elkaar. Nadat hij het slot in het hek had gehangen, haalde hij de ketting los van het hek, waarbij hij ervoor zorgde dat de schakels niet rammelden. Het was moeilijk om zijn handen stil te houden terwijl de wind zijn lichaam de ene na de andere opdoffer gaf.

Eindelijk hing de ketting als een dode slang in zijn handen. Hij legde hem voorzichtig neer. Door de wind ging het poortje open en Stride verstijfde toen hij de scharnieren hoorde piepen. Hij greep het poortje beet en hield het goed vast.

Bewegingloos bleef hij zitten en luisterde. Het hek kraakte en kreunde in de wind. Langzaam opende hij het poortje, telkens een paar centimeter. Hij probeerde het roestige knarsen van de scharnieren te minimaliseren en te laten samenvallen met andere geluiden op het dak. Toen hij het poortje op een kier had, perste hij zich door de opening en liet zich op zijn knieën vallen. Hij trok de ketting zachtjes naar de andere kant van het hek en zwaaide het poortje achter zich dicht. Hij bond het weer vast aan het kozijn en deed het weer op slot, zodat het niet wild heen en weer ging slaan.

Stride bevond zich op twee meter van de rand met daaronder het terras. Hij bevond zich minstens drieënhalve meter boven het terras. Recht voor hem, bijna strak tegen de borstwering, was een ijzeren ladder aan het dak geschroefd. Toen Stride dichterbij kroop en de ladder nader bekeek, zag hij dat het vermoedelijk nog het originele geval uit 1964 was. Dat gold ook voor de bouten. Die zaten onder de roest.

Hij wist niet of de ladder zijn gewicht zou houden en of hij, als dat wel het geval was, geluidloos omlaag kon komen.

Maar hij had geen keus. Er was geen andere weg naar het terras en het was te hoog om te springen.

Hij ging plat op zijn buik liggen en strekte zijn benen zover mogelijk naar achteren, ervoor wakend niet tegen het hek te stoten. Hij schoof voorzichtig naar voren, duwde zijn gezicht net over de rand zodat hij op de patio kon kijken. Zijn haar woei om zijn hoofd.

Hij hoorde stemmen beneden, bij het zwembad.

49

Serena zag Boni in de deuropening van de suite staan. De man kon nog zo klein en oud zijn, er hing nog altijd een aura van macht om hem heen. Het paste hem als zijn maatpak. Claire zag hem ook, en Serena probeerde de emoties op haar gezicht, nu ze haar vader weer zag, te ontrafelen. Liefde. Verlangen. Maar vooral verachting.

Een ongelukkige familiereünie.

Boni keek niet eens naar Blake. Hij keek langs hem heen naar Claire. Serena zag vaderliefde in zijn ogen, hevig en sterk: hij had Claire al die jaren enorm gemist. Ze zag nog iets, iets dat ze bij Boni niet had verwacht. Schuldgevoel. Het viel van heel zijn gezicht af te lezen, uit zijn hele houding. Hij kon haar nauwelijks recht aankijken en kromp bijna ineen onder de felle woede die Claire op hem richtte.

Helemaal niet Boni.

Blake fronste zijn voorhoofd. 'Hier heb ik lang op gewacht. Op deze persoonlijke ontmoeting met jou.'

Boni liep naar buiten, naar het open gedeelte van de patio, en het neonlicht speelde over zijn gezicht. Hij bleef Blake negeren. 'Is het goed met je?' vroeg hij aan Claire.

'Het is een beetje laat om je daar druk over te maken,' gaf ze ten antwoord.

'Het spijt me.'

'Denk maar niet dat ik je ooit vergeef. Nu niet en nooit.'

Blake wees met zijn wapen naar Serena en Claire. 'Op je knieën jullie, allebei.'

'Waar ben je mee bezig?' wilde Boni weten.

'Volgens mij weet je heel goed waar ik mee bezig ben,' antwoordde Blake. 'Jij in de allereerste plaats.'

Hij zou hen gaan vermoorden, dacht Serena. Een strakke knoop van frustratie en wanhoop nestelde zich opnieuw in haar hart, net als toen ze Blake in haar slaapkamer had zien staan. Serena knielde op de marmeren rand van het zwembad, met Claire naast zich. Ze hield Blake scherp in de gaten, wachtend op het moment waarop hij zou kunnen worden afgeleid en ze hem kon aanvliegen.

Claire keek niet naar Blake of zijn wapen. Ze zat met fier geheven hoofd en keek haar vader kwaad aan.

'Trek je jas uit,' droeg Blake Boni op. 'Ik wil zien dat je geen wapen draagt.'

'Ik heb altijd een wapen bij me om me te verdedigen,' zei Boni. 'Het zit in de rechterzak van mijn jasje. Maar ik hoop dat je niet denkt dat ik snel genoeg ben om jou neer te schieten.'

'Trek je jas uit,' herhaalde Blake.

Boni haalde zijn schouders op en deed wat er werd opgedragen. Serena was verbaasd over de kilheid van de man, het feit dat hij midden in de nacht werd gebeld met de mededeling dat zijn dochter over twintig minuten dood zou zijn, en dat hij desondanks de tijd nam om zich smetteloos te kleden, tot en met zijn perfect geknoopte stropdas. Blake rolde de jas op en gooide hem naar de andere kant van het terras, zo ver mogelijk weg.

'Ik ben er,' zei Boni tegen Blake. 'Wat wil je?'

'Wat ik *wil*? Wat zou ik willen, denk je?'

'Ik heb geen idee. Je bent niets meer dan een ordinaire moordenaar.'

Blake haalde zijn schouders op. 'Zo vader, zo zoon.'

Boni priemde een vinger in zijn richting. 'Hoe durf je over mij te oordelen? Ik heb miljoenen mensen vermaak verschaft. Ik heb duizenden werknemers voorzien van onderdak, eten en scholing. Ik heb ziekenhuizen en crèches gebouwd en parken aangelegd. Precies op deze plek, waar we nu staan, komt het grootste vermaakcentrum van de stad. Probeer dus niet jouw treurige bestaantje te vergelijken met mijn leven, waardeloos stuk stront.'

'Jij hebt me zo gemaakt!' Blake spuwde de woorden uit.

'Gelul. Goed, je hebt niet de beste kaarten gekregen. Wat een ramp! Ik ben met niks ter wereld gekomen en ik heb alles eigenhandig opgebouwd. Als jij nog steeds een snotterend jochie bent dat zich in Reno verstopt houdt, kun je míj dat niet kwalijk nemen.'

Blake deed een stap naar voren en duwde de loop van zijn wapen hard tegen de huid van Claires voorhoofd. Ze sperde haar ogen in doodsnood open en probeerde naar achteren te gaan, maar Blake greep haar bij haar keel. 'Je geeft geen donder om je zoon,' zei hij tegen Boni. 'Misschien geef je wel om je dochter?'

Boni's stem was als ijs. 'Laat haar los.'

'Vertel me over Amira.'

'Laat mijn dochter los,' herhaalde Boni.

Met een ruk trok Blake het pistool weg en richtte het op Boni. 'Amira,' zei hij opnieuw.

'Wat wil je weten?' vroeg Boni.

'Waarom heb je haar gedwongen haar kind af te staan?'

Boni aarzelde. Serena zag het weer: de razendsnelle berekeningen in zijn hoofd terwijl hij naar de beste kansen zocht. Terwijl hij naar een winnende hand zocht.

'*Ons* kind,' antwoordde Boni kalm. 'Ik was de vader.'

'Dacht je dat ik dat niet wist, *vader*?' zei Blake. 'Dat maakt het alleen maar erger.'

Boni schudde zijn hoofd. 'Ik had geen keus. Eva, mijn vrouw, wist van Amira. Eva kon zelf geen kinderen krijgen, en ze was woedend toen ze erachter kwam dat Amira een kind kreeg. Mijn kind. Ze wilde het weg hebben. En dan bedoel ik écht weg. Een abortus. Maar dat was ik niet van plan. In plaats daarvan stuurde ik Amira weg voor de bevalling en liet ik Eva in de waan dat Amira de abortus had gehad en naar Parijs was om eroverheen te komen. Om over mij heen te komen.'

'Amira wilde me houden,' zei Blake.

Boni aarzelde en zijn ogen schoten even naar Claire. 'Ja, natuurlijk. Ze vond het verschrikkelijk om haar kind af te staan.'

Serena herinnerde zich wat Boni hun eerder had verteld, namelijk dat Amira niet wist hoe snel ze van dat krijsende joch af moest komen. Dat het kind haar absoluut niet interesseerde. Was dat een leugen geweest? Of probeerde hij Blakes gevoelens te sparen en hem aanspreekbaar te maken?

'Toen raakte Eva ten slotte toch in verwachting,' ging Boni verder. 'Dat was toen Amira weg was. Ik vroeg me af of ze soms zonder dat ik het wist al die tijd voorbehoedsmiddelen had gebruikt.'

'Maar Eva stierf,' zei Blake. 'Ze stierf tijdens de bevalling van Claire, dus jij had je dochter. En ik was in de macht van een monster. Waarom ben je me toen niet komen halen? Hoe kon je je eigen zoon de rug toekeren?'

'Niemand wist dat het mijn kind was. Alleen Amira, Eva en ik. Ik kon het op dat moment moeilijk toegeven, vooral...'

Boni zweeg.

Blake maakte de zin af. 'Vooral omdat je Amira vermoordde.'

Boni zweeg.

'Vertel me wat er is gebeurd,' drong Blake aan.

'Daar heb ik niets over te zeggen.'

'Vertel het me.'

'Dat verandert niets aan de situatie.'

Blake stormde op Claire af en duwde haar het pistool weer in haar gezicht, zodat ze bijna achteroverviel. *'Vertel het!'*

Blake haalde snuivend adem. Serena zag dat hij helemaal op Boni was gefocust en minder aandacht had voor wat er verder gebeurde. Langzaam trok ze een voet bij, zodat ze een betere uitgangshouding had om op te springen wanneer hij haar daartoe de gelegenheid bood. Dat was het moment waarop ze in het donker achter Blakes schouder iets opmerkte. Ze zag een beweging op het dak, op de hoek van het terras. Nu pas viel haar op dat er een smalle ladder tegen de betegelde muur zat. En er was iemand tegen de skyline opgedoken die op de eerste tree stapte.

Haar hart bonsde.

Jonny.

Stride wist dat dit het beste moment was. Blake ging helemaal op in de hevige ruzie met Boni en dacht er niet aan dat er achter of boven hem iets aan de hand kon zijn.

Hij dacht erover Blake vanaf het dak neer te schieten. *Als je iemand onder schot hebt, dan schiet je en dan schiet je raak.* Dat zou Sawhill zeggen. Maak er nu een eind aan. Maar de afstand, de wind en dat krankzinnige neonlicht werkten tegen. Claire en Serena zaten in de vuurlinie. Hij zag het niet duidelijk. Als hij misschoot, of als Blake zich bewoog, kon hij een van hen raken en dat risico wilde hij niet lopen.

Hij dook in elkaar met zijn rug naar het terras, pakte met één hand de ijzeren leuning van de ladder beet en hield zijn wapen in zijn andere hand. Toen hij omlaagkeek, zag hij Serena zijn kant op kijken en toen snel weer naar Blake.

De wind rukte aan hem. Hij voelde de leuning trillen. De ladder zat los en was onstabiel, en hij wist niet wat er ging gebeuren wanneer hij zijn volle negentig kilo erop zou zetten. Hij zwaaide zijn rechterbeen over de rand. Zijn voet tastte behoedzaam naar de bovenste tree. Hij probeerde hem te testen, helde iets achterover met zijn voet op de sport en voelde de ladder door de windvlagen en onder zijn gewicht heen en weer gaan.

Maar hij hield het.

Hij pakte de leuning stevig vast en haakte zijn arm en pols om het metaal voor meer hefboomwerking. Hij hield zijn wapen op Blake gericht, maar zijn arm wilde niet meewerken, zodat het richten niet echt lukte. Nu zwaaide hij ook zijn linkerbeen over de rand en stond hij met twee voeten gewoon op de bovenste sport. Via zijn benen voelde hij trillingen door zijn lichaam trekken.

Hij zakte een sport lager, achterwaarts, met één arm.

En toen ging het helemaal mis.

De dampkring leek zijn mond wijd te openen, diep adem te halen en toen als een tornado uit te ademen in de inham in het dak. De windvlaag gaf hem een klap in zijn rug, zodat hij met zijn hele lichaam tegen de onstabiele ladder klapte. Zijn pols sloeg tegen de leuning, zodat zijn wapen uit zijn hand vloog en hij vol afgrijzen zag hij hoe het naar het terras tuimelde. Toen de wind draaide en hem terugzoog, slingerde hij uit zijn evenwicht. De verroeste bout waarmee de ladder aan de muur zat, schoot los en een seconde later hing Stride in de lucht. De ladder draaide in een trage boog naar de borstwering. Hij hing aan één hand, voelde het ijzer protesteren en zwaaien toen hij met zijn volle gewicht aan de laatste verroeste bout kwam te hangen.

Met een afgrijselijk geknars liet de bout los. De ladder begon vanuit het midden naar voren te hellen, metaal scheurde en boog. Stride keek in zijn val naar beneden, zag de rij uivormige bollen boven op de muur en daarachter twintig verdiepingen lucht.

Serena zag het wapen uit Jonny's handen vliegen. Ze zette haar linkervoet schrap op het marmer en keek naar Blake, afwachtend. Toen het wapen op de grond kletterde, draaide Blake zich in een reflex om teneinde achter zich te kijken, en op dat moment sprong Serena naar voren en schoot ze als een veer vanuit haar knieën omhoog. Ze ramde op Blake in met haar samengebalde vuisten en dreef ze in zijn onderlichaam. Zijn wapen vloog uit zijn vingers en gleed achter hem weg. Blake tuimelde naar achteren en in haar vaart ging Serena eveneens onderuit. Omdat haar handen waren samengebonden, kon Serena haar val niet breken en de harde ondergrond ramde haar armen in haar borst en perste alle lucht uit haar longen. Ze kreeg geen adem meer.

Ze probeerde op te staan en bracht het tot knielen. Haar ogen speurden rond in het donker. Waar was het wapen?

Langzaam kreeg ze haar adem terug. Haar borstkas zwol.

Blakes wapen lag even verderop, bijna binnen haar bereik. Ze graaide ernaar en probeerde op te staan, maar voor ze op haar voeten stond, ging er een elektrische schok van licht en pijn door haar schedel. Blakes elleboog knalde tegen haar hoofd, sloeg haar omver. Toen stapte Blake over haar heen en stortte zich op het wapen.

De borstwering verscheen in Strides beeld. Hij klampte zich vast aan de leuning van de verbogen ladder die hem tot boven het diepe gat naar de straat liet uitzwaaien. Even bungelde hij daar, zijn voeten vrij hangend in de lucht, en liep het hem dun door de broek. Het ijzer jammerde en protesteerde en zakte verder. Zijn greep op de leuning was glibberig van het zweet. Stride zocht koortsachtig naar houvast voor zijn voeten, maar voelde alleen maar lucht, tot hij eindelijk met zijn schoen over de rand van de muur schraapte. Hij verplaatste zijn gewicht en vond steun op de borstwering, stond met een halve voet op het randje.

Een paar tellen die eindeloos leken te duren hing en stond hij daar, speelbal van de ongedurige wind. Uiteindelijk kwam er een vlaag aan die hem naar voren, richting hotel stuwde, en Stride liet de ladder los. Hij bukte zich en wilde een van de stenen bollen pakken, maar daar was hij al voorbij; hij tuimelde voorover, viel, kwam met een dreun op het terras terecht en rolde door.

Door de klap versuft stond hij te zwaaien toen hij overeind kwam. Hij keek snel om zich heen waar zijn wapen was, maar kon het niet vinden. Toen zag hij Blake over het marmer krabbelen en een ander wapen, dat bijna binnen het bereik van de moordenaar lag.

Stride deed een uitval, net op het moment dat Blake zijn vingers om de kolf van het pistool kromde.

Met een lichtflits en een oorverdovende knal vuurde Blake. Stride voelde een brandende pijn langs zijn been schieten en dook en struikelde half over Blake heen. Hij hoorde iets knappen en realiseerde zich dat het Blakes pols was die brak toen

Strides schouder op zijn arm terechtkwam. Blake slikte een kreet van pijn in en het wapen viel uit zijn hand. Stride draaide zich snel om en greep ernaar, maar Blake bokte als een ongetemd paard en wierp Stride van zijn rug. Blake kreeg het wapen weer te pakken, maar kon het nu nauwelijks vasthouden. Stride rolde opzij en stond op. Blake lag nog voorover op de grond en probeerde het wapen te richten. Stride gaf met de zijkant van zijn voet een harde trap tegen de gebroken pols, wat Blake opnieuw een kreet van pijn ontlokte en het wapen richting zwembad deed tollen.

Stride bukte zich en zette Blake in één beweging overeind. Het lichaam van de moordenaar leek van rubber, zijn gezicht zat vol schaafwonden en hij keek wazig uit zijn ogen. Stride haalde uit om Blake een kaakslag te geven, maar besefte dat hij op het verkeerde been was gezet toen Blake hem een keihard knietje gaf. Terwijl de gloeiende pijn door zijn lijf schoot en hij achteruitwankelde, zag Stride de zijkant van Blakes linkerhand naar zijn hoofd scheren. Hij probeerde de klap te ontduiken, maar werd hard op zijn wang geraakt en tolde om zijn as, viel op zijn knieën.

Serena zag Strides wapen liggen, op een meter van de muur, vlak bij de overblijfselen van de ladder. Blake draaide zich om, volgde haar blik en zag het wapen eveneens. Ze renden er beiden op af. Serena was nog niet helemaal op adem en ze besefte dat Blake sneller was, dat hij er eerder zou zijn. Ze draaide een kwartslag en dook naar hem in een poging hem te tackelen. Blake zag haar komen, week uit en sprong omhoog om haar lichaam te vermijden. Zijn voet bleef achter haar benen haken; hij trok zich los maar verloor zijn evenwicht en viel.

Ze zag dat Jonny weer op zijn benen stond en ook op het wapen af rende.

Toen voelde Serena een sterke arm, die zich als een slang om haar hals kronkelde en haar aan haar nek op haar knieën trok; haar luchtpijp werd door de verpletterende greep dichtgeknepen. Ze vocht en kreeg geen adem. Blake had haar in een houdgreep.

'Stride!' schreeuwde Blake.

Ze zag Jonny verstijven. Het voelde aan of haar ogen uit hun kassen puilden.

'Ik vermoord haar.'

Ze wilde tegen hem zeggen: *Pak dat wapen.* Laat Blake de pest krijgen. Maak er een eind aan. Maar ze kon geen geluid uitbrengen; het enige wat ze kon, was zien hoe de wereld begon te tollen en zwart werd. Haar armen en benen voelden zo slap aan als van een marionet. Ze vroeg zich af of het voor Amira net zo was geweest toen ze hier stierf.

Ze hoorde Blake hijgen. Zijn greep werd niet losser. Hij was bezig haar te vermoorden, haar langzaam te laten stikken. Het bloed in haar hersens begon te bulderen, haar zenuwuiteinden ontploften als voetzoekers en veroorzaakten een pijn in haar hoofd alsof haar schedel zou splijten.

Haar blik viel op Jonny. Hij zweefde door haar beeld en maakte salto's. *Pak dat wapen, Jonny.*

Jonny deed een stap naar het wapen.

'Ik vermoord haar,' herhaalde Blake.

Serena voelde zijn andere arm over haar hoofd glijden, haar bij haar haren pakken. Hij was van plan haar nek om te draaien en haar ruggengraat te breken. Maar ondanks de duisternis die over haar kwam, realiseerde Serena zich dat Blake haar hoofd met die hand amper kon vasthouden. *Krak.* Gebroken pols. Zwakke plek. Kwetsbaar.

Ze hoopte dat ze haar samengebonden armen boven haar hoofd kon krijgen. Ze zei tegen haar armen wat ze moesten doen, en ergens te midden van die verwarde impulsen die haar brein verstuurde zaten er een paar die haar armen lieten gehoorzamen. Ze strekte haar gebonden handen uit en pakte Blakes pols die op haar hoofd lag en drukte zo hard als ze kon op het bot.

Blake schreeuwde het uit. Serena gaf een ruk aan de pols. Heel even werd de greep van de andere arm losser en Serena worstelde zich los, naar adem happend, en voelde het bloed naar haar hoofd terugstromen. Ze struikelde, verloor haar evenwicht.

Anderhalve meter verderop schoot Jonny op het wapen af. Net als Blake.

Blake was dichterbij, maar Stride dook op hem voor hij het kon pakken. Hij smeet Blake zo hard tegen de borstwering dat de moordenaar ertegenaan klapte en terugstuiterde. Stride wachtte hem op en plaatste zo'n mokerslag in Blakes gezicht dat zijn hoofd achteroverknakte. Bloedspetters vlogen uit zijn mond. De moordenaar wankelde tegen de muur en Stride kwam achter hem aan, raakte hem opnieuw.

Stride voelde in zijn hand een stekende pijn die tot op het bot ging. Hij bedacht dat hij misschien een paar vingers had gebroken.

Blake zakte op zijn knieën in elkaar, en zijn hoofd zakte naar voren. Zijn bovenlichaam zwaaide heen en weer en zakte op de grond ineen, zonder nog te bewegen. Stride haalde diep adem en stak zijn handen naar achteren om zijn handboeien te pakken.

Hij keek naar beneden. Er klopte iets niet.

Achter hem zag Serena het ook, en ze schreeuwde: 'Waar is het wapen?'

Stride besefte dat hij zijn wapen nergens meer zag. Blake had zijn lichaam met opzet zo laten draaien dat hij erbovenop terecht was gekomen. Stride zag Blakes arm bewegen en dat de man zich van de grond omhoogduwde met in zijn andere hand het wapen.

Blake richtte het wapen, niet op Stride, niet op Serena, maar op zichzelf.

Hij drukte het tegen de zijkant van zijn hoofd. Hij kon het amper stilhouden.

'Laat vallen, Blake,' beval Serena.

Blake hees zich overeind. Hij wankelde naar de muur. Stride en Serena kwamen van twee kanten voetje voor voetje naar hem toe.

'Geef ons dat wapen,' zei Serena.

Blake toonde hun een bloedige lach. Hij legde zijn slechte hand rond een van de uivormige bollen en zette zich met een van pijn vertrokken gezicht schrap terwijl hij een been optrok en op de borstwering legde. Het wapen in zijn hand danste alle kanten op. Hij trok zijn andere been op en ging staan, griezelig balancerend op de smalle stenen rand van de borstwering. Blake zwaaide heen en weer, de wind speelde met hem.

Hij nam het wapen bij zijn hoofd vandaan en gooide het met een nonchalant gebaar naar beneden.

Stride deed een stap naar voren, maar Blake stak een hand op, bracht hem tot staan. Hij schudde zijn hoofd. Hij keek een hele tijd naar beneden.

'Amira,' zei hij.

Blake leunde tegen de wind. Hij spreidde zijn armen.

'Doe het niet, broer.'

Een scherpe stem vanaf het terras hield hem tegen op het moment dat hij zich wilde laten vallen. Blake keek om zich heen en zocht steun bij de muur. Stride en Serena keken ook achterom. Stride wist niet wat hij zag.

Het was Claire.

Ze stond bij het zwembad met Serena's wapen in haar uitgestrekte handen. Ze hield het op Boni's hoofd gericht.

50

'Claire, waar ben je in godsnaam mee bezig?' wilde Serena weten.

Claire keek niet achterom. Haar ogen waren over de loop van het wapen heen op haar vader gericht en ze liep langzaam, stap voor stap, op hem toe tot het wapen een paar centimeter van zijn ogen verwijderd was. Serena zag dat Claire over haar hele lichaam beefde. Haar gezicht straalde haat uit en een wereld van pijn die als olie uit een bron naar buiten spoot.

Boni leek het wapen niet eens te zien. Zijn blauwe ogen en haar blauwe ogen waren in een duel verwikkeld. Claire huilde en ze moest moeite doen om het pistool te blijven richten.

'Nu weet je hoe ik me heb gevoeld,' zei ze. 'Machteloos.'

'Wat wil je, Claire?'

'Dat je Blake de waarheid vertelt. Dat ben je hem verschuldigd.'

'Ik ben hem niks verschuldigd,' snauwde Boni.

Claire schudde haar hoofd. 'Jij hebt Amira toch vermoord? Omdat ze het gore lef had te proberen onder jouw duim uit te komen. Omdat ze niemands bezit wilde zijn en haar eigen gang wilde gaan.'

'Ik hield van Amira,' zei Boni.

'Iedereen van wie jij houdt, moet het bezuren,' pareerde Claire.

'Ik kan er niet over praten.'

'Het is veertig jaar geleden,' hield ze vol. 'Niemand kan je nog iets maken.'

'Je kunt me net zogoed doodschieten, Claire, als dat is wat je wilt. Ik zeg geen woord over Amira.'

'Wil je dat? Dat ik de trekker overhaal?'

'Hou daar in godsnaam mee op,' smeekte Serena haar. Ze deed een paar stappen in hun richting, maar Boni hief zijn hand op om haar tegen te houden.

'Het is goed zo, rechercheur,' zei Boni. Hij richtte zijn blik op Claire. 'Lieverd, schiet me dood, als je dat wilt. Ik wil alleen niet dat je daarmee je leven vergooit.'

'Is mijn leven jou meer waard?' vroeg Claire. Ze hief haar hoofd op en schoof de loop onder haar eigen kin. 'Nu dan maar?'

'Claire! Nee!' schreeuwde Serena.

Boni keek naar zijn dochter. Het leek Serena dat zijn ogen zich met tranen vulden. 'Je bent zo mooi. Precies je moeder.'

'Denk je dat ik nu gevoelig word voor dat soort gelul?' vroeg Claire. 'Wat komt er hierna? Ga je me vertellen dat je zoveel van me houdt? Dat betekent helemaal niks.'

'Ik hou van je.'

'Denk je dat ik het niet doe?' wilde Claire weten en duwde het wapen nog harder in haar huid. 'Denk je dat echt? Ik ben een kind van jou. Dan weet je dat ik het doe.'

'Als je dacht dat je me daarmee voldoende pijn zou doen, ja, dan zou je het zeker doen.'

'Moet je óns nou zien!' riep Claire uit. 'Dit is het gezin dat jij hebt gesticht. Kijk naar je zoon daar op het muurtje. Dat heb jij hem aangedaan. En je weet verdomd goed wat je mij hebt aangedaan.'

Boni deinsde als gestoken achteruit. 'Alsjeblieft, Claire, laat dat rusten.'

'O, neem me niet kwalijk. Hang ik soms de vuile familiewas buiten? Breng ik je in verlegenheid?'

'Claire,' smeekte Boni. 'Doe het niet.'

Het was of Claire bloed rook en er als een haai op af zwom. 'Je *wist* wat die smeerlap met me heeft gedaan.'

Serena wist niet over wie Claire het had, maar Boni blijkbaar wel. Hij was duidelijk geschokt.

'Het was een verschrikkelijk misverstand,' zei Boni.

'Misverstand? Je beschuldigde mij ervan dat ik dronken was. Je zei dat ik hem ertoe had gebracht. Je wist dat dat een leugen was.'

'Ik wilde niet geloven wat hij met je had gedaan.'

Boni strekte zijn armen naar haar uit, probeerde haar aan te raken. Claire deed een stap achteruit en smeet het pistool in het zwembad, waar het in het halfdoorschijnende water plonsde. Ze schreeuwde het uit: 'Hij heeft me verkracht!'

'Claire, daar wil ik niet over praten. Niet hier.'

'Nee, natuurlijk niet. Dan zou je rijk wel eens gevaar kunnen lopen. Het zou pijnlijk kunnen zijn voor *hem*. Mijn god, die man heeft je dochter verkracht, en jij hebt het in de doofpot gestopt.'

'Daar heb ik spijt van. Verschrikkelijk veel spijt.'

'Je had de keuze tussen hem en mij. Maar het is nooit een echte keus geweest, hè? Je koos altijd voor hem. Alles wat je deed, deed je om hem te beschermen.'

Wie dan? wilde Serena uitschreeuwen.

'We hebben erover gepraat,' zei Boni. 'En toen zei je dat je er begrip voor had.'

'Natuurlijk had ik er begrip voor. Ik vroeg je een heel leven van leugens openbaar te maken. Je zou alles verloren hebben. De bak in zijn gegaan. Dus was ik een brave meid en hield ik mijn mond. Ik hield mijn mond, ook al had ik nog jaren daarna nachtmerries. Ik hield mijn mond, ook al werd ik misselijk en bang wanneer ik zijn gezicht zag. Ik hield mijn mond, en daarmee redde ik jou.'

'Dat was meer dan tien jaar geleden, Claire,' zei Boni. 'Wat wil je dat ik doe? Hoe kan ik het dan eindelijk goedmaken?'

'Dat kun je nooit. Maar je zou één keer in je leven de waarheid kunnen zeggen. De verantwoordelijkheid nemen voor wat je hebt gedaan. Wat is er met Amira gebeurd?'

Boni leek verslagen. 'Dat kan ik niet vertellen.'

'Waarom niet? Je zegt dat je Blake niks verschuldigd bent. Maar mij ben je wel degelijk iets verschuldigd.'

'Dat weet ik. Maar je mag dat niet van me vragen, Claire. Echt niet.'

Claire zag eruit alsof ze van frustratie uit elkaar zou springen. Als ze het wapen nog had gehad, dacht Serena, had ze Boni doodgeschoten. Of zichzelf. Of hen allebei. Claire keerde zich af, en haar schouders schokten hevig terwijl ze het uitsnikte.

Boni sloot zijn ogen. Het verdriet van zijn dochter trof hem als een messteek en opende oude wonden. 'Hij was het, Claire,' zei hij zacht. 'Toen, met Amira.'

Claire draaide zich ongelovig om. 'Nee.'

Boni knikte. 'Toen is het tussen hem en mij begonnen. Ik heb hem gemaakt tot wat hij is. Hij is mijn Frankenstein.'

'Heeft *Mickey* Amira vermoord?'

Boni trok een gezicht alsof Claire de doos van Pandora had geopend en alle demonen eruit waren gevlogen en overal rondfladderden. Alsof ze, door die naam te noemen, het pistool had gepakt en hem had neergeschoten.

Serena's hersens draaiden op volle toeren en ze articuleerde de naam geluidloos naar Stride.

Claire deed een stap naar voren en gaf hem een klap in zijn gezicht, zo hard dat de oude man zijn evenwicht verloor. 'Je wist wat voor monster hij was. Hoe kon je hem in mijn buurt toelaten? Hoe kon je mij vragen met hem uit te gaan?'

'Er was al zoveel tijd overheen gegaan. Ik dacht dat hij was veranderd, dat ik hem kon vertrouwen.'

'Hij is nog altijd belangrijker voor je dan ik, hè? Zelfs na al die jaren. Ja, natuurlijk is hij belangrijker dan ik. Het gaat jou nog altijd om je imperium. De Orient. De sluitsteen van je leven, waarvan elke steen is gebouwd op leed en geweld en dood.'

'Hou op, Claire.'

Claire schreeuwde het hem pal in zijn gezicht met een lip die van minachting omlaagkrulde. '*Mickey!* Ons grote geheim, papa. Hij hangt al veertig jaar om jouw nek. En om de mijne.'

Boni schudde zijn hoofd. 'Hij is er nog altijd, Claire. Dit verandert er niets aan. Dat weet je.'

'Je vergist je. Het is afgelopen. Er komt een rechtzaak. Blak z'n rechtzaak. En dan komt het allemaal aan het licht. Amira. Mickey. Jij. Alles.'

'Dat kan ik niet toelaten.'

'Dat bepaal jij niet meer.'

Boni klonk vermoeid. 'Natuurlijk bepaal ik dat nog.'

Hij stak een hand in zijn achterzak en haalde er een pakje Europese sigaretten uit. Hij liet er een in zijn hand glijden, rommelde in een andere zak en hield een ouderwetse Zippo-aansteker in zijn hand.

'Alles,' zei hij.

Hij stak de aansteker aan die zelfs met die wind een vlammetje produceerde.

Een tel later schokte Blake op de rand als een elektrisch danspoppetje en werden zijn ogen groot. Serena zag hem in verwarring wankelen. Er verscheen een rode vlek op zijn shirt, rode straaltjes liepen over zijn borst. Even later rolde de geluidsgolf van een ver schot over het terras. Blake zakte in elkaar, trok wit weg en verdween ruggelings in een lange val die naar de parkeerplaats beneden voerde.

DEEL VIER

MICKEY

51

Stride wist dat ze een probleem hadden toen niemand op het terras hun verklaringen wilde opnemen. Het was een plaats delict, er waren schoten gevallen. Een man, hoe slecht ook, hoeveel anderen hij ook had gedood, lag dood op de grond ver beneden hen. Opzettelijk vermoord. Ze zouden nu alles moeten vertellen, ze zouden voor het onvermijdelijke onderzoek en proces, die zouden volgen, moeten verklaren wat er was gebeurd en hoe het was gebeurd.

Zo ging het dus niet.

Sawhill arriveerde en nam persoonlijk de leiding van het onderzoek ter plaatse op zich, wat voornamelijk betekende mensen weghouden. De eerste twintig minuten had hij met Boni gepraat, niet met zijn eigen rechercheurs. De twee mannen hadden elkaar als oude vrienden omarmd. Dat was het eerste slechte teken. Toen had Sawhill een geüniformeerde agent gevraagd Claire naar huis te brengen, naar haar flat. Hij had het niet aan Serena of Stride gevraagd. Claire had verlangende blikken naar hen geworpen maar zich zonder protest laten wegvoeren.

'Hé, jullie twee,' zei Sawhill uiteindelijk. 'Gaan jullie maar lekker slapen.'

Dat was het tweede slechte teken.

'U moet onze verklaringen nog hebben,' protesteerde Stride.

'Dat kan tot morgen wachten. Jullie hebben allebei een zware nacht achter de rug. En goed werk geleverd. Jullie hebben een massamoordenaar van de straat gehaald. Wegwezen, dus. Praten doen we morgen.'

Sawhill lachte naar hen. Hij probeerde zich te gedragen als een trotse ouder, maar Stride wist dat het het lachje van een politicus was. Sawhill draaide het programma 'schade beperken' af. De witkwast werd gehanteerd, de zonden werden weggewist, de voorbereidingen werden getroffen om hen de volgende week tegelijk met de Sheherezade voor eens en altijd het zwijgen op te leggen. Maar Stride was te moe om te klagen. De verbonden vleeswond in zijn kuit klopte. Hij had overal pijn en was blij dat hij weg kon.

Serena en hij gingen naar huis. Ze hadden geen energie meer om te praten. Ze ploften in bed en waren snel buiten westen, en het enige dat nog tot Stride doordrong, was dat de verkreukelde lakens naar Claires parfum roken. Hij dommelde weg en had erotische dromen die werden onderbroken door geweld, vallende mensen en verkrachtingskreten.

Ze sliepen tien uur aan één stuk.

In het begin van de middag verschenen ze op het bureau. Het gebouw gonsde van een uitgelaten opwinding: zaak gesloten. Collega's kwamen langs en klopten hen op de schouder, feliciteerden hen. Overal high fives. *Blake nam een duik. Heel goed.* Ook Sawhill was er, en hij lachte nog steeds toen hij hen zijn kantoor inloodste. Het was hetzelfde politicuslachje als van die nacht, en Stride wist dat ze zo meteen met een kluitje in het riet zouden worden gestuurd.

Terwijl hij de deur sloot, zei Sawhill het ondenkbare tegen zijn assistent: 'Hou alle telefoontjes tegen.'

Stride en Serena namen plaats op de stoelen die voor Sawhills bureau stonden. De commissaris liet zijn stressballetje liggen; hij leek vandaag stressvrij. 'Gefeliciteerd, jullie allebei,' deelde hij hun mee. 'Gouverneur Durand heeft me gevraagd jullie zijn persoonlijke dankbetuiging over te brengen.'

Ze gaven geen antwoord.

'Ik hoef jullie niet te vertellen hoe erg ik het vind van Amanda,' vervolgde Sawhill. 'Maar jullie hebben hem gepakt. Goed van jullie. En de belastingbetalers hoeven de komende veertig jaar geen kost en inwoning voor hem te betalen. Dat is nog mooier.'

'Wie leidt nu het onderzoek?' vroeg Stride.

'Welk onderzoek?'

'Naar de dood van Blake.'

'O, dat is vannacht al afgerond,' antwoordde Sawhill. Zijn lach werd breder, alsof het zijn neus was die langer werd.

'Afgerond?' vroeg Stride. 'Wie heeft hem dan vermoord?'

'Het hoofd van Boni's beveiligingsbedrijf, David Kamen. Dat is een scherpschutter, zoals jullie je nog wel zullen herinneren. Gelukkig dacht Boni eraan zijn voorzorgsmaatregelen te nemen toen Blake hem belde. Hij heeft Kamen in de Charlcombe Towers tegenover de Sheherezade neergezet.'

Stride knikte. Zoiets vermoedde hij al. 'Staat Boni onder arrest?'

Sawhill keek geschokt. 'Op grond waarvan?'

'Hij heeft Blake laten doden. Het was puur moord. Blake kon geen kwaad meer, sir. Boni heeft Kamen groen licht gegeven om hem te vermoorden omdat hij niet wilde dat er tijdens Blakes proces allemaal belastende verklaringen over Amira's dood zouden worden afgelegd.'

'Je vergist je, rechercheur. Ik heb vannacht zelf met Kamen gepraat. Hij had Blake de hele tijd in het vizier, en hij schoot toen Blake zijn reservewapen wilde pakken dat hij in een enkelholster bij zich had.'

'Blake heeft geen vin verroerd,' zei Stride.

'Ben je daar absoluut zeker van? Ik heb begrepen dat je op dat moment al je aandacht bij Boni en Claire had. Het is maar goed dat Kamen er was. Het had weer een vergissing van je kunnen zijn, een fatale deze keer. Blake had in no time zijn wapen kunnen trekken en jullie allebei kunnen omleggen.'

Stride fronste zijn voorhoofd. Hij zou in de rechtszaal niet durven zweren dat zijn aandacht tijdens de confrontatie tussen

Boni en Claire geen tel was afgeleid. Blake zou maar heel even nodig hebben gehad.

Alleen was het een leugen. Dat wisten ze alle drie.

'We hebben op de grond naast het lichaam een wapen gevonden,' ging Sawhill verder. 'Een Walther. Klein maar dodelijk. De holster zat nog om Blakes enkel.'

Kwam dat even goed uit, dacht Stride. 'Dus dat was het?' vroeg hij.

'Inderdaad.'

'Wie is Mickey?' vroeg Stride. Hij keek naar Sawhills ogen maar werd niets wijzer uit diens onbewogen blik.

'Mickey? Ik heb geen idee waar je het over hebt.'

'En hoe zit het met Amira?' hield Stride vol.

Sawhill lachte. 'Zoals ik je in het begin al heb gezegd, rechercheur, is Amira Luz vermoord door een geflipte fan.'

Stride stak een sigaret op. Serena keek hem fronsend aan.

Ze zaten in een park niet ver van het bureau. Het was aan het eind van de middag. De hittegolf was eindelijk ten einde en het oktoberzonnetje maakte er een paradijselijke dag van. Temperaturen van net in de twintig graden, strakblauwe hemel. De smog had een vrije dag genomen, zodat de bergen scherp en helder aan de horizon stonden.

Hij was weer half verslaafd, en hij wist het. De rook in zijn longen voelde aan als een oude vriend die hij zeer had gemist. Hij keek Serena niet aan. 'Ik zou ook niks zeggen als jij een borrel nam,' zei hij.

'Leugenaar. Je zou hem uit mijn handen rukken en de fles in de gootsteen leeggieten.'

'Ja, inderdaad,' gaf hij toe.

Serena boog zich naar hem toe en haalde de sigaret tussen zijn lippen vandaan. Ze gooide hem op de grond en drukte hem met haar voet uit. Een paar asdeeltjes vonkten na in het zand. Stride werd meteen weer overvallen door een verlangen, en hij vroeg zich of hij de strijd voor een tweede keer zou kunnen winnen.

'Je hebt helemaal niet gevraagd naar Claire en mij,' zei Serena. Ze kneep haar ogen tot spleetjes tegen de zon en Stride zag haar tong even over haar droge lippen strijken.

'Dat is zo,' zei Stride op neutrale toon. Het was de hele dag bij vlagen in zijn gedachten geweest. Claires zoete geur in hun bed. Maar hij was niet van plan er iets over te zeggen. Hij wachtte en snakte naar een sigaret.

'Ik snap het al,' zei Serena. 'De bal ligt bij mij. Het wel of niet vertellen. Veel kerels zouden er niet tegen kunnen om het niet te weten.'

'Ik zeg niet dat ik het wel kan,' zei Stride.

Ze bestudeerde haar vingernagels en leek erg nerveus.

'We hebben seks gehad,' deelde Serena mee.

De woorden hingen tussen hen en Stride probeerde iets wijzer te worden uit haar gezicht. Ze voelde gêne. Schuld. Angst. Trots.

'Ik bedoel dat we seks zouden gaan hebben,' ging ze haastig verder. 'Blake onderbrak het voor er echt iets kon gebeuren. Maar daar gaat het niet om. We waren begonnen. Ik stond op het punt om haar met me te laten vrijen, en ik met haar. En dat is de waarheid.'

Ze wilde dat hij tegen haar zei dat het allemaal oké was. Hij hoopte dat zijn uitdrukkingloosheid niet overkwam als een afwijzing.

'Ga je nog iets zeggen?' vroeg Serena.

Stride zei het eerste dat in hem opkwam. 'Ik heb een enorme stijve.'

Serena barstte in lachen uit. Stride ook. Toen ze uitgelachen waren, kuste ze hem vol vuur en fluisterde: 'En hoe reageert de rest van je?'

'Voor mij verandert er niks. De vraag is wat het voor jou betekent.'

'Ik heb het gevoel dat ik een duivel heb uitgebannen. Maar ik was bang dat ik jou erdoor zou kwijtraken.'

'Dat zat er niet in.'

'Sorry,' zei ze.'

'Waarvoor? Toch niet hiervoor? Dat hoeft niet.'

'Ik moet Claire gaan vertellen hoe het zit. Haar vriendelijk afwijzen.'

'Heb je haar al gesproken?' vroeg Stride.

Serena schudde haar hoofd. 'Ik maak me zorgen. Ik heb geprobeerd haar thuis te bellen, mobiel, in de club. Niks. Ik weet niet waar ze is.'

'Boni heeft haar onder zijn hoede genomen.'

'Dat baart me juist zorgen.'

'Ik denk niet dat hij haar echt kwaad zal doen,' zei Stride.

'Nee? Hij heeft zijn eigen zoon vermoord. Ik wil niet dat ze als een zogenaamde zelfmoord eindigt. "Mijn dochter was in de war, ze kon de spanningen niet aan." Dat soort smeerlapperij.'

'Je geeft echt om haar.'

Serena aarzelde. 'Ja, inderdaad. Ik zou van haar kunnen houden. Maar zover ga ik niet.'

Het verbaasde Stride dat hij zo'n enorme opluchting ervoer bij het horen van die woorden. 'Ze wilde dat de waarheid naar buiten kwam, maar het ziet er niet naar uit dat dat nog gaat gebeuren. Kan Claire daarmee leven?'

'Boni laat haar geen keus.'

'En wij? Kunnen wij met die doofpot leven?'

Serena haalde haar schouders op: 'Het is niet voor het eerst.'

Stride hoorde en begreep de boodschap. Ze hadden de moord op Rachel Deese, de zaak die hen had samengebracht, opgelost op een manier die de waarheid in het midden liet. Op verzoek van Stride. Dat was hun geheim.

'Soms winnen politiek en geld, Jonny,' voegde ze eraan toe.

'In Vegas?'

'Overal.'

'Groter is de vraag of hij óns laat leven,' zei Stride. 'We hebben dingen gehoord die we niet behoorden te horen.'

'Mickey.'

'Precies. Wie het ook is, hij is de spil van Boni's macht.'

'Maar hij moet toen nog een jonge knaap zijn geweest,' zei Serena.

'Helen Truax zei dat het een badmeester was. Een badmeester die hoopte dat hij geluk had bij de vrouwen van de gokkers. Misschien heeft hij geprobeerd Amira te verleiden en liep dat uit de hand.'

Serena schudde het hoofd. 'Onmogelijk. Hij was bij Amira omdat Boni dat wilde. Hij belde Rucci toen de klus was geklaard. Dat verhaal over een knokpartij was gewoon een afleidingsmanoeuvre.'

'En vanaf die dag bezat Boni zijn ziel,' zei Stride. Hij pakte zijn mobieltje en begon te kiezen. 'Ik stel voor dat we uitzoeken wie het is.'

'Helen wist het niet.'

'Misschien dat Moose het weet.'

Stride hoorde de stem van de grote komiek en maakte zich opnieuw bekend. Moose struikelde over zijn woorden toen hij Stride wilde gelukwensen met de vangst van Tierneys moordenaar. Stride liet hem uitratelen. Hij zag de wenkbrauwen al dansen van vreugde.

'Ik wou u een vraag stellen,' zei Stride toen Moose eindelijk naar adem moest happen.

'Roept u maar.'

'Herinnert u zich een badmeester in de Sheherezade, in 1967, die Mickey heette?'

Er viel een lange stilte aan de andere kant, en Moose begon terug te krabbelen. 'Er waren toen zoveel studenten.'

'Dat is geen antwoord, Moose. Hebt u hem gekend?'

'Hoezo? Waar gaat het om?'

'Gewoon een los eindje dat we willen wegwerken.'

Hij hoorde Moose ademen. 'Nou, volgens mij maakt hij er geen groot geheim van. Hij betaalde zijn rechtenstudie van het geld dat hij in de Sheherezade verdiende. Dat deden een hele hoop mensen die later hoog eindigden.'

Stride kreeg een onaangenaam gevoel. Hij vroeg zich af of hij een fout had gemaakt die voor Serena en hemzelf de dood kon betekenen. 'Dus u hebt contact met hem gehouden?'

'Natuurlijk. Mickey Durand is de beste vriend die de amusementsindustrie in deze staat ooit heeft gehad. Als God en de kiezers dat willen, wordt hij volgende maand herkozen.'

52

Beatrice Erdspring drukte steeds weer op de volumeknop van de afstandsbediening van de tv, maar het maakte geen enkel verschil in het geluid. De nieuwslezer bleef fluisteren en ze verstond er niets van.

'Hè, wat een ellende,' mopperde ze en trok de crèmekleurige deken dichter om haar nachthemd.

Ze probeerde verschillende zenders, maar het was overal hetzelfde, dus ging ze maar weer terug naar de plaatselijke CBS-zender waar die aardige Latijns-Amerikaanse meneer met het zwarte haar het nieuws las. Raul heette hij. Hij zag er sterk en betrouwbaar uit, en hij had een mooie snor. Emmett, haar man, had ook altijd een snor gehad.

Het was niks voor Raul om te fluisteren, maar zelfs toen Beatrice haar hoofd naar voren stak en een hand achter haar oor legde, kon ze amper een woord verstaan.

'Praat eens wat harder, Raul,' zei ze tegen de tv.

Beatrice was gefrustreerd omdat ze de aantrekkelijke vrouw die ze op die oude foto lieten zien had gekend. Ze wilde alles horen wat er over haar werd gezegd.

'Kun jij het verstaan, Rowena?' riep Beatrice naar haar kamergenote. 'Volgens mij is de tv weer kapot. Of er moeten nieuwe batterijen in de afstandsbediening.'

Rowena lag in het andere bed in de aanleunwoning die ze in Boulder City deelden. Beatrice keek naar haar en zag dat ze weer sliep. Die sliep bijna de hele tijd. Beatrice had het afgelopen jaar al drie kamergenoten gehad, en ze was bang dat Rowena ook alweer gauw weg zou gaan. En dat was doodzonde, want als ze wakker was lachte je je een bult met haar. Ze had zes kinderen grootgebracht op een melkveebedrijf in Iowa, en met de verhalen die ze vertelde, hield ze je urenlang aan het lachen.

Zoals dat verhaal van haar achtjarige dochter die had geprobeerd een stier te melken. Nou, dat was voor beide partijen een verrassing geweest!

Beatrice staarde weer naar de televisie en zuchtte. Raul was met een ander onderwerp bezig.

Ze keek naar buiten, naar de hoofdstraat van Boulder City. Auto's schoten langs, op weg naar Lake Mead of de Hoover Dam. Flora had de vorige maand voor de bewoners een uitje georganiseerd naar Lake Mead, en hoewel de wind haar haar in de war had gemaakt, was het heerlijk geweest weer water te zien. Niet dat Lake Mead het haalde bij Lake Tahoe, waar ze zo lang had gewoond. Maar het was fijn om weer eens buiten te zijn. Ze genoot van de warmte, hoewel ze de kou van de winternachten van zo lang geleden miste, wanneer Emmett en zij zo knus onder het dekbed wegkropen. Maar ze kon niet meer tegen de kou. Daarom was ze naar het zuidelijke deel van de staat verhuisd.

Flora haastte zich de kamer in, met haar handen tegen haar oren. Ze stoof op de tv af, klikte hem uit en legde zwaar hijgend een hand op haar hart. Ze zwaaide een vinger heen en weer en zei iets dat Beatrice niet verstond.

'Je staat weer te mompelen, Flora,' zei ze. 'Je moet harder praten.'

Flora kwam naast het bed staan en het was of ze schreeuwde, maar de woorden kwamen van ver weg. 'Bea, liefje, je hebt vergeten je gehoorapparaten in te doen.'

'O, hemeltje.'

Flora rommelde in de la van het nachtkastje naast Beatrices bed en dook triomfantelijk twee beigekleurige propjes op die Beatrice elke morgen in haar oren stopte. Flora hielp haar er nu bij en deed toen lachend een stapje achteruit. Flora was een Filippijnse van honderdvijfendertig kilo en alles aan haar schudde als ze lachte.

'Zo beter, liefje?'

'Je hoeft niet zo te schreeuwen, Flora,' zei Beatrice, waarop Flora weer moest lachen.

'Wil je dat ik de tv weer aanzet?' vroeg Flora.

Beatrice schudde haar hoofd. 'Nee, de reportage die ik wilde horen heb ik gemist.'

'Wat voor reportage?'

'Ik heb hem gemist, dus dan weet ik het toch niet. Maar ze lieten een foto zien van een heel mooie meid die ik heb gekend toen ik nog in de verpleging zat.'

'Wat leuk,' zei Flora. Ze was druk bezig met opruimen en luisterde niet meer. 'Heb je gezien dat ze die afschuwelijke man hebben gepakt? Die al die mensen heeft vermoord? Ze hebben hem neergeschoten toen hij boven op een gebouw stond. Pang, pang.'

Flora was nu bij het bed bezig. Ze gaf Beatrice een zetje naar voren, pakte de twee kussen en klopte ze met een machtige bruine vuist op. 'Maar het is wel romantisch. Hij heeft al die mensen vermoord om zijn moeder te wreken. Zijn moeder! Mijn jongens vinden het al moeilijk om op mijn verjaardag te komen.'

'Wie was die moeder?'

'Hè? O, een of andere showgirl uit de jaren zestig. Ze moest haar kind afstaan. Dat is toch wel tragisch, hè? Moet je je voorstellen. Ik zou gek worden als ik een van mijn kinderen moest afstaan. Ik zou het heerlijk vinden als ze op hun vijftigste hier zouden wonen. Maar zoals ze het nu doen, zit dat er ook wel in!'

Beatrices voorhoofd rimpelde. 'Heb je het over Amira Luz?'

Maar Flora was al bijna de kamer uit en keek niet achterom. Beatrice was weer alleen, met Rowena dan, maar die sliep. Ze wist het weer: daarom had ze haar gehoorapparaten uitgedaan. Rowena snurkte als een 727 tijdens de start.

Beatrice dacht aan Amira Luz en glimlachte. Het was zo bijzonder geweest om te zien hoe die mooie, zwangere vrouw op het balkon van haar suite probeerde die vreemde, erotische dansbewegingen te maken met een dikke buik die haar in de weg zat.

Flora moest het over Amira hebben gehad. Waarom zou haar foto na al die jaren anders op tv zijn geweest?

Maar het klopte niet. Flora moest zich hebben vergist.

Beatrice zette de tv weer aan en draaide het geluid met de afstandsbediening snel lager. Ze zwaaide naar Raul en ging toen bij andere zenders kijken of die het verhaal van Amira brachten. Nee, ze hadden zich vergist.

53

De uitnodiging kwam, precies zoals Stride had verwacht. De avond erop zaten ze om tien uur in de spierwitte hal van Boni's penthouse-suite in de Charlcombe Towers. Boni liet hen zelf via de dubbele deuren binnen en ging hen voor de reusachtige cowboyzaal in. De verlichting was gedimd, alleen een paar zwakke lampen en van buiten het schijnsel van de toren.

Boni droeg weer een donker pak. Stride ving een vleug van sigaren en aftershave op. Boni had nog altijd een vlotte, charmante glimlach, en Stride vroeg zich af of hij net als de Cheshirekat kon verdwijnen en alleen zijn lach kon achterlaten om mensen mee voor de gek te houden. Bij de begroeting nam hij hun handen in zijn beide handen.

'Jullie hebben ons het leven gered, rechercheurs. Het mijne en dat van Claire. Ik vond dat ik jullie een feestelijk drankje verschuldigd was.'

'Is dat de reden voor onze aanwezigheid hier?' vroeg Stride met wantrouwen in zijn stem.

'Natuurlijk. Jullie willen toch wel wat met me drinken? Jullie zijn vast niet in diensttijd.'

Boodschap ontvangen en begrepen, dacht Stride. Dit bleef allemaal onder ons.

'Miss Dial, ik weet natuurlijk dat u de voorkeur geeft aan bronwater of vruchtensap. Rechercheur Stride, wat zal het zijn? Brandy?'

Stride knikte.

'Ik heb een voortreffelijke brandy die u zeker ook zult kunnen waarderen.' Boni trok zich terug achter de bar om een brandy voor Stride in te schenken en drie vingers whisky voor zichzelf.

Stride nam een slok. De brandy leek op zijn tong te smelten.

'Een goeie, hè?' vroeg Boni.

'Uitmuntend.'

'Waar is Claire?' vroeg Serena.

'Ik vond dat ze er even tussenuit moest,' zei Boni. 'De afgelopen dagen zijn zeer vermoeiend voor haar geweest. Ik heb haar naar St. Thomas gevlogen. Ze is met een paar dagen weer terug.'

'Ik zou haar graag willen spreken,' zei Serena.

'Natuurlijk. Voor jullie weggaan geef ik je het nummer van het hotel waar ze verblijft. Ik weet zeker dat ze het heerlijk vindt als u belt.'

Stride nam nog een slok van zijn brandy. Hij vroeg zich af hoe dit spel werd gespeeld. Wie er zou beginnen. Hoe er werd gedanst. Waar het op neer kwam was de vraag wie als eerste de naam zou noemen. Het was onzin te doen of ze niet alle drie wisten waar het om ging.

Boni bleek de openingszet te doen.

'Er is hier iemand die jullie graag wil ontmoeten,' deelde hij mee. 'Ik wed dat jullie hem ook graag willen leren kennen.'

Stride hoorde achter zich iets openschuiven, en toen hij zich omdraaide, zag hij de zilverharige gouverneur van Nevada uit een van de binnenkamers van de suite komen om zich bij hen te voegen.

'Mickey,' riep Boni, 'kom binnen. Maak kennis met de rechercheurs die mijn leven hebben gered.'

Mike Durand was lang en imposant. Hij was diep gebruind, maar zijn ouder wordende huid was strak en zonder vlekken. Vermoedelijk een facelift, en laserbehandelingen om de vlekken van vijfenzestig jaar weg te branden. En jackets die hem een enorme, albasten glimlach gaven. Hij had een zwarte smoking aan die praktisch licht gaf, en hij had al een whisky in de hand die twee keer zo groot was als die van Boni. Stride ontdekte ook iets dat hem nog niet eerder was opgevallen wanneer hij de man op tv of in de krant had gezien: Durand had de meest valse, kille ogen die hij ooit had gezien, erger dan de grootste misdadiger. Hij kon je lachend de keel doorsnijden. De volmaakte politicus.

Durand stak een hand uit. Stride en Serena lachten niet terug en schudden ook geen hand, en Stride zag een nauwelijks onderdrukte woede op het gezicht van de gouverneur.

Geen gedraai meer.

'Volgens mij gaan ze dit niet onder de pet houden,' zei Durand tegen Boni alsof ze met hun beiden waren. 'Je zei toch dat je de zaak onder controle had?'

Stride keek naar Boni, en zag tot zijn verbazing dat de oude man Mickey Durand haatte. Er sprak onverhulde minachting uit zijn blikken, alsof Mickey een parasiet was die zich aan hem te goed deed, maar een die zich om zijn ingewanden had gewikkeld en er zo mee vergroeid was dat hij niet meer kon zeggen waar het ene organisme ophield en het andere begon. Als je de een doodde, doodde je de ander.

'Ze zijn van de politie, Mickey,' antwoordde Boni rustig. 'De politie houdt niet op voordat ze de waarheid kent. Dus gaan jij en ik hun de waarheid vertellen. En daarna laten we de zaak rusten.'

'Ze gaan praten. Verdomme, ze kunnen wel afluisterapparatuur bij zich hebben.'

Boni schudde het hoofd. 'In de hal zitten scanners. Ze hebben niets van dien aard bij zich. En wat het praten betreft, daar hoef je je geen zorgen om te maken. Ik denk dat we tot een regeling kunnen komen waar we allemaal blij mee zijn.' Hij nam een slok whisky en knikte naar Stride. 'U weet al hoe het zit met Mickey. Ik weet dat u met Moose hebt gepraat. Wat willen jullie verder nog weten?'

Stride keek naar Durand. 'Amira,' zei hij. 'Waarom hebt u het gedaan? U en ik weten dat Boni u ertoe heeft aangezet. Waarmee had hij u in de tang?'

Durand gaf geen antwoord. Boni kwam er soepel tussen. 'Ik heb Mickeys moeder uit de problemen gehaald. Iets met justitie. Ze werkte in een van mijn casino's. Ze had haar zus vermoord toen ze die bij haar man in bed aantrof. Ik heb ervoor gezorgd dat de aanklacht verviel. Ze stonden dus bij me in het krijt. Ik betaalde al voor Mickeys rechtenstudie, want ik zag dat hij iemand met capaciteiten was.'

Durand schokschouderde. 'Hij hoefde me echt niet om te praten. Heb je gezien wat een stuk ze was? Ik had het ook vrijwillig wel gedaan.'

'Was het de bedoeling dat u haar zou vermoorden?' vroeg Serena.

'Nee,' zei Boni fel, met opnieuw een blik op Durand, die aangaf hoezeer hij de relatie tussen hen beiden verafschuwde. 'Het moest een lesje in loyaliteit zijn.'

'Ze was een vechtjas,' zei Durand. 'Het was een ongeluk.'

'Een ongeluk?' was Serena's cynische reactie. 'Haar schedel inslaan?'

'Tegenwoordig zouden we het volgens mij ruige seks noemen,' zei Durand lachend.

'Tegenwoordig noemen we dat volgens mij verkrachting en moord,' gaf Serena hem op kille toon te verstaan.

Stride zag dat Boni niet lachte. 'Het verbaast me dat u hem niet hebt gedood na wat hij had gedaan.'

Boni nam even de tijd om zijn woede te onderdrukken. 'Ik ben zakenman, rechercheur. Soms moet je een moeilijke beslissing nemen en grotere belangen laten meewegen. Voor mij bestond Amira al niet meer, en Mickey was een belangrijke investering.' En met een blik op Durand voegde hij eraan toe: 'Maar denk niet dat ik het niet heb overwogen.'

'We zijn bloedbroeders,' zei Durand, zich blijkbaar geen zorgen makend om het kruitvat waar hij op zat. 'Beiden op weg naar de top van de macht. En wat een tocht is het geweest. Assistent van een congreslid, staatscongreslid, voorzitter van het Congres, en toen gouverneur. Wie weet, misschien over twee jaar de Senaat. Ik ben dol op Washington DC. En er gaan geruchten dat er een strengere wet op de kansspelen komt. Stomme dominees.'

'En wat Claire betreft,' vroeg Serena, 'was haar verkrachting ook een ongelukje?'

Voor het eerst zag Stride iets van nervositeit in Durands kille ogen. 'Dat was een misverstand,' mompelde hij. 'We hadden allebei wat op. Boni weet dat ik haar nooit opzettelijk kwaad zou doen.'

Stride dacht dat Boni daar absoluut niet van overtuigd was. Hij vroeg zich af hoever dat ging, zakenman zijn. Beslissingen nemen en grotere belangen laten meewegen. Durand was een psychoot, en Boni had de sleutels van de kooi. Stride zag dat Boni worstelde, zoals hij zijn hele leven had geworsteld. Het onduldbare dulden. Hij dacht dat Boni tegen Claire niet had gelogen, dat hij echt van Amira had gehouden. En deze man had haar vermoord. Hij had zijn dochter verkracht. En dat alles voor macht.

'Jullie kennen nu de waarheid,' zei Boni tegen hen. 'Het is tijd om de zaak verder te laten rusten.'

Er bleef een stilte hangen. Een van de peertjes in een lamp op de dichtstbijzijnde tafel flikkerde. Ergens boven de duisternis in de vallei zag Stride het knipperen van een vliegtuig dat uit de stad opsteeg.

'En als we dat niet doen?' vroeg Stride.

Boni zuchtte. 'Laten we het daar niet over hebben.'

'Hypothetisch,' zei Serena.

'Jullie kunnen niets bewijzen,' bracht Boni hun in herinnering. 'Jullie hebben geen bewijzen. Jullie superieuren willen geen onderzoek. Jullie zijn slim genoeg om te weten hoe de macht in deze stad werkt. Soms ben je de vlieg, soms ben je de mepper.'

'We zouden naar de pers kunnen gaan,' stelde Stride voor.

Boni haalde zijn schouders op. 'Moet ik het jullie echt helemaal voorkauwen? Jullie zouden in opspraak komen. Jullie leven zou in puin liggen. Dat zou ik niet willen. Dat meen ik echt, rechercheur. Ik heb respect voor jullie allebei. Maar er zouden dingen aan de dag kunnen komen.'

'Zoals?' vroeg Serena.

'Zoals het feit dat je met mijn dochter hebt geslapen, midden in een onderzoek. Dat maakt geen goede indruk.'

Serena nam niet de moeite te vragen hoe hij dat wist. 'Dat doet u Claire niet aan,' zei ze.

'Zoals ik al zei: moeilijke beslissingen. Maar er is meer. Jullie zouden je baan verliezen. Waarschijnlijk zelfs de gevangenis in moeten wegens belemmering van de rechtsgang.'

'Waar slaat dat in godsnaam op?' vroeg Stride.

'Ik denk dat de politie van Minnesota wel geïnteresseerd is in jullie oplossing van jullie vorige zaak. De moord op Rachel Deese, en wat haar werkelijk is overkomen. Dus jullie zouden niet de enigen zijn die het moeilijk krijgen.'

Stride kon er niets aan doen dat zijn mond van ongeloof openviel. *Hoe wist hij dat?* En toen was het zo klaar als een klontje: Boni had afluisterapparatuur in hun huis geplaatst. Hij had bij alles meegeluisterd. Hun geheimen. Hun seks. Het onderzoek.

'Het is dus echt beter voor ons allemaal als dit gewoon een verhaal blijft dat wij vieren kennen, maar verder geen mens. Ja? Want dat zou nog maar het begin zijn. Dat zouden alleen de dingen zijn die wáár zijn. Wanneer de media eenmaal hun tanden in je hebben gezet, geloven ze alles. Ja toch? Jullie weten hoe het werkt.' Boni spreidde zijn handen.

De gouverneur stond lachend bij het raam. De ene helft van zijn gezicht werd verlicht, de andere helft bleef in de schaduw.

Strides hersens draaiden op volle toeren en gingen na of ze de afgelopen dagen thuis ook over hun plannen hadden gepraat. Hadden ze alle kaarten op tafel gelegd? Hij kon het zich niet herinneren, maar het maakte niet uit. Hij moest het spel spelen en er het beste van hopen.

Stride keek Serena aan en ze knikte.

'Leo Rucci wilde ook dat het geheim bleef,' zei Stride.

Boni zei niets. Hij trok alleen een nieuwsgierige wenkbrauw op.

'Maar hij heeft het wel op papier gezet,' zei Stride. 'Hij heeft zwart op wit gezet wat er werkelijk met Amira is gebeurd.'

Boni lachte. 'Doe niet zo gek. Heus, rechercheur, dat is een heel zwakke zet. Als er iemand in mijn leven loyaal was, dan was het Leo Rucci.'

'We hebben vanochtend zijn huis doorzocht,' zei Stride. 'Maar dat wist u al. U had er al mensen heen gestuurd om op te ruimen, om ervoor te zorgen dat er nergens iets belastends te vinden zou zijn. Hetzelfde bij hem op kantoor. Dat was al leeggehaald.'

Boni haalde zijn schouders op, nam niet de moeite het te ontkennen.

'Het probleem is dat ze iets over het hoofd hebben gezien. Een safe. De sleutel zat aan de sleutelketting die hij in zijn zak had toen hij werd vermoord. Niet thuis en niet op kantoor.'

Stride zag even iets van ongerustheid op Boni's gezicht.

'We hebben die vandaag geopend. Er zat een envelop in die aan zijn zoon Gino was gericht. Maar Gino is al dood natuurlijk.' Hij haalde een envelop uit zijn zak en hield hem nonchalant in zijn hand, maar wel zo dat Boni het enige woord kon lezen dat erop stond. *Gino.*

'Zoiets zou Leo nooit doen,' zei Boni.

'Dat deed hij ook niet. Hij wilde alleen een levensverzekering voor zijn zoon. Voor het geval hem zelf iets zou overkomen. Leo wist dat Gino het soort jongen was die op een gegeven moment een Verlaat-de-gevangenis-zonder-betalen-kaart kon gebruiken. Letterlijk.'

'Geef hier,' zei Boni.

Stride stak zijn hand uit en Boni griste de envelop eruit. Hij bekeek hem aandachtig. Het was een vergeelde envelop en zo te zien minstens tien jaar oud. Het was er een met het logo van Rucci's olieverversingsbedrijf erop. Boni rukte de brief eruit en vouwde hem open. Stride wist hoe de brief begon.

Gino,

Als je dit leest, betekent het dat ik kassiewijle ben. Hopelijk snel, als je begrijpt wat ik bedoel. Kogel in m'n kop, dat is de mooiste manier. Of een hartaanval terwijl ik een blondje neuk. Moet je horen, ik heb wat geheimen van vroeger, uit de tijd dat Boni en ik de bink waren. Als je dit aan iemand anders vertelt, dan klim ik uit m'n graf om je een pak op je flikker te geven, zowaar als ik Leo Rucci heet. Als je in de prut zit, moet je Boni bellen. Die helpt je en stelt geen vragen. Maar als Boni er niet is, kun je nog iemand anders bellen. Zijn naam is Mickey...

Ze wachtten tot Boni de brief uit had. Stride zag dat zijn hand beefde. De kleur op zijn oude wangen zakte weg tot hij er bleek en kwetsbaar uitzag. Toen hij uitgelezen was, keek hij op, met ogen die niets zagen omdat zijn hersens aan het werk waren. Hij zocht een uitweg. Een ontsnappingsroute. Een manier om de zaak terug te draaien.

'In de rechtszaal is dit niets waard,' zei hij. 'Jullie kunnen geen van ons beiden iets maken.'

Stride knikte. 'Helemaal waar. Maar voor de pers is het meer dan genoeg. En voor de kiezers.'

Boni kauwde er een tijdje op. Hij wist dat ze gelijk hadden.

'Maar dan gaan jullie mee ten onder,' zei Boni. 'Dan komt de informatie over Rachel naar buiten. Dan wordt het oorlog en blijft er niets van jullie over.'

'Dat risico nemen we,' zei Serena.

'Wij zijn veel dichter bij de grond, dus als wij vallen, vallen we lang niet zo hard,' voegde Stride eraan toe.

Hij zag hoe Boni hun de maat nam, keek wat het staal in hun ogen waard was. Het was een pokerspel, en ze keken elkaar strak aan, zonder met de ogen te knipperen, de ander uitdagend om zijn kaarten te laten zien. Dit was het moment waarop alles gewonnen of verloren werd. Hij wist dat Boni niet kon geloven dat ze hem te slim af waren, dat hij dit spel misschien zou verliezen. Hij had een halve eeuw aan zijn imperium gebouwd, en nu zou hij het in een paar seconden tijd kunnen verspelen.

Stride besefte dat hij zijn adem inhield. Hij wachtte.

Boni kon maar één ding doen: vechten. Dat was de nucleaire optie. Hen allen tijdens zijn val vernietigen. Stride hoopte dat de oude man te sluw was voor een wederzijdse vernietiging.

'Wat willen jullie?' vroeg Boni kalm.

Stride liet zijn opluchting niet toe op zijn gezicht. Zijn gezicht was van steen. 'De gouverneur treedt af. U geeft de leiding van uw bedrijf over.'

'Overgeven? Aan wie?'

'Aan Claire,' zei Serena.

Stride hoopte dat Serena het goed zag en dat Claire bereid zou zijn die taak op zich te nemen.

'Dan blijft het imperium in de familie,' lichtte Stride toe. 'U eruit, Claire erin.'

'Gelul!' barstte Durand aan de andere kant van de ruimte los. 'Vermoord ze, Boni. Dan is met hen ook het probleem verdwenen.'

Stride schudde het hoofd. 'Als wij verdwijnen, gaat dit naar de pers.'

Op Boni's gezicht was iets van bewondering te lezen, alsof hij waardering had voor de manier waarop ze het spel speelden. 'Knap werk, rechercheurs. Een goed plan. Jullie voorstel houdt toch niet in dat ik op de zwarte lijst kom te staan, hè?'

'Nee, absoluut niet. Het is helder en simpel: u geeft het Orientproject over aan een jonger iemand die het tot het eind kan begeleiden. Aan iemand die u vertrouwt. Dit mag dan wel geen gerechtigheid zijn, het komt er meer bij in de buurt dan we in de rechtszaal zouden halen. En als u lang genoeg leeft, ziet u uw laatste droom nog gerealiseerd.' Hij hoopte dat Boni niet besefte dat het erom draaide dat hier niets van openbaar zou worden gemaakt. Dat het allemaal in stilte zou worden afgehandeld voordat er vragen konden worden gesteld.

Durand van zijn post weg krijgen. Dat was het allerbelangrijkste.

Durand zag het ook in. 'Boni, daar ga je toch zeker niet op in? Deze twee stellen niks voor. We kunnen ze makkelijk aan.'

'Kop dicht, Mickey.'

Durands gebruinde gelaat werd rood van woede. 'Sla niet zo'n toon tegen mij aan, ouwe. Als ik had gewild, had ik je op elk moment onderuit kunnen halen. Wij geven níét toe aan deze twee klotedienders.'

'Je vergeet wie van ons de echte macht heeft, Mickey. Ik trek aan de touwtjes, jij danst.'

'Nee, we dansen allebei. Ik treed niet af.'

'De enige reden dat jij nog leeft, is dat je op een plek zit waar ik je wil hebben. Denk daar maar eens over na.'

'Je hebt mij nodig,' schreeuwde Durand. 'Zonder mij ben je niks.'

'Morgen geef je een verklaring uit,' reageerde Boni kalm. 'Je treedt met onmiddellijke ingang af en staakt je campagne naar aanleiding van een ernstige kwaal aan je knie waardoor je invalide bent en niet in staat je taken te vervullen.'

'Waar heb je het verdomme over?' zei Durand. 'Wat voor kwaal?'

Boni stak zijn hand in de rechterzak van zijn colbertje en haalde er een pistool uit dat nauwelijks groter was dan zijn hand. In één soepele beweging richtte en vuurde hij een volmaakt schot af, zonder zelfs te knipperen bij de knal. Hij pompte een kogel door Durands knieschijf. 'Die kwaal,' zei hij.

Durand brulde het uit van de pijn, strompelde en viel voorover.

Boni stak een hand op en weerhield Stride ervan zijn eigen wapen te trekken. 'Het is afgelopen, rechercheur.' Hij liet het wapen weer in zijn zak glijden. 'Dat was voor Claire en Amira.'

Stride en Serena schoven beiden achteruit toen Durand jammerend over de grond rolde, zijn knie vasthield en huilde als een jong diertje in de klauwen van een kraai. Er sijpelde bloed tussen zijn vingers door. De pijn was monsterlijk en de vreselijke blik in zijn ogen smeekte om bewusteloosheid. Om de dood. Om alles wat hier een eind aan kon maken.

Stride had het gevoel dat hij verstijfd was, eigenlijk iets moest doen om te helpen. Hij keek of er een telefoon was om het alarmnummer te bellen, maar hij realiseerde zich dat die er niet was. Hij keek Serena aan, die terugkeek. De seconden telden weg. Hun hart verhardde. Hij besefte dat hij geen enkele sympathie voor Mickey Durand voelde.

Het hoorde bij deze stad, besefte Stride. Geweld. Immoraliteit.

Boni keurde Durand zelfs geen blik waardig. 'Maak je geen zorgen, de dokter komt over een paar minuten. Hij overleeft het wel.'

Hij stak een hand in zijn zak, haalde er een stuk papier uit en krabbelde er iets op. Hij gaf het papier aan Serena. 'Het nummer van Claire op St. Thomas. U kunt haar vertellen dat ze de leiding heeft, als ze dat wil. Ik zal de volgende week niet bij de ceremonie zijn, maar ik neem aan dat jullie het niet erg vinden als ik vanaf hier toekijk hoe ze mijn hotel opblaast.'

54

Toen ze de volgende morgen bij Nicholas Humphrey langsgingen, lag de gepensioneerde rechercheur nog in zijn groene badstof ochtendjas op een tuinstoel op het grasveld. Zijn bontsloffen lagen naast hem in het gras. Harvey Washington, al decennialang zijn minnaar, lag op eenzelfde ligstoel naast hem. De twee mannen lagen hand in hand. Het was een merkwaardig vertederend beeld.

Hun kleine Westie was één witte veeg die rond de stoelen rende en daar net lang genoeg mee ophield om op zijn rug te gaan liggen om te worden aangehaald. Humphrey en Harvey wreven om de beurt met een voet over zijn buik. De zon stond op z'n hoogst, zodat de armoedige buurt er vrolijk bij lag. Boven hun hoofd zeilde jankend een vliegtuigje door de blauwe lucht.

Humphrey zwaaide naar hen toen Stride en Serena de oprit opliepen. De verzuurde rechercheur zag er deze morgen gelukkig uit. Alsof een veel te lang uitstaande rekening eindelijk was voldaan.

'Ik hoorde het op de radio,' riep hij hun toe. 'Ik kan nog niet geloven dat het jullie gelukt is.'

Stride knikte. 'Het is dan wel niet de gevangenis, maar voor Boni is het feit dat hij niet langer de lakens kan uitdelen misschien nog wel een grotere straf.'

'En onze gouverneur? Hoe nam hij het op?'

'Dat knieletsel van hem is geen verzinsel.' Stride vertelde wat er in Boni's suite was gebeurd, en beide mannen trokken een pijnlijk gezicht toen ze hoorden hoe Boni Durand doodgemoedereerd had neergeschoten.

'Au!' zei Harvey. 'Jezus, dat moet net zo erg zijn als met je ballen in een bankschroef zitten.'

'Erger,' zei Humphrey. 'Ik heb kerels gesproken die het hebben meegemaakt. Die zeiden dat het de ergste pijn is die je iemand kan bezorgen. Nou ja, helaas, pindakaas. Wraak is nooit leuk.'

Hij gooide zijn honkbal met de handtekening van Willie Mays van de ene in de andere hand. Uiteindelijk gooide hij hem naar Stride, die hem opving en begon te lachen.

'Harvey en ik vonden dat je hem maar moest krijgen,' zei Humphrey.

'Maar verkoop hem niet op eBay,' voegde Harvey eraan toe, met een scheef lachje om zijn bruine lippen.

Stride bekeek de handtekening op de bal. Als die echt was geweest, was de bal een hoop geld waard geweest.

Natuurlijk was hij nep, dankzij Harvey Washingtons wonderhanden, zoals alle andere zaken in Humpreys archief van beroemdheden. Zoals zijn briefje van Dean Martin. Zoals zijn foto van Marilyn Monroe en haar sexy boodschap.

Zoals de brief van Leo Rucci aan zijn zoon Gino.

Nep.

'Ik kneep 'm toen Boni de brief uit de envelop haalde,' zei Serena tegen hem. 'Ik wist zeker dat hij tot de conclusie zou komen dat we hem bedonderden.'

'Je moet vertrouwen in me hebben,' zei Harvey, alsof de gedachte dat een van zijn vervalsingen door de mand zou vallen een belediging was. 'Jullie hebben natuurlijk wel die oude envelop in Leo's kantoor opgespoord. Dat helpt. Als de verpakking authentiek is, nemen de mensen domweg aan dat de inhoud echt is.'

'Ik zou er ook ingestonken zijn,' zei Stride.

'Maar Boni kende Leo,' zei Serena.

'Ik ook,' wierp Humphrey tegen. 'Zo praatte die vent. Nee,

we hebben die schoften mooi in de tang. We hebben ze onderuitgehaald. Bedankt dat jullie Harvey en mij erin betrokken hebben. Het is een goed gevoel de dingen die ik al die jaren geleden heb gedaan te kunnen rechtzetten.'

De Westie sprong op zijn schoot. Humprehy krauwde hem op zijn kop en liet hem zijn gezicht aflikken.

'Zonder jullie hadden we het niet voor elkaar gekregen,' zei Stride. 'Boni had alle kaarten.'

Harvey lachte. Het hondje sprong van de ene stoel op de andere en nestelde zich op zijn schoot. 'Wat wil je, meid? Dit is Vegas. Als je geen goede kaarten hebt, bluf je.'

Later dezelfde dag. Stride had Serena bij het bureau afgezet.

Hij haatte ziekenhuizen. De lucht van ontsmettingsmiddelen herinnerde hem aan de dagen die hij een aantal jaren geleden had doorgebracht in het ziekenhuis in Duluth, waar hij Cindy's hand had vastgehouden terwijl ze steeds zwakker werd en ten slotte uit het leven weggleed. Ze stierf voor zijn ogen in de warme kamer, waarbuiten de sneeuw sissend langszwiepte. Hij probeerde die herinneringen terug te dringen.

Onderweg door de doolhof van gangen kwam hij langs kamers waar hij patiënten zag liggen. Verplegend personeel dat met hen bezig was. Gespannen familieleden die naast het bed zaten. Zoals hij zelf had gedaan.

Hij verdwaalde en vroeg de weg, en de verpleegster was aardig en geduldig en wees hoe hij er kon komen. Toen hij de kamer had gevonden, was de deur dicht. Stride drentelde nerveus rond, niet wetend of hij moest kloppen, gewoon naar binnen gaan of wachten op de gang. Besluiteloosheid was hem eigenlijk vreemd, maar plaatsen als deze ontnamen hem zijn kracht.

Plotseling ging de deur open en er verscheen een man die de deuropening bijna helemaal vulde.

'Sorry,' zei Stride, en was bang dat hij er idioot uitzag met zijn bos bloemen. 'Ik ben op zoek naar Amanda Gillen.'

De man knikte. Hij was minstens een meter vijfennegentig, en Stride moest bekennen dat hij een van de knapste mannen was die hij ooit had gezien. Alsof een van de foto's in *Playgirl* tot leven was gekomen. Begin dertig. Volmaakte kop, kleren die zaten alsof ze voor hem gemaakt waren.

'Ze ligt daar,' zei hij. 'Ik ben Bobby.'

Stride probeerde hem niet aan te gapen. 'Ben jij Bobby?'

Hij wist eigenlijk niet goed hoe hij zich Amanda's vriend had voorgesteld, maar zeker niet als een manlijke god.

'Ben jij Stride?' vroeg Bobby. 'Heel fijn kennis te maken.' Ze schudden handen. Zijn greep was een bankschroef.

'Nog bedankt dat je zo prettig met haar omgaat,' zei Bobby. 'Ik hoef je niet te vertellen dat je de eerste bent.'

'Ze is een fantastische diender,' zei Stride. En voor hij het wist voegde hij eraan toe: 'En een fantastische vrouw.'

Bobby glimlachte. 'Aardig van je.'

'Mag ik bij haar?'

'Natuurlijk. Ga maar naar binnen. Ik ging koffie halen.' En: 'Het gaat beter met haar dan dat ze eruitziet. Het zal nog wel een tijd duren voor ze de oude is, maar ze redt het wel.'

'Dat is een hele opluchting.'

'Ze is een beetje wazig van de morfine, maar ze praat wel.'

'Ik blijf niet lang,' zei Stride.

Bobby liep de gang in, en het viel Stride op dat alle verpleegsters hem nakeken.

Stride ging naar binnen en sloot de deur zorgvuldig achter zich. Toen hij achter het gordijn kwam, sloeg zijn hart een paar slagen over. Hij wist dat Amanda erbovenop zou komen, maar toen hij haar daar onbeweeglijk en bleek zag liggen, zag hij meteen Cindy weer voor zich. Een batterij apparaten mat haar vitale functies en stuurde de gegevens door naar monitoren met led-lampjes. Een slangetje dat over haar gezicht liep, blies zuurstof in haar longen. Een ander slangetje verdween in haar borstkas. Een infuusslangetje zat met tape op haar hand geplakt. Haar haar lag slap op het kussen, en ze had haar ogen dicht. Het gekreukelde laken was tot haar middel teruggeschoven.

Hij ging op de stoel naast het bed zitten. Hij zei niets, want hij wilde haar niet wakker maken. Tranen stonden in zijn ogen.

Dat was een automatische reactie; het verleden greep hem sterk aan.

'Hoi.'

Hij zag dat ze naar hem lag te kijken. Haar stem was zwak, alsof het grote moeite kostte lucht in haar longen te krijgen en weer naar buiten te duwen. Haar ogen waren zwaar, vermoeid.

Stride stak een hand uit en drukte de hare.

'Bobby zegt dat je er helemaal bovenop komt.'

'Het doet zo verdomd pijn,' zei Amanda.

'Zo laat God je weten dat je de volgende keer om assistentie moet vragen.'

Ze zag kans haar hand te bewegen en haar middelvinger naar hem op te steken. Stride lachte.

'Ik heb gehoord dat er twee verpleegsters zijn flauwgevallen toen ze je voor de operatie uitkleedden,' zei hij.

Haar mond vertrok tot een lachje. 'Ha ha.'

Hij gaf weer een kneepje in haar hand. 'Je hebt me de stuipen op het lijf gejaagd.'

'Sorry.'

'Heeft Bobby verteld dat we hem hebben?'

Ze knikte en stak de duim van haar vrije hand op.

'Maar dat is niet alles,' zei hij. Stride keek naar de deur om zeker te weten dat hij dicht was en vertelde daarna in een paar minuten wat er verder was gebeurd. Over Boni. Over Mickey. Over de confrontatie die Serena en hij de avond ervoor met hen hadden gehad. Ze verdiende het om de geheimen te kennen.

Toen hij was uitverteld, stak Amanda zwakjes een vinger in zijn richting en fluisterde: 'Je hebt wel ballen.'

'Jij ook.' Stride moest zo lachen dat hij bijna van zijn stoel viel, en hij werd overspoeld door een golf van geluk en opluchting. Het drong langzaam tot hem door. Ze werd echt weer beter. Amanda kon niet echt lachen, maar ze glimlachte met hem mee, genoot ervan.

'Wil je ze zien?' vroeg ze, net als bij hun eerste ontmoeting.

'Nee, dank je, Amanda.'

'Schijterd.'

Haar ogen vielen dicht, ze werd moe. 'Ik laat je verder met rust,' zei Stride en stond op om weg te gaan.

'Serena?' vroeg Amanda suffig.

'Met haar is het prima.'

Amanda haalde diep adem en Stride zag haar gezicht van pijn vertrekken. Na een paar tellen hield ze zichzelf lang genoeg wakker om te vragen: 'En jij?'

Dat kon je op vele manieren opvatten. Hoe was het met hem nadat hij bijna het leven had verloren en geconfronteerd was met de zonden van deze stad? Hoe was het met hem nadat zijn geliefde met een andere vrouw had geslapen? Hoe was het met hem nu hij te maken had met de keuze die aan hem vrat? Blijven of weggaan?

Stride gaf geen antwoord. Dat was makkelijker. Hij wachtte tot ze sliep, tot haar borst rees en daalde en op de monitor achter haar de hartslag langzamer werd. Hij sloop de kamer uit. Bobby zat in een zithoek aan de andere kant van de gang, met een kop koffie in zijn ene en een tijdschrift in zijn andere hand. Hij keek op toen Stride de kamer uitkwam en geluidloos zei: 'Ze slaapt.' Bobby knikte.

Stride hoorde zijn mobieltje overgaan. Een van de verpleegsters keek hem verwijtend aan en hij knikte verontschuldigend. 'Ik ben van de politie,' zei hij.

Hij vond een rustig hoekje en nam op. 'Stride.'

'Mijn naam is Flora Capati,' zei een opgewekte vrouwenstem met een buitenlands accent. 'Ik run een verzorgingstehuis in Boulder City. De politie van Las Vegas heeft me uw nummer gegeven.'

Stride begreep het niet goed. 'Wat kan ik voor u doen, Miss Capati?'

'Het gaat om een van de bewoners. Ze heet Beatrice en is de laatste dagen helemaal van slag, dus ik heb beloofd u te bellen zodat ik haar kan kalmeren. Ze beweert bij hoog en bij laag dat jullie een enorme blunder begaan.'

'Een blunder? In welk opzicht?'

'Beatrice beweert dat ze Amira Luz heeft gekend.'

55

Het publiek verzamelde zich als een stel bloeddorstige getuigen van een ophanging, klaar voor de val van de Sheherezade. Duizenden verdrongen zich op de parkeerplaats en de grasvelden van het Las Vegas Hilton, hun ogen gericht op het oude hotel aan de overkant van de straat. Ze duwden en trokken om het beter te kunnen zien en keken voortdurend op hun horloge. Het was bijna twaalf uur, het uur van de voltrekking.

De straat was afgezet, het verkeer werd honderden meters naar het westen en oosten omgeleid. De toeschouwers werden op veilige afstand gehouden, weg van de gevarenzone, maar dichtbij genoeg om het te kunnen zien. Boven hun hoofden hingen helikopters met camera's in de aanslag die rechtstreeks verslag deden in het lunchjournaal. Stride rook gegrild vlees en concludeerde dat tientallen bewoners van de Charlcombe Towers barbecuefeestjes gaven en vanaf hun balkon naar het spektakel keken. Iedereen was vandaag een voyeur.

Ongetwijfeld was Boni er ook, in z'n eentje op de bovenste verdieping, met een glas in de hand. Hij zou de spotlights wel missen. Hij wachtte op zijn kleine meid. Nam voor het laatst afscheid van Amira.

Het was een prachtige dag voor een executie. Het woei niet. Op de gezichten van de demolitieploeg waren spanning en opwinding te lezen. Zij waren de professionals die dit al tientallen keren hadden gedaan, maar de laatste minuten, voordat er een klein vonkje door de stroomdraden zou schieten, moesten zenuwslopend zijn, ongeacht hoe zorgvuldig de sloop was gepland.

Walkietalkies kraakten. Er was niemand meer in de buurt van het gebouw. Alles was gereed.

'Waar is ze?' vroeg Serena aan Stride, die naast haar stond. Ze keek ongerust rond in de menigte.

'Ze komt heus wel,' zei Stride. 'Dat hoort bij de show.'

Alsof het afgesproken was, gonsde het op dat moment door het publiek. Er reed een auto door de afgesloten straat, een limousine die langzaam midden over Paradise Road gleed. Hij kwam rustig tot stilstand en de chauffeur haastte zich naar het passagiersportier en opende het.

Claire stapte uit en knipperde met haar ogen. Flitslichten. Gejuich. Ze was even van haar stuk, maar begon toen te lachen en te zwaaien, was voor honderd procent de performer. De nieuwe directeur, die zich vermoedelijk afvroeg of ze het zonder over te geven tot het podium zou halen.

Ze schreed over de met koorden afgezette doorgang van de straat naar de verhoging die op de parkeerplaats tegenover de Sheherezade was neergezet. Er lag een rode loper en ze schreed met lange passen op haar hoge hakken langs. Vanuit het publiek werd haar naam geroepen en ze keek de mensen stralend en hartelijk aan. Een man in een donker pak kwam de trap van de verhoging afgesneld, trof haar halverwege en fluisterde haar iets in. Ze knikte, onverstoorbaar.

Het hoofd van de demolitieploeg kwam haar ook tegemoet. Stride hoorde wat hij zei.

'Alles is gereed, mevrouw.'

Claire volgde hen naar de verhoging, maar bleef staan toen ze Stride en Serena zag, die apart stonden, tussen de verhoging en de verzamelde menigte. Ze fluisterde iets tegen de man in het pak, die een gepijnigd gezicht trok en op zijn horloge keek. Claire schudde rustig van nee.

Ze kwam naar hen toe. Alle ogen volgden haar.

Het viel Stride op dat Claire de hele tijd naar Serena keek.

'Kijk nou toch eens,' zei Serena.

Claire meesmuilde en maakte een spottende reverence. Ze had een bordeauxrood maatpak aan, met diamanten sieraden om hals en polsen. Haar lange, rossige lokken waren zorgvuldig opgestoken.

'Vind je het mooi?'

'Je bent prachtig.'

Claire bloosde. 'Ik weet niet of ik er klaar voor ben.'

'Je gaat het prima doen.'

Claire dronk de sfeer in, wat er was te zien, te horen en te ruiken. Haar nieuwe wereld. 'Ik heb nog geen tijd gehad om jullie echt te bedanken voor wat er is gebeurd met Mickey en Boni. Ik weet niet hoe jullie het hebben gedaan.'

'Geen dank,' zei Stride.

'Enerzijds zou ik dolgraag weer in de Limelight staan. Toen was het makkelijker. Gewoon mijn nummers zingen. Vóór al dat gedoe met Blake.'

Stride en Serena keken elkaar aan.

'Vertellen we het haar?' vroeg Stride.

Serena en hij hadden het er de halve nacht over gehad en verkeerden echt in tweestrijd. Misschien kon het zonder de waarheid. Misschien was het voldoende om de leugens te laten rusten op de plek waar ze al zo lang lagen.

'Vertellen? Wat dan?' vroeg Claire.

Het was of ze heel hard praatten, maar het geluid werd door de mensenmenigte overstemd. Stride vond het toch niet prettig er hier zo open en bloot over te praten. Maar ze hadden besloten het haar te vertellen voordat ze op de knop drukte, voordat de Sheherezade tot stof en puin verging. Dan wist ze, als het gebouw instortte, wat ze kwijtraakte.

Maar nu ze het haar moesten vertellen, was het of Serena om woorden verlegen was. Stride wist dat een deel van haar verliefd was op Claire, een deel van haar ziel dat voor hem onbereikbaar was. Serena wilde Claire geen pijn doen. Maar ze was zelf lang genoeg voor de waarheid op de loop geweest om te weten dat er geen finishlijn was.

'Blake was niet Amira's zoon,' deelde Serena haar mee.

Claire opende haar mond maar wist niet wat te zeggen. Ze wierp een blik om zich heen alsof iedereen het had gehoord. Ze keek Serena aan, zeker wetend dat het een grap was, en schudde toen haar hoofd. 'Hoe kan dat nou?'

Het feit dat ze haar doodernstig aankeken, overtuigde haar echter.

'Maar ik zag het in zijn ogen,' zei ze. 'Hij was een kind van Boni. Hij was mijn broer.'

Serena's toon was meelevend. 'Je zag wat je wilde zien, Claire. En dat gold ook voor Blake. Jullie wilden allebei geloven dat je niet alleen was. Hij wilde geloven dat hij de moeder had gevonden naar wie hij al zijn hele leven op zoek was. Maar hij had het mis.'

'Bedoel je dat hij het allemaal voor niks heeft gedaan? Al die onschuldige levens?'

'Jij staat nu hier,' zei Stride. 'Niet Boni. Niet Mickey. Misschien was het dus niet helemaal voor niks.'

'Maar jullie hebben geen zekerheid,' zei Claire.

'We weten het zeker. Sorry. We hebben gesproken met een zekere Beatrice die Amira tijdens haar zwangerschap heeft verzorgd. Zij wist wat er met het kind is gebeurd. Het was niet Blake.'

'Wie was dan Blakes echte moeder?' vroeg Claire.

Stride spreidde zijn handen. 'Dat zullen we waarschijnlijk nooit weten. Hij was een van die wegwerpbaby's van toen. Buiten de boeken en in het geheim. Hij had de pech in een verschrikkelijk gezin terecht te komen.'

Claire keek omhoog langs de Sheherezade, dacht terug, en Stride vermoedde dat ze het gebouw nu graag zag verdwijnen. Ze zou op de knop drukken en de herinneringen zouden vergaan. Hij vroeg zich ook af of haar hersens hen misschien al een paar stappen voor waren en haar naar plaatsen sleepten waar ze helemaal niet wilde zijn.

'Boni heeft jullie over Blake verteld,' zei ze. 'Hij heeft jullie naar Reno gestuurd. Boni moet geweten hebben dat Blake niet Amira's kind was.'

Serena knikte. 'Klopt.'

'Waarom dan?'

'Hij wist dat Blake het geloofde,' zei Stride. 'Blake was er heilig van overtuigd dat hij Amira's zoon was. Boni liet ons en iedereen maar al te graag in die waan.'

'Hij had hem kunnen tegenhouden,' fluisterde Claire. 'De schoft. Hij had Blake de waarheid kunnen vertellen. Hoeveel mensenlevens had hij niet kunnen redden?'

'Ik denk niet dat Blake hem had geloofd,' zei Stride. 'Blake was al te ver heen.'

'Hij had het toch kunnen proberen,' hield Claire vol.

'O nee,' zei Serena langzaam. 'Boni zou nooit van zijn leven aan iemand de waarheid over Blake hebben verteld. Of over Amira.'

'O, Serena, verdedig hem toch niet. Het is mijn vader. Ik weet wat voor man het is. Deze keer had hij iets goed kunnen doen. Hij had de waarheid kunnen zeggen.'

'Dat zou betekenen dat hij het allerbelangrijkste geheim van zijn leven had moeten prijsgeven,' zei Serena.

Claire klonk bitter: 'Ja, Mickey.'

Serena schudde haar hoofd. 'Nee, niet Mickey. Hij had moeten toegeven wat er werkelijk met Amira's kind was gebeurd.'

Claire keek hen beurtelings aan en zag aan hun ogen dat ze ergens mee in hun maag zaten. 'Waarom was dat zo belangrijk?'

Serena boog zich naar haar toe en mompelde in Claires oor: 'Amira was jouw moeder.'

Claire reageerde als gestoken. Ze deed een stap terug en schudde heftig haar hoofd. 'Nee.'

Serena keek haar alleen maar treurig aan.

'Ik ben maanden later geboren,' hield Claire hun voor. 'Mijn moeder is in het kraambed gestorven.'

'Boni's vrouw is inderdaad in het kraambed gestorven,' zei Stride. 'Evenals het kind.'

'Dat was ik,' hield Claire vol.

'Boni is naar Reno gegaan en heeft het gezin gevonden dat

Amira's kind had geadopteerd,' zei Stride. 'Geen zoon, maar een dochter. Jou.'

'Dat kan niet.'

Serena sloeg haar armen om Claire heen en trok haar tegen zich aan. 'Beatrice, die verpleegster in Reno, heeft jou aan die mensen overhandigd. Zij kende het verhaal. Zij wist hoe het is gegaan. Boni wilde zijn dochter terug. Zijn enige kind.'

'Hij wilde niet dat jij het wist,' zei Stride. 'Hij was bang dat je dan ook de rest te weten zou komen. Dat hij degene was die je moeder heeft laten vermoorden. Daarom kon hij de waarheid met betrekking tot Blake niet laten uitkomen.'

Ze deed een stap achteruit. Van alle kanten waren er ogen en camera's op haar gericht, en Stride had even het idee dat ze misschien zou vluchten.

'Ben ik Amira's dochter?' zei Claire, alsof ze bezig was zich het idee eigen te maken. Het kostte haar moeite om niet in snikken uit te barsten. Maar het volgende moment vlamden haar ogen, Amira's ogen. 'Ze wilde vrij zijn, net als ik. Mijn god, wat haat ik die man. Wat haat ik hem om wat hij ons heeft aangedaan.'

'Net als Blake,' zei Serena. 'Het is zijn ondergang geworden. Laat het niet jouw ondergang worden, Claire.'

'Bedoel je daarmee dat ik hem moet vergeven? Hoe kun je dat nou zeggen?'

'Dat bedoel ik helemaal niet,' zei Serena. 'Ik wil alleen niet dat je wordt verteerd door haat.'

Claire keek naar de verhoging waar de politici en de geldmensen bij elkaar stonden en naar haar keken. Dat was nu haar wereld – Boni's wereld – en Stride zag dat ze zich afvroeg of ze dat werkelijk wilde. Of de prijs werkelijk iets voorstelde. En of ze, nu ze haar verleden kende, een ander mens was dan daarvoor.

'Jullie hadden dit voor me verborgen kunnen houden,' zei Claire.

'Dat is zo,' zei Serena. 'Maar je bent een harde.'

Claire lachte en legde even een hand op haar schouder. Er

stroomde een intimiteit door hun huid. 'Momenteel voel ik me niet zo'n harde.' Ze haalde diep adem, vermande zich en voegde eraan toe: 'Tijd om te doen waar we in Vegas zo goed in zijn: het verleden begraven.'

'Het is maar een gebouw,' zei Stride.

'Kan zijn, maar ik zal blij zijn als het weg is,' zei Claire. 'En de spoken van het verleden erbij.'

Hoofdschuddend zei Serena: 'Zo gemakkelijk gaat het niet.'

'Dat weet ik.' Claire liep naar Serena en fluisterde haar in het oor, maar luid genoeg dat Stride het kon horen: 'Ik wil jou in mijn leven.'

'Ik maak al deel uit van het leven van iemand anders,' zei Serena. 'Het spijt me voor je.'

Claire toonde een treurig lachje. Ze keek Stride aan. 'Je kunt mij niet wijsmaken dat je er niet aan hebt gedacht hoe het zou zijn, wij drieën samen. Kunnen we je niet delen?'

Serena antwoordde voor hem. 'Er is maar één ik.'

Stride wist de waarheid. Hij had er inderdaad aan gedacht. Maar het was bij een wilde fantasie gebleven. Er zouden momenten van fysieke extase zijn geweest, als bij een drug, ervaringen van een paar seconden die eeuwig leken te duren. Maar uiteindelijk zou het een gezwel zijn geworden dat hen had verzwolgen, een splijtzwam. Sommige grenzen kun je niet overschrijden.

Claire wist het ook. Ze gaf Serena een kus op haar wang en zei: 'Je hebt meer diepgang dan Vegas.'

De mensen werden onrustig, ongeduldig. Ze wilden een lijk zien.

Claire liep door naar de verhoging, beklom de trap en zwaaide naar de menigte die haar enthousiast toejuichte. Ze deed de ronde over de verhoging. De burgemeester, de demolitieploeg, onderzoekers uit New York. Allen namen haar de maat en bekeken haar wantrouwig, het grietje dat toezicht wilde houden over de bouw van de Orient, een glanzende rode toren die het oude, bezoedelde verleden van de Sheherezade moest vervangen. Stride zag het in hun ogen en brede gegrijns en wist wat ze dachten. Prima dat ze deze ceremonie leidde. Maar achter de schermen zou ze onderuitgaan en zouden anderen de macht in handen nemen.

Stride dacht dat ze nog raar zouden staan kijken. Claire was echt een harde.

Ze hield geen toespraak. Ze legde gewoon beide handen op de kruk die de explosies in gang zou zetten en op hetzelfde moment viel de menigte stil. Het gesis om stilte zweefde nog even boven de mensenmenigte en de gezichten keerden zich verwachtingsvol naar het hotel. Vreemd, dacht Stride, dat we zo gefascineerd zijn door vernietiging, door het neerhalen van idolen. Misschien omdat het zo snel ging. Jaren om het op te bouwen, jaren waarin men het bezoekt, erlangs loopt, er speelt, en een paar seconden om het met de grond gelijk te maken.

Niemand lette nog op Claire, behalve hijzelf en Serena. Ze zagen de glimlach van haar gezicht verdwijnen toen ze omhoogkeek naar de neonletters. *Sheherezade.* In het daglicht zagen de letters er afgeleefd uit, verre van de veelkleurige gloed die ze 's nachts over hen uitgoot. Afgeleefd en klaar om te vallen. Claires ogen vulden zich met tranen. Hij zag haar lippen bewegen, ze fluisterde iets tegen zichzelf.

Goodbye.

Ze drukte de kruk omlaag. Elektriciteit vonkte door de draden en vond zijn weg naar de dynamietpakketten in de zuilen.

Een lang moment gebeurde er niets. De mensen hielden hun adem in en vroegen zich af of er iets mis was.

Toen ontbrandden *beng beng beng beng* de ladingen in een staccato als van kanonvuur en schoten de oranje flitsen van beneden naar boven. De grond beefde en schudde onder hun voeten, alsof er diep in de aarde tektonische platen tegen elkaar schoven. Het hotel bleef nog een paar seconden trots overeind, tartte het dynamiet, alsof het voor altijd tegen de zwaartekracht in kon blijven zweven. Maar dat kon het niet. Diep in de ingewanden was het hotel helemaal uitgehold, was de steunconstructie verdwenen, was alleen het verpletterende gewicht achtergebleven om omlaag te komen. Van verre leek de implosie, toen hij begon, zo makkelijk en gracieus als het pluisje van een paardenbloem, niet op de verkrachting van duizenden tonnen steen en staal. De muren zakten in elkaar alsof ze slechts van papier waren, en het betoverende hotel klapte in als een leeggebloed lichaam. De kracht van de val zorgde voor een volgende aardbeving die zo zwaar was dat Stride het gevoel had dat ze allemaal los van de grond kwamen.

De menigte stond met open mond te kijken en juichte nerveus, alsof het een beetje gevaarlijk was om zoveel kracht te tarten. Ze wisten ook wat eraan stond te komen. Angstaanjagend was de reusachtige witte stofwolk die van de aarde oprees en groeide als de fall-out van een bom. Mensen begonnen achteruit te gaan, vroegen zich af tot hoever hij zou komen, en Stride was even bang dat er paniek zou uitbreken. In de woontorens aan de andere kant van de straat haastten de toeschouwers zich nerveus van hun balkons naar binnen, waar ze hun glazen deuren dichtschoven tegen de stofwolk. Stof van veertig jaar oud, een opeengehoopt uitblazen van zand, afval en huid. Er zat waarschijnlijk nog wel iets van Frank Sinatra in de wolk. En ook van Amira.

Het stof begon op te stijgen lang voordat het de mensenmassa bereikte en kolkte de lucht in. Toen het verder opklom, nam de wind van de bergen het mee en voerde het naar het noorden, waarbij stofdeeltjes over de stad werden uitgestrooid. Op de grond trok het stof op en werden de restanten van het hotel zichtbaar: een tien meter hoge berg puin, muren, stukken dak, tegels, sanitair, hout en bladgoud, alle onderdelen op één hoop gegooid. Een paar straten verderop stonden bulldozers en vrachtwagens met brullende motoren klaar om aan de berg te gaan plukken en hem weg te slepen.

Het volk verspreidde zich. De voorstelling was ten einde. Het doek viel.

Stride wierp een laatste blik op de berg puin en zag dat een stukje van het neonlicht op de berg was terechtgekomen, een verbogen stukje. Hij kon niet eens zien welke letter het was. Iets deed hem terugdenken aan vroeger, aan de vergeelde kranten die hij had gelezen, aan de foto's van de mensen die toen jong waren en die sindsdien hun leven hadden geleid en waren gestorven. Aan 1967. De zon scheen op het losse fragment, en even was het of het neonlicht nog opleefde, een uitbarsting van kleur die kwam en ging, een knipoog naar hem.

56

Samen met duizenden anderen lieten ze de sloopplaats achter zich en werkten ze zich door de volle straten. Er hing een lichte nevel. Serena stelde voor de middag vrij te nemen en naar huis te gaan om te ontspannen, te zwemmen en te vrijen. En daarna in de schemer van hun slaapkamer op bed te liggen en de hele avond en nacht te praten. Over niets. Over alles. Ze leek te stralen omdat hij bij haar was en hij voelde het tot diep in zijn ziel.

Hij sloeg rechtsaf, Las Vegas Boulevard op, samen met de halve bevolking, en zette koers naar het noorden. De toren van de Stratosphere rees voor hen op. Op de Strip heb je maar twee soorten files: lange en heel lange. Vandaag was het de laatste categorie. Ze kropen voort, zagen voetgangers sneller opschieten dan zij. De straat was een lint van staal dat zich tot voorbij de stoplichten uitstrekte. Er werd getoeterd, zonder enig effect. Toen ze na een eindeloze tijd bij de Stratosphere waren, keek hij door de voorruit omhoog naar de schotel op de toren, meer dan honderd meter boven hen.

Toen hij een paar maanden ervoor uit Minnesota hierheen was gekomen, had hij Serena daar midden in de nacht aangetroffen terwijl ze naar de stad zat te staren. De koele wind had hen omspeeld en de neonlichten overal waren oogverblindend. Ze hadden elkaar omhelsd. Gekust. Hij had toen bedacht dat hun relatie dakloos was, dat hij hier nooit zou kunnen leven, dat ze vroeg of laat gedwongen zouden zijn een keuze te maken. Maar op dat moment had het er niet toe gedaan. De toekomst had hen nog niet in haar macht. Niets was toen reëel geweest, behalve wat ze voor elkaar voelden.

Nu was het anders.

Reëel en smerig en overvol, zonder ontsnappingsmogelijkheid. De toekomst was niet langer de toekomst; het was het heden. Het hier en nu.

Hij liet de Stratosphere achter zich. Het verkeer werd iets minder druk. Hij reed nog een stuk verder en draaide toen de oprit van een leegstaand hotel op, zette de motor uit. Zijn handen bleven dralend op het stuur liggen.

Hoe te beginnen? Zeg het gewoon.

'Minnesota heeft gevraagd of ik terugkom.'

Hij hoorde haar adem stokken. En daarna rustig, langzaam: 'Je wilt wel, hè?'

Hij draaide zich eindelijk naar haar toe, en de pijn op haar gezicht gaf hem het gevoel dat hij de hele Sheherezade op zijn kop kreeg. 'Ja.'

Ze stapte uit. Plompverloren. Weg was ze, knalde het portier dicht, snelde over de stoep met haar armen stijf over elkaar tegen zich aan. Hij stapte ook uit, rende haar achterna.

'Serena, wacht!'

Ze wilde niet dat hij haar inhaalde, maar het lukte hem toch, en hij draaide haar om en zag de tranen over haar wangen stromen. Haar zwarte haar plakte aan haar wangen. Ze was kwaad op zichzelf. Gaf zichzelf de schuld.

'Sorry,' zei ze. 'Ik heb je bedrogen, dus het zat erin.'

'Je liet me niet uitpraten,' zei Stride.

'Ik heb al die tijd geweten dat je zou weggaan. Dat je op een dag wakker zou worden en zou zeggen dat je wegging. Dacht je dat ik niet wist dat je hier niet gelukkig was?'

'Daar heb je gelijk in. Ik ben inderdaad niet gelukkig.'

'Ik wist dat je uiteindelijk naar huis zou gaan.'

Hij schudde het hoofd. 'Minnesota is mijn huis niet. Toen ik daar woonde, was Cindy mijn thuis. Na haar dood had ik jarenlang geen rust.'

Hij pakte haar handen. 'Tot ik jou vond. Jij bent nu mijn thuis.'

'Maar toch wil je terug naar Duluth,' zei ze zacht.

'Dat is zo. Hier ben ik een sneeuwpop. Ik smelt.'

Ze verzamelde al haar moed, bereid om hem vrij te laten. 'Ik wil je hier niet vasthouden als je hier niet wil zijn. Zelfs niet voor mij.'

Hij zei wat hij al dagenlang wilde zeggen: 'Ga met me mee.'

'Naar Minnesota?' vroeg ze. Ze liet haar blik over zichzelf gaan, als om vast te stellen wie ze was. Ze keek om zich heen naar deze Vegas-straat, naar het verkeer dat naar noord en zuid langsstroomde, naar de hoge hemel, de lichten. 'Jonny, je weet dat het niks wordt. Ik ben daar net zo'n vis op het droge als jij hier.'

'Dat geloof ik niet. Claire zei het ook: je hebt meer diepgang dan Vegas.'

'Maar dit is mijn...' begon Serena, maar zweeg toen. Hij wist dat ze 'thuis' had willen zeggen. Misschien dacht ze aan wat hij had gezegd. Of misschien besefte ze de implicaties van wat hij haar vroeg: haar vertrouwde omgeving achter zich te laten, zich tot iets te verplichten.

Op de stoep liepen mensen langs hen heen, maar ze waren alleen.

'Wat wil je dat we van elkaar zijn, Jonny? Partners? Minnaars?' Op haar gezicht lag een rustige intensiteit; ze tastte af, net als hij. 'Of iets anders?'

Hij was bang de verkeerde dingen te zeggen. Elk woord voelde aan als een landmijn. 'Ik ben twee keer getrouwd geweest,' zei hij nadenkend. 'Het ene huwelijk was een perfecte combinatie, het andere een afgrijselijke vergissing. Ik ben niet bang om het nog eens te proberen, maar ik wil dat we er dan allebei klaar voor zijn.'

'Ik heb nog een lange weg te gaan,' zei Serena. 'Niet vanwege jou, maar vanwege mezelf.'

'Dat weet ik.'

'En toch wil je nog dat ik met je meega?'

'Dat is wat ik wil, ja.'

Achter haar ogen streden de gevoelens met elkaar, en hij wist dat hij haar in het diepe had gegooid en haar vroeg te zwemmen. Hij wist wat hij haar vroeg op te geven, wat voor risico hij haar vroeg te nemen.

Voor hem was het makkelijk geweest. Toen hij er een paar maanden eerder voor had gekozen uit Duluth weg te gaan, had zijn leven in een overgangsfase verkeerd. Zijn identiteit was hem ontfutseld. Tijdens de korte periode in deze opgefokte stad was hij gedwongen geweest alles wat hem had gemaakt tot wat hij was – en wat hij niet was – opnieuw te bekijken.

Opeens kreeg hij de kans om datgene wat hem was ontstolen opnieuw op te bouwen. Om naar huis terug te keren en het tot een nieuw thuis te maken.

Serena wandelde bij hem vandaan, terug naar zijn auto, die schuin op het trottoir stond. Ze bleef er staan, één knie gebogen, handen in de zakken gepropt, en staarde zuidwaarts naar de chaos op de Strip. Hij wou dat hij in haar hoofd kon kijken. Hij vroeg zich af of ze, terwijl ze de waanzin van de stad door haar groene ogen indronk, aan haar verleden of aan haar toekomst dacht.

Ze schudde haar hoofd alsof ze om een oude mop lachte. Toen opende ze het portier, stapte in en leunde uit het portierraampje. 'Hé, Jonny,' riep ze. 'Kom je nog of hoe zit dat?'

Lachend liep Stride naar de auto en ging naast haar zitten. Hij wierp een blik op de warme, blauwe lucht en dacht aan de oevers van het grote meer in Minnesota, waar de gekleurde bladeren al waren gevallen. De winter drong vanuit het noorden op. Binnenkort zou de sneeuw weer jagen.

Dankbetuigingen

Mijn dank gaat zoals altijd naar de vijf bewonderenswaardige vrouwen die zo'n grote rol spelen in mijn carrière: mijn agenten Ali Gunn in Londen en Deborah Schneider in New York; mijn redacteuren Marion Donaldson in Londen en Jennifer Weis in New York; en mijn vrouw Marcia.

Er zijn nog vele anderen die deze reis mogelijk hebben gemaakt: Carol Jackson, Diana Mackay, Kate Cooper, Stephanie Thwaites en de hele ploeg bij Curtis Brown; Beth Goehring, Gary Jansen, Victoria Skurnick, Carole Baron en hun collega's bij Bookspan; Brigitte Weeks; Sally Richardson; Peter Newsom; de fantastische verkoop- en publiciteitsstaf bij zowel Headline als St. Martin's; en het creatieve webteam bij Designstein (Nathan, Rob, Cat, Ed en Mark).

Ik heb ook samengewerkt met talloze voortreffelijke redacteuren en verkopers van uitgeverijen in andere delen van de wereld. Ik dank u allen voor uw vroege en enthousiaste steun.

Dit leven zou onmogelijk zijn zonder goede vrienden als Barb en Jerry, Keith en Judy (en de hele Bathbende), Janean, Janice, Kris, Cindi, onze vrienden bij HSCA en Faegre & Benson, en vele anderen.

Ik ben gezegend met ouders die altijd in mij en mijn dromen hebben geloofd, en ook de rest van de familie bestaat uit fantastische supporters. We mogen dan niet altijd bij elkaar in de buurt zijn, in gedachten zijn jullie altijd dichtbij.

Tot slot moet ik de vele boekverkopers en de duizenden lezers bedanken die mij, Jonathan Stride en Serena Dial bij hun avonturen hebben gevolgd. (Speciale dank voor Gail F., Bonni B., Tim S., Eric S. en Ed K.)

Tot nu toe is het me altijd gelukt op alle mail die me via brian@bfreemanbooks.com heeft bereikt, persoonlijk te reageren. Ik hoop dat u doorgaat met schrijven. U kunt ook mijn website bezoeken voor meer informatie over mij, mijn vorige en volgende boeken, en mijn blog, op www.bfreemanbooks.com.